천가시

千家詩

謝枋得 · 王相

대산세계문학총서 162

천가시

千家詩

사방득 · 왕상 엮음 — 주기평 역해

문학과지성사

대산세계문학총서 162_시

천가시

엮은이 사방득 · 왕상
옮긴이 주기평
펴낸이 이광호
주간 이근혜
편집 김필균 김은주
펴낸곳 ㈜문학과지성사
등록번호 제1993-000098호
주소 04034 서울 마포구 잔다리로7길 18(서교동 377-20)
전화 02) 338-7224
팩스 02) 323-4180(편집) 02) 338-7221(영업)
전자우편 moonji@moonji.com
홈페이지 www.moonji.com

제1판 제1쇄 2020년 10월 21일

ISBN 978-89-320-3781-3 04820
ISBN 978-89-320-1246-9 (세트)

이 도서의 국립중앙도서관 출판예정도서목록(CIP)은 서지정보유통지원시스템 홈페이지(http://seoji.nl.go.kr)와
국가자료공동목록시스템(http://www.nl.go.kr/kolisnet)에서 이용하실 수 있습니다.
(CIP제어번호: CIP2020042105)

이 책은 대산문화재단의 외국문학 번역지원사업을 통해 발간되었습니다.
대산문화재단은 大山 愼鏞虎 선생의 뜻에 따라 교보생명의 출연으로 창립되어
우리 문학의 창달과 세계화를 위해 다양한 공익문화사업을 펼치고 있습니다.

옮긴이 서문

우리에게는 한시(漢詩)라는 명칭으로 널리 알려져 있는 중국 고전시는 중국 고전문학을 대표하는 문학 양식이자 고대 중국인의 삶과 사유의 반영으로서 학술과 사상 및 미학의 정화라 할 수 있다. 중국 고전시의 전통은 일찍이 우리나라에도 많은 영향을 끼쳐 고려조 이후 조선조에 이르기까지 수많은 우리 문인들은 이를 적극적으로 감상하고 학습하는 과정을 통해 중국을 이해하고 그 성취와 이념을 받아들이고자 했으며, 나아가 이러한 시 양식의 차용과 창작의 과정을 통해 우리의 정서와 문화 및 고유의 가치들 또한 담아내고자 했다. 이는 일본을 비롯한 베트남 등 동아시아 국가들에서도 공통적인 현상이었다. 따라서 한시는 다만 중국에만 한정된 것이 아닌, 동아시아 고대 문학의 공통 양식으로서 동아시아인의 문학적 사유와 실천을 대표하는 양식이라 할 수 있다.

이러한 한시의 가치와 더불어 그 속에 담겨 있는 시대와 삶에 대한 다양한 반응과 대응의 양상들로 인해 전통 시기 한시는 지식인으로서 또는 국가와 사회의 지도 계층으로서 상층 문인들이 익히고 학습해야 할 필수 교양으로 받아들여졌다. 아울러 시문취사(詩文取士)의 과거제도의 영향으로 이른바 출세를 위해서도 개인적으로 작시와 비평에 대한 높은 성취 수준이 요구되었다. 그러나 한시는 세계와 자연에 대한 미적 사유의 결과로서 다만 그 내용뿐 아니라 형식에서도 고도의 정련과 수사 기교가 요구되는 양식이다. 따라서 비록 학습과 창작에 대한 필요와 욕구는 높을지언정 내용과 형식이 완비된 뛰어난 수준의 작품을 써내는 것은 매우 어려운 일이었으며, 많은 시간과 노력뿐 아니라 적절한 학습 자료가 필수적으로 요구되었다.

이에 우리나라에서도 조선조 성종 때 중국 최고의 시인으로 꼽히는 두보(杜甫)의 시를 번역한 『두시언해(杜詩諺解)』를 간행하여 우리 문인들의 한시 학습의 참고서로 삼았다. 그러나 심오한 내용과 치밀하고 정련된 형식으로 탁월한 예술적 경지에 이른 두보 시는 사실상 초학자들의 학습에 실제적인 도움이 되지 못했다. 이는 중국 또한 예외는 아니어서 비록 역대로 수많은 한시 선집들이 있어왔지만, 정작 초학자를 대상으로 한 한시 학습서는 매우 드물었다. 청대에 들어와 출판 시장이 성장하면서 비로소 이들을 주된 대상으로 한 한시 학습서가 각 지역에서 경쟁적으로 간행되기 시작했으니, 『천가시(千家詩)』는 이 중 가장 오랜 시기 동안 중국 각지에 걸쳐 널리 유행한 책이었다.

『천가시』는 오랜 기간 많은 사람들에게 널리 유행했던 까닭에 중국에서는 일찍부터 상업적인 목적에 따라 많은 판본이 등장했다. 그중 가장 널리 유행했던 이른바 통행본은 『회도천가시주석(繪圖千家詩註釋)』으로, 도서 상단에 삽화를 넣어 간행한 것이다. 현대에 이르러 『천가시해설』 『천가시역주』 『천가시평주』 『천가시신주』 『신역천가시』 『천가시전역』 『명가강해천가시』 등의 제목으로 많은 현대중국어 번역서가 간행

됐는데, 모두가 이 『회도천가시주석』을 저본으로 삼아 저자의 주석과 해제, 작품 설명 등을 덧붙인 것이다.

우리나라에서는 그동안 두 종 정도의 『천가시』 번역본이 출간되었다. 그러나 시 원문 번역과 간단한 주석만 있을 뿐 작품에 대한 분석이나 설명이 없어, 시의 배경이나 함의 및 표현과 형식 수사 방면에서의 특징 등 작품을 보다 깊이 있게 이해하고 감상하는 데는 한계가 있다. 아울러 왕상의 주를 번역문 없이 원문 그대로만 인용하고, 시 원문 번역은 왕상의 견해를 따라 의역 위주로 하고 있어 이를 통해 원문 해독 능력을 높이는 것은 기대하기가 어렵다. 또한 시의 이해를 돕기 위한 참고 원전이나 관련 자료들을 번역문 없이 원문 자체만 제시하고 있는 경우가 많아, 일반 독자들은 물론 한문과 한시에 일정 정도의 소양을 갖추고 있는 독자들에게도 그다지 유용하다고 할 수 없는 아쉬움이 있다.

『천가시』에 수록되어 있는 작품들은 일반적으로 널리 알려져 있는 작품들이 많은 까닭에 기존의 다른 번역시집들 속에 이미 개별적으로 한두 수씩 번역되어 있기도 하다. 그러나 이와 같은 개별 작품을 통해서는 하나의 단행본 체제 속에서 전체적으로 일관된 내용과 구성을 통해 『천가시』가 기능하는 교육적 · 정서적 · 심미적 효과를 이해할 수 없으며, 우리 선조들이 중시하고 학습했던 한시의 세계를 총체적으로 이해하기 어렵다. 따라서 『천가시』에 대한 전체적인 이해와 감상은 전통시기 중국의 한시 초학자들이 익히고 학습했던 대표적인 시인들과 작품을 이해하고 한시 학습의 유형과 중점을 파악하게 할 수 있을 뿐 아니라, 우리의 한시 학습의 기초와 토대를 이해하는 데도 필수적인 과정이라 할 수 있다.

이 책에서는 이상과 같은 인식을 바탕으로 기존 번역서의 미진한 부분들을 보충하고 한시의 이해와 감상에 실질적인 도움이 될 수 있도록 다음과 같은 원칙에 따라 번역을 진행했다.

첫째, 원시 번역 시 우리말 가독성을 높이고 한시 고유의 형식미를 최대한 반영하여 번역한다.

한문과 한시의 전통에 친숙하지 못한 현대 독자들의 현실적인 상황을 고려하여 작품 번역은 시의 맛을 느낄 수 있도록 우리말 가독성을 제고하여 번역했다. 한시는 평측, 대장, 운율 등 자체의 고유한 형식미를 지니고 있다. 따라서 우리말 자구의 배합이나 적절한 단어의 선택과 운용을 통해 우리말 번역에서도 시인이 의도한 형식미가 최대한 드러날 수 있도록 했다.

둘째, 주석은 가능한 한 상세하고 친절하게 달아 문장 해독 능력뿐만 아니라 관련한 일반 상식들을 넓히는 데 도움이 되도록 한다.

『천가시』에 수록된 작품 중에는 고대 중국의 문화 전통에 익숙지 않은 독자들이 이해하기 어려운 용어나 문물들이 많다. 따라서 본 번역에서는 지도, 식물이나 동물, 문양, 장식물, 건축물 등에 관련된 주석에 시각 자료를 함께 인용하여 시의 이해도를 높이고 관련 문화와 문물을 함께 이해할 수 있도록 했다. 아울러 시와 관련된 역대 회화 자료들도 함께 제시함으로써 『천가시』 원본에서 삽화를 넣어 의도했던 효과를 이번 번역에서도 기대할 수 있도록 했다.

셋째, 시 작품 자체로서 감상할 수 있도록 하고 원문 해독 능력을 배양한다.

이 책에서는 우리말 번역문을 먼저 제시하고 원문을 뒤로 배치함으로써 한자와 한시에 익숙지 않은 독자에게 친숙함과 편리함을 주고 작품 자체를 우선적으로 읽고 감상할 수 있도록 했다. 아울러 주석이나 설명에서 인용되는 시구나 문장은 번역문 속에 원문을 함께 표기하여 이를 대조해가며 읽을 수 있도록 함으로써 원문 해독 능력을 증진할 수 있도록 했다.

넷째, 작품의 이해와 비평 능력의 배양에 실질적인 도움이 될 수 있도록 한다.

본문에서는 매 작품마다 [해설]을 병기하여 해당 작품의 구조 분석을 위주로 작품의 내용과 함의 및 표현상의 특징 등을 가능한 한 상세히 분석 설명함으로써 시를 감상하고 비평하는 능력을 증진할 수 있도록 했다.

다섯째, 시인의 생평, 문학적 성취 등과 관련한 약전(略傳)을 소개한다.

원전에는 주석에 해당 작자에 대한 간략한 소개만 실려 있는데, 이 책에서는 맨 뒤의 부록에 작자에 대한 보다 상세한 개인 약전을 부기하여 시기와 출신, 자와 호, 간략한 관직 이력과 함께 문학상의 특징과 성취 등을 소개했다. 작자의 생애는 작품의 배경과 내용을 이해하는 데 많은 도움이 되며, 이를 통해 자연스럽게 문학사적인 배경 지식들도 함께 갖출 수 있기 때문이다.

여섯째, 『천가시』에 대한 교감을 병행한다.

『천가시』는 간행 과정에서 작자나 시 원문에 적지 않은 오류가 있으며, 판본에 따른 단순한 글자의 차이도 존재한다. 특히 시 제목에서 초학들에게 보다 쉽게 시를 소개하기 위해 원시 제목을 축약하여 표현했는데, 이 과정에서 의미가 분명하게 드러나지 않거나 왜곡된 경우들이 있다. 이 책은 통행본 『회도천가시주석』(상해교경산방, 1920)을 저본으로 삼아 번역하되, 『전당시(全唐詩)』 『송시기사(宋詩紀事)』 『송시초(宋詩鈔)』

를 비롯한 다른 판본들과의 비교를 통해 원문에서 분명하게 잘못된 부분은 바로잡고 이를 주석에서 밝혔다. 이울러 단순한 판본상의 차이인 경우에는 원문을 수정하지 않고 주석에서 판본에 따른 차이를 소개했다. 시 제목의 경우 원시의 제목보다는 축약을 통해 초학들에게 보다 쉽게 시를 소개하고자 했던 엮은이의 의도를 존중하여 저본의 축약된 제목을 그대로 따랐으며, 글자의 오류나 잘못된 축약의 경우에만 이를 바로잡고 주석에 밝혔다. 원시의 제목 또한 제목에 주석을 달아 밝혔으며 판본상의 차이도 아울러 소개했다.

돌이켜보면 수많은 세계문학전집 속에 중국 고전문학 작품은 그다지 많이 포함되어 있지 않은 듯하다. 수천 년의 역사를 가진 중국 고전 중에 세계의 문학유산으로 꼽힐 만한 뛰어난 작품들이 어찌 적겠는가만, 중국 고전을 전공하는 학자로서 이를 발굴하고 소개하는 그동안의 정성과 노력이 부족했던 건 아니었을까 반성해보게 된다. 나름대로는 심혈을 기울여 번역했지만 부족한 역량과 천근한 문학적 소양 탓에 좀 더 유려하게 옮기지 못한 것이 아쉽다. 또한 주석이나 해설에 혹 오류는 없는지, 잘못 이해한 것은 없는지도 염려될 뿐이다. 이후로도 부족한 부분들은 지속적으로 수정 보완할 것임을 다짐하며 독자들의 질정을 기다린다.

2020년 10월

벽송(碧松) 주기평

차례

『증보중정천가시주해(增補重訂千家詩註解)』 권상(卷上) —칠언절구(七言絶句)

『증보중정천가시주해(增補重訂千家詩註解)』 권하(卷下) —칠언율시(七言律詩)

『신전오언천가시전주(新鐫五言千家詩箋註)』 권상(卷上)—오언절구(五言絕句)

『신전오언천가시전주(新鐫五言千家詩箋註)』 권하(卷下)
—오언율시(五言律詩)

일러두기

1. 이 책의 원문은 『회도천가시주석(繪圖千家詩註釋)』(상해교경산방, 1920)을 저본으로 했으며, 『전당시(全唐詩)』 『송시기사(宋詩紀事)』 『송시초(宋詩鈔)』를 비롯한 다른 판본들과의 비교를 통해 원문에서 분명하게 잘못된 부분은 바로잡고 이를 주석에서 밝혔다. 아울러 단순한 판본상의 차이인 경우 원문을 수정하지 않고 주석에서 판본에 따른 차이를 소개했다.
2. 시 제목의 경우 원시의 제목보다는 축약을 통해 초학자에게 보다 쉽게 시를 소개하고자 했던 엮은이의 의도를 존중하여 저본의 축약된 제목을 그대로 따랐으며, 글자의 오류나 잘못된 축약의 경우에만 이를 바로잡고 주석에 밝혔다. 원시의 제목 또한 제목에 주석을 달아 밝혔으며 판본상의 차이도 소개했다.
3. 옮긴이 [해설]에서는 작품의 주제 설명과 함께 구별 분석을 통해 작품의 내용과 함의 및 표현상의 특징 등을 설명했다.
4. [주석]의 표제음은 두음법칙을 적용하여 표기했으며, 한 글자인 경우 이를 적용하지 않고 원음을 표기했다.
5. 「작자 소개」는 부록에서 통합하여 함께 수록했으며 시기와 출신, 자와 호, 간략한 관직 이력과 함께 문학상의 특징과 성취를 중심으로 소개했다.

『증보중정천가시주해(增補重訂千家詩註解)』 권상(卷上)
— 칠언절구(七言絕句)

001. 봄날 우연히 짓다

정호(程顥)

구름 맑고 바람 가벼운 한낮
꽃 옆에 끼고 버들 따라 앞 시내를 건너네.
사람들은 내 마음 즐거운 줄도 모르고
한가한 틈타 아이들 흉내 낸다 하겠지.

春日偶成[1)]

雲淡風輕近午天,[2)] 傍花隨柳過前川.[3)]
時人不識余心樂,[4)] 將謂偸閑學少年.[5)]

[주석]

1) 제목이 「우연히 짓다(偶成)」로 되어 있는 판본도 있다.

2) 午天(오천): 오시(午時). 즉 한낮을 가리킨다.

3) 傍花(방화): 꽃을 곁에 두다. 꽃길을 거니는 것을 말한다.
   隨(수): 따르다.

4) 時人(시인): 당시 사람들. '傍人(방인)'으로 되어 있는 판본도 있다.

5) 將謂(장위): 장차 ~라 이르다.
   學少年(학소년): 어린아이를 배우다. 아이들처럼 이리저리 돌아다니며 노는 것을 말한다.

[해설]

이 시는 정호가 호현주부(鄠縣主簿)로 있을 때 쓴 것으로, 봄날 한낮에 들녘을 유람하며 느낀 한가롭고 여유로운 정취를 노래하고 있다.

제1~2구에서는 꽃과 버들이 한창인 맑고 화창한 봄의 경관과 이를 한가롭게 즐기고 있는 시인의 모습을 나타내고 있다. 제3~4구에서는 봄을 즐기며 감상하느라 이리저리 쏘다니는 자신의 모습이 다른 사람들에게는 마치 철없는 어린아이처럼 여겨질 것이라 말하며 봄을 맞이한 들뜨고 신명 난 기분을 드러내고 있다.

002. 봄날

주희(朱熹)

맑은 날 꽃을 찾아 사수 가에 이르니
끝없는 광경이 일시에 새롭구나.
무심히 바라보다 얼굴에 스치는 동풍을 깨달으니
온갖 빛깔의 꽃들로 온통 봄이구나.

春日

勝日尋芳泗水濱,[1] 無邊光景一時新.[2]
等閑識得東風面,[3] 萬紫千紅總是春.[4]

[주석]

1) 勝日(승일): 햇빛과 경관이 맑고 아름다운 날. 오행설(五行說)에서 '목극토(木剋土)' '토극수(土剋水)' '수극화(水剋火)' '화극금(火剋金)' '금극목(金剋木)'과 같이 오행이 서로 이기는 날을 가리키는 것으로, 여기서는 봄이 겨울을 이기는 날을 말한다.

尋芳(심방): 꽃을 찾아다니다. 유학의 도(道)를 추구한다는 뜻이다.

泗水(사수): 산동성 중부 지역을 흐르는 강 이름. 곡부와 재령을 거쳐 회하(淮河)로 들어간다. 공자의 고향이자 강학지(講學地)로서, 여기서는 유가의 사상이나 경전을 의미한다.

2) 無邊(무변): 끝닿은 데가 없다.

3) 等閑(등한): 대수롭지 않다, 마음에 두지 않다. 별생각 없이 눈앞의 경관을 바라보는 것을 말한다.

東風(동풍): 동쪽에서 불어오는 바람, 봄바람. 유학의 도(道)를 의미한다.

4) 萬紫千紅(만자천홍): 울긋불긋한 여러 가지 빛깔. 온갖 꽃들이 만개한 것을 가리킨다.

總是(총시): 모두, 온통.

[해설]

이 시에서는 봄날 꽃을 찾아 감상하는 행동을 통해 유학의 경전 속에서 학문을 연마하고 마침내 도를 깨닫게 되는 상황을 상징적으로 나타내고 있다.

제1~2구에서는 맑은 봄날 꽃을 찾아 밖으로 나와 무한히 아름다운 광경을 발견하고 있다. 시인이 꽃을 찾아 이른 곳은 사수(泗水)로서, 춘추시대 노(魯)에 속했으며 공자가 후학을 양성했던 곳이다. 따라서 사수는 유가의 사상이나 경전을 의미하는 것으로, 이 시에서 찾고 있는 꽃〔芳〕 또한 유학의 도(道)를 상징한다. 시인은 이를 체득하기 위해 학문을 연마했고 시간이 지날수록 그 깊이가 무한함을 느끼고 있다. 다음 제3~4구에서는 무심히 꽃을 보고 있다가 스치는 동풍에 문득 울긋불긋 여러 빛깔의 꽃들로 생동하는 봄을 느끼고 있다. 이는 오랜 수양과 정진을 바탕으로 돈오(頓悟)의 과정을 통해 깨달음에 이르게 되는 성리학적 사유를 반영한 것으로, 시인은 짧은 시편 속에서 자신의 사상의 핵심을 집약적으로 나타내고 있다.

003. 봄밤

소식(蘇軾)

봄밤은 일각이 천금 같아
꽃은 맑은 향기 머금고 달은 그늘졌네.
노래하는 누대에 소리는 가늘고 희미한데
그네 달린 정원에 밤은 깊어만 가네.

春宵[1)]

春宵一刻値千金,[2)] 花有淸香月有陰.
歌管樓臺聲細細,[3)] 鞦韆院落夜沈沈.[4)]

[주석]

1) 제목이 「봄밤(春夜)」으로 되어 있는 판본도 있다.

春宵(춘소): 봄날 밤.

2) 一刻(일각): 시간의 단위. 고대의 역법에서는 하루를 100각으로 나누었는데, 청대(淸代) 시헌력(時憲曆)부터는 96각으로 나누어 1각이 지금의 15분에 해당된다. 여기서는 아주 짧은 시간을 가리킨다.

値(치): 값어치가 나가다.

3) 歌管(가관): 노래하고 피리를 불다.

細細(세세): 가늘고 희미한 모양.

4) 鞦韆(추천): 그네.

院落(원락): 정원.

沈沈(침침): 깊고 아득한 모양.

[해설]

이 시는 봄밤의 아름답고 고요한 경관을 노래한 것으로, 시각과 후각 및 청각 등을 다양하게 활용하여 시적 효과를 높이고 있다.

제1구에서는 봄밤의 시간을 천금에 비유하면서 그 아름다움을 강조하고, 흐르는 시간에 대한 아쉬움까지 함께 담아내고 있다. 그다음 세 구에서는 각각 시선을 달리한 다양하고 세밀한 경관 묘사를 통해 천금의 봄밤을 사실적으로 나타내고 있다. 제2구에서는 자연 사물을 묘사하고 있는데, 한 구 내에서 땅 위의 꽃과 하늘의 달을 함께 묘사하면서 상하의 시야 전체를 아우르고, 후각과 시각의 이미지를 통해 변화를 주고 있다. 제3구와 제4구에서는 인간 환경을 묘사하고 있는데, 각각 청각과 시각을 통해 누대와 정원의 모습을 묘사하면서 유성(有聲)과 무성(無聲), 유인(有人)과 무인(無人), 환락(歡樂)과 고독(孤獨) 등을 대비시키고 있다.

004. 성 동쪽에서 이른 봄에

양거원(楊巨源)

시인의 맑은 경관은 새봄에 있나니
푸른 버들이 겨우 누렇게 반도 물들지 않았네.
상림원의 꽃들이 비단같이 아름다워지면
문밖에는 모두가 꽃구경하는 사람들이리.

城東早春

詩家淸景在新春,[1] 綠柳纔黃半未勻.[2]
若待上林花似錦,[3] 出門俱是看花人.[4]

[주석]

1) 詩家(시가): 시 쓰는 사람, 즉 시인을 말한다.
淸景(청경): 맑은 경관. 시 쓰기 좋은 경관이나 소재를 가리킨다.

2) 纔(재): 이제야, 겨우.
半未勻(반미균): 반도 물들지 않다. '균(勻)'은 '고르다' '가지런하다'라는 뜻으로, 이 구는 가지가 황색으로 다 물들지도 않았음을 말한 것이다.

3) 若待(약대): 만약 ~때가 되면.
上林(상림): 진한대(秦漢代) 천자의 정원이었던 상림원(上林苑)을 가리킨다. 여기에서는 교외의 넓은 들녘이라는 의미로 사용됐다.

4) 看花人(간화인): 꽃구경하는 사람. 여기서는 제1구의 '시인(詩家)'과 대비되

어 눈에 보이는 현상만을 아는 일반 사람들을 상징한다.

[해설]

이 시는 고도의 비유와 상징의 수법을 통해 시인이 지녀야 할 자세와 태도에 대해 말하고 있다.

먼저 제1구에서는 시의 좋은 제재(題材)가 새봄에 있다는 말을 통해, 시인은 일찍부터 새로운 사물에서 시재(詩材)를 찾아내어야만 뛰어난 성취를 이루고 세속적인 경향에 빠지지 않게 됨을 말하고 있다. 다음 제2구에서는 그 구체적인 예로 이른 봄에 아직 채 반도 누렇게 물들지 않은 버드나무를 들고 있다. 봄이 되면 버들가지는 처음에 황색으로 물들었다가 점차 녹색으로 변해가는데, 이때는 아무도 버드나무를 주목하지 않고 좋아하지도 않는다. 다음 제3~4구에서는 봄이 절정으로 접어들어 꽃들이 만발하게 되면 모든 사람들이 이를 깨닫고 즐기게 되니, 이때에 꽃을 시재로 하는 것은 남들과 다름없는 세속적인 것임을 말하고 있다. 한편 이 두 구를 앞의 제2구의 결과로 볼 수도 있겠다. 즉 제2구에서와 같은 개성적인 시재 선택이 제3구와 같은 좋은 작품의 창작으로 이어지고, 결국 제4구의 많은 사람들의 호평으로 이어지게 됨을 말한 것이라 볼 수도 있다.

이 시의 본의는 남들이 주목하지 않는 시기에 남들이 주목하지 않는 대상에 관심을 가져야 한다는 것으로, 위정자들의 경우 불우한 상황과 미천한 처지에 있는 사람들 속에서 일찍부터 인재를 알아보고 이들의 능력이 잘 발휘될 수 있도록 해야 함을 비유한 것이다.

005. 봄밤 왕안석(王安石)

황금 향로에 향은 재가 되고 물시계 소리 잦아드는데
살랑이는 가벼운 바람에 이따금씩 한기가 전해오네.
봄색은 사람을 어지럽혀 잠 못 들게 하는데
달은 꽃 그림자 옮겨 난간 위로 올라가네.

春夜[1]

金爐香燼漏聲殘,[2] 剪剪輕風陣陣寒.[3]
春色惱人眠不得,[4] 月移花影上欄杆.[5]

[주석]

1) 제목이 「밤에 숙직하며(夜直)」로 되어 있는 판본도 있다.

2) 金爐(금로): 황금 향로.

香燼(향신): 향이 타 재가 되다.

漏聲殘(누성잔): 누호(漏壺) 소리가 잦아들다. 날이 밝아오며 물시계의 물소리가 점점 작아지는 것을 의미한다. '누호'는 '누각(漏刻)'이라고도 하며 물시계를 가리킨다.

누호(漏壺)

3) 剪剪(전전): 가볍고 부드러운 모양. '전(剪)'은 '잘라내다'라는 뜻으로, 당(唐) 하지장(賀知章)의

「버들을 읊으며(咏柳)」에서 “2월의 봄바람은 칼로 잘라낸 듯하구나(二月春風似剪刀)”라 하며 가늘고 부드러운 버들잎으로 봄바람을 묘사한 것에서 의경을 취한 것이다.

陣陣(진진): 바람이 간간이 이는 모양.

4) 惱人(뇌인): 사람을 번뇌하게 하다. 봄의 경치가 시인의 마음을 심란하게 한다는 뜻이다.

5) 上欄杆(상란간): 난간에 오르다. 달에 비쳐 꽃 그림자가 난간 위로 옮겨 가는 것을 말한다.

[해설]

이 시는 봄밤의 고요하고 아름다운 정경을 묘사한 것으로, 봄 정취에 취해 밤새도록 잠 못 이루는 시인의 모습이 나타나 있다.

제1구에서는 향이 재가 되고 물시계 소리가 잦아드는 상황으로 한밤을 지나 새벽이 되어가고 있는 시간적 배경을 나타내고, 제2구에서는 새벽 찬바람을 느끼고 있는 자신의 모습을 통해 밤새도록 잠을 이루지 못하고 있음을 말하고 있다. 제3구에서는 잠 못 이루는 원인이 봄밤의 경치 때문이라 말하고, 마지막 제4구에서 달과 꽃이 어우러진 환상적인 모습으로 봄밤의 아름다움을 묘사하고 있다. 금색 향로와 검은 재의 선명한 색채 대비, 후각과 청각 및 촉각을 동원한 공감각적인 묘사들이 봄밤을 보다 실감 나게 느끼게 한다. 아울러 자리를 옮겨 가며 꽃을 비추는 달과 그를 따라 움직이는 꽃으로 달과 꽃을 의인화해 나타냄으로써 정적인 봄밤을 생동하는 활력의 시간으로 변화시키고 있다.

006. 이른 봄날 약간의 비가 내려

한유(韓愈)

도성은 잠깐의 비에 연유처럼 촉촉하고
풀빛은 멀리서는 보이나 가까이에선 보이지 않네.
일 년 봄 중 가장 좋은 때이니
안개 속 버들이 도성에 가득할 때보다 훨씬 낫다네.

初春小雨[1]

天街小雨潤如酥,[2] 草色遙看近却無.[3]
最是一年春好處,[4] 絶勝烟柳滿皇都.[5]

[주석]

1) 제목이 「이른 봄에 수부 장십팔 원외랑께 드리다(早春呈水部張十八員外)」로 되어 있는 판본도 있으며, 총 2수 중 제1수이다.

2) 天街(천가): 천자가 머무르는 거리. 도성(都城)을 의미하며, 여기에서는 장안(長安)을 가리킨다.

小雨(소우): 잠깐 내리는 비.

潤(윤): 물이나 비에 젖어 윤기가 흐르다.

酥(수): 우유를 달여서 부드럽고 진하게 만든 연유(煉乳). 유락(乳酪)과 같다.

3) 遙看(요간): 멀리서 바라보다.

4) 最是(최시): 가장 ~이다.

5) 絶勝(절승): 훨씬 뛰어나다.

烟柳(연류): 안개 속의 버들. 초록이 이미 무성한 때를 가리킨다.

[해설]

이 시는 이른 봄에 비에 젖은 도성의 산뜻한 모습과 초목이 움트는 생기 있는 자연경관을 묘사한 것으로, 새봄을 맞는 시인의 설레고 유쾌한 심정을 느낄 수 있다.

제1~2구에서는 비가 지나간 이른 봄의 경관을 인간 세상과 자연 세상으로 나누어 원근(遠近)과 정동(靜動)을 교차하여 묘사하면서 시적 변화와 공간의 확장 효과를 함께 이루어내고 있다. 또한 부드러운 연유〔酥〕로써 봄의 생명력을 상징적으로 나타내고, 멀리서 어렴풋이 느껴지지만 가까이에서는 발견할 수 없는 풀빛을 통해 아직 만연하지 않은 이른 봄의 특징을 감각적으로 나타내고 있다. 제3~4구에서는 만물이 막 생동하며 초록의 희망이 가득한 이 시기가 일 년 중 가장 좋은 때임을 말하며, 온 도성에 푸른 버들이 가득하여 봄의 절정에 이르렀을 때보다 지금이 훨씬 나음을 말하고 있다.

007. 새해 첫날

왕안석(王安石)

폭죽 소리 속 한 해의 마지막 밤,
봄바람은 따스함을 보내어 도소주로 들어오네.
온 집집마다 밝아오는 아침에
모두 새 부적을 들고는 옛 부적을 바꾼다네.

元日

爆竹聲中一歲除,[1] 春風送暖入屠蘇.[2]
千門萬戶曈曈日,[3] 總把新桃換舊符.[4]

[주석]

1) 一歲除(일세제): 한 해의 마지막 밤. 제야(除夜).

2) 屠蘇(도소): 술 이름. 도소초(屠蘇草)를 넣어 빚은 술로, 정월 초하루에 마시며 한 해의 복을 빌고 액운을 막는다.

3) 曈曈(동동): 날이 환히 밝아오는 모양.

4) 總(총): 모두.

把(파): 손에 들다, 쥐다.

桃(도): 복숭아나무로 만든 부적. 즉 도부(桃符)를 가리킨다. 전설에 따르면 동해 도삭산(度朔山)의 커다란 복숭아나무 아래에 신다(神荼)와 울루(鬱壘) 두 신인(神人)이 사는데, 악행을 저지르는 악귀를 붙잡아 갈대로 꼰 밧줄로 묶어

호랑이의 먹이로 주었다고 한다. 이에 따라 고대 중국에서는 새해를 맞아 복숭아나무 판에 이들 두 신상(神像)을 그려 대문 양쪽에 붙여 악귀를 쫓고 액운을 막는 풍습이 있었다. 이후 점차 이들의 이름을 쓰는 것으로 대신했고 후에는 행운을 기원하는 대련(對聯)으로 바뀌었다.

도부(桃符)

[해설]

이 시는 한 해를 보내고 새해를 맞이하는 상황을 묘사한 것으로, 민간에서 설을 맞이하는 전통과 풍습이 잘 나타나 있다.

시에서는 두 구씩 나누어 그믐밤과 설날 아침의 상황을 묘사하고 있다. 제1~2구에서는 폭죽 소리가 울리는 떠들썩한 분위기에서 좋은 술로 희망의 새해를 맞이하고 있는 모습을 말하고, 제3~4구에서는 새해 아침이 밝자마자 새로운 부적을 바꿔 달며 새해의 평안을 기원하는 모습을 나타내고 있다. 시에서는 순박하고 천진한 민간에 대한 시인의 따스하고 애정 어린 시선을 느낄 수 있는데, 왕안석이 당시 신법당(新法黨)의 영수로서 신법을 추진하고 있었던 까닭에 신법에 대한 왕안석의 기대와 강조를 비유한 것으로 보기도 한다.

008. 상원절에 시연하며

소식(蘇軾)

엷은 달과 성긴 별이 건장궁을 감싸고
상서로운 바람 아래 어전의 향로는 향기롭네.
시위하는 신하들이 통명전에 단아하게 서 있으니
한 무리 붉은 구름이 옥황상제를 받드는 듯.

上元侍宴[1]

淡月疏星遶建章,[2] 仙風吹下御爐香.[3]
侍臣鵠立通明殿,[4] 一朵紅雲捧玉皇.[5]

[주석]

1) 제목이 「상원절에 시연하며 누대에서 시 3수를 동료들에게 드리다(上元侍飮樓上三首呈同列)」로 되어 있는 판본도 있으며, 총 3수 중 제1수이다.
上元(상원): 정월 대보름. 원소절(元宵節)이라고도 한다.
侍宴(시연): 황제를 모시고 벌이는 잔치.
2) 遶(요): 두르다, 에워싸다. '繞(요)'로 되어 있는 판본도 있다.
建章(건장): 한대(漢代)의 궁전 이름. 여기서는 송(宋)의 궁전을 가리킨다.
3) 仙風(선풍): 선계(仙界)의 상서로운 바람.
4) 鵠立(곡립): 고니가 목을 늘이고 서 있는 것처럼 단정히 서다. 신하들이 단정하고 엄숙한 모습으로 서서 황제를 시위(侍衛)하고 있는 것을 말한다.

通明殿(통명전): 송의 궁전 이름.

5) 朵(타): 무리. 꽃송이나 구름 등의 단위.

玉皇(옥황): 옥황상제. 황제를 비유한다.

[해설]

이 시는 시연하며 황제의 명을 받들어 지은 응제시(應製詩)로, 시연하는 곳의 경관과 분위기를 묘사하며 황제를 칭송하고 있다.

제1구에서는 엷은 달과 성긴 별을 묘사하며 여명이 밝아오는 이른 시간에 시연이 시작됐음을 말하고, 제2구에서는 상서로이 불어오는 바람과 향이 피어오르는 어전의 향로를 통해 장엄하고 엄숙한 시연의 분위기를 나타내고 있다. 다음 제3~4구에서는 문무백관들이 단정하고 엄숙하게 열 지어 서 있는 모습을 묘사하고, 이를 붉은 구름이 옥황상제를 받들고 있는 것에 비유하며 황제의 권위와 위엄을 추숭하고 있다.

009. 입춘에 우연히 짓다

장식(張栻)

시간의 율이 돌아 세밑에 얼음 서리 적어지니
봄이 세상에 이르렀음을 초목이 아는구나.
문득 눈앞에 생기 가득함을 느끼니
동풍이 수면에 불어 푸르름이 일렁이네.

立春偶成

律回歲晚冰霜少,[1] 春到人間草木知.
便覺眼前生意滿,[2] 東風吹水綠參差.[3]

[주석]

1) 律回(율회): 율(律)이 돌다. 시간이 흘러 여(呂)에서 율(律)로 바뀌게 된 것을 말한다.
고대 전설에 따르면 황제(黃帝)가 해곡(嶰谷)의 대나무를 얻어 영륜(伶倫)에게 이를 피리로 만들게 했는데 12개월에 맞춰 12율(律)을 짓게 했다. 이 중 양(陽)의 소리인 '양륙(陽六)', 즉 황종(黃鍾), 태주(太簇), 고선(姑洗), 유빈(蕤賓), 이칙(夷則), 무역(無射)을 '율(律)'이라 하고, 음(陰)의 소리인 '음륙(陰六)', 즉 대려(大呂), 협종(夾鐘), 중려(仲呂), 임종(林鍾), 남려(南呂), 응종(應鐘)을 '여(呂)'라 했다. 각 월의 짝을 살펴보면 11월이 양의 황종(黃鍾), 12월이 음의 대려(大呂), 1월이 양의 태주(太簇), 2월이 음의 협종(夾鐘) 등으로 매월 음과

양이 교차된다. 음력으로 12월 하순에 있는 입춘(立春)은 대려(大呂)가 쇠하고 태주(太簇)가 시작되는 때로서 양의 기운이 홍해지는 시기인 까닭에 이 시에서 '율이 돈다(律回)'고 말한 것이다. 한편 육률(六律)과 육려(六呂)를 통칭하여 '12율(律)'이라고도 하니, 이를 '율이 순환하다'로 보아도 좋을 듯하다.

歲晩(세만): 한 해의 끝. 입춘(立春)이 연말에 있기 때문에 이와 같이 말한 것이다.

2) 生意(생의): 생기, 활기.

3) 參差(참치): 고르지 않고 들쭉날쭉한 모양. 여기서는 바람에 물결이 일렁이는 것을 가리킨다.

[해설]

이 시에서는 입춘을 맞아 계절이 순환하여 다시 새로운 봄이 시작됐음을 말하고, 생기가 가득 찬 봄의 모습을 정적인 변화보다는 동적인 변화를 통해 생동감 있게 묘사하고 있다.

제1~2구에서는 음(陰)의 율이 양(陽)으로 바뀌어가니, 얼음과 서리가 적어지고 초목이 변화하는 데에서 봄의 도래를 느낄 수 있음을 말하고 있다. 그러나 이것만으로는 봄의 도래를 실감할 수 없으니, 다음 제3~4구에서는 얼음 녹아 바람에 스쳐 일렁이는 푸른 물살을 통해 세상 가득한 생기를 확인하고 있다.

010. 타구도

조열지(晁說之)

궁궐의 모든 문이 활짝 열리더니
삼랑이 흠뻑 취해 공놀이하고 돌아오네.
장구령은 이미 늙고 한휴는 세상에 없으니
내일 아침에 간언하는 상소가 오지를 않겠구나.

打毬圖[1]

閶闔千門萬戶開,[2] 三郎沉醉打球回.[3]
九齡已老韓休死,[4] 無復明朝諫疏來.[5]

[주석]

1) 제목이 「명황타구도(明皇打毬圖)」로 되어 있는 판본도 있으며, 저본에는 작자가 구무구(龜無咎)로 되어 있다.

2) 閶闔(창합): 전설상 하늘에 있다는 천궁(天宮)의 문. 여기서는 당(唐)의 궁문을 가리킨다.

3) 三郎(삼랑): 당(唐) 현종(玄宗) 이융기(李隆基)의 아명(兒名).
打毬(타구): 공놀이의 일종. 본래 군영(軍營)에서 유래한 것으로, 두 패로 나누어 말을 타고 끝이 반월형으로 된 수 척(尺)의 긴 장대를 들고 공을 쳐 상대의 문으로 넣는 경기. 오늘날 서양의 폴로polo와 유사하다.

4) 九齡(구령): 장구령(張九齡). 당 현종 때의 재상으로 한휴(韓休), 요숭(姚崇),

「당명황타구도(唐明皇打毬圖)」 송대(宋代), 중국역사박물관 소장

송경(宋璟) 등과 더불어 현종 초기의 개원성세(開元盛歲)를 이루었으며, 후기에는 현종의 실정을 직언하다가 간신 이임보(李林甫)의 참언으로 파직되고 유배됐다.

5) 明朝(명조): 이튿날 아침.

諫疏(간소): 간언하는 상소(上疏), 주의(奏議).

[해설]

이 시는 「당명황타구도(唐明皇打毬圖)」를 보고 쓴 것으로, 옛날 당 현종의 일에 빗대어 현재를 풍자하고 있다. 시에서는 두 부분으로 나누어 그림의 내용을 설명하고 감회를 나타내고 있다.

제1~2구에서는 궁궐 문이 열리고 현종이 돌아오는 모습을 묘사하며 아침부터 밤까지의 시간의 흐름을 나타내고, 모든 궁궐 문이 열렸던 이유가 다만 현종의 유희 때문임을 말하며 만취되어 돌아오는 현종의 모습을 통해 그의 실정을 비판하고 있다. 현종은 말년에 애첩 양귀비와 그녀의 자매들인 진국부인(秦國夫人), 한국부인(韓國夫人), 괵국부인(虢國夫

人)을 총애하여 향락과 음일에 빠져 정사를 돌보지 않았으니, 이는 결국 안사(安史)의 난을 초래했고 이후 당은 쇠락의 길로 빠지게 되었다. 다음 제3~4구에서는 조정에 충신들은 모두 떠나가고 간신들만 득세하고 있어 이를 간언하여 바로잡을 사람이 없음을 탄식하고 있다.

시에서는 현종을 아명(兒名)으로 지칭하고 있는데, 평자에 따라서는 당시 궁궐에서 황제의 아명을 부르는 것이 허용됐다고 하거나, 현종이 권력욕으로 인해 오래도록 후사를 세우지 않은 것을 풍자한 것이라 보기도 한다. 그러나 그보다는 놀이에 빠져 정사를 소홀히 했던 현종을 어린아이로 취급함으로써 직접적인 폄하의 뜻을 나타낸 것으로 보는 것이 옳을 듯하다.

011. 궁궐의 노래

왕건(王建)

황금색 궁전 위로 자색 누각이 겹쳐 있고
신선의 손에는 옥 연꽃이 들려 있네.
태평성세의 천자께서 제사 지내는 원단일에
오색구름 수레를 육룡이 끈다네.

宮詞[1]

金殿當頭紫閣重,[2] 仙人掌上玉芙蓉.[3]
太平天子朝元日,[4] 五色雲車駕六龍.[5]

[주석]

1) 저본에는 작자가 임홍(林洪)으로 되어 있다.

2) 金殿(금전): 황금색으로 치장한 궁전. 여기서는 여산(驪山)의 화청궁(華淸宮)을 가리키며, 지금의 섬서성(陝西省) 임동현(臨潼縣)에 있다.

紫閣(자각): 자색의 누각. 여기서는 조원각(朝元閣)을 가리킨다. 화청궁 안에 있으며 매년 정월 초하루인 원단일(元旦日)에 당 황제가 이곳에서 도교의 신선에게 제사를 지냈다. 일찍이 당 현종이 이곳에 머물 때 꿈에서 두 번이나 태상노군(太上老君)이 강림하는 것을 보고 강성각(降聖閣)이라 불렀으며, 후전(後殿)에 태상노군이 모셔져 있기 때문에 노군전(老君殿)이라고도 했다.

重(중): 겹겹으로 중첩된 모양.

노군전(老君殿)

3) 仙人掌(선인장): 신선의 손. 조원각에는 수 장(丈)의 두 기둥이 높이 세워져 있으며 위에는 금으로 만든 신선이 연꽃 옥쟁반을 받들어 하늘의 이슬[天露]을 받는다. 제사가 끝나면 이를 황제가 마심으로써 하늘의 명을 받았음을 나타냈다.

4) 朝元日(조원일): 신선에게 제사 지내는 원단일.

5) 五色雲車(오색운거): 신선이 타고 다니는 오색구름 수레. 여기서는 황제의 수레를 높인 것이다.

六龍(육룡): 신선의 수레를 끄는 여섯 마리 용. 황제의 백마(白馬)를 높인 것이다.

[해설]

이 시는 원단일에 황제가 신선에게 제사 지내는 모습을 노래한 궁사(宮詞)이다.

궁사는 궁궐의 일을 제재로 삼은 것으로, 주로 칠언절구의 형식을 많이 사용한다. 『당시품휘(唐詩品彙)』에서는 구양수(歐陽修)의 『육일시화(六一詩話)』를 인용하며 "왕건의 궁사 1백 수는 당나라 궁궐의 일을 말하는 것이 많다. 모두 역사나 소설에는 실려 있지 않은 것인데, 때때로 그 시에 나타난다(王建宮詞一百首, 多言唐禁中事. 皆史傳小說所不載者, 往往見於其詩)"라 하기도 했다.

시에서는 크게 두 부분으로 나누어 제사 지내는 장소와 황제의 위용을 묘사하고 있다. 제1구에서는 조원각을 둘러싼 화청궁의 전체적인 경관을 묘사하면서 '황금색 궁전(金殿)'과 '겹겹하다(重)'는 표현을 통해 화려하고 웅장한 모습을 나타내고 있다. 이어 제2구에서는 곧바로 조원각의 신선상과 손 위의 옥쟁반으로 시선을 모음으로써 광대한 경관을 한곳으로 집중시키고 앞 구에서의 화려함과 웅장함 또한 한곳으로 응축시키는 효과를 나타내고 있다. 제3구에서는 원단일에 황제가 제사 지내는 상황을 말하며 태평천자(太平天子)라는 말을 통해 추존의 뜻을 나타내고, 마지막 제4구에서는 황제의 행차를 상제의 행차에 비유하며 극도의 추숭을 나타내고 있다.

012. 정시에 응시하여

하송(夏竦)

궁전 위 곤룡포는 해와 달처럼 빛나고
벼루에 비친 깃발은 용과 뱀처럼 움직이도다.
예악의 문장 삼천 자를 종횡으로 써 내려가고
붉은 계단에서 홀로 알현하니 해가 지지도 않았구나.

應廷試[1]

殿上袞衣明日月,[2] 硯中旗影動龍蛇.[3]
縱橫禮樂三千字,[4] 獨對丹墀日未斜.[5]

[주석]

1) 저본에는 앞 시에 이어 임홍(林洪)의 궁사(宮詞) 중 두번째 작품으로 되어 있다.
廷試(정시): 과거에서 회시(會試)에 합격한 후 황제 앞에서 보는 시험으로, 통상 전시(殿試)라고 한다.

2) 袞衣(곤의): 황제가 입는 옷. 곤룡포(袞龍袍).

3) 硯(연): 벼루.

4) 縱橫(종횡): 거침없이 써 내려가다.
禮樂(예악): 국가의 법령과 제도 등에 관한 대책(對策).

5) 獨對(독대): 홀로 황제를 면대하다.
丹墀(단지): 궁전 앞의 붉은 계단.

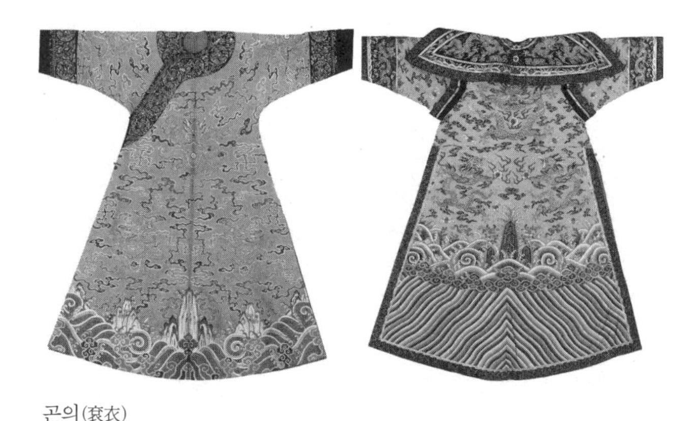

곤의(袞衣)

[해설]

이 시는 황제를 모시고 전시(殿試)에 응시한 모습을 묘사한 것으로, 시간의 흐름에 따라 황제의 위용과 자신의 자신감을 과장의 수법을 통해 나타내고 있다.

제1구는 전시가 시작되기 전 황제를 알현하는 상황으로, 해와 달의 비유로써 황제의 지엄한 외관과 밝은 성덕을 상징적으로 나타내고 있다. 제2구와 제3구는 전시가 행해지는 상황이다. 제2구에서는 벼루에 비친 깃발을 꿈틀거리는 용과 뱀에 비유함으로써 전시장의 위용을 나타내고, 제3구에서는 종횡으로 삼천 자를 써 내려가는 모습으로 자신의 능력과 자신감을 드러내고 있다. 마지막 제4구는 전시가 끝난 후 다시 황제를 알현하는 상황이다. '홀로 알현한다〔獨對〕' '해가 지지도 않았다〔日未斜〕'는 표현을 통해 무리 중 자신의 대책문(對策文)이 가장 뛰어났고 이 또한 아주 짧은 시간에 쓴 것임을 말함으로써 자신의 뛰어난 자질과 재능을 과시하고 있다.

『송시기사(宋詩紀事)』 권 9에 『청상잡기(靑箱雜記)』의 말을 인용하여 "하송이 제과(制科)의 정대(廷對)에 응시하고 나오자, 양휘지가 그의 나이 어림을 보고는 급히 불러 말하기를 '이 늙은이는 다른 것은 모르고 다만 시를 읊는 것만 좋아하니 그대의 시 한 편을 얻어 훗날의 뜻을 점쳐보고자 하오'라 하니 하송이 흔쾌히 이 시를 써주었다(夏(竦)試制科廷對出, 楊徽之見其年少, 遽邀與語曰, 老夫他則不知唯喜吟咏, 願丐賢良一篇, 以卜他日之志. 夏忻然爲書此作)"라 했고, 『유설(類說)』이나 『사실류원(事實類苑)』 등에서는 양휘지가 이 시를 보고 장차 재상이 될 그릇이라 탄복했다는 말이 있으니, 이 시는 그가 막 전시를 끝내고 나와서 쓴 것임을 알 수 있다.

013. 화청궁을 노래함

두상(杜常)

머나먼 강남의 여정 길을 다 지나
새벽바람 기운 달빛에 화청궁으로 들어가네.
조원각 위로 서풍이 몰아치더니
장양궁으로 들어와 빗소리를 내네.

咏華淸宮[1)]

行盡江南數十程,[2)] 曉風殘月入華淸.[3)]
朝元閣上西風急,[4)] 都入長楊作雨聲.[5)]

[주석]

1) 저본에는 작자가 왕건(王建)으로 되어 있다. 제목이 「화청궁에 쓰다(題華淸宮)」 또는 「화청궁(華淸宮)」으로 되어 있는 판본도 있다.
   華淸宮(화청궁): 당대(唐代)의 행궁(行宮). 지금의 섬서성(陝西省) 임동현(臨潼縣) 여산(驪山)에 있으며, 온천 가에 세웠다.
2) 江南(강남): 옛 진(陳)나라의 지역.
   程(정): 길의 단위. 역참(驛站)을 말하는 것으로 보기도 한다. '일정(一程)'은 하나의 여정(旅程)을 가리키는 말로, '수십정(數十程)'은 매우 오래되고 긴 여정을 의미한다.
3) 曉風(효풍): 새벽바람.

화청궁(華淸宮)

4) 朝元閣(조원각): 화청궁 안의 전각(殿閣). 앞의 011. 「궁궐의 노래(宮詞)」 주 2) 참조.

西風(서풍): 서쪽에서 불어오는 바람. 가을바람을 의미한다.

5) 長楊(장양): 궁전 이름. 진(陳) 후주(後主)가 한대(漢代)의 장양궁(長楊宮)을 본떠 세웠으며, 섬서성(陝西省) 주지현(周至縣)에 옛터가 있다. 여기서는 화청궁을 비유한다.

作雨聲(작우성): 빗소리를 내다. 버들가지에 스치는 바람 소리가 마치 빗소리처럼 들리는 것을 말한다.

[해설]

이 시는 시인이 사명(使命)을 받아 강남을 지나다가 당대의 행궁이었던 화청궁에 들러 망국의 감회를 노래한 것이다.

시는 두 부분으로 나누어 여정의 상황과 감회를 나타내고 있다. 제

1~2구에서는 '수십정(數十程)'이라는 표현과 새벽에 화청궁에 들어서는 모습을 통해 멀고 오랜 여정과 고단함을 상징적으로 나타내고 있다. 다음 제3~4구에서는 가을바람이 불어대는 조원각과 빗소리가 들리는 듯한 화청궁의 모습으로 쓸쓸하고 처연한 분위기를 고조시키며, 왕조의 흥망성쇠에 대한 무상함을 나타내고 있다.

014. 청평조사

이백(李白)

채색 구름은 옷과 같고 꽃은 얼굴 같으니
봄바람이 난간을 스칠 때 이슬이 촉촉하도다.
군옥산 꼭대기에서 본 것이 아니라면
필시 요대의 달빛 아래에서 만났으리.

清平調詞[1]

雲想衣裳花想容,[2] 春風拂檻露華濃.[3]
若非群玉山頭見,[4] 會向瑤臺月下逢.[5]

[주석]

1) 清平調(청평조): 곡조 이름. 제목이 「청평조(清平調)」로 되어 있는 판본도 있으며, 총 3수 중 제1수이다.

2) 雲想衣裳(운상의상): 구름이 옷과 같다. 채색 구름이 양귀비의 옷과 같음을 비유한 것이다.

花想容(화상용): 꽃이 얼굴과 같다. 모란꽃이 양귀비의 얼굴과 같음을 비유한 것이다. '想(상)'은 '~와 같다'라는 의미로, '像(상)'과 같다.

3) 春風(춘풍): 봄바람. 황제의 은총을 비유한다.

拂檻(불함): 난간을 스치다. 황제의 은총이 내려지는 것을 비유한다.

露華濃(노화농): 이슬이 촉촉하다. 이슬 젖은 모란꽃의 모습으로 황제의 은총을 듬뿍 받고 있는 양귀비를 비유한 것이다.

4) 若非(약비): 만약 ~이 아니라면.

群玉山(군옥산): 전설상 서왕모(西王母)가 살고 있다는 산.

5) 會(회): 필시, 응당.

向(향): ~에서.

瑤臺(요대): 아름다운 옥으로 지은 누대. 신선의 거처를 가리킨다.

[해설]

천보(天寶) 2년(743) 봄, 당 현종은 양귀비와 함께 침향정(沈香亭)에서 모란꽃을 감상하며 당시 한림공봉(翰林供奉)이었던 이백을 불러 신곡(新曲)을 지으라고 명했다. 이 시는 이때 지은 연작시 총 3수 중 제1수로, 양귀비의 아름다움을 모란꽃에 비유하며 칭송하고 있다.

제1구에서는 양귀비의 옷과 용모를 하늘의 채색구름과 땅의 모란꽃으로 비유하며 그 아름다움이 천상천하에 유일함을 칭송하고, 제2구에서는 난간에 스치는 봄바람과 모란꽃에 맺힌 이슬로 양귀비에 대한 현종의 사랑과 은총을 나타내고 있다. 마지막 제3~4구에서는 제1구의 뜻을 이어 신선의 세계인 군옥산(群玉山)과 요대(瑤臺)를 등장시켜 양귀비를 서왕모(西王母)와 같은 천상의 여인으로 미화하고 있다.

015. 여관의 벽에 쓰다

정회(鄭會)

도미 향 가득한 꿈에서 봄 차가워 두려웠는데
녹음 드리워진 겹겹 문에 제비는 한가롭네.
옥비녀로 두드리는 붉은 촛대는 차가운데
여정 헤아리며 상산에 도착했으리라 말하겠지.

題邸間壁[1)]

酴醾香夢怯春寒,[2)] 翠掩重門燕子閑.[3)]
敲斷玉釵紅燭冷,[4)] 計程應說到常山.[5)]

[주석]

1) 저본에는 작자가 정곡(鄭谷)으로 되어 있다.

邸(저): 여행길의 숙소. 여관(旅館), 객사(客舍).

2) 酴醾(도미): 꽃 이름. 장미과에 속하며 늦봄에 흰색의 꽃이 피고 향기가 짙다. '도미(荼蘼)'라고도 한다.

怯(겁): 겁이 나다, 두렵다.

3) 翠掩(취엄): 푸른빛으로 가려지다. 녹음이 드리워져 있는 것을 말한다.

重門(중문): 겹겹의 문.

4) 敲斷(고단): 두드리다.

玉釵(옥차): 옥비녀. 촛대에 새겨진 장식을 가리키는 것으로 보기도 한다.

紅燭(홍촉): 붉게 불 밝힌 촛대.

5) 計程(계정): 여정(旅程)을 계산하다. 어디쯤 이르렀을까 헤아려보는 것을 말한다.

常山(상산): 지명. 지금의 절강성(浙江省) 상산현(常山縣)이다.

[해설]

이 시는 여행 중 상산(常山)의 여관에 머물며 쓴 것으로, 실경(實景)과 허경(虛景)의 대비를 통해 자신의 외로움과 아내에 대한 그리움을 나타내고 있다.

제1~2구에서는 시인이 머무르고 있는 여관이 묘사되고 있다. 도미향 및 녹음의 후각과 시각의 대비를 통해 봄을 특징적으로 나타내고, '겹겹의 문(重門)'과 '한가로운 제비(燕子閑)'로 외부와의 단절감과 아내와 떨어져 있는 자신의 외로움을 나타내고 있다. 제3~4구에서는 아내가 있는 고향을 상상하고 있다. 옥비녀로 차가운 촛대를 두드리는 모습으로 아내의 외로움과 적막감을 나타내고, 남편의 여정을 손꼽으며 혼잣말하는 모습을 통해 남편에 대한 염려와 사랑을 나타내고 있다.

016. 절구

두보(杜甫)

두 마리 꾀꼬리 푸른 버들에서 울고
한 줄로 늘어선 백로 푸른 하늘로 날아오르네.
창은 서쪽 봉우리 천년설을 머금고
문 앞에는 만 리 길 동오로 가는 배가 떠 있네.

絶句

兩箇黃鸝鳴翠柳,[1] 一行白鷺上青天.[2]
窗含西嶺千秋雪,[3] 門泊東吳萬里船.[4]

[주석]

1) 箇(개): 양사(量詞). '個(개)'와 같다.
黃鸝(황리): 꾀꼬리.
鳴(명): 새가 울다. 새가 서로 짝을 구하려고 부르는 것을 가리킨다.
翠柳(취류): 푸른 버들. 봄이 되어 연한 색의 잎이 새로 돋은 버들.

2) 行(행): 줄. 길게 이어진 것을 세는 단위.

3) 含(함): 품다, 머금다. 눈 쌓인 서쪽 봉우리가 창에 가득 차 있는 것을 말한다.

4) 泊(박): 배를 물가에 대다.
東吳(동오): 지명. 춘추시대 오(吳) 땅을 가리키며 지금의 강소성(江蘇省), 절강성(浙江省) 일대이다.

[해설]

이 시는 두보가 성도(成都)의 초당(草堂)에 머무르고 있을 때 쓴 것으로, 봄날 초당 주변의 아름다운 경관을 노래하고 있다. 총 4수 중 제3수이며, 당시 비교적 안정되고 편안했던 두보의 삶이 잘 나타나 있다.

이 시는 절구임에도 불구하고 제1~2구와 제3~4구가 모두 대구를 이루고 있으며, 각각의 대구가 다시 대를 이루며 하나로 연결됨으로써 상하원근의 전체적인 경관을 포괄하는 유기적인 구성을 이루고 있다. 제1~2구에서는 초록의 버드나무에서 우는 꾀꼬리와 푸른 하늘을 날아오르는 백로들을 통해 봄의 경관을 나타내고 있는데, 표면적으로 드러나는 숫자나 색채, 시청각의 대비뿐 아니라 정동(靜動)과 상하(上下), 즐거움과 외로움의 대비까지 함께 느낄 수 있다. 특히 꾀꼬리와 백로를 세는 양사(量詞)의 활용이 뛰어난데, 일반적으로 새를 세는 단위인 '척(隻)'을 쓰지 않고 꾀꼬리의 경우 '개(箇)'를 통해 울음소리를, 백로의 경우 '행(行)'을 통해 열 지어 날아오르는 움직임을 강조하고 있다. 다음 제3~4구에서는 창(窗)과 문(門)을 배경으로 천년설이 쌓여 있는 서쪽 산봉우리와 만 리 길을 떠날 배를 묘사하고 있는데, 역시 숫자와 수륙(水陸), 동서(東西)의 대비가 선명하게 나타나고 있다. 여기에서 창문은 그림의 액자가 되고 창밖의 풍경은 액자 안의 그림으로 모아졌다가 다시 문을 통해 만 리로 펼쳐지고 있는데, 이와 같은 수렴과 확장을 통해 봄의 역동성과 생명력 또한 느낄 수 있다.

전후의 대구가 모두 상호 다른 대비들로 이루어져 있음에도 불구하고, 시 전체적으로 보면 각각의 구는 근경-원경-원경-근경으로 엇갈려 교차되고 있으며, 또한 각 구에서 모두 수사(數詞)를 사용하여 일관된 짜임새를 유지함으로써 네 구 모두가 유기적으로 결합되어 봄날의 경관이 더할 나위 없이 핍진하게 묘사되고 있다.

017. 해당화

소식(蘇軾)

동풍은 살랑살랑 달빛은 넘쳐나고
향기 어린 안개 자욱한데 달은 행랑을 도네.
밤 깊어 꽃이 잠들어버릴까 봐
일부러 초 높이 들어 붉은 화장 비춘다네.

海棠[1)]

東風嫋嫋泛崇光,[2)] 香霧空濛月轉廊.[3)]
只恐夜深花睡去, 故燒高燭照紅粧.[4)]

[주석]

1) 海棠(해당): 장미과의 낙엽관목. 5~7월경에 홍자(紅紫)색의 꽃이 피며, 바닷가 모래땅에서 많이 자란다. 당 현종(玄宗)이 양귀비를 불러 연회를 하고자 했는데, 양귀비가 술에 취해 잠들어 깨지 않자 현종이 "해당화가 잠을 충분히 자지 못했구나"라고 놀려 말했다는 전고(典故)가 있다.

2) 嫋嫋(뇨뇨): 바람이 살랑거리는 모양. '裊裊(뇨뇨)'로 되어 있는 판본도 있으며, 의미는 같다.
泛(범): 물에 뜨다. 달빛이 물처럼 넘쳐나는 것으로 비유했다.
崇光(숭광): 높은 곳에서 환히 비치는 빛. 달빛을 의미한다.

3) 空濛(공몽): 자욱하여 아득한 모양. '霏霏(비비)'로 되어 있는 판본도 있으

며, 의미는 같다.

4) 紅粧(홍장): 붉은 화장. 해당화를 의인화해 나타낸 것이다. '妝(장)'으로 되어 있는 판본도 있다.

[해설]

이 시는 해당화를 감상하며 쓴 영물시(詠物詩)로, 의인화의 수법을 사용하여 해당화의 아름다운 모습과 그에 대한 애정을 나타내고 있다.

시에서는 자욱한 안개와 일렁이는 달빛, 환한 촛불을 배경으로 삼아 해당화의 아름다움을 부각시키고 있는데, 제1~2구에서는 꽃에 대한 직접적인 묘사 없이 다만 안개에 스민 향기와 주위를 맴도는 달의 모습을 통해 이를 우회적으로 나타내고 있다. 이어 제3~4구에서는 해당화를 의인화해 아름다운 여인으로 미화하고 있는데, 당 현종이 양귀비를 해당화에 비유했던 것과는 달리 해당화를 반대로 미인에 비유한 것이나 오랫동안 보고 싶은 마음에 꽃이 잠들지 못하도록 일부러 촛불을 높이 드는 모습에서 시인의 재치와 해학이 느껴진다.

018. 청명

두목(杜牧)

청명 절기에 비는 부슬부슬
길 위 나그네 혼 끊어지려 하네.
주막이 어디에 있는지 물으니
목동은 멀리 살구꽃 핀 마을을 가리키네.

清明

清明時節雨紛紛,[1] 路上行人欲斷魂.[2]
借問酒家何處有,[3] 牧童遙指杏花村.[4]

[주석]

1) 紛紛(분분): 어지럽게 날리는 모양.

2) 斷魂(단혼): 혼이 끊어지다. 시름에 겨워 견딜 수 없음을 말한다.

3) 借問(차문): 다른 사람에게 물어보다.

4) 指(지): 손가락으로 가리키다.

杏花村(행화촌): 살구꽃 핀 마을. 구체적으로 안휘성(安徽省) 지주(池州)의 행화촌을 가리킨다고도 하나, 일반적인 마을로 보는 것이 좋을 듯하다.

[해설]

이 시는 청명에 비를 만나 여행길의 감회를 읊은 것으로, 두목(杜牧)

의 시집이나 『전당시(全唐詩)』에는 수록되어 있지 않고 저본인 『중정천가시(重訂千家詩)』에만 실려 있다.

제1~2구에서는 나그네의 신세로 명절을 맞아 고향에 대한 그리움과 시름은 깊어만 가는데 추적추적 내리는 비에 마음이 더욱 심란하고 고통스럽기까지 함을 말하고 있다. 다음 제3~4구에서 술로나마 근심을 달래보려는 시인에게 목동은 멀리 살구꽃 핀 마을의 주막을 가리키고 있다. 살구꽃은 중국에서 흔히 볼 수 있는 꽃으로, 살구꽃 핀 마을은 시인의 고향 마을과 같은 모습이기도 했을 것이다. 티 없이 순수한 목동이 일러준, 화사한 살구꽃에 둘러싸인 고향 같은 주막에서 시인이 잠시나마 위안을 얻을 수 있으리라 여겨진다.

019. 청명 왕우칭(王禹偁)

꽃도 없고 술도 없이 청명절을 지내니
흥미도 없이 적적한 것이 산야의 스님과 같네.
어제 이웃에서 새 불을 얻어 와
새벽 창 아래에서 독서등에 나누어 붙이네.

清明[1)]

無花無酒過清明, 興味蕭然似野僧.[2)]
昨日鄰家乞新火,[3)] 曉窗分與讀書燈.[4)]

[주석]

1) 작자가 위야(魏野) 또는 두목(杜牧)으로 되어 있는 판본도 있다.
清明(청명): 24절기 중 다섯번째 절기. 춘분(春分)과 곡우(穀雨) 사이에 있다.
2) 蕭然(소연): 적막하고 쓸쓸한 모양.
野僧(야승): 산야(山野)의 스님.
3) 乞新火(걸신화): 새 불을 얻어 오다. 동지(冬至)가 지나 105일째 되는 날은 한식(寒食)날로, 주로 청명절과 같은 날이거나 다음 날이 된다. 고대 중국에서는 청명절 2~3일 전부터 한식날까지 사흘간 화식(火食)을 금하고, 청명절에 버드나무와 느릅나무에 새로 불을 지펴 사용했다. 한식의 유래에 대해 『형

초세시기(荊楚歲時記)』에는 "진(晉)의 개자추가 3월 5일 불에 타 죽자 백성들 이 그 일을 슬퍼하여 매년 늦봄에 불을 사용하지 않았으니 이를 '금연'이라 불렀고, 이를 어기면 우박이 밭을 손상시켰다(介子推三月五日爲火所焚, 國人哀之, 每歲春暮不擧火, 謂之禁煙, 犯之則雨雹傷田)"라 했다.

4) 曉窗(효창): 새벽이 밝아오는 창. 저본에는 '曉(효)'가 '晩(만)'으로 되어 있다.
分與(분여): 나누어 불을 붙이다.

[해설]

이 시는 청명절의 감회를 읊은 것으로, 비록 생활은 빈곤하나 학문에 대한 정진을 게을리하지 않는 시인의 성실하고 낙관적인 삶의 태도가 잘 나타나 있다.

청명절에는 교외로 나가 술을 마시며 버들가지를 꺾고 꽃을 감상하는 '답청(踏靑)' 혹은 '교유(交遊)'의 풍속이 있었는데, 시의 제1~2구에서는 이 중 어느 것 하나도 하지 못한 채 산야의 스님처럼 홀로 집 안에 머물며 적적하게 청명절을 보내고 있는 시인의 모습이 나타나 있다. 이를 통해 시인의 빈곤한 생활과 일반 세상 사람들과는 다른 면모를 짐작할 수 있는데, 다음 제3~4구에서 불조차 이웃에서 구걸해 오는 상황과 새벽부터 일어나 구해 온 불로 제일 먼저 독서등을 밝히고 독서에 정진하는 모습에서 이를 확인할 수 있다.

020. 춘사일 장연(張演)

아호산 아래 벼와 기장은 풍성하고,
돼지우리와 닭장은 닫힌 문을 마주하고 있네.
뽕나무 그림자가 기울어 춘사절의 행사가 파하니,
집집마다 취한 사람을 부축하여 집으로 돌아가네.

社日[1)]

鵝湖山下稻粱肥,[2)] 豚柵雞栖對掩扉.[3)]
桑柘影斜春社散,[4)] 家家扶得醉人歸.

[주석]

1) 제목이 「사일에 마을에서 머물며(社日村居)」로, 작자가 왕가(王駕)로 되어 있는 판본도 있다.
社日(사일): 고대 토지의 신인 사직신(社稷神)에게 제사 지내는 날. 봄과 가을 두 번의 제사를 지내어 춘사(春社)와 추사(秋社)로 나뉘는데, 각각 입춘(立春)과 입추(立秋) 후 다섯번째 되는 무일(戊日)이다. 여기서는 춘사일을 가리킨다. 사일은 자연재해를 막고 풍년을 기원하는 것뿐만 아니라 함께 어울리며 오락 활동을 하는 날로서, 이날 사람들은 피리를 불고 북을 치며 각종 연회를 벌이고 바둑대회를 열거나 공연 등을 관람했다.
2) 鵝湖(아호): 산 이름. 지금의 강서성(江西省) 연산현(鉛山縣)에 있다. 진대(晉

代)에 산 위의 호수에서 거위를 길러 이와 같이 불렀다.

粱(양): 기장. 오곡(五穀)의 하나.

3) 豚柵(돈책): 돼지우리.

雞栖(계서): 닭장. '栖(서)'가 '塒(시)'로 되어 있는 판본도 있으며, 의미는 같다.

對掩扉(대엄비): 닫힌 문을 마주하다. '扉(비)'는 사립문을 뜻한다. '對(대)'가 '半(반)'으로 되어 있는 판본도 있으며, 이 경우 문이 반쯤 닫혀 있다는 뜻이다.

4) 桑柘(상자): 뽕나무와 산뽕나무. 모두 잎으로 누에를 기를 수 있다.

影斜(영사): 나무의 그림자가 기울어지다. 해가 서쪽으로 지는 것을 의미한다.

春社散(춘사산): 춘사일의 행사가 끝나 사람들이 흩어지다.

[해설]

이 시는 춘사일을 맞이한 농촌의 정경을 묘사한 것으로, 풍요로운 농촌의 경관과 농민들의 흥겹고 여유로운 삶의 모습이 잘 나타나 있다.

제1~2구에서는 벼와 기장 같은 좋은 곡식과 우리에 있는 돼지와 닭으로써 풍요로운 농촌의 현실을 나타내고 있다. 이어 '문이 닫혀 있다〔掩扉〕'는 표현으로 사람들이 모두 밖으로 나가고 없음을 말하며, 춘사일 행사가 온 마을 사람들이 함께하는 흥겹고 성대한 행사가 될 것임을 암시하고 있다. 제3~4구에서는 행사가 끝나고 각자 집으로 돌아가는 모습이 나타나 있는데, 날이 저물어서야 행사가 끝나고 집집마다 취하여 부축을 받으며 돌아가는 모습에서 이날의 신명과 즐거움의 정도를 짐작할 수 있다.

021. 한식

한굉(韓翃)

봄 성엔 꽃잎 날리지 않는 곳 없고
한식날 봄바람에 궁궐 버들은 비스듬하네.
날 저물어 궁전에서 촛불을 전해주니
가벼운 연기가 제후들 집으로 흩어져 들어가네.

寒食[1]

春城無處不飛花,[2] 寒食東風御柳斜.[3]
日暮漢宮傳蠟燭,[4] 輕烟散入五侯家.[5]

[주석]

1) 寒食(한식): 앞의 019.「청명(淸明)」 주 3) 참조. 저본에는 작자가 한익(韓翊)으로 되어 있다.

2) 春城(춘성): 봄을 맞은 성. 여기서는 장안성(長安城)을 가리킨다.
花(화): 꽃잎. 버들개지를 가리키는 것으로 보기도 한다.

3) 東風(동풍): 봄바람.
御柳(어류): 궁궐의 버드나무. 여기서는 궁궐 문에 꽂은 버드나무 가지를 가리킨다. 고대에 한식날 버드나무를 꺾어 문에 꽂아두는 풍습이 있었다.

4) 漢宮(한궁): 한나라 궁전. 여기서는 당나라 궁전을 가리킨다.
傳蠟燭(전랍촉): 촛불을 전송하다. 궁중에서 청명절에 새로 불을 피워 한식날에 대신들에게 나누어주는 것을 말한다. 『당련하세시기(唐輦下歲時記)』에 "청명에 느릅나무와 버드나무에 붙인 불을 가져다 가까운 신하들에게 하사했다(清明日, 取楡柳之火, 以賜近臣)"라 했는데, 우리나라에서도 중국과 같은 청명과 한식의 풍습이 있었다. 『동국세시기(東國歲時記)』 청명조(清明條)에 따르면, 청명절에 버드나무와 느릅나무를 비벼 새 불을 지펴 임금에게 바쳤고 임금은 이 불을 다시 정승과 판서를 비롯한 문무백관과 각 고을의 수령들에게 나누어주었다고 한다. 이를 '사화(賜火)'라 하는데, 수령들은 한식날에 다시 이 불을 백성들에게 나누어주었고, 새 불이 도착하는 동안 밥을 지을 수 없어 찬밥을 먹는다 하여 이날 하루를 '한식(寒食)'이라 했다.

5) 輕烟(경연): 가는 연기. 촛불에서 나는 연기를 가리킨다.
五侯(오후): 다섯 제후. 동한(東漢) 성제(成帝) 때 후(侯)에 봉해진 왕담(王譚), 왕상(王商), 왕립(王立), 왕근(王根), 왕봉(王逢)의 다섯 외척, 또는 동한 환제(桓帝) 때 같은 날 후(侯)에 봉해진 단초(單超), 서황(徐璜), 구원(具瑗), 좌관(左悺), 당형(唐衡)의 다섯 환관을 가리킨다. 여기서는 황제 가까이에서 총애를 받고 있는 대신이나 환관들을 가리킨다.

[해설]

이 시는 한식날 장안의 경관과 궁궐의 풍습을 묘사한 것으로, 옛날의 일을 빌려 현실을 풍자하고 있다.

제1~2구에서는 봄을 맞은 장안성의 경관을 묘사하고 있다. 먼저 제1구에서는 이중부정을 통해 도처에 꽃잎이 날리고 있는 장안성의 전체적인 경관을 나타내고, 제2구에서는 궁궐로 시선을 좁혀 궁문에 꽂힌 버들이 봄바람에 스쳐 하늘거리고 있는 풍경을 묘사하며 다음 구에서 버드나무로 새 불을 얻는 상황과 연결하고 있다. 제3~4구에서는 한식날 궁궐의 풍습을 묘사하고 있다. 제3구에서는 버드나무에 새로 불을 붙여 근신(近臣)들에게 나눠주었던 궁궐의 풍습을 말하고, 마지막 제4구에서는 오후(五侯)의 집으로 불이 전해지는 장면을 통해 당시 특권층에 대한 황제의 총애를 나타내고 있다.

이 시의 직접적인 배경은 비록 한대(漢代)이지만 이러한 풍습이 당시까지도 계속되고 있었음을 생각하면 결국 이 시는 중당대(中唐代) 황제의 총애와 특권을 누렸던 환관들을 그 비판의 대상으로 삼은 것이라 할 수 있다.

022. 강남의 봄

두목(杜牧)

천 리에 꾀꼬리는 지저귀고 붉고 푸른빛 어우러져
물가 마을 산속 마을에 주막 깃발이 나부끼네.
남조의 사백팔십 사찰,
수많은 누대가 안개비에 싸여 있네.

江南春[1]

千里鶯啼綠映紅,[2] 水村山郭酒旗風.[3]
南朝四百八十寺,[4] 多少樓臺烟雨中.[5]

[주석]

1) 江南(강남): 장강(長江) 이남 지역. 저본에는 제목이 「강남의 마을(江南村)」로 되어 있다.

2) 千里(천리): 저본에는 '十里(십리)'로 되어 있다.

綠映紅(녹영홍): 초록빛이 붉은빛을 비추다. 녹색과 홍색이 어우러져 있는 것을 가리킨다.

3) 山郭(산곽): 산성(山城). 여기서는 물가 마을과 대비되는 산속 마을을 의미한다.

酒旗(주기): 주막의 깃발.

4) 南朝(남조): 위진(魏晉) 이후 강남에 세워진 왕조. 즉 송(宋), 제(齊), 양(梁),

진(陳)을 가리킨다. 도읍이 모두 지금의 강소성(江蘇省) 남경시(南京市)인 건강(建康)이었으며, 서기 420~589년간 지속됐다.

四百八十寺(사백팔십사): 남조에 있었던 480개의 사찰. 남조 시기에는 불교가 성행했는데, 특히 양대(梁代)에 가장 번성하여 수도인 건강에만 500여 개의 사찰이 있었다고 한다. 여기서는 대략의 수를 지칭한 것으로, 시의 음률미를 고려하여 표현한 것이다.

5) 多少(다소): 많다.

烟雨(연우): 안개비.

「연우누대도(烟雨樓臺圖)」
청(淸) 오석선(吳石僊)

[해설]

이 시는 강남의 아름다운 봄날 경관을 노래한 것이다. 시에서는 강남의 아름다움을 다만 자연경관에만 국한하지 않고 이를 정취와 분위기, 사상 등과 같은 인문환경과 결합시켜 나타냄으로써 강남의 독특한 아름다움을 보다 섬세하고 총체적으로 나타내고 있다.

제1구에서는 새와 신록, 꽃이 어우러진 강남의 자연경관을 색채와 시청각의 대비를 통해 생동감 있게 묘사하고 있으며, 제2구에서는 마을 곳곳마다 나부끼는 주막 깃발을 통해 강남 사람들의 여유와 한가로움을 느끼게 하고 있다. 제3~4구에서는 안개비에 싸여 몽환적인 분위기를 자아내고 있는 수백 개의 성대한 사찰들을 묘사하며 당시 불교가 번성했던 강남 지역의 인문환경적 특징을 나타내고 있다.

023. 고 시랑께 올리다

고섬(高蟾)

천상의 푸른 복숭아는 이슬과 어우러져 심겨 있고
태양 가 붉은 살구는 구름에 의지하여 자라네.
부용은 가을 강 위에서 자라며
동풍 향해 꽃 피워주지 않는다 원망하지 않네.

上高侍郎[1]

天上碧桃和露種,[2] 日邊紅杏倚雲栽.[3]
芙蓉生在秋江上,[4] 不向東風怨未開.[5]

[주석]

1) 제목이 「과거에서 낙방한 후 영숭방에 계시는 고 시랑께 올리다(下第後上永崇高侍郎)」로 되어 있는 판본도 있으며, '영숭방(永崇坊)'은 장안(長安)의 민간 거주지인 방(坊)의 하나이다.
   高侍郎(고시랑): 고변(高駢, ?~887). 당 희종(僖宗) 때 검남절도사(劍南節度使)와 회남절도사(淮南節度使)를 지냈으며, 황소(黃巢)의 난 진압에 참가했다.
2) 碧桃(벽도): 전설상 서왕모(西王母)가 먹었다고 하는 복숭아. '반도(蟠桃)'라고도 하며 가운데가 움푹 들어간 납작한 모양이다.
3) 紅杏(홍행): 붉은 살구.
4) 芙蓉(부용): 아욱과의 쌍떡잎식물. 꽃은 8~10월에 피며 지름은 10~13센티

미터로 연한 홍색을 띤다.

5) 東風(동풍): 봄바람. 여기서는 정치적 유력자를 상징한다.

[해설]

이 시는 시인이 과거(科擧)에서 낙방한 후 쓴 것으로, 고결한 부용꽃에 자신을 비유하며 유력자에게 자신을 이끌어주기를 바라는 뜻을 기탁하고 있다.

제1~2구에서는 '푸른 복숭아〔碧桃〕'와 '붉은 살구〔紅杏〕'의 생장 환경을 말하며 다음 제3~4구에서의 부용과 대비시키고 있는데, 겉으로 드러나는 색채나 천지의 대비뿐만 아니라 비유와 상징의 수법 또한 매우 뛰어나다. 시에서 복숭아와 살구는 각각 하늘과 땅에서 자리하며 신선〔天〕과 황제〔日〕이 가까이에서 이슬〔露〕과 구름〔雲〕으로 상징된 보살핌을 받으며 자라고 있다. 이들은 황제의 지근거리에서 특별한 대우와 총애를 받고 있는 사람들을 비유하며, 이 구는 이들에 대한 부러움뿐만 아니라 자신의 바람을 피력한 것이기도 하다. 다음 제3~4구에서는 뭇 꽃들이 다 진 가을에 차가운 강물 위에서 자라는 부용에 자신의 고결한 성품을 비유하고, 머지않아 화려한 꽃을 피우게 되리라는 자신감을 드러내며 자신을 피워주지 않는 봄바람을 원망하지 않는다는 말을 통해 유력자의 도움을 바라는 마음을 우회적으로 나타내고 있다.

024. 절구

승(僧) 지남(志南)

고목 그늘에 작은 배 매어두고
명아주 지팡이에 몸 의지하며 다리 동쪽을 건너네.
살구꽃비 옷에 스미며 젖어들려 하는데
얼굴에 스치는 버들바람 차갑지도 않구나.

絶句[1]

古木陰中繫短篷,[2] 杖藜扶我過橋東.[3]
沾衣欲濕杏花雨,[4] 吹面不寒楊柳風.

[주석]

1) 제목이 「배에 머물며(舟次)」로 되어 있는 판본도 있으며, 저본에는 작자가 승(僧) 지안(志安)으로 되어 있다.

2) 陰(음): 나무나 숲의 그늘. '蔭(음)'과 같다.
繫(계): 묶다, 매어두다.
短篷(단봉): 띠풀로 만든 지붕이 있는 작은 배, 거룻배.

3) 杖藜(장려): 명아주 줄기로 만든 지팡이. 저본에는 '黎(려)'로 되어 있다.
藜(려): 명아주. 명아줏과의 한해살이풀. 여린 잎은 먹을 수 있으며 줄기는 매우 단단하여 지팡이로 만들 수 있다.

4) 沾衣(첨의): 옷을 적시다. '沾(첨)'은 '霑(점)'과 같다.

「봉창수기도(篷窓睡起圖)」 송(宋) 고종(高宗)

杏花雨(행화우): 살구꽃이 피는 때에 내리는 비.

[해설]

이 시는 가랑비가 내리는 봄날에 교외를 유람한 감회를 쓴 것이다.

제1~2구에서는 나무 그늘에 배를 매어두고 다리를 건너서 봄을 즐기는 모습이 나타나 있는데, 작은 배〔短篷〕와 명아주 지팡이〔杖藜〕에서 승려인 시인의 검소함과 소탈함을 느낄 수 있다. 평자에 따라서는 다리를 건너는 것을 청명절의 답청(踏靑)과 상하(上河)의 풍습과 관련시켜 이 시를 청명절에 쓴 것이라 보기도 하는데, 반드시 이에 한정시킬 필요는 없을 듯하다. 제3~4구에서는 옷에 스며드는 이슬비와 얼굴에 스치는 따스한 봄바람을 살구꽃, 버들과 결합시켜 표현함으로써 시각과 촉각 및 색채의 대비를 통해 봄의 경관과 분위기를 압축적으로 나타내고 있다.

025. 정원에 놀러 갔으나 만나지를 못해 섭소옹(葉紹翁)

푸른 이끼에 나막신 자국 남길까 싫어해서인가
사립문 여러 번 두드려도 열리지 않네.
정원 가득한 봄색을 가두어두지 못하고
붉은 살구 가지 하나가 담장 밖으로 나오네.

遊園不値[1]

應嫌屐齒印蒼苔,[2] 十叩柴扉九不開.[3]
春色滿園關不住,[4] 一枝紅杏出牆來.

[주석]

1) 저본에는 작자가 섭적(葉適)으로, 제목이 「작은 정원에 놀러 갔으나 만나지를 못해(遊小園不値)」로 되어 있다.

不値(불치): 만나지 못하다.

2) 應嫌(응혐): 아마도 싫어할 것이다.

屐齒(극치): 나막신의 굽. 미끄러지지 않도록 나막신 바닥에 댄 굽.

蒼苔(창태): 푸른 이끼.

3) 十叩(십고): 여러 번 두드리다. 이 구는 "사립문 조용히 두드렸으나 오래도록 열리지 않네(小叩柴扉久不開)"로 되어 있는 판본도 있다.

4) 關(관): 닫다, 가두다.

住(주): 머무르게 하다.

[해설]

이 시는 친구의 정원에 놀러 갔다가 친구를 만나지 못한 아쉬움을 노래한 것으로, 착상의 기발함과 무흥(無興)을 유흥(有興)으로 전환하는 시적 반전이 돋보인다.

제1~2구에서는 친구를 찾아갔으나 친구가 출타하여 집에 없는 상황이 나타나 있는데, 자신의 발자국으로 인해 정원이 망가질까 걱정하여 친구가 문을 열어주지 않는 것으로 여기고 있다. 시인은 이를 통해 의도가 없는 객관 상황을 의도적인 주관 상황으로 전환함으로써 친구 또한 봄을 아끼고 사랑하는 다정한 사람으로 만들고 있다. 제3~4구에서는 담장 밖으로 나온 붉은 살구 가지를 보며 친구의 정원을 상상하고 있는데, 정원 밖으로 삐져나온 살구나무 가지 하나를 정원 가득한 봄이 담장 밖으로 넘쳐나고 있는 것으로 표현함으로써 친구의 정원의 아름다움을 극대화하고 있다.

026. 나그네의 노래

이백(李白)

난릉의 좋은 술엔 울금 향이 나고
옥주발에 따르니 호박빛이 나는구나.
주인이 객을 취하게 할 수 있다면
어디가 타향인지 알 수 없을 텐데.

客中行[1)]

蘭陵美酒鬱金香,[2)] 玉椀盛來琥珀光.[3)]
但使主人能醉客,[4)] 不知何處是他鄕.

[주석]

1) 제목이 「나그넷길에 쓰다(客中作)」로 되어 있는 판본도 있다.

2) 蘭陵(난릉): 지명. 지금의 산동성(山東省) 조장시(棗莊市)이다.

美酒(미주): 좋은 술.

鬱金(울금): 향초 이름. 술에 담가 먹으면 향이 스미고 맛도 깊어진다. 뿌리 줄기는 염료로도 사용되며, 말린 뿌리는 강황(薑黃)이라 하여 약재로 쓰인다.

3) 玉椀(옥완): 옥으로 만든 주발.

盛(성): 채우다, 따르다.

琥珀(호박): 나무 진액의 화석으로, 투명하며 황갈색을 띤다. 향료나 장신구의 재료로 사용된다.

4) 主人(주인): 이백을 환대해주는 사람으로, 여기서는 난릉(蘭陵) 사람들을 통칭한다.

[해설]

이 시는 타향을 떠도는 나그네의 감회를 노래한 것으로, 술로써 잠시나마 향수를 달래고자 하는 시인의 외로움이 잘 나타나 있다.

제1~2구에서는 울금의 향기와 호박의 빛깔 같은 후각과 시각의 대비를 통해 난릉 술의 뛰어난 품질을 말하며 다음 구에서 묘사한 망우물(忘憂物)로서의 역할을 충분히 다할 수 있음을 나타내고 있다. 제3~4구에서 난릉 술에 대한 호감을 난릉 사람들에게까지 확장시켜, 좋은 술과 따스한 인정으로 향수를 이겨낼 수 있음을 말하고 있다.

027. 병풍에 쓰다

유계손(劉季孫)

제비 지지배배 들보 사이에서 떠드니
무슨 일로 와 꿈속의 한가로움을 깨우는가.
옆 사람에게 말해도 도무지 이해하질 못하니
지팡이 짚고 술 들고는 지산을 바라볼 뿐이라네.

題屛[1)]

呢喃燕子語梁間,[2)] 底事來驚夢裏閑.[3)]
說與旁人渾不解,[4)] 杖藜攜酒看芝山.[5)]

[주석]

1) 제목이 「요주 주무청의 병풍에 쓰다(題饒州酒務廳屛)」로 되어 있는 판본도 있다. 요주(饒州)는 지금의 강서성 파양현(鄱陽縣)이다.

2) 呢喃(니남): 의성어. 새가 지저귀거나 아이가 재잘거리는 소리.

3) 底事(저사): 무슨 일.

夢裏閑(몽리한): 꿈속의 한가로움. 편안하고 한가로운 꿈을 말한다.

4) 旁人(방인): 가까이에 있는 주위 사람.

渾(혼): 도무지, 도통.

不解(불해): 이해하지 못하다.

5) 杖藜(장려): 명아주 줄기로 만든 지팡이.

芝山(지산): 산 이름. 지금의 강서성(江西省) 파양현(鄱陽縣) 북쪽에 있다. 산 정상에 당대에 건립된 지산정(芝山亭)이 있으며, 요주자사(饒州刺史)가 이곳에서 영지초를 캐었다 하여 이름이 유래했다.

[해설]

시는 시인이 요주(饒州)에서 주무청(酒務廳)을 담당하고 있을 때 관서의 병풍에 쓴 것으로, 봄날 지방관의 여유롭고 한적한 일상이 잘 나타나 있다.

제1~2구에서는 낮잠을 자다가 제비 울음소리에 깨어난 상황이 나타나 있다. 낮잠을 자는 모습에서 지방관의 무료한 일상을 느낄 수 있으며, 한가로운 꿈을 깨운 현실의 상황 역시 한가로운 정경으로 묘사함으로써 봄날의 여유롭고 한적한 느낌을 더욱 배가하고 있다. 제3~4구에서는 꿈과 현실이 일치되면서 느껴진 한가로움의 극치를 주위 사람들은 말해도 알지 못하지만, 이들을 탓하기보다는 술 들고 지팡이 짚고 산행을 나서며 홀로라도 이를 즐기고자 하는 너그럽고 소탈한 모습이 나타나 있다.

한편 제1구에서 제비가 지저귀는 모습을 '말을 한다〔語〕'라고 의인화하여 표현하고 있는 까닭에, 제3구에서 '말하는〔說〕' 주체를 제비로 볼 수도 있다. 이 경우 '옆 사람〔旁人〕'은 시인 자신을 의미하게 되어 제3구는 "내게 말해도 알아들을 수 없으니"로 풀이할 수 있다.

028. 흥에 겨워 두보(杜甫)

애끊는 봄 강이 저물려 하는 곳,
지팡이 짚고 느릿느릿 걸어 향초 핀 모래섬에 서네.
어지러이 뒹구는 버들솜은 바람 따라 춤추고
얇고 가벼운 복숭아꽃은 물 따라 흘러가네.

漫興[1]

腸斷春江欲盡頭,[2] 杖藜徐步立芳洲.[3]
顚狂柳絮隨風舞,[4] 輕薄桃花逐水流.

[주석]

1) 漫興(만흥): 흥이 가득하다. 저본에는 제목이 「만흥(慢興)」으로 되어 있으며, 총 9수 중 제5수이다.

2) 春江(춘강): 봄 강물. '江春(강춘)'으로 되어 있는 판본도 있다.

3) 杖藜(장려): 명아주 줄기로 만든 지팡이.
芳洲(방주): 향초가 피어 있는 모래섬.

4) 顚狂(전광): 미친 듯이 어지러이 뒹굴다.
柳絮(유서): 버들솜, 버들개지.

유서(柳絮)

[해설]

두보(杜甫)의 「만흥(漫興)」 9수는 성도(成都)의 초당에 기거한 이듬해에 쓴 것으로, 내용상 봄부터 여름까지의 경치를 노래하고 있다. 이 시는 이 중 제5수로, 늦봄의 경치를 묘사하며 저무는 봄을 아쉬워하고 있다.

제1~2구에서는 봄이 저무는 강을 비통한 심정으로 바라보고 있는 시인의 모습이 나타나 있는데, 지팡이 짚고 느릿느릿 걷는 모습에서 시인의 온갖 상념과 깊은 번민을 느낄 수 있다. 제3~4구에서는 날리는 버들솜과 떠가는 복숭아꽃으로 지는 봄의 정경을 묘사하고 있다. 어지럽게 뒹굴며〔顚狂〕 얇고 가벼운〔輕薄〕 존재가 춤추고 흘러가는 동적인 모습이 앞 구에서의 정적인 시인의 모습과 대비된다. 따라서 많은 평자들은 이 구를 버들솜과 복숭아꽃을 통해 권세와 이익을 좇는 소인배를 비판한 것으로 보고, 이것이 첫 구에서 나타난 비통함의 궁극적인 원인이라 여겼다.

029. 경전암의 복숭아꽃

사방득(謝枋得)

도화원 찾아내어 진나라 피하기에 좋은데
복숭아꽃 붉어 또 한 해의 봄이 되었네.
꽃잎 날리어 물 따라 흘러가게 해선 안 되리니
혹여 길 묻는 어부 있을까 걱정해서라네.

慶全庵桃花[1]

尋得桃源好避秦,[2] 桃紅又是一年春.
花飛莫遣隨流水,[3] 怕有漁郎來問津.[4]

[주석]

1) 저본에는 제목이 「경전암의 복숭아(慶全庵桃)」로 되어 있다.
慶全庵(경전암): 암자 이름. 지금의 복건성(福建省) 건녕산(建寧山)에 있었다고 하나 분명하지는 않다. 시인이 머물고 있는 곳이다.

2) 桃源(도원): 도화원(桃花源). 도잠(陶潛)의 「도화원기(桃花源記)」에 등장하는 마을. 『일통지(一統志)』에 따르면 호남성(湖南省) 상덕부(常德府) 도원현(桃源縣) 서남쪽에 도원동(桃源洞)이 있으며 그 북쪽에 도화계(桃花溪)가 있는데 도화산(桃花山)에서 발원하여 북쪽 원강(沅江)으로 흘러 들어간다고 했다. 진대(晉代)에 호남성 무릉(武陵)에 도화원이 있었다고도 한다. 「도화원기」에 따르면, 진(晉)나라 태원(太元) 연간(376~396)에 무릉의 한 어부가 시내를 따라가다 갑

자기 복숭아나무 숲을 만나게 됐는데 물의 근원이 있는 곳에 산이 하나 있었다. 산에 작은 동굴 같은 구멍이 있어 들어가보니 평화로운 마을이 있었다. 마을 사람들은 어부를 환대하며 진(秦)나라 때 난리를 피해 이곳으로 왔다가 영영 세상 사람들과 떨어져 지내게 되었다고 말하고, 다른 이들에게 알리지 말 것을 당부했다. 그러나 어부는 그곳을 나오면서 곳곳에 표시를 해두고 태수(太守)를 찾아가 아뢰니 태수가 사람을 보내 그를 따라가게 했으나 결국 길을 찾지 못했다.

避秦(피진): 진(秦)나라를 피하다. 여기서는 원(元)을 피해 산속에 은거하고 있는 것을 비유한다.

3) 莫遣(막견): ~하게 해선 안 된다. '遣(견)'은 사역형으로, '使(사)'와 같다.

隨流水(수류수): 흐르는 물을 따라가다. 물에 꽃잎이 떠내려가는 것을 말한다.

4) 怕有(파유): ~이 있을까 걱정이다.

漁郎(어랑): 어부. 여기서는 원나라 조정을 비유한다.

問津(문진): 나루터를 묻다. 도화원으로 들어가는 길을 찾는 것을 말한다.

[해설]

사방득(謝枋得)은 남송(南宋) 말기의 사람으로, 강서초유사(江西招諭使) 등의 관직을 지내며 병사를 이끌고 원나라의 군대에 대항했다. 송이 멸망한 후에는 사람들에게 점이나 쳐주고 글을 가르치며 초야에 묻혀 살았는데, 원(元) 조정이 관직에 나올 것을 여러 번 종용했으나 완강히 거부했고 도성으로 압송되고 난 후에는 스스로 식음을 끊고 자결함으로써 절개를 지켰다.

이 시는 산속의 암자에 은거하며 세상과의 인연을 끊고 홀로 살고 싶은 바람을 「도화원기(桃花源記)」에 비유하여 나타낸 것으로, 원 조정에 대한 저항의 뜻을 담고 있다.

시에서는 제1구에서 진(秦)을 피하여 도화원에 들어가 살았던 사람들을 떠올리며 자신 또한 원(元)을 피해 도화원을 찾았음을 말하고, 자신이 머물고 있는 경전암이 속세와 떨어져 있는 외진 곳임을 나타내고 있다. 다음 제2구에서는 복숭아꽃을 통해서야 비로소 봄이 왔음을 느끼는 시인의 모습에서 제1구에서의 공간적인 단절뿐 아니라 심리적인 단절까지도 함께 느낄 수 있다. 마지막 제3~4구에서는 물에 떠가는 복숭아꽃으로 인해 자신의 존재와 거처가 세상에 알려질까 걱정하는 모습이 나타나 있다. 그의 은거가 단순히 세상에 대한 혐오나 한적에 대한 추구 때문이 아니었던 까닭에 원(元) 조정에 순응하거나 타협하지 않고자 하는 시인의 고고한 절개와 기상을 느낄 수 있다.

030. 현도관의 복숭아꽃

유우석(劉禹錫)

도성 거리의 먼지는 얼굴을 스치고
꽃 보고 돌아왔다 말하지 않는 사람 없네.
현도관의 복숭아나무 천 그루,
모두가 유랑이 가고 난 뒤 심은 것이라네.

玄都觀桃花[1]

紫陌紅塵拂面來,[2] 無人不道看花回.[3]
玄都觀裏桃千樹,[4] 盡是劉郎去後栽.[5]

[주석]

1) 제목이 「원화 10년에 낭주에서 부름을 받아 도성으로 와서 꽃구경하는 여러 군자들께 재미 삼아 드리다(元和十年, 自郎州承召至京, 戲贈看花諸君子)」로 되어 있는 판본도 있다. 낭주(郎州)는 지금의 호남성(湖南省) 상덕시(常德市)이다.

2) 紫陌(자맥): 자줏빛 길. 즉 도성 거리를 의미한다. 자색(紫色)은 황제를 상징하는 색이다. '맥(陌)'은 동서로 난 길을 가리키며, 남북으로 난 길은 '천(阡)'이라 한다.

3) 無人不道(무인부도): 말하지 않는 사람이 없다. '도(道)'는 '말하다'의 뜻이다.

4) 玄都觀(현도관): 장안(長安) 근교에 있는 도교 사원.

5) 劉郎(유랑): 유씨 성의 남자. 시인 자신을 가리킨다.

[해설]

유우석(劉禹錫)은 영정(永貞) 원년(805) 왕숙문(王叔文)의 정치혁신운동에 참가했다가 실패하여 낭주사마(朗州司馬)로 좌천됐다가, 원화(元和) 10년(815) 조정의 부름을 받고 다시 장안(長安)으로 돌아왔다. 이 시는 이 때 쓴 것으로 복숭아꽃이 만발한 현도관의 상황을 묘사하며 10년 세월이 지나 조정에 새로운 권신들이 득세하고 있는 상황을 풍자하고 있다.

제1~2구에서는 도성 거리에 자욱한 먼지로써 꽃구경 나온 인파가 많음을 말하며 복숭아꽃이 만발한 장안의 경관을 은유적으로 나타내고 있다. 제3~4구에서는 현도관의 복숭아나무가 모두 10년 전 자신이 떠난 후에 심은 것임을 말하며, 새로이 등장한 권신들이 최고의 권세를 누리고 있는 조정의 상황을 풍자하고 있다. 따라서 제1~2구에서 묘사되고 있는 꽃구경하는 사람들은 유력자를 좇아 권력을 추구하는 사람들을 비유한 것으로, 이들에 대한 멸시와 조롱의 뜻을 나타낸 것이라 할 수 있다. 이 시로 인해 그는 다시금 권신들의 미움을 받아 연주〔連州, 지금의 광동성 연현(連縣)〕의 자사(刺史)로 좌천됐고, 이후 기주〔夔州, 지금의 사천성 봉절현(奉節縣)〕, 화주〔和州, 지금의 안휘성 화현(和縣)〕, 소주〔蘇州, 지금의 강소성 소주시(蘇州市)〕 등지의 자사로 떠돌게 된다.

031. 다시 현도관을 노닐며

유우석(劉禹錫)

백 무나 되는 정원은 태반이 이끼이고
복숭아꽃 다 진 곳에 풀꽃이 피었구나.
복숭아나무 심은 도사는 어디로 갔는가?
지난번의 유랑이 지금 다시 왔다네.

再遊玄都觀

百畝庭中半是苔,[1] 桃花淨盡菜花開.[2]
種桃道士歸何處,[3] 前度劉郞今又來.[4]

[주석]

1) 畝(무): 넓이의 단위. 사방 6척(尺)의 넓이를 1보(步)라 하고 100보를 1무(畝)라 한다.

半是苔(반시태): 반이 이끼이다. 여기서는 과거의 권세와 영화가 사라진 것을 말한다.

2) 淨盡(쟁진): 깨끗이 없어지다. 복숭아꽃이 모두 다 진 것을 말한다.

菜花(채화): 야생풀꽃.

3) 種桃道士(종도도사): 현도관에 복숭아나무를 심었던 도사. 과거의 권신들을 가리킨다.

4) 前度(전도): 지난번.

[해설]

앞의 시 「현도관의 복숭아꽃(玄都觀桃花)」을 지어 연주자사(連州刺史)로 좌천된 유우석은 14년 후에 다시 조정으로 돌아와 집현전학사(集賢殿學士)에 임명됐고, 이후 태자빈객(太子賓客), 검교예부상서(檢校禮部尙書) 등의 관직을 맡게 된다. 이 시는 조정으로 돌아와 다시 현도관을 찾아가 옛일을 회상하며 쓴 것으로, 경관의 변화를 통해 달라진 현실의 정치 상황을 상징적으로 나타내고 있다.

제1구에서는 넓은 현도관의 정원에 이끼가 무성한 상황을 말하며 과거 복숭아꽃이 만발하고 꽃구경하는 사람들로 가득했던 모습과 대비시키고 있으며, 제2구에서는 복숭아꽃 대신 풀꽃이 피어 있는 상황을 통해 과거 득세했던 권신들이 모두 사라지고 조정에 새로운 인물들이 등장했음을 말하고 있다. 제3~4구에서는 사라져버린 과거 권신들과 다시 돌아온 자신을 말하며 변화된 조정 상황과 자신에 대한 만족감을 나타내고 있다.

032. 저주의 서쪽 시내

위응물(韋應物)

시냇가에 자라는 그윽한 풀, 유난히 좋은데
위로는 깊은 숲에서 꾀꼬리가 지저귀네.
봄물은 비에 불어 저녁 되자 급히 흐르고
나루터엔 사람도 없이 배만 가로놓여 있구나.

滁州西澗[1]

獨憐幽草澗邊生,[2] 上有黃鸝深樹鳴.[3]
春潮帶雨晩來急,[4] 野渡無人舟自橫.[5]

[주석]

1) 滁州(저주): 지명. 지금의 안휘성(安徽省) 저주시(滁州市).
   西澗(서간): 저주 서쪽에 있는 시내. 속칭 '상마하(上馬河)'라고 한다.
2) 獨憐(독련): 유독 좋아하다.
   幽草(유초): 깊숙한 곳에 난 풀. '芳草(방초)'로 되어 있는 판본도 있다.
   生(생): 자라다. '行(행)'으로 되어 있는 판본도 있다.
3) 上(상): 개울 양 언덕의 위쪽. '尙(상)'으로 되어 있는 판본도 있다.
   黃鸝(황리): 꾀꼬리.
   深樹(심수): 우거진 숲. 또는 무성한 나무.
4) 帶雨(대우): 빗물을 받아들이다.

晩來急(만래급): 저녁이 되어 물살이 빨라지다.

5) 野渡(야도): 들판의 나루터.

横(횡): 가로놓이다.

[해설]

위응물(韋應物)은 46세가 되던 덕종(德宗) 건중(建中) 3년(782) 4월부터 흥원(興元) 원년(784) 12월까지 저주자사(滁州刺史)로 있었는데, 이 시는 이때 지은 것으로 여겨진다. 시에서는 봄날 저주 서쪽 시냇가의 아름답고 한적한 풍경을 시간의 흐름에 따라 한 폭의 수묵화처럼 담백하게 묘사하고 있다.

제1~2구에서는 시냇가에 피어 있는 향기로운 풀과 수풀 위에서 지저귀는 꾀꼬리를 통해 시내의 아름다운 낮 경관을 묘사하고 있다. 초록의 풀과 노란 꾀꼬리를 대비시켜 시각적 효과를 극대화하고, 이를 다시 후각과 청각으로 구분하여 묘사함으로써 봄의 경관을 공감각적으로 나타내고 있다. 제3~4구에서는 봄비에 불어 세차게 흐르는 시냇물과 사람도 없이 홀로 매여 있는 나룻배를 통해 개울의 한적한 저녁 경관을 묘사하고 있다. 여기에서도 앞 구에서와 같이 흰색의 물과 회색의 나룻배를 대비시키며 급히 흐르는 물소리로 청각적 요소를 함께 활용하고 있다.

시 전체적으로 보면 정동감(靜動感)의 교차 배치와 시선의 변화가 특히 두드러진다. 매 구는 정(靜)-동(動)-동(動)-정(靜)으로 교차되어 고요함 속에서도 생동감을 느끼게 하며, 시선은 제1~2구에서는 아래에서 위로의 수직 방향으로, 제3~4구에서는 좌우의 수평 방향으로 옮겨 감으로써 상승감과 원근감 또한 느끼게 한다.

033. 꽃 그림자

소식(蘇軾)

겹겹이 누대에 비쳐 있어
아이 불러 몇 번이고 쓸어도 사라지지 않네.
마침 태양이 거두어 가는가 싶더니
홀연 달이 다시 보내오는구나.

花影[1]

重重疊疊上瑤臺,[2] 幾度呼童掃不開.[3]
剛被太陽收拾去,[4] 却教明月送將來.[5]

[주석]

1) 작자가 사방득(謝枋得)으로 되어 있는 판본도 있다.

2) 重重疊疊(중중첩첩): 중첩되다. 꽃 그림자가 겹겹이 드리워져 있는 것을 말한다.

瑤臺(요대): 전설상 서왕모(西王母)가 거처한다는 옥으로 만든 누대. 여기서는 아름다운 누각을 비유한 것으로, 송(宋) 조정을 상징한다.

3) 幾度(기도): 몇 차례.

掃不開(소불개): 쓸어도 없어지지 않다.

4) 剛(강): 마침, 지금.

收拾去(수습거): 거두어 가다. 해가 지면서 꽃 그림자도 함께 사라지는 것을 말한다.

5) 却(각): 문득, 홀연.

送將來(송장래): 보내오다. 달빛에 꽃 그림자가 다시 생겨나는 것을 말한다.

[해설]

이 시는 사라지지 않고 끊임없이 생겨나는 꽃 그림자를 통해 간신배가 사라지지 않는 정치 현실을 상징적으로 나타낸 것으로, 시의 내용상 송 철종(哲宗)의 친정(親政)이 시작된 소성(紹聖) 이후 소식의 구법당이 다시 탄압을 받던 시기에 쓴 것으로 여겨진다.

제1구에서는 누대에 겹겹이 드리워져 있는 꽃 그림자로 조정의 높은 자리를 차지하고 있는 많은 간신배들을 나타내고 있다. 제2구에서는 아무리 쓸어도 꽃 그림자가 없어지지 않는 상황을 통해 현실을 타개하려 했던 자신의 노력이 결국은 무위로 끝나버리고 만 안타까운 현실을 말하고 있다. 제3구에서는 태양이 저물며 꽃 그림자도 함께 사라지면서 잠시나마 희망을 갖게 되지만, 마지막 제4구에서 달빛과 함께 다시 찾아드는 꽃 그림자에 더욱 깊은 절망감을 느끼고 있다.

소식이 지우고자 했던 꽃 그림자는 구체적으로는 희녕(熙寧), 원풍(元豐) 연간에 추진됐던 왕안석의 신법을 다시 계승하고자 한 소성(紹聖) 연간의 이른바 '소술신당(紹述新黨)'을 가리킨다. 따라서 이 시에서의 태양은 신법당을 옹호했던 신종(神宗)이 붕어(崩御)하고 구법당을 옹호했던 고태후(高太后)의 섭정이 시작된 것을, 떠오르는 달은 고태후가 붕어하고 신법당을 옹호하는 철종(哲宗)의 친정이 시작된 것을 의미하는 것임을 알 수 있다.

034. 북산

왕안석(王安石)

북산이 푸른 물 보내와 가로지른 제방에 차오르니
곧은 도랑 굽이진 연못에 물결 일렁이는 때로구나.
지는 꽃 하나하나 헤아리며 오래도록 앉아 있다가
향초 찾는 느린 걸음에 돌아오는 길 늦었다네.

北山

北山輸綠漲橫陂,[1] 直塹回塘灩灩時.[2]
細數落花因坐久,[3] 緩尋芳草得歸遲.[4]

[주석]

1) 北山(북산): 지금의 강소성(江蘇省) 남경시(南京市) 동북쪽에 있는 종산(鐘山). 장산(蔣山) 또는 자금산(紫金山) 등으로도 불리며, 현대에는 손문(孫文)의 능이 있는 것으로 유명하다.

輸綠(수록): 푸른 물을 흘려보내다. '수(輸)'는 '보내다'라는 뜻.

橫陂(횡피): 둑. 물을 가로막는다는 뜻에서 '횡(橫)'과 함께 쓰였다.

2) 直塹(직참): 곧게 뻗은 도랑. '참(塹)'은 본래 성을 둘러 판 못을 의미하나, 여기서는 못으로 흘러 들어가는 도랑을 의미한다.

回塘(회당): 굽이진 연못.

灩灩(염염): 물결이 일렁이는 모양.

3) 細數(세수): 하나하나 자세히 세다.

4) 緩尋(완심): 느리게 걸어가며 찾다.

歸遲(귀지): 늦게 돌아오다.

[해설]

이 시는 왕안석이 만년에 강녕〔江寧, 지금의 강소성 남경시(南京市)〕에 물러나 지낼 때 쓴 것으로, 북산의 아름다운 자연경관과 여유롭고 한적한 정취를 노래하고 있다.

송(宋) 신종(神宗) 원풍(元豐) 7년(1084)에 소식(蘇軾)은 황주(黃州)의 유배지에서 풀려나 도성으로 소환됐는데, 여주(汝州)로 가던 도중 금릉〔金陵, 강녕(江寧)의 다른 이름〕의 종산(鐘山)에 은거하고 있던 왕안석을 방문했다. 왕안석은 비록 소식보다 15세나 많고 정치적인 입장 또한 서로 달랐으나 문학적으로는 지음(知音)과 같은 사이였기에, 두 사람은 함께 종산을 감상하고 시로써 창화하며 즐거운 시간을 보냈다. 당시 왕안석은 소식에게 금릉으로 옮겨 와 함께 살 것을 청했는데, 이 시는 이때 이와 같은 마음을 담아 소식에게 써준 것이다.

제1~2구에서는 푸른 물과 흰 물결, 곧은 도랑과 굽이진 연못을 통해 색채와 공간을 대비시킴으로써 북산의 경관을 사실적이고 생동감 있게 묘사하고 있다. 제3~4구에서는 오래도록 앉아 지는 꽃을 바라보고 느긋하게 향초를 찾다가 느지막이 집으로 돌아오는 모습을 통해 이 곳에 은거하는 삶의 여유와 즐거움을 말하고 있다.

그러나 이 시를 받은 소식은 아직은 세상에 대한 마음을 버리지 못했던 까닭에 「왕형공의 시에 차운한 네 절구(次荊公韻四絶)」에서 “나귀 타고 아득히 거친 강둑으로 들어가 선생을 뵙고자 하니 건강은 좋으셨네.

내게 삼 무(畝)의 작은 집 구해보라 권하셨으나, 공을 따르려 한들 이미 십 년이나 늦었음을 깨달았네(騎驢渺渺入荒陂, 想見先生未病時. 勸我試求三畝宅, 從公已覺十年遲)"라 하며 완곡한 거절의 뜻을 나타냈다.

035. 호숫가에서

서원걸(徐元杰)

꽃 피어 붉은 나무에 어지러이 꾀꼬리는 울고
풀 자란 넓은 호수에 백로는 날아가네.
바람 부는 날 맑고 화창하여 사람들 기분도 좋은데
석양의 피리 소리 북소리에 몇 척 배 돌아오네.

湖上[1]

花開紅樹亂鶯啼, 草長平湖白鷺飛.
風日晴和人意好,[2] 夕陽簫鼓幾船歸.[3]

[주석]

1) 湖(호): 항주(杭州)의 서호(西湖)를 가리킨다.

2) 晴和(청화): 맑고 화창하다.

人意(인의): 사람의 뜻. 호수를 즐기러 나온 사람들의 마음을 가리킨다.

3) 簫鼓(소고): 피리 불고 북을 치다.

幾船(기선): 몇 척의 배.

[해설]

이 시는 서호(西湖)를 유람하며 쓴 것으로, 서호의 아름다운 자연경관과 그 속에서 살아가는 사람들의 여유와 즐거움이 나타나 있다.

시에서는 호수를 중심으로 땅과 하늘, 낮과 밤, 식물과 동물, 시각과 청각, 정(靜)과 동(動) 등의 다양한 대비를 통해 서호의 아름다운 경관을 입체적이고 생동감 있게 묘사하고 있다. 제1~2구에서는 육지와 호수라는 다른 장소를 각각 꽃과 꾀꼬리, 풀과 백로라는 동일한 유형의 사물을 통해 묘사함으로써 하나로 연결시키면서도, 다시 이를 청각과 시각, 정(靜)과 동(動)의 각기 다른 감각을 통해 묘사함으로써 상호 구분시키는 효과도 함께 나타내고 있다. 아울러 각 구의 전후반에 걸쳐 붉은색과 노란색, 초록색과 흰색의 선명한 색채 대비를 이루고 있다. 제3~4구에서는 낮과 밤의 시간적 배경을 달리하며 하늘과 호수를 묘사하고 있는데, 사람의 기분까지 즐겁게 만드는 청명하고 쾌청한 날씨가 시간의 흐름을 잊은 석양 속의 흥겨운 노랫가락과 자연스럽게 인과관계를 이루며 연결되고 있다.

036. 흥에 겨워

두보(杜甫)

버들꽃 흩뿌려진 하얀 길은 흰 깔개를 깔아놓은 듯,
연잎 피어난 시내는 푸른 동전이 겹쳐 있는 듯.
죽순의 어린 싹은 보는 이 없이 자라고
모래톱 위 새끼 오리는 어미 곁에서 잠자네.

漫興[1]

糝徑楊花鋪白氈,[2] 點溪荷葉疊青錢.[3]
筍根稚子無人見,[4] 沙上鳧雛傍母眠.[5]

[주석]

1) 앞의 028.「흥에 겨워(漫興)」와 같은 연작시로, 총 9수 중 제7수이다.

2) 糝徑(삼경): 쌀알이 흩뿌려진 길. 버들꽃이 하얗게 길에 떨어져 있는 것을 비유한 것이다.
楊花(양화): 버들꽃. '양(楊)'은 갯버들이며 '류(柳)'는 수양버들이다.
白氈(백전): 흰 깔개. '전(氈)'은 털로 짠 깔개로, 버들꽃의 색과 부드러움을 비유한 것이다.

3) 點溪(점계): 시내를 점철하다. 시내에 연잎이 점점이 자라는 것을 가리킨다.

양화(楊花)

청전(青錢) 함평원보(咸平元寶), 송(宋) 함평 연간(998~1003)

靑錢(청전): 푸른색의 동전. 어린 연잎의 색과 모양을 비유한 것이다.

4) 筍根(순근): 대나무 뿌리. '竹根(죽근)' 또는 '筍根(순근)'으로 되어 있는 판본도 있다.

稚子(치자): 어린아이. 여기서는 죽순의 어린 싹을 가리킨다.

無人見(무인견): 보는 사람이 없다. 사람이 알지 못하는 사이에 조금씩 자라는 것을 말한다.

5) 鳧雛(부추): 새끼 오리. '추(雛)'는 알에서 막 깨어난 어린 새끼.

[해설]

이 시는 초여름 강가 마을의 아름답고 평화로운 경관을 묘사한 것으로, 봄에서 여름으로 바뀌어가는 계절의 변화와 강가 마을의 평화로운 정경을 적절한 사물 묘사를 통해 특징적으로 나타내고 있다.

제1~2구에서는 버들꽃이 날리는 하얀 길과 어린 연잎이 피어나는 푸른 개울을 묘사하고 있는데, 그 모습을 흰 깔개와 푸른 동전으로 비유하고 있는 것이 인상적이다. 아울러 흰색과 푸른색, 움직이는 것과 움직이지 않는 것을 대비시키고 육상과 수상을 함께 아우름으로써 초여름의 완연한 경관과 왕성한 생명력을 핍진하게 나타내고 있다. 제 3~4구에서는 소리 없이 자라는 죽순의 어린 싹과 어미 곁에서 잠들고 있는 새끼 오리의 모습으로 강가 마을의 고요하고 평화로운 분위기를 나타내고 있는데, 역시 각각 식물과 동물에서 그 대상을 취함으로써 만물을 포괄하는 지극한 평화로움을 느끼게 한다.

037. 봄날 비 개어

왕가(王駕)

비 오기 전엔 꽃 사이 꽃술이 막 보이더니
비 지난 후엔 이파리 아래 꽃조차 완전히 사라져버렸네.
벌 나비 어지러이 담장 너머로 날아가니
아마도 봄색이 이웃집에 있나 보다.

春晴[1]

雨前初見花間蕊,[2] 雨後全無葉底花.[3]
蜂蝶紛紛過牆去,[4] 却疑春色在鄰家.[5]

[주석]

1) 제목이 「비가 개어(雨晴)」 또는 「비 개인 경치(晴景)」로 되어 있는 판본도 있다.

2) 初見(초견): 막 보이다.

蕊(예): 꽃술. 꽃의 암술과 수술.

3) 葉底花(엽저화): 잎 아래쪽의 꽃. 잎 아래에 가려져 있는 꽃을 말한다.

4) 紛紛(분분): 어지러이 나는 모양.

5) 疑(의): 아마도 ~인 듯하다.

[해설]

이 시는 비가 내리고 난 후 져버린 꽃을 아쉬워하며 봄에 대한 사랑과 저무는 봄에 대한 안타까움을 노래한 것이다.

제1~2구에서는 비 오기 전의 꽃의 화사한 모습과 비 온 후의 시들어 떨어진 모습을 대비시키며 계절의 변화를 나타내고 있다. '꽃 사이 꽃술〔花間蕊〕'과 '이파리 아래 꽃〔葉底花〕'이라는 표현을 통해 꽃을 자세히 들여다보고 있는 시인의 모습을 짐작할 수 있으며 봄에 대한 시인의 깊은 사랑과 지는 봄에 대한 아쉬움 또한 느낄 수 있다. 제3~4구에서는 기발한 사고의 전환을 통해 분위기를 급변시키고 있는데, 담장 너머 날아가는 벌과 나비를 보고 이웃집에는 봄이 아직 남아 있으리라 상상하며 다시금 봄에 대한 희망을 나타내고 있다.

038. 봄 저물어

조빈(曹豳)

문밖에는 지는 꽃 이야기하는 이 없고
녹음은 점점 온 세상에 덮여가네.
수풀의 꾀꼬리 울던 자리에 소리 흔적은 사라지고
푸른 풀 연못에 개구리 소리만 들리네.

春暮

門外無人問落花,[1] 綠陰冉冉遍天涯.[2]
林鶯啼到無聲處,[3] 靑草池塘獨聽蛙.[4]

[주석]

1) 無人問落花(무인문락화): 꽃 떨어지는 것을 말하는 사람이 없다. 꽃이 이미 다 져버린 상황임을 말한다. 도처에 꽃이 지고 있어 더 이상 화젯거리가 되지 않는다는 뜻으로 보기도 한다.

2) 冉冉(염염): 나뭇가지가 아래로 드리워지거나 세월이 천천히 흘러가는 모양. 여기서는 세상이 점차 녹음으로 덮여가는 것을 말한다.
天涯(천애): 하늘 끝. 온 세상을 가리킨다.

3) 無聲處(무성처): 소리 나는 곳이 없다. 꾀꼬리가 더 이상 울지 않는 것을 말한다.

4) 蛙(와): 개구리.

[해설]

이 시는 늦봄의 경관을 노래한 것으로, 매 구마다 계절을 대표하는 사물들을 등장시켜 늦봄에서 초여름으로 바뀌는 계절의 변화를 섬세하면서도 특징적으로 묘사하고 있다.

제1~2구에서는 늦봄에 꽃은 이미 다 지고 녹음이 점점 짙어져가는 모습을 동적으로 묘사하고, 제3~4구에서는 꾀꼬리 소리는 사라지고 개구리 소리가 들려오는 상황으로 여름의 도래를 나타내고 있다. 시에서는 제1, 3구와 제2, 4구로 교차하며 '지는 꽃〔落花〕'과 '수풀의 꾀꼬리〔林鶯〕', '녹음〔綠陰〕'과 '연못의 개구리〔池塘蛙〕'를 대비시키며 봄과 여름의 경관을 나타내고, 제1~2구에는 식물과 무성(無聲)을, 제3~4구에는 동물과 유성(有聲)을 배치함으로써 전체적으로 짜임새 있는 구도를 나타내고 있다.

039. 낙화

주숙정(朱淑貞)

연리지 끝에 꽃이 막 피었는데
꽃을 시기한 비바람이 이내 몰아치네.
원컨대 봄 신께서 항상 계절을 주관하시어
푸른 이끼에 흩날려 떨어지지 않게 하시길!

落花[1)]

連理枝頭花正開,[2)] 妒花風雨便相催.[3)]
願教青帝常爲主,[4)] 莫遣紛紛點翠苔.[5)]

[주석]

1) 제목이 「봄을 애달파하며(惜春)」로 되어 있는 판본도 있다.

2) 連理枝(연리지): 두 나무가 함께 자라 가지가 하나로 연결된 나무. 흔히 부부간의 사랑을 상징한다.

3) 妒花(투화): 꽃을 시기하다.
催(최): 다그치다, 핍박하다.

4) 教(교): 사역형. ~로 하여금.
青帝(청제): 전설상 봄을 주관한다는 동황신(東皇神). 춘신(春神)을 가리킨다.
爲主(위주): 주인이 되다. 계절을 주관하는 것을 말한다.

5) 莫遣(막견): ~하지 않게 하다. '견(遣)'은 사역형이다.

點(점): 점철하다. 꽃잎이 푸른 이끼 위로 점점이 떨어져 쌓이는 것을 말한다.

[해설]

이 시는 늦봄에 떨어지는 꽃을 보며 안타까움을 노래한 것으로, 비바람에 봄꽃이 위태로운 상황을 순탄치 않은 결혼 생활에 비유하며 행복한 결혼 생활에 대한 염원을 나타내고 있다.

제1~2구에서는 연리지에 핀 사랑의 꽃에 시기의 비바람이 불어오는 상황을 묘사하며 이제 막 시작된 행복한 결혼 생활이 외부적 요인으로 위기에 처하게 되었음을 말하고 있다. 그것이 무엇인지는 알 수 없으나 그 기세로 보아 결혼 생활의 모든 것이 끝나버릴 수 있을 만큼 심각하고 위태로운 것임을 짐작할 수 있다. 제3~4구에서는 봄의 신이 사시사철을 모두 주관하여 평생토록 꽃이 떨어지지 않게 되기를 바란다는 말로써 행복한 결혼 생활이 영원히 지속될 수 있기를 갈망하고 있다.

040. 봄 저물어 작은 정원을 노닐며 왕기(王淇)

어여쁜 매화, 마지막 고운 모습 시든 후에
새로 단장한 붉은빛이 해당목에 피어났네.
도미꽃 피는 때에 이르니 꽃 피는 일도 끝이 나고
이끼 낀 담장 위로 천문동 가는 잎이 자라나네.

春暮遊小園

一從梅粉褪殘粧,[1] 塗抹新紅上海棠.[2]
開到荼蘼花事了,[3] 絲絲天棘出莓牆.[4]

[주석]

1) 一從(일종): 한 번 ~한 이래.

梅粉(매분): 곱게 단장한 매화.

褪殘粧(퇴잔장): 남아 있던 고운 모습도 시들다. '퇴(褪)'는 '빛이 바래다' '꽃이 시들다'라는 뜻.

2) 塗抹(도말): 분칠하다.

上(상): 붉은빛이 올라오다. 해당목 가지에 해당화가 피어난 것을 가리킨다.

3) 荼蘼(도미): 도미꽃. '도미(酴醾)'라고도 한다. 앞의 015. 「여관의 벽에 쓰다(題邸間壁)」 주 2) 참고.

花事了(화사료): 꽃 피는 일이 끝나다. '료(了)'는 '완료되다' '끝나다'라는 뜻.

4) 絲絲(사사): 실처럼 가느다란 잎.

天棘(천극): 풀 이름. 백합과 비짜루속에 속하는 덩굴성 여러해살이풀. 우리 나라에는 '천문동(天門冬)'으로 널리 알려져 있으며 뿌리는 거담, 진해, 강장 등의 약재로 사용한다.

莓牆(매장): 이끼 낀 담장.

[해설]

이 시는 봄이 저물고 여름이 시작되는 계절의 변화 과정을 노래한 것으로, 매 구마다 계절을 대표하는 사물들을 등장시켜 초봄에서 초여름에 이르기까지의 계절의 변화 과정을 순차적으로 묘사하고 있다.

전(前) 3구에서는 봄을 맹춘(孟春), 중춘(仲春), 계춘(季春)으로 나누어 각각 매화, 해당화, 도미꽃으로 삼춘(三春)의 계절적 특징을 구분하고 이들의 순차적인 묘사를 통해 시간의 흐름을 나타내고 있다. 제1~2구에서는 '화장하다〔粉粧〕' '분칠하다〔塗抹〕'의 표현으로 매화와 해당화를 의인화해 나타내고 있으며, 제1구와 제3구에서 매화와 도미꽃은 직접 묘사하고 제2구에서 해당화는 상징의 수법을 통해 나타내는 등 다양한 서술 방식을 혼용함으로써 내용상 자칫 단조로울 수 있는 시의 구성에 변화미를 주고 있다. 마지막 제4구에서는 이끼 낀 담장 위로 천문동 잎이 자라나는 모습으로 초여름의 경관을 생동감 있게 나타내고 있다.

041. 꾀꼬리 북

유극장(劉克莊)

버들 숲 질러 교목으로 옮겨 가며 너무나도 다정하니
때때로 꾀꼴꾀꼴 울음 울며 베틀 소리를 내는구나.
낙양의 삼월, 꽃이 비단처럼 아름다우니
얼마나 많은 시간 들여 짜놓은 것일까?

鶯梭[1]

擲柳遷喬太有情,[2] 交交時作弄機聲.[3]
洛陽三月花如錦, 多少工夫織得成.[4]

[주석]

1) 鶯梭(앵사): 꾀꼬리 북. 꾀꼬리가 빠른 속도로 숲을 날아다니는 모습을 베틀 북의 날렵한 움직임에 비유한 것이다.

2) 擲柳(척류): 버드나무 숲을 뚫고 날아가다. '척(擲)'은 '내던지다'의 뜻으로, 숲 사이를 민첩하게 날아다니는 것을 가리킨다.

遷喬(천교): 높은 나무로 옮겨 가다. '교(喬)'는 높고 큰 나무. 새가 겨울에는 깊은 골짜기에 칩거해 있다가 봄이 되면 나무 위로 날아다니는 것을 가리킨다. 『시경(詩經)·소아(小雅)·벌목(伐木)』에 "깊은 골짜기에서 나와 높은 나무로 옮겨 가네(出自幽谷, 遷于喬木)"라 했다.

3) 交交(교교): 의성어. 꾀꼬리의 울음소리. 『시경(詩經)·진풍(秦風)·황조(黃

鳥)』에 "꾀꼴꾀꼴 우는 황조여, 대추나무에 앉았구나(交交黃鳥, 止於棘)"라 했다.

弄(농): ~을 하다.

機聲(기성): 베틀 소리.

4) 多少(다소): 의문사. 얼마나.

工夫(공부): 시간이나 틈. 또는 공력이나 노력.

[해설]

이 시는 봄날 낙양의 아름다운 경관을 노래한 것으로, 봄이 되어 나무 사이를 날아다니는 꾀꼬리와 시간이 갈수록 꽃이 만개해가는 봄 풍경을 절묘하게 연결시키고 있다.

제1~2구에서는 꾀꼬리의 움직임과 소리를 북이 베틀 위를 움직이며 경쾌한 소리를 내는 것에 비유하고 있다. 다음 제3~4구에서는 꽃이 만발한 낙양의 경관을 비단에 비유하며 꾀꼬리의 움직임으로 아름다운 경관이 만들어졌음을 말하고 있다.

꾀꼬리를 베틀 북에 비유한 것은 관습적인 표현으로 그다지 새롭다 할 수 없겠으나, 이를 자연경관과 연결 지어 꾀꼬리가 움직인 결과로 여긴 것은 탁월한 시적 발상이라 할 수 있다.

042. 늦봄에 즉시 쓰다

섭채(葉采)

쌍쌍의 참새 그림자 책상 위를 날아가고
점점이 버들꽃은 벼루못에 떨어지네.
작은 창 아래 한가로이 앉아 『주역』을 읽다가
봄이 얼마나 많이 지났는지도 몰랐다네.

暮春卽事[1]

雙雙瓦雀行書案,[2] 點點楊花入硯池.[3]
閑坐小窗讀周易, 不知春去幾多時.[4]

[주석]

1) 저본에는 작자가 섭리(葉李)로 되어 있으며, 제목이 「일을 쓰다(書事)」로 되어 있는 판본도 있다.

2) 瓦雀(와작): 참새. 집의 처마나 기와 사이에 드나들기 때문에 이와 같이 부른다.

書案(서안): 책을 보거나 글을 쓰는 용도의 앉은뱅이책상.

3) 硯池(연지): 벼루못. 벼루 앞쪽에 오목하게 패어 먹물이 고이는 부분. '묵지(墨池)' 또는 '연해(硯海)'라고도 한다.

4) 幾多時(기다시): 얼마나 많은 시간.

[해설]

이 시는 봄날 독서삼매경에 빠져 시간 가는 줄도 몰랐던 감회를 노래한 것으로, 늦봄의 아름다운 정경이 여유롭게 독서를 즐기는 시인의 모습과 어우러져 고요하고 한적한 정취를 더하고 있다.

제1~2구에서는 참새의 그림자가 책상 위를 지나가고 버들꽃이 벼루에 떨어지는 상황을 통해 시인이 머물고 있는 장소와 시간의 흐름을 나타내고 있다. 다른 장소에 존재하는 별개의 사물인 참새와 버들꽃을 새 그림자와 떨어지는 꽃을 통해 동일한 서재의 공간으로 집중시키고, 이를 수평과 수직의 상반된 움직임으로 묘사함으로써 봄의 경관을 보다 입체적이고 생동감 있게 표현하고 있다. 제3~4구에서는 독서삼매경에 빠져 시간 가는 줄 모르다가 서재에 찾아든 새 그림자와 버들꽃의 흔적을 통해 비로소 봄이 지나가고 있음을 깨닫고 있다. 『주역(周易)』은 유가의 경전 중 하나이면서 공명(功名)이나 이달(利達)의 추구와는 먼 책이니 한가로이 앉아 읽고 있는 대상으로 매우 잘 어울린다. 세상의 명리 밖에서 초연히 살아가고 있는 시인의 모습이 그를 둘러싼 늦봄의 경관을 더욱 탈속적이고 아름답게 느끼게 한다.

043. 산에 올라

이섭(李涉)

종일토록 혼곤히 취한 꿈속에 있다가
문득 봄이 저문다는 소리 듣고 억지로 산에 올랐네.
그길로 대숲 속 사원에 들러 스님의 말씀 들으니
뜬구름 같은 인생에서 반나절의 한가로움을 얻었다네.

登山[1)]

終日昏昏醉夢間,[2)] 忽聞春盡強登山.[3)]
因過竹院逢僧話,[4)] 又得浮生半日閑.[5)]

[주석]

1) 이 시의 제목은 판본들마다 각기 다르게 전한다. 『전당시(全唐詩)』에는 「학림사 승사에 쓰다(題鶴林寺僧舍)」로, 『문원영화(文苑英華)』에는 「학림사 상방에 쓰다(題鶴林寺上房)」로, 『당시품휘(唐詩品彙)』에는 「학림사에 쓰다(題鶴林寺)」로, 『당시기사(唐詩紀事)』에는 「학림사 승실에 쓰다(題鶴林寺僧室)」로 되어 있으며, 『시림광기(詩林廣記)』에는 저본과 같이 「산에 올라(登山)」로 되어 있다.

2) 昏昏(혼혼): 어지럽고 혼란한 모습. 여기서는 마음이 심란하여 안정되지 못한 것을 가리킨다.

醉夢間(취몽간): 취한 듯하고 꿈을 꾸는 듯한 상태. 비몽사몽(非夢似夢)인 상태를 말한다.

3) 強(강): 억지로.

4) 因(인): 인하여. ~한 김에.

過(과): 들르다, 방문하다.

竹院(죽원): 대나무에 둘러싸인 사원. 진강〔鎭江, 지금의 강소성(江蘇省) 진강시(鎭江市)〕의 학림사(鶴林寺)를 가리키며 진강 남쪽 황학산(黃鶴山) 위에 있다. 옛 이름은 죽림사(竹林寺)이며 당대에는 고죽원(古竹院)이라고도 했다.

5) 浮生(부생): 뜬구름과 같이 덧없는 인생.

半日閑(반일한): 반나절의 한가함. 스님을 만나 잠시나마 세속적인 번민에서 벗어나게 되었음을 말한 것이다.

[해설]

이 시는 저무는 봄날 산에 오른 감회를 쓴 것으로, 현실에 대한 번민과 인생에 대한 감회가 나타나 있다.

제1~2구에서는 자신의 처지에 대한 회한과 번민에 종일토록 힘겨워만 하다가 저무는 봄이 못내 아쉬워 산에 오르는 시인의 모습이 나타나 있다. 시인의 번민은 득의하지 못한 현실의 삶에서 기인한 것이기에 시인은 자연에서나마 위안을 얻으려 하고 있다. 제3~4구에서는 산에 오르는 길에 절에 들러 스님과 만나 이야기했음을 말하고, 뜬구름과 같은 인생사에서 비록 반나절이나마 한가로움을 느끼며 현실의 번민과 고통에서 벗어날 수 있었음을 기뻐하고 있다.

044. 누에 치는 아낙네의 노래

사방득(謝枋得)

두견새 밤새도록 울어대는 사경의 밤,
일어나 누에 많은 것을 보고 뽕잎이 적을까 걱정하네.
누각 위 버드나무에 걸린 달을 믿지 않고
옥 같은 여인들은 노래하고 춤추며 돌아가질 않는구나.

蠶婦吟

子規啼徹四更時,[1] 起視蠶稠怕葉稀.[2]
不信樓頭楊柳月,[3] 玉人歌舞未曾歸.[4]

[주석]

1) 子規(자규): 두견(杜鵑). 불여귀(不如歸), 두백(杜魄), 촉혼(蜀魂), 두우(杜宇), 귀촉도(歸蜀途) 등 수십 종의 이름으로 불린다.
啼徹(제철): 밤새도록 울어대다.
四更(사경): 새벽 1시부터 새벽 3시까지의 시간. 옛날에는 저녁 7시부터 다음 날 새벽 5시까지를 다섯으로 나누어 오경(五更)으로 구분했다.
2) 蠶稠(잠조): 누에가 빽빽하게 많다.
3) 楊柳月(양류월): 버드나무 가지에 걸린 달. 새벽이 가까워진 시간을 비유한다.
4) 玉人(옥인): 옥 같은 여인. 부귀한 집안의 여인을 가리킨다.

[해설]

이 시는 봄밤의 풍경을 묘사한 것으로, 일반 백성과 지배 계층의 삶을 대비시키며 노동과 풍요가 일치되지 않는 현실의 부조리를 고발하고 있다.

제1~2구에서는 날이 채 밝지 않은 사경(四更)의 시간에 잠자리에서 일어나 누에를 살피는 아낙네의 모습을 묘사하고 있는데, 밤새워 우는 두견새의 울음소리로 여인이 느끼는 일상생활의 고단함과 현실의 비통함을 드러내고 있다. 제3~4구에서는 밤이 다 가도록 누대에서 가무를 즐기고 있는 부귀한 여인들의 모습을 묘사하며 누에 치는 아낙네에 대한 연민과 부조리한 사회 현실에 대한 불만을 나타내고 있다.

같은 소재와 방식으로 현실의 부조리를 고발한 작품으로 장유(張兪)의 「누에 치는 아낙네(蠶婦)」와 당언겸(唐彦謙)의 「뽕잎 따는 여인(采桑女)」 등이 있다. 이 시는 모두 '사경'이라는 동일한 시간을 그 비교 시점으로 삼고 있는데, 같은 시간이라 하더라도 처지와 관점에 따라 그 이르고 늦음에 대한 인식이 전혀 다름을 알 수 있다.

045. 늦봄

한유(韓愈)

초목들은 봄이 머지않아 떠나갈 줄을 알아
붉은빛 자줏빛 온갖 빛깔로 향기를 다투네.
버들꽃과 느릅 열매는 재주도 마음도 없이
그저 하늘 가득 눈송이 날릴 줄만 안다네.

晚春

草木知春不久歸, 百般紅紫鬪芳菲.[1]
楊花楡莢無才思,[2] 惟解漫天作雪飛.[3]

[주석]

1) 般(반): 가지나 종류 등을 세는 단위.

2) 楡莢(유협): 느릅나무 열매. 자랄 때는 얇은 솜털로 덮여 있으며 크기가 작고 모양이 동전과 같아 유전(楡錢)이라고도 부른다. 한대(漢代)에 새로 무게를 반으로 줄여 만든 돈을 이것의 이름을 따 유협반량(楡莢半兩) 혹은 유협전(楡莢錢)이라 부르기도 했다.

才思(재사): 재주와 생각. 다른 꽃들처럼 뽐낼 재주도 없으며 다툴 마음도 없음을 말한 것이다.

3) 解(해): 이해하다.

漫(만): 가득하다, 질편하다.

雪(설): 버들솜과 느릅나무 열매의 솜을 가리킨다.

[해설]

이 시는 꽃이 만발하고 버들솜이 날리는 봄의 경관을 읊은 것으로, 경물에 대한 이면의 인식을 통해 세상과 인생에 대한 감회를 나타내고 있다.

제1~2구에서는 늦봄을 맞아 온갖 꽃들이 형형색색으로 저마다의 아름다움을 한껏 드러내고 있는 모습을 묘사하고, 이어 제3~4구에서는 뭇 꽃들과 달리 흰 솜만 하늘 가득 날리고 있는 버드나무와 느릅나무의 모습을 묘사하고 있다. 이는 모두가 비록 식물의 자연생장에 따른 필연적이며 무의지적인 현상이다. 그러나 시인은 여기에 주체적인 의지를 부여하여 하나는 조금이라도 더 자신의 존재를 알리고자 하는 세속적인 조급함과 욕망의 표현으로, 다른 하나는 시의에 편승하지 않고 자신만의 삶의 방식을 고집하는 초탈한 기개와 절개의 표현으로 구분하고 있다.

046. 봄을 슬퍼하며

양만리(楊萬里)

금년 봄엔 즐거운 일 가득하리라 예상했건만
여전히 봄바람을 저버리고 말았네.
해마다 꽃 보는 눈을 갖지 못하니
근심 속에 있거나 병중에 있기 때문이라네.

傷春[1]

準擬今春樂事濃,[2] 依然枉卻一東風.[3]
年年不帶看花眼,[4] 不是愁中卽病中.[5]

[주석]

1) 저본에는 작자가 양간(楊簡)으로 되어 있으며, 제목이 「아침에 만화천 골짜기에 올라 해당화를 바라보며(曉登萬花川谷看海棠)」로 되어 있는 판본도 있다. 총 2수 중 제2수이다.

2) 準擬(준의): 미리 예상하다
濃(농): 짙다, 농후하다.

3) 枉卻(왕각): 저버리다, 내치다.
東風(동풍): 춘풍.

4) 看花眼(간화안): 꽃을 감상하는 눈.

5) 不是(불시)~卽(즉): ~이 아니면 ~이다.

[해설]

이 시는 산골짜기에 올라 꽃을 바라보며 쓴 것으로, 봄을 보내는 아쉬움과 고달픈 인생의 감회가 나타나 있다.

제1~2구에서는 다가올 봄에 대한 자신의 부풀었던 기대감과 결국 또다시 헛된 기대로 끝나고 만 현실의 아쉬움이 나타나 있다. 제3~4구에서는 자신이 해마다 봄을 제대로 즐기지 못한 까닭이 늘 근심에 잠겨 있거나 병중에 있기 때문임을 말하며, 힘겹고 고달픈 자신의 인생에 대한 회한을 나타내고 있다.

047. 봄을 보내며

왕령(王令)

삼월 시든 꽃은 졌다가도 다시 피고
작은 처마엔 매일같이 제비 날아드네.
두견새는 한밤중에 여전히 피를 토하며 울고
불러도 봄바람 돌아오지 않음을 믿지 않네.

送春[1)]

三月殘花落更開,[2)] 小簷日日燕飛來.[3)]
子規夜半猶啼血,[4)] 不信東風喚不回.[5)]

[주석]

1) 저본에는 작자가 왕봉원(王逢原)으로 되어 있는데, '봉원(逢原)'은 왕령(王令)의 자(字)이다. 제목이 「봄의 원망(春怨)」으로 되어 있는 판본도 있다.

2) 落更開(낙갱개): 떨어졌다가도 다시 피어나다. 시들어 떨어지는 꽃이 있는가 하면 다시 피어나는 꽃도 있음을 말한 것이다.

3) 簷(첨): 처마.

4) 子規(자규): 두견새.

啼血(제혈): 피를 토하며 울다. 전설에 촉(蜀)에서 쫓겨난 망제(望帝) 두우(杜宇)가 죽어서 두견새로 변하여 촉 땅을 그리워하며 '불여귀(不如歸)'라는 울음소리로 피를 토하며 울었다고 한다.

5) 不信(불신): 믿지 않다. 두견새의 심정을 말한 것이다.

[해설]

이 시에서는 떠나는 봄을 아쉬워하며 잠시라도 더 봄을 잡아두고 싶은 바람을 나타내고 있다.

제1~2구에서는 시들어 떨어지는 꽃과 처마 밑에 날아드는 제비를 통해 저무는 봄의 경관을 나타내고 있다. 봄이 끝나가는 삼월에 꽃은 비록 시들어 떨어지지만 그래도 다시 피는 꽃이 있으며 제비는 매일같이 날아들고 있으니, 예나 지금이나 다를 것은 없다는 말로써 떠나는 봄을 받아들이려 하지 않고 있다. 제3~4구에서는 떠난 봄은 다시 돌아오지 않음을 믿지 못하고 피를 토하는 울음으로 봄을 부르고 있는 두견새에 자신의 마음을 기탁하고 있다.

048. 삼월 그믐날 봄을 보내며

가도(賈島)

삼월하고도 꼭 삼십 일,
봄 풍광이 괴로이 읊조리는 내 곁을 떠나가네.
그대와 함께하며 오늘 밤 잠을 자서는 안 될 터
새벽 종소리 이르기 전까지는 아직 봄이기 때문이라네.

三月晦日送春[1)]

三月正當三十日,[2)] 風光別我苦吟身.[3)]
共君今夜不須睡,[4)] 未到曉鍾猶是春.[5)]

[주석]

1) 晦日(회일): 그믐날. 제목이 「삼월 그믐날에 유평사에게 드리다(三月晦日贈劉評事)」로 되어 있는 판본도 있으며, 유평사(劉評事)가 누구인지는 알 수 없다.

2) 正當(정당): 바로 ~이다.

3) 風光(풍광): 봄의 경치.

苦吟(고음): 괴로운 심정으로 시를 읊다.

4) 共君(공군): 그대와 함께하다. '군(君)'은 봄을 가리킨다.

5) 曉鍾(효종): 새벽 종소리.

[해설]

이 시는 봄의 마지막 날을 보내며 쓴 것으로, 떠나는 봄에 대한 아쉬움과 마지막까지 봄을 느끼고 싶은 바람이 나타나 있다.

제1~2구에서는 봄이 끝나는 삼월의 마지막 날에 봄과 이별하는 안타까운 심정을 시로 읊고 있다. 제3~4구에서는 새벽종이 울릴 때까지 밤을 새면서라도 봄과의 이별을 조금이나마 늦추고 싶어 하고 있다. 봄의 마지막 순간까지 함께하며 차마 봄을 떠나보내지 못하고 있는 시인의 모습에서 연민과 처연함까지 느껴진다.

049. 나그네 신세의 초여름 사마광(司馬光)

사월 날은 맑고 따스한데 비 막 개니
남산 앞의 집들이 더욱 분명하게 보이네.
게다가 바람에 날아오르는 버들솜도 없고
오직 해바라기만 해를 향해 기울어 있네.

客中初夏[1]

四月淸和雨乍晴,[2] 南山當戶轉分明.[3]
更無柳絮因風起,[4] 惟有葵花向日傾.[5]

[주석]

1) 客中(객중): 나그네 신세.

2) 淸和(청화): 날씨가 청명하고 따스함.

乍(사): 잠깐, 홀연.

3) 當戶(당호): 마주하고 있는 집. '當(당)'은 '마주하다'라는 뜻으로, 저본에는 '分(분)'으로 되어 있다.

轉(전): 더욱. 저본에는 '最(최)'로 되어 있다.

4) 柳絮(유서): 버들솜.

5) 惟有(유유): 다만 ~만 있다. '유(惟)'는 '지(只)'의 뜻이다.

葵花(규화): 해바라기. '향일규(向日葵)'라고도 한다.

[해설]

이 시는 사마광이 낙양(洛陽)에서 객지 생활을 하고 있을 때 쓴 것으로, 초여름의 경치를 묘사하며 새롭게 바뀐 정국에 대한 기대와 자신의 포부를 기탁한 것이다.

송 신종(神宗) 때 왕안석(王安石)을 비롯한 신법당에 의해 15년간 낙양에 폄적됐던 사마광은 철종(哲宗)의 즉위와 함께 구법당에 우호적이었던 선인(宣仁) 고태후(高太后)의 수렴청정이 시작되면서 재상으로 등용되며 다시 정권의 주도권을 쥐게 된다. 이 시는 이때에 쓴 것으로 여겨지니, 『동고잡기(東皐雜記)』에서는 "온공이 낙양에 거할 때 이 시를 지었는데, 그 애군과 충의의 뜻을 대략 여기에 나타내었다(溫公居洛陽作此詩, 其愛君忠義之志, 槩見於此)"라 했다.

제1~2구에서는 비가 막 그친 화창한 초여름의 날씨와 환하게 트인 시야를 묘사하며 구법당이 득세했던 암울했던 시기가 끝나고 희망의 시대가 도래했음을 비유하고 있다. 제3~4구에서는 바람에 날려 세상을 혼탁하게 뒤덮었던 버들솜과 일편단심으로 오직 해만 따르는 해바라기를 대비시키며 신법당과 자기 자신을 비유하고 새로운 시대를 맞이하는 포부와 결의를 나타내고 있다.

050. 약속을 했건만

조사수(趙師秀)

매실 익어가는 시기에 집집마다 비가 내리고
푸른 풀 자란 연못엔 곳곳에 개구리 울어대네.
약속을 했건만 한밤중이 지나도록 오지를 않고
한가로이 바둑알 두드리니 등잔 심지 재 되어 떨어지네.

有約[1]

黃梅時節家家雨,[2] 靑草池塘處處蛙.[3]
有約不來過夜半,[4] 閑敲棋子落燈花.[5]

[주석]

1) 제목이 「객과 약속하여(約客)」로 되어 있는 판본도 있다. 저본에는 작자가 사마광(司馬光)으로 되어 있다.

2) 黃梅時節(황매시절): 입하(立夏)를 지난 며칠 후부터 비가 많이 내리는 시기로, 우리의 장마철에 해당한다. 이때에 내리는 비를 매실이 익어갈 때 내리는 비라 하여 '매우(梅雨)'라고 부른다.

3) 處處蛙(처처와): 곳곳에서 개구리 울음소리가 시끄럽게 들려오는 것을 말한다.

4) 夜半(야반): 한밤중.

5) 棋子(기자): 바둑알.
燈花(등화): 등잔 심시가 타고 남은 재.

[해설]

이 시에서는 초여름 장마철의 경관과 외롭고 적적한 심정을 노래하고 있다.

제1~2구에서는 집집마다 장맛비가 내리고 연못에는 개구리들의 울음소리가 가득한 모습으로 장마철에 들어선 초여름의 경관을 묘사하고 있다. 제3~4구에서는 장맛비로 인해 친구와의 약속이 어긋났음을 말하며 밤이 깊도록 홀로 바둑 두며 무료함을 달래고 있다.

051. 초여름 잠에서 깨어

양만리(楊萬里)

매실은 신맛 흘리며 이 사이에서 터지고
파초는 푸른 가닥으로 나뉘어 비단 창에 비치네.
해는 길고 잠에서 깨어나 아무런 생각도 없이
버들꽃 잡는 아이들을 한가로이 바라본다네.

初夏睡起[1]

梅子流酸濺齒牙,[2] 芭蕉分綠上窗紗.[3]
日長睡起無情思,[4] 閑看兒童捉柳花.[5]

[주석]

1) 제목이 「한가로이 지내며 초여름에 낮잠에서 깨어(閑居初夏午睡起)」로 되어 있는 판본도 있으며, 저본에는 작자가 양간(楊簡)으로 되어 있다.

2) 梅子(매자): 매실. 익기 전의 푸른색 열매를 '청매(靑梅)'라 하고, 익은 후의 누런색 열매를 '황매(黃梅)'라고 한다.

流酸(유산): 신맛의 즙.

濺(천): 튀어 흩어지다.

3) 芭蕉(파초): 파초과에 속하는 여러해살이풀. 잎이 길고 넓으며 뿌리줄기에서부터 나온다.

分綠(분록): 푸른빛을 나누다. 파초의 푸른 잎이 여러 가닥으로 나누어져 있는 것을 가리킨다.

4) 無情思(무정사): 느낌이나 생각이 없다. 잠에서 막 깨어 멍한 상태를 말한다. 저본에는 '思(사)'가 '緖(서)'로 되어 있다.

5) 捉柳花(착류화): 버들꽃을 잡다. 날리는 버들꽃을 잡으러 아이들이 뛰어다니는 것을 말한다.

[해설]

이 시는 초여름 낮잠에서 깨어나 바라본 경관을 노래한 것으로, 여름의 왕성한 생명력과 시인의 무료함이 대비되어 나타나고 있다.

제1~2구에서는 매실의 신맛을 즐기고 있는 자신과 창밖으로 파초의 푸른 잎이 자라고 있는 상황을 말하고 있는데, 강렬한 신맛과 녹색의 색채감으로 여름의 왕성한 생명력을 나타내고 있다. 제3~4구에서는 낮잠에서 깨어 아이들의 노는 모습을 바라보고 있는데, 멍하게 있는 시인의 정적인 모습이 날리는 꽃잎을 잡으러 뛰어다니는 아이들의 생기 있고 동적인 모습과 대비되고 있다.

052. 삼구산을 지나며

증기(曾幾)

매실 노랗게 익어가는 때에 날마다 맑으니
작은 시내에 배 띄워 물길 다한 곳에서 산길을 건네.
녹음은 올 때의 길보다 덜하지 않지만
꾀꼬리 네다섯 소리 덤으로 얻었네.

三衢道中[1]

梅子黃時日日晴,[2] 小溪泛盡卻山行.[3]
綠陰不減來時路,[4] 添得黃鸝四五聲.[5]

[주석]

1) 三衢(삼구): 산 이름. 절강성(浙江省) 상산현(常山縣) 북쪽에 있다. 『수지(隋志)』에 따르면, 옛날에 홍수가 갑자기 일어 이 산을 덮쳐 세 개의 길이 생겼다고 한다. 이로 인해 이 산을 삼구산(三衢山)이라 부르고, 고을의 이름을 구현(衢縣)이라 했다. 저본에는 작자가 증우(曾紆)로 되어 있다.

2) 梅子黃時(매자황시): 매실이 익어가는 때. 장마철을 의미한다. 앞의 050. 「약속을 했건만(有約)」 주 2) 참조.

3) 泛盡(범진): 배를 띄워 물이 다한 곳에 이르다. '범주(泛舟)'와 '수진처(水盡處)'를 줄여 표현한 것이다.

4) 不減(불감): 덜하지 않다. 녹음이 처음 올 때와 다름이 없음을 말한 것이다.

5) 添得(첨득): 더하여 추가로 얻다.

黃鸝(황리): 꾀꼬리.

[해설]

이 시는 삼구산을 유람하고 돌아오며 쓴 것으로, 삼구산으로 가는 여정과 돌아올 때의 감회를 나타내고 있다.

제1~2구에서는 장마철임에도 맑은 날이 연이어 계속되니 이때를 틈타 유람하게 되었음을 말하고, 물길을 지나 산행으로 이어지는 유람의 과정을 순차적으로 묘사하고 있다. 제3~4구는 돌아오는 여정과 감회를 말한 것으로, 처음 올 때와 녹음은 다를 바 없지만 꾀꼬리 소리를 덤으로 얻었다는 말을 통해 이번 유람이 기대 이상으로 만족스러웠음을 말하고 있다.

053. 경치를 보고

주숙정(朱淑貞)

대나무는 푸른 그림자 흔들어 그윽한 창을 가리고
쌍쌍의 제철 새는 석양에 시끄럽네.
해당화도 지고 버들솜도 다 날리어
사람 힘들게 하는 날씨에 해는 길어져만 가네.

卽景[1)]

竹搖淸影罩幽窗,[2)] 兩兩時禽噪夕陽.[3)]
謝卻海棠飛盡絮,[4)] 困人天氣日初長.[5)]

[주석]

1) 卽景(즉경): 경물을 바라보고 즉시 쓰다. 제목이 「맑은 낮(淸晝)」으로 되어 있는 판본도 있다.

2) 罩(조): 가리다, 드리우다. 저본에는 '照(조)'로 되어 있다.

幽窗(유창): 그윽한 창. 규방(閨房)을 의미하는 것으로, 시인이 여성임을 말해준다.

3) 兩兩(량량): 쌍쌍.

時禽(시금): 제철에 우는 새.

4) 謝卻(사각): 지다, 시들다.

絮(서): 버들솜. 유서(柳絮)

5) 困人(곤인): 사람을 힘들게 하다. 화창한 날씨가 오히려 사람을 괴롭게 하는 것을 말한다.

日初長(일초장): 날이 길어지기 시작하다.

[해설]

이 시는 봄이 지고 여름이 막 시작되는 시기의 경관을 묘사한 것으로, 아름다운 경관에 자신의 외롭고 쓸쓸한 처지를 대비시키며 덧없는 세월에 대한 회한을 나타내고 있다.

제1~2구에서는 대나무의 푸른 잎이 흔들리고 새들이 지저귀는 모습으로 초여름의 아름다운 경관을 묘사하고 있다. 그러나 자신의 방을 가리는 대나무를 통해 억눌리고 갇혀 있는 자신의 처지를 상징적으로 나타내고, 쌍쌍의 새들이 저녁 되어 더욱 시끄럽게 울어댄다는 표현을 통해 홀로 지내는 자신의 외로운 모습과 신경질적인 현재의 심적 상태를 드러내고 있다. 이어 제3~4구에서는 해당화가 지고 버들솜도 더 이상 날리지 않는다는 말로 젊은 날의 어여쁜 시절이 다 가버렸음을 말하고, 날로 길어지는 화창한 날씨가 외려 자신을 더욱 고통스럽게 하고 있음을 탄식하고 있다.

054. 여름날

대복고(戴復古)

새끼 오리에게 연못의 물은 얕았다 깊었다 하고
매실 익는 때에 날씨는 맑았다 흐렸다 하네.
동쪽 정원에서 술 실어 서쪽 정원에서 취하니
한 그루 금나무의 비파를 다 따버렸다네.

夏日[1]

乳鴨池塘水淺深,[2] 熟梅天氣半晴陰.[3]
東園載酒西園醉,[4] 摘盡枇杷一樹金.[5]

[주석]

1) 제목이 「초여름에 장씨의 정원에서 노닐며(初夏游張園)」로 되어 있는 판본도 있으며, 장씨가 누구인지는 알 수 없다.

2) 乳鴨(유압): 새끼 오리.

水淺深(수천심): 물이 얕기도 하고 깊기도 하다. 새끼 오리가 헤엄에 익숙지 않아 물에 떴다 가라앉았다 하는 것을 말한다.

3) 半晴陰(반청음): 반은 개고 반은 흐리다. 매실이 익는 장마철에 날씨가 갰다 흐렸다 하는 것을 말한다.

4) 載酒(재주): 술을 수레에 싣다.

5) 枇杷(비파): 과일 이름. 상록교목으로 노란색 열매가 한데 뭉쳐 열린다.

비파(枇杷)

一樹金(일수금): 한 그루 금나무. 나무에 황금이 매달려 있는 것같이 비파가 열려 있음을 비유한다.

[해설]

이 시는 지인들과 더불어 장씨의 정원을 유람하며 쓴 것으로, 초여름 정원의 고요하고 평온한 풍경을 배경으로 떠들썩한 연회의 즐거움이 나타나 있다. 시에서는 전구에 걸쳐 각각 물과 하늘과 땅으로 장소를 옮겨가며 장씨의 정원 전체를 포괄하고, 각 구마다 상반된 개념을 동시에 활용하며 변화와 역동성을 함께 담아내고 있다.

제1~2구에서는 물과 하늘을 중심으로 정원의 자연 풍경을 묘사하고 있는데, 새끼 오리가 물에 잠겼다 떠오르며 헤엄치는 모습과 비가 오락가락하는 장마철 날씨를 각각 '천심(淺深)'과 '청음(晴陰)'의 상반된 용어로 표현하며 생동감을 불어넣어주고 있다. 다음 제3~4구에서는 땅에서 이루어지는 인간의 연회 모습을 나타내고 있다. 제3구에서는 역시 '동서(東西)'의 상반된 용어를 사용하여 술에 취하지 않은 상태에서 술에 취한 상태로의 변화를 나타내며, 아울러 수레를 타고 정원 곳곳을 돌아다니며 즐기는 동적인 움직임을 부각하고 있다. 마지막 제4구에서는 술에 만취되어 비파 열매를 황금으로 착각하고 다투어 모두 따버린 상황이 희화적으로 그려지고 있는데, 이 또한 비파 열매의 '유무(有無)'라는 상반된 개념을 이면에 둔 것으로, 시의 전구가 내·외형적으로 동일한 의미적 지향을 나타내는 완결된 구조를 이루고 있다.

055. 저물녘 누대에 한가로이 앉아 황정견(黃庭堅)

사면을 돌아보니 산빛은 물빛에 이어져 있고
난간에 기대니 십 리 밖 마름풀과 연꽃의 향기 나네.
맑은 바람과 밝은 달은 관장하는 사람이 없나니
하나같이 서늘함으로 함께 남루로 오네.

晚樓閑坐[1]

四顧山光接水光, 憑欄十里芰荷香.[2]
淸風明月無人管,[3] 幷作南來一味涼.[4]

[주석]

1) 제목이 「악주의 남루에서 즉시 쓰다(鄂州南樓卽事)」 「악주의 남루에서 쓰다(鄂州南樓書事)」 「남루에서 쓰다(南樓書事)」 등 판본에 따라 다르며, 총 4수 중 제1수이다. 악주(鄂州)는 지금의 호북성 무창현(武昌縣)이며, 남루(南樓)는 무창의 사산(蛇山) 위에 있다. 저본에는 작자가 왕안석(王安石)으로 되어 있다.

2) 憑欄(빙란): 난간에 기대다.

   芰荷(기하): 마름풀과 연꽃. 모두 수생식물이다.

3) 無人管(무인관): 관장하는 사람이 없다. 바람과 달은 주인이 없다는 뜻이다.

4) 幷作(병작): 함께 ~을 하다. 주체는 청풍과 명월이다.

   南來(남래): 남루로 오다. 시인이 있는 곳이 무창인 것에 근거해 '남쪽으로

부터 오다'의 뜻으로 보기도 한다.

一味(일미): 하나같이, 한결같이.

[해설]

이 시는 악주의 남루에 올라 쓴 것으로, 초여름 저물녘의 경관을 바라보며 유유자적한 감회를 나타내고 있다.

시에서는 시간적 흐름에 따라 제1~2구에서는 시각과 후각의 이미지를 활용하여 산과 물이 잇닿아 있고 은은한 연꽃 향기가 피어나는 악주의 아름다운 저녁 경관을 묘사하고 있다. 제3~4구에서는 아름다운 자연을 그 누구에게도 구속됨 없이 마음껏 즐길 수 있음을 말하며, 촉각의 이미지를 활용하여 밝은 달 아래 맑은 바람이 불어와 서늘함이 느껴지는 밤의 청량함을 부각하고 있다.

056. 산에서 지내는 여름 고병(高騈)

푸른 나무의 그늘은 짙고 여름 해는 긴데
누대의 거꾸로 비친 그림자가 연못에 잠겨 있네.
수정발 흔들리는 것은 미풍이 일어서이니
시렁 가득한 장미에 온 정원이 향기롭네.

山居夏日[1)]

綠樹陰濃夏日長,[2)] 樓臺倒影入池塘.
水晶簾動微風起,[3)] 滿架薔薇一院香.[4)]

[주석]

1) 제목이 「산속 정자에서의 여름(山亭夏日)」으로 되어 있는 판본도 있다.

2) 陰濃(음농): 그늘이 짙다.

3) 水晶簾(수정렴): 수정을 꿰어 만든 주렴.

4) 架(가): 시렁, 선반.
一院(일원): 정원 전체.

[해설]

이 시는 산속 정원의 고요한 여름 경관을 묘사한 것으로, 구별로 시선을 달리하고 정동(靜動)의 대비와 공감각적인 표현을 통해 산속 정원 곳곳의 아름다움을 섬세하게 그려내고 있다.

제1~2구에서는 길어진 여름 해에 갈수록 짙어지는 녹음과 연못에 비친 누대의 모습을 묘사하며 정(靜)의 정취를 담아내고, 제3~4구에서는 바람에 흔들리는 수정발과 정원 가득 퍼지는 장미의 향기로 동(動)의 정취를 담아내고 있다. 특히 제3~4구에서는 각각 청각과 촉각, 시각과 후각을 활용하여 다양한 공감각적 효과를 나타내고 있으며, 또한 수정발이 흔들리는 결과적 현상을 먼저 제시하고 그것의 원인인 바람의 생성을 나중에 제시함으로써 이후에 등장하는 장미의 향기와 자연스럽게 연결되고 있다.

057. 농가

범성대(范成大)

낮에는 나가 밭을 매고 밤에는 삼베 실 자으며
시골 마을 남녀들은 각자 집안일을 맡아 하네.
어린아이들이야 밭 갈고 길쌈할 줄 몰라도
그래도 뽕나무 그늘 가에서 오이 심는 법을 배운다네.

田家[1]

晝出耘田夜績麻,[2] 村莊兒女各當家.[3]
童孫未解供耕織,[4] 也傍桑陰學種瓜.[5]

[주석]

1) 제목이 「여름날 전원에서의 흥취(夏日田園雜興)」로 되어 있는 판본도 있으며, 총 12수 중 제7수이다.

2) 耘田(운전): 밭의 김을 매다.
績麻(적마): 삼베 실을 잣다.

3) 村莊(촌장): 시골 마을.
各當家(각당가): 각자 집안일을 담당하다. 마을 사람들 모두가 근면하고 성실함을 말한다.

4) 未解(미해): 알지 못하다.
供(공): 일을 하다.

耕織(경직): 밭을 갈고 베를 짜다.

5) 桑陰(상음): 뽕나무 그늘.

學種瓜(학종과): 오이 심는 법을 배우다. 어른들뿐만 아니라 아이들까지도 간단한 농사일은 열심히 배우고 있음을 말한다.

[해설]

이 시는 시골 마을의 전원생활을 묘사한 것으로, 바쁘고 고단한 농촌의 하루 일과와 그 속에서 살아가는 사람들의 성실하고 근면한 모습들이 잘 나타나 있다.

제1~2구에서는 밤낮으로 이어지는 노동을 각각 남녀의 일을 들어 제시하고 있는데, 남녀 구분 없이 모두가 자신들의 집안일을 성실히 하고 있음을 말하며 고달픈 농촌 생활에 대한 안타까움과 백성들에 대한 존경의 뜻을 나타내고 있다. 제3~4구에서는 어린아이들이 농사일을 배우고 있는 모습을 묘사하고 있는데, 비록 힘들고 어려운 농사일에는 참여할 수 없으나 이들 또한 어른들을 본받아 물을 대고 오이를 심는 것 같은 간단한 일들은 열심히 배우고 있음을 말하며 노소 구분 없이 모두가 근면 성실하게 살아가는 농촌 사람을 칭송하고 있다.

058. 시골 마을에서 즉시 쓰다 옹권(翁卷)

초록은 산언덕에 드넓고 순백은 내에 가득한데
뻐꾸기 울음 속에 비는 안개 같네.
시골 마을의 사월은 한가한 이가 드무니
누에 치는 일 막 마치고는 다시 모 심으러 가네.

村莊卽事[1]

綠遍山原白滿川,[2] 子規聲裏雨如烟.[3]
鄉村四月閑人少, 纔了蠶桑又插田.[4]

[주석]

1) 저본에는 작자가 범성대(范成大)로 되어 있으며, 제목이 「시골 경관에 즉시 쓰다(村景卽事)」 또는 「향촌의 사월(鄉村四月)」로 되어 있는 판본도 있다.
卽事(즉사): 즉시 쓰다. 어떤 일이나 사물을 대해 느낀 감정을 즉흥적으로 쓰는 것을 말한다.
2) 山原(산원): 산등성이, 산언덕.
3) 子規聲(자규성): 뻐꾸기의 울음소리. '자규(子規)'는 본래 두견새를 가리키나 여기에서는 뻐꾸기로 보는 것이 옳을 듯하다. 뻐꾸기의 '포곡(布谷)'하는 울음소리가 마치 골짜기에 씨를 뿌리라는 뜻의 '파곡(播谷)'처럼 들리는 까닭에 옛날부터 뻐꾸기의 울음소리를 농사를 재촉하는 소리로 여겼다.

雨如烟(우여연): 비가 안개와 같다. 비가 안개처럼 세상을 자욱하게 덮고 있는 것을 가리킨다.

4) 纔了(재료): 겨우 끝마치다.

蠶桑(잠상): 누에와 뽕잎. 누에 치는 일을 의미한다.

插田(삽전): 밭에 모종을 꽂다. 모내기를 의미한다.

[해설]

이 시는 시골 마을의 여름 풍경과 농촌 사람들의 생활 모습을 노래한 것으로, 아름다운 여름 풍경과 농민들의 바쁜 일상이 대비되고 있다.

제1~2구에서는 초목으로 덮인 산언덕과 맑은 시내, 숲에서 들려오는 뻐꾸기 소리와 자욱한 안개비로써 농촌 마을의 고즈넉하고 아름다운 여름 풍경을 한 폭의 산수화와 같이 그려내고 있다. 녹색과 흰색의 색채 대비와 시각과 청각, 촉각을 아우르는 공감각적인 묘사가 경관의 현실감을 더해준다. 제3~4구에서는 이때가 농촌에서는 가장 바쁜 때임을 말하며, 누에 치는 일이 끝나자마자 또다시 모내기하러 달려가는 농민들의 바쁜 일상을 묘사하고 있다.

059. 석류꽃에 부쳐

한유(韓愈)

오월의 석류꽃은 눈에 환히 비치니
가지 사이로 이따금 막 맺힌 열매 보이는구나.
이곳에 지나가는 수레 없음이 가련하니
어지러이 푸른 이끼 위에 붉은 꽃잎 떨어져 있네.

題榴花[1]

五月榴花照眼明, 枝間時見子初成.[2]
可憐此地無車馬,[3] 顚倒蒼苔落絳英.[4]

[주석]

1) 저본에는 작자가 주희(朱熹)로 되어 있으며, 제목이 「석류꽃(榴花)」으로 되어 있는 판본도 있다.

2) 子初成(자초성): 열매가 막 열리다.

3) 無車馬(무거마): 지나가는 수레와 말이 없다. 보아주는 사람이 없음을 말한다.

4) 顚倒(전도): 위치가 바뀌어 거꾸로 되다. 여기서는 꽃잎이 이끼 위에 어지러이 많이 떨어져 있는 것을 의미한다.
絳英(강영): 진홍색의 꽃잎. 석류 꽃잎을 가리킨다.

[해설]

이 시는 석류꽃을 노래한 영물시(詠物詩)로, 보아주는 이 없이 홀로 피었다 지는 석류꽃의 신세를 안타까워하고 있다.

석류는 여름이 되면 선홍빛의 꽃을 피우며 열매를 맺기 시작하는데, 제1~2구에서는 한눈에도 선명하게 들어오는 화려하고 강렬한 색의 석류꽃과 그 뒤에 가려 이제 막 맺기 시작한 석류 열매로 석류의 특징과 속성을 잘 나타내고 있다. 다음 제3~4구에서는 이와 같은 아름다움에도 불구하고 외진 곳에 떨어져 있어 아무도 보아주지 못한 채 푸른 이끼 위에 떨어져 있는 꽃잎을 안타까워하며, 재능은 있으나 시대를 만나지 못한 회재불우(懷才不遇)한 인생의 회한을 기탁하고 있다.

060. 농촌의 저녁

뇌진(雷震)

풀은 연못에 가득하고 물은 둑에 가득한데
산이 지는 해를 머금으니 차가운 물결이 스며드네.
목동은 돌아가며 소의 등에 비껴 앉아
짧은 피리로 곡조도 없이 내키는 대로 부는구나.

村晚

草滿池塘水滿陂,[1] 山銜落日浸寒漪.[2]
牧童歸去橫牛背,[3] 短笛無腔信口吹.[4]

[주석]

1) 池塘(지당): 연못. '寒塘(한당)'으로 되어 있는 판본도 있다.
陂(피): 둑, 제방.

2) 銜(함): 물다, 머금다. 지는 해가 산에 걸려 있는 것을 비유한 것이다.
寒漪(한의): 차가운 물결, 한파(寒波).

3) 橫(횡): 비껴 앉다. 소 등에 비껴 타고 있는 것을 말한다.

4) 腔(강): 곡보(曲譜), 곡조(曲調).
信口(신구): 입에 맡기다. 마음 내키는 대로 피리를 부는 것을 말한다.

[해설]

이 시는 저물녘의 농촌 경관을 바라보며 여유롭고 유유자적한 정취를 노래한 것이다.

제1~2구에서는 풀과 물이 연못과 둑에 가득한 모습으로 생기 가득한 여름의 모습과 농촌 마을의 넉넉하고 풍요로운 정취를 나타내고, 산에 해가 걸리자 이내 물결이 차가워지는 것으로 이곳이 외진 산골에 자리한 농촌 마을임을 말하고 있다. 제3~4구에서는 소 등에 비껴 타고 혼자만의 가락으로 피리를 불며 돌아가는 목동의 모습을 통해 자연과 조화를 이루며 순박하게 살아가는 산골 마을 사람들의 자유로움과 평온함을 나타내고 있다.

061. 초가집 처마

왕안석(王安石)

초가집 처마 밑은 늘 쓸어서 이끼도 없이 깨끗하고
꽃나무는 오솔길을 이루니 직접 손으로 가꾼 것이라네.
한 줄기 시냇물은 밭을 감싸며 초록빛으로 휘돌고
두 개의 산은 사립문 밀치고 푸른빛을 보내오네.

茅檐[1)]

茅檐常埽淨無苔,[2)] 花木成蹊手自栽.[3)]
一水護田將綠繞,[4)] 兩山排闥送青來.[5)]

[주석]

1) 茅檐(모첨): 띠풀로 얽은 집의 처마. 초가집의 처마를 가리킨다. '茅簷(모첨)'으로 되어 있는 판본도 있다. 제목이 「호음선생 벽에 쓰다(書湖陰先生壁)」로 되어 있는 판본도 있으며, 총 2수 중 제1수이다. 호음선생은 양덕봉(楊德逢)으로, 왕안석이 금릉(金陵)의 종산(鐘山)에 은거하고 있을 때의 이웃이다.

2) 埽(소): 쓸다. '掃(소)'로 되어 있는 판본도 있다.

3) 蹊(혜): 지름길. 여기서는 꽃과 나무 사이로 난 오솔길을 가리킨다.

手自(수자): 자신의 손으로, 직접.

4) 護田(호전): 밭을 감싸다.

將綠繞(장녹요): 초록빛으로 둘러싸다. 푸른 물이 마을 앞을 빙 둘러 흐르고 있는 것을 가리킨다. '장(將)'은 '이(以)'의 뜻이며, '녹(綠)'은 '녹수(綠水)'를 의미한다.

5) 排闥(배달): 문을 밀치다. '달(闥)'은 본래 궁궐 안에 있는 작은 문을 가리키는 것으로, 여기서는 초가집의 사립문을 의미한다.

[해설]

이 시는 왕안석이 금릉〔金陵, 지금의 강소성 남경시(南京市)〕의 종산(鐘山)에 은거하고 있을 때 이웃의 호음선생을 방문하여 쓴 것으로, 호음선생 집의 소박하고 정갈한 모습 및 산과 물이 어우러진 아름다운 주변 경관을 묘사하고 있다.

제1~2구에서는 소박한 초가집과 꽃나무가 가득한 정원으로 호음선생의 집을 묘사하고 있다. 항상 깨끗하게 쓸어 이끼도 자라지 않는 처마 밑과 직접 다니면서 심고 가꾸느라 초목 사이 오솔길까지 생겨나 있는 정원의 모습에서 호음선생의 성실하고 부지런한 생활 모습을 느낄 수 있다. 제3~4구에서는 집 주위의 평온하고 아름다운 자연경관을 묘사하고 있다. 의인화의 수법을 활용하여 한 줄기 푸른 시내가 밭을 감싸며 마을을 휘돌고 집 앞 두 산의 푸른빛이 문을 밀치고 들어온다고 표현함으로써 넉넉하고 포근하며 왕성한 생명력이 넘쳐나고 있는 여름날의 주변 경관을 보다 실감 나게 나타내고 있다.

062. 오의항

유우석(劉禹錫)

주작교 근처에는 들풀에 꽃이 피고
오의항 어귀에는 석양이 비껴드네.
지난날 왕씨와 사씨의 집 앞을 날던 제비,
지금은 일반 백성들의 집으로 날아드네.

烏衣巷[1]

朱雀橋邊野草花,[2] 烏衣巷口夕陽斜.
舊時王謝堂前燕,[3] 飛入尋常百姓家.[4]

[주석]

1) 烏衣巷(오의항): 지금의 강소성 남경시(南京市) 동남쪽의 진회하(秦淮河) 남쪽에 있는 거리. 주작교 가까이에 있다. 동진(東晋) 때 왕도(王導)와 사안(謝安) 등 귀족들이 모두 여기에서 살았다. 지명의 유래에 대해, 왕씨와 사씨의 자제들이 검은 옷을 즐겨 입었기 때문이라는 설과 삼국시대에 석두성(石頭城)을 지키기 위하여 여기에 주둔한 오나라 병사들이 검은 옷을 입었기 때문이라는 설이 있다.

2) 朱雀橋(주작교): 동진(東晋) 함강(咸康) 2년(336) 진회하(秦淮河)에 놓은 부교(浮橋)로, 주작항(朱雀航)이라고도 했다.

3) 王謝(왕사): 동진(東晋) 최고의 세도가였던 왕도(王導)와 사안(謝安)의 집안을

가리킨다.

4) 尋常(심상): 보통, 일반.

오의항(烏衣巷)

[해설]

이 시는 유서 깊은 거리에서 황혼녘의 풍경을 바라보며 인생의 무상함과 권력의 덧없음을 노래한 것이다.

제1~2구에서는 들꽃이 피어 있는 주작교와 석양이 저물고 있는 오의항으로 진회하의 경관을 묘사하며 생장과 소멸이 반복되는 자연의 현상을 말하고 있다. 아울러 들꽃은 생장으로, 태양은 소멸로 대비시킴으로써 다음 단락에서의 일반 백성들의 생존과 권력자들의 쇠락을 상징적으로 나타내고 있다. 제3~4구에서는 지난날 왕도(王導)나 사안(謝安) 같은 권세가의 집에 둥지를 틀던 제비가 이제는 일반 백성들의 집에 날아들고 있는 모습을 통해 과거의 권세가들이 몰락하고 소멸해버린 현재의 상황을 말하며 인생무상의 감회를 나타내고 있다.

063. 안서로 나가는 사신을 보내며

왕유(王維)

위성의 아침 비가 가벼운 먼지를 적시니
객사에 파릇파릇 버들빛이 산뜻하구나.
그대에게 권하노니, 다시 한 잔 더 비우시게나.
서쪽으로 양관을 나가면 친구도 없을 터이니.

送使安西[1]

渭城朝雨浥輕塵,[2] 客舍青青柳色新.[3]
勸君更盡一杯酒, 西出陽關無故人.[4]

[주석]

1) 제목이 「안서로 사신 나가는 원이를 보내며(送元二使安西)」로 되어 있는 판본도 있다. '원이(元二)'가 누구인지는 알 수 없으며, '이(二)'는 항렬이다.
安西(안서): 당대(唐代) 서역(西域) 지역을 통칭한 말로, 지금의 신강(新疆) 위구르자치구 지역이다. 당대에 안서도호부(安西都護府)를 두어 이 지역을 다스렸다.

2) 渭城(위성): 진(秦)의 도성이었던 함양(咸陽)을 가리키며, 한대(漢代)에 위성으로 이름이 바뀌었다. 장안(長安)의 서북쪽, 위수(渭水)의 북쪽 언덕에 있다. 장안에서 서역으로 갈 때 반드시 지나는 곳으로 많은 사람들이 장안에서 이곳까지 따라가서 전송했다고 한다.

浥(읍): 촉촉하게 적시다.

3) 客舍(객사): 여관.

4) 陽關(양관): 감숙성(甘肅省) 돈황현(敦煌縣) 서남쪽에 있는 관문. 옥문관(玉門關)과 함께 서북 변새의 요지였다. 옥문관의 남쪽에 있어서 양관이라고 불렀다.

故人(고인): 친구.

양관(陽關)

[해설]

이 시는 사신의 임무를 띠고 멀리 인시 지빙으로 떠나는 친구를 선송하며 쓴 것으로, 이별지의 경관 묘사로 자신의 송별의 뜻을 나타내며 변방으로 떠나는 친구를 위안하고 있다.

제1~2구에서는 비가 내린 위성의 아침 경관과 비로 인해 버들빛이 한결 더 싱그러운 모습을 묘사하고 있다. 위성(渭城)과 아침이라는 말을 통해 시인이 친구를 전송하러 장안에서 이곳까지 왔으며 또한 함께 밤을 지새웠음을 짐작할 수 있다. 화창하게 개어 먼지가 가라앉은 길과 이전보다 더욱 새롭게 빛나는 버들빛은 떠나갈 친구의 순조로운 여정과 밝은 미래를 축원하는 것인 동시에, 이렇게 좋은 날 이별을 해야 한다는 역설적인 상황으로서 시인의 슬픔을 더욱 배가하는 원인이 되고 있다. 제3~4구에서 시인은 곡진하고도 은근한 정으로 친구에게 다시 술잔을 비우라고 권하고 있으니, 이제 헤어져 서쪽으로 양관을 나서면 함께 술 마실 친구도 없을 것이기 때문이다.

이 시는 후에 악부(樂府)의 곡조로 차용되어 「위성곡(渭城曲)」 또는 「양관곡(陽關曲)」이라고 불렸는데, 세 번을 반복하는 연주 방식 때문에 「양관삼첩(陽關三疊)」이라고도 했다. 그러나 이 곡조는 송대에 이미 전하지 않아 그 구체적인 반복의 방식은 알 수 없으며, 전체를 세 번 반복한다거나 혹은 제4구만 세 번 반복한다거나, 제1구는 반복하지 않고 나머지 제2~4구를 세 번 반복한다는 등의 여러 설이 있다.

064. 북쪽 누대의 비석에 쓰다 이백(李白)

귀양 가는 객이 되어 장사로 떠나가니
서쪽으로 장안을 바라보아도 집이 보이지 않네.
황학루 누각 안에서는 옥피리를 부니
강하성 오월에 「매화락」 노래로구나.

題北榭碑[1)]

一爲遷客去長沙,[2)] 西望長安不見家.[3)]
黃鶴樓中吹玉笛,[4)] 江城五月落梅花.[5)]

[주석]

1) 제목이 「낭중 사흠과 함께 황학루에서의 피리 소리를 들으며(與史郎中欽聽黃鶴樓上吹笛)」로 되어 있는 판본도 있다. 사흠(史欽)은 누구인지 알 수 없으며, 낭중(郎中)은 상서성의 관원으로 종5품에 해당한다.
榭(사): 누각에서 주위 경관을 둘러볼 수 있게 만든 대(臺).
2) 遷客(천객): 귀양 가는 나그네.
長沙(장사): 지금의 호남성 장사시(長沙市). 한대(漢代)에 가의(賈誼)가 참소를 당하여 장사왕태부(長沙王太傅)로 폄적된 곳이다.
3) 不見家(불견가): 집이 보이지 않는다. 여기서는 장안의 집을 가리킨다.
4) 黃鶴樓(황학루): 호북성 무한시(武漢市) 무창구(武昌區)의 황학산(黃鶴山)에 있

는 누각.

5) 江城(강성): 강하성(江夏城). 지금의 호북성 무한시 무창구이다.

落梅花(낙매화): 고대의 악곡명으로, 「매화락(梅花落)」이라고도 한다.

황학루(黃鶴樓)

[해설]

이 시는 이백이 영왕(永王)의 반군에 가담한 죄로 야랑〔夜郎, 지금의 귀주성(貴州省) 정정현(正定縣) 서북쪽〕으로 유배 가는 도중 무창(武昌)의 황학루에 올라 쓴 것으로, 유배를 떠나는 암울한 심경과 영락한 자신의 신세에 대한 회한을 나타내고 있다.

제1~2구에서는 남쪽으로 장사를 향해 유배길을 가며 황학루의 북쪽 누대에 올라 그리움으로 장안 쪽을 바라보지만, 장안에서 이미 너무 멀리 떨어져 와버린 안타까운 상황을 말하고 있다. 그러나 간신의 모함으로 장사에 폄적됐던 한대의 가의(賈誼)에 자신을 비유하고 또한 간절히 장안을 바라보고 있는 자신의 모습을 말함으로써 자신의 존재가 다시금 인정을 받고 쓰일 수 있게 되기를 바라고 있다. 제3~4구에서는 황학루에서 들려오는 「매화락」 곡조의 피리 소리에서 마치 곡조의 이름처럼 이미 철이 지나 시들어 떨어진 매화와도 같은 자신의 신세를 떠올리며 깊은 회한에 잠기고 있다.

065. 회남사에 쓰다

정호(程顥)

남북으로 오고 가다 쉬고 싶은 곳에서 쉬나니
부평초에 바람 이는 초강의 가을이로구나.
도학자는 가을 슬퍼하는 나그네가 아니니
근심일랑 저녁 산에게 상대하라 맡겨둔다네.

題淮南寺[1]

南去北來休便休,[2] 白蘋吹盡楚江秋.[3]
道人不是悲秋客,[4] 任晩山相對愁.[5]

[주석]

1) 淮南寺(회남사): 절 이름. 지금의 강소성 양주시(揚州市)에 있다.

2) 休便休(휴변휴): 쉬고 싶으면 곧 쉬다. 어느 한곳에 얽매이지 않은 자유롭고 초탈한 상태임을 말한다.

3) 白蘋(백빈): 부평초, 개구리밥. 여름과 가을 사이에 작고 하얀 꽃을 피우기 때문에 이와 같이 부른다. 잎의 모양이 '전(田)' 자 같아 '전자초(田字草)'라고도 한다.

楚江(초강): 초 지역을 지나가는 장강(長江)을 가리키지만 장강의 상당 부분이 초 지역을 지나기 때문에 장강의 대칭으로도 쓰인다. 여기서는 양주(揚州)를 지나는 장강을 가리킨다.

4) 道人(도인): 도학을 공부하는 사람. 정호 자신을 가리킨다.

悲秋客(비추객): 가을을 슬퍼하는 사람. 가을을 보며 애상에 빠지는 사람을 말한다.

5) 一任(일임): 오로지 맡기다.

[해설]

이 시는 가을날 회남사(淮南寺)에서 바라본 초강의 저녁 풍광을 묘사하며 계절에 대한 감회를 서술한 것으로, 세상과 사물을 대하는 시인의 도학자다운 태도가 잘 나타나 있다.

제1~2구에서는 양주(揚州) 지역을 유람하고 다니다 회남사에 들러 쉬고 있는 시인의 모습과 바람에 부평초가 떠다니는 초강의 풍경이 묘사되고 있다. 양주는 예로부터 아름다운 경치로 유명하여 많은 시인 묵객들이 유람하며 시정을 노래하던 곳이다. 시인 또한 양주를 유람하고 있지만 다른 이들과는 달리 초연하고 달관된 감정으로 어느 한곳에 매이지 않고 그저 남북으로 오고 가며 마음 내키는 곳에서 쉴 따름이다. 따라서 시인이 회남사에 들른 이유 또한 그곳의 풍광에 매료되어서거나 특별한 감상이 있어서가 아니었음을 알 수 있다. 제3~4구에서는 도학자는 계절에 대한 감상에 빠져 평정심을 잃어서는 안 됨을 말하고, 가을의 상념일랑 객관적인 존재 자체에 그대로 맡겨둔 채 자신은 외물에 초연한 자세로 진리 탐구의 길로 나아가겠다는 도학자적인 태도를 보이고 있다.

066. 가을 달

정호(程顥)

맑은 개울물이 푸른 산머리를 지나 흐르니
하늘과 물 맑고 깨끗하여 모두가 가을빛이네.
세상과 떨어진 삼십 리에
흰 구름과 붉은 잎 둘이서 한가롭구나.

秋月[1]

清溪流過碧山頭,[2] 空水澄鮮一色秋.[3]
隔斷紅塵三十里,[4] 白雲紅葉兩悠悠.[5]

[주석]

1) 작자가 주희(朱熹)로 되어 있는 판본도 있다.

2) 流過(유과): 지나치며 흐르다.

碧山頭(벽산두): 푸른 산꼭대기.

3) 空水(공수): 하늘과 물. 여기서는 밤하늘과 개울물을 가리킨다.

澄鮮(징선): 맑고 깨끗하다. 물과 하늘을 각각 지칭한 것이다.

一色秋(일색추): 하나같이 가을빛이다. 물에 하늘이 비치어 모두 같은 빛임을 말한다.

4) 紅塵(홍진): 먼지로 가득한 인간 세상.

5) 悠悠(유유): 한가롭고 유유자적한 모양.

[해설]

이 시는 달빛 비치는 산중의 가을 경관을 노래한 것으로, 공간과 사물 및 색채의 대비 등을 통해 가을 산의 고요하고 아름다운 경관을 사실적으로 그려내고 있다.

제1~2구에서는 푸른 산에서 흘러 내려온 맑은 물에 하늘이 비치어 함께 가을빛으로 물들어 있는 경관을 묘사하고, 이어 제3~4구에서는 이곳이 인간 세상과는 떨어진 곳으로서 흰 구름과 붉은 잎만이 한가롭게 존재하는 곳임을 말하고 있다.

이 시는 외면과 내면에 걸쳐 다양한 대비의 방식을 활용하고 있다. 먼저 각 구에서 물과 산, 하늘과 물, 인간 세상, 구름과 나뭇잎을 각각 말하며 구절 내에서뿐만 아니라 구들 간의 사물의 대비도 함께 이루고 있으며, 인간 세상을 '홍진(紅塵)'으로 표현함으로써 각 구마다 선명한 색채감이 드러나도록 배치하고 있다. 아울러 자연경관을 묘사한 제1, 2, 4구에서는 각각 두 개씩의 사물을 인용하며 이들이 조화롭게 어우러져 있는 모습을 나타내고 있는 것에 반해, 인간 세상을 언급한 제3구에서는 '홍진' 하나만을 인용하여 자연과의 차별성을 드러내고 조화롭지 못한 인간 세상의 모습을 상징적으로 나타내고 있다.

067. 칠석

양박(楊朴)

견우의 뜻이 어떤 것인지 알지 못하겠나니
매번 직녀를 맞이하여 금북을 놀리게 하네.
해마다 인간 세상에서는 바느질 솜씨 달라고 기원하는데
인간 세상에 기교가 얼마나 많은지를 알지 못한다네.

七夕

未會牽牛意若何,[1] 須邀織女弄金梭.[2]
年年乞與人間巧,[3] 不道人間巧幾多.[4]

[주석]

1) 未會(미회): 알지 못하다, 이해하지 못하다.

2) 須(수): 반드시 ~ 하다.
邀(요): 맞이하다, 불러들이다.
弄金梭(농금사): 금북을 움직이다. 베를 짜는 것을 의미한다. '사(梭)'는 베틀에서 좌우로 왕복하며 가로 실을 넣는 북이다.

3) 乞巧(걸교): 기교를 구하다. 고대 풍습에 7월 7일 밤에 여인들이 정원에 과일을 차려놓고 달을 향해 바느질하며 직녀에게 바느질 솜씨를 뛰어나게 해 달라고 기원했는데, 이를 '걸교(乞巧)'라 하고 칠석날을 '걸교절(乞巧節)'이라 했다.

4) 不道(부도): 알지 못하다.

人間巧(인간교): 인간 세상의 기교. 여기서는 계략과 술수의 부정적인 의미이다.

幾(기): 몇, 얼마나. '已(이)'로 되어 있는 판본도 있다.

[해설]

이 시에서는 칠석날 여인들이 달을 향해 바느질 솜씨를 기원하는 풍습에 빗대어 세상에 대한 비판과 불만을 나타내고 있다.

전설상 칠석날은 견우와 직녀가 일 년에 한 번 만나는 날로서, 서로의 간절한 사랑을 실현하는 날이자 짧은 만남에 안타까워하는 날이기도 하다. 그러나 시인은 이와 같은 칠석날의 의미를 전도시켜 역설적으로 말하고 있다. 제1~2구에서는 사랑을 나누기에도 짧은 하룻밤이건만 만날 때마다 직녀로 하여금 베를 짜게 하고 있는 견우를 떠올리고 있다. 견우의 이와 같은 행동은 시인도 말한 것처럼 이해할 수 없는 행동이지만, 다음 단락을 보면 비로소 그 이유를 이해할 수 있게 된다. 제3~4구에서는 칠석 때마다 직녀에게 바느질 솜씨를 기원하고 있는 여인들의 모습을 말하고, 그들이 기원하는 '훌륭한 바느질 솜씨'로서의 '교(巧)'를 '인간 세상의 술수'로서의 '교(巧)'의 의미로 치환시켜 세상에 이미 부정한 술수가 만연해 있음을 비판하고 있다. 따라서 앞서 제1~2구에서 칠석날에도 직녀가 베를 짤 수밖에 없었던 까닭은 해마다 반복되는 인간들의 탐욕과 욕망 때문이며, 견우는 계략과 술수로 가득한 인간 세상을 상징하는 것임을 알 수 있다.

068. 입추

유한(劉翰)

어린 까마귀 옥병풍 같은 하늘로 울며 흩어지고
베개 베고 누우니 부채 바람 새로이 시원하구나.
잠에서 깨어나니 가을 소리는 자취도 없는데
밝은 달빛 아래 섬돌 가득 오동잎일세.

立秋[1]

乳鴉啼散玉屛空,[2] 一枕新涼一扇風.[3]
睡起秋聲無覓處,[4] 滿階梧葉月明中.[5]

[주석]

1) 저본에는 작자가 유무자(劉武子)로 되어 있다. 무자(武子)는 유한(劉翰)의 자(字)이다.

2) 乳鴉(유아): 새끼 까마귀.

玉屛空(옥병공): 옥병풍같이 푸른 하늘.

3) 一扇風(일선풍): 한 줄기 부채에서 이는 바람.

4) 無覓處(무멱처): 찾을 곳이 없다. 가을바람이 불어 지나가버린 것을 말한다.

5) 階(계): 섬돌, 돌계단. '街(가)'로 되어 있는 판본도 있다.

[해설]

이 시에서는 입추를 맞아 달라진 계절의 변화를 느끼며 세월의 빠름을 탄식하고 있다.

시에서는 매 구마다 계절의 변화를 느낄 수 있는 사물이나 상황을 제시하고 있다. 제1~2구에서는 어린 까마귀가 막 날갯짓을 시작하고 푸른 하늘이 옥병풍처럼 펼쳐져 있는 모습과 베개에 누워 부치는 부채 바람에 새로운 시원함이 느껴진다는 말로 여름에서 가을로의 계절의 변화를 말하고 있다. 이어 제3~4구에서도 시원한 바람에 깜빡 잠이 들었다가 밤이 되어 깨어났는데 그사이 어느새 가을은 지나고 계단 가득 오동잎이 떨어져 있음을 말하며 계절의 변화와 빠르게 흐르는 세월에 대한 아쉬움을 나타내고 있다.

069. 칠석

두목(杜牧)

은빛 촛불의 가을빛은 그림병풍에 차가운데
조그만 비단부채로 반딧불을 쫓네.
하늘의 밤 풍경은 물처럼 싸늘한데
드러누워 견우성과 직녀성을 바라보네.

七夕[1]

銀燭秋光冷畫屛,[2] 輕羅小扇撲流螢.[3]
天街夜色涼如水,[4] 臥看牽牛織女星.[5]

[주석]

1) 七夕(칠석): 제목이 「추석(秋夕)」으로 되어 있는 판본도 있다. 왕건(王建)과 두목(杜牧)의 시집에 모두 실려 있어, 누구의 작품인지 분명하지 않다.

2) 銀燭(은촉): 은빛 촛불. 여기서는 달빛을 상징한다. '紅觸(홍촉)'으로 되어 있는 판본도 있다.

3) 輕羅(경라): 얇은 비단.

4) 天街(천가): 천자(天子)가 있는 도성 거리. 여기서는 상제(上帝)가 있는 하늘을 가리킨다. '天階(천계)' 또는 '瑤階(요계)'로 되어 있는 판본도 있다.

5) 臥看(와간): 누워서 보다. '坐看(좌간)'으로 되어 있는 판본도 있다.

[해설]

이 시는 칠석날 홀로 지내는 여인의 모습과 심정을 노래한 규원시(閨怨詩)로, 시에 나타난 배경으로 보아 궁녀의 한을 나타낸 궁원시(宮怨詩)로 보기도 한다.

비단부채

시에서는 직접적인 표현 없이 다만 시각을 촉각과 결합시켜 배경과 행동만으로 여인의 외롭고 쓸쓸한 심정을 나타내고 있다. 제1~2구에서는 달빛 비치는 그림병풍 아래에서 비단부채로 무심하게 반딧불을 쫓고 있는 여인의 모습이 나타나 있다. 그림병풍과 비단부채 같은 방 안의 화려한 기물들이 가을밤 홀로 있는 여인의 모습과 대비를 이루며, 차가운 달빛과 무심한 행동이 여인의 고독한 심정과 처지를 말하고 있다. 제3구에서는 밤하늘을 차가운 물로 비유함으로써 여인의 쓸쓸한 심정뿐만 아니라 은하수의 이미지를 연상시켜 자연스럽게 다음 구로 연결하고 있으며, 마지막 제4구에서는 홀로 누워 부러움으로 견우성과 직녀성을 바라보고 있는 모습을 통해 일 년에 한 번 만나는 이들보다도 못한 여인의 서글픈 처지를 말하고 있다.

070. 중추절 소식(蘇軾)

구름 걷히어 맑고 차가운 기운이 넘쳐나니
은하수는 소리도 없이 옥쟁반을 굴리고 있구나.
내 삶에 이 밤이 항상 좋은 것은 아니었으니
내년에는 밝은 달을 어느 곳에서 보게 될까?

中秋[1]

暮雲收盡溢淸寒,[2] 銀漢無聲轉玉盤.[3]
此生此夜不長好,[4] 明月明年何處看.

[주석]

1) 제목이 「중추절의 달(中秋月)」 또는 「중추절(中秋節)」로 되어 있는 판본도 있으며, 저본에는 작자가 두목(杜牧)으로 되어 있다.
中秋(중추): 음력 8월을 뜻하며, 보름달이 뜨는 15일을 중추절(中秋節)이라 한다.
2) 溢(일): 넘쳐흐르다. 달빛을 물처럼 표현한 것이다.
淸寒(청한): 맑고 차가움. 달빛의 기운을 말한 것이다.
3) 銀漢(은한): 은하수.
轉(전): 구르다. 달이 둥근 모양임을 말한 것이다.
玉盤(옥반): 옥쟁반. 둥글고 환한 보름달을 비유한 것이다.

4) 不長好(부장호): 항상 좋지만은 않다. '長(장)'은 '常(상)'의 뜻이다.

[해설]

소식(蘇軾)은 신법당에 의해 좌천되어 항주(杭州), 밀주(密州) 등의 지방관을 전전했다. 이 시는 지서주(知徐州)로 있을 때 오랫동안 헤어져 있던 동생 소철(蘇轍)과 만나 중추절의 보름달을 감상하며 쓴 것으로, 기구한 현실의 삶과 불확실한 미래에 대한 회한이 나타나 있다.

제1~2구에서는 구름이 걷히어 맑고 차가운 달빛이 환하게 비치고 보름달이 은하수 위에 걸려 있는 중추절의 경관을 묘사하고 있다. 달을 묘사하며 직접적으로 지칭하지 않고 그 기운과 움직임, 모양과 색을 통해 비유적으로 나타내고 있으며, '넘친다[溢]' '굴린다[轉]'와 같이 동적이고 의인화된 표현을 사용하여 생동감을 높이고 있다. 또한 본디 소리가 있을 수 없는 달의 움직임에 의도적으로 '무성(無聲)'이라는 표현을 사용하여 아득한 거리감과 공간적 격리감을 느끼게 함으로써 시적 경계를 확장하고 있다. 제3~4구에서는 자신의 삶에서 중추절이 항상 이처럼 맑고 환하지는 않았다는 말로 구름에 가린 것처럼 암울하고 기구한 지난날의 삶을 회상하고, 도성으로 들어가지 못하고 지방관을 전전하는 자신의 현실에서 미래의 삶 또한 기약할 수 없음을 탄식하고 있다.

071. 강가 누각에서 느낀 바 있어

조하(趙嘏)

홀로 강가 누각에 오르니 생각은 시름겹기만 한데
달빛은 물빛과 같고 물빛은 하늘빛과 같네.
함께 와 달을 즐기던 이 어디에 있는가?
풍경은 여전히 옛날과 같은데.

江樓有感[1]

獨上江樓思悄然,[2] 月光如水水如天.
同來玩月人何在,[3] 風景依稀似去年.[4]

[주석]

1) 제목이 「강가 누각에서 옛날을 느끼며(江樓感舊)」로 되어 있는 판본도 있다.

2) 悄然(초연): 근심스러운 모양. '渺然(묘연)'으로 되어 있는 판본도 있다.

3) 何在(하재): 어디에 있는가? '何處(하처)'로 되어 있는 판본도 있다.

4) 依稀(의희): 여전하다.

[해설]

이 시는 강가 누각에 올라 주위의 경관을 바라보며 옛날을 회상한 것이다.

제1~2구에서는 홀로 누각에 올라 수심에 잠겨 있는 시인의 모습과 누각에서 바라본 주위 경관이 묘사되고 있다. 달과 물과 하늘이 구분 없이 하나의 빛으로 어우러져 있는 경관은 시인의 혼란과 혼돈의 심적 상태를 비유한다. 제3~4구에서는 지난날 친구와 함께 이곳에 올라 달을 감상했으나 지금은 홀로 있음을 말하고, 변함없는 가을 풍경과 홀로 있는 자신의 상황을 대비시키며 더욱 깊은 시름에 빠지고 있다.

072. 서호

임승(林升)

산 밖에도 푸른 산이요 누각 밖에도 누각인데
서호의 가무는 언제나 그칠는지.
따스한 바람 피어나니 노니는 이들 취하여
이내 항주를 변주로 여기네.

西湖[1]

山外靑山樓外樓, 西湖歌舞幾時休.[2]
煖風薰得遊人醉,[3] 直把杭州作汴州.[4]

[주석]

1) 저본에는 작자가 임홍(林洪)으로 되어 있으며, 제목이 「임안의 여관에 쓰다(題臨安邸)」로 되어 있는 판본도 있다. 임안(臨安)은 남송의 수도로 지금의 절강성 항주시(杭州市)이다.

2) 西湖(서호): 항주 서쪽에 있는 호수. 전당호(錢塘湖), 서자호(西子湖)라고도 불린다.

3) 煖風(난풍): 따뜻한 바람. '暖風(난풍)'으로 되어 있는 판본도 있다.
薰得(훈득): 연기나 기운이 피어오르다. '熏得(훈득)'과 같다.

4) 杭州(항주): 지금의 절강성 항주시(杭州市). 수대(隋代)부터 항주로 불렸다가 남송의 수도가 되면서 임안(臨安)으로 개명됐다.

「서호도(西湖圖)」 청(淸) 손동(孫桐)

汴州(변주): 변경(汴京). 북송의 수도로 지금의 하남성 개봉시(開封市)이다.

[해설]

이 시는 서호를 유람한 감회를 쓴 것으로, 변주(汴州)를 금(金)에 빼앗기고 항주(杭州)로 내려와 향락을 일삼으며 변주를 회복할 의지도 없는 남송 위정자들을 비판하고 있다.

제1~2구에서는 겹겹이 이어진 푸른 산과 누각으로 서호의 아름다운 경관을 묘사하고, 끊임없이 이어지는 가무 소리로 남송 위정자들의 향락적인 생활을 말하고 있다. 제3~4구에서는 서호의 경치와 따스한 바람에 흠뻑 취한 유람객들이 항주를 변주로 여기고 있는 모습을 말하며, 중원 수복의 의지도 없이 굴욕적인 평안에 안주하고 있는 위정자들을 신랄하게 비판하고 있다.

073. 서호

양만리(楊萬里)

마침내 서호에 유월이 오니
풍광이 다른 사계절과 같지 않구나.
하늘로 이어진 연잎은 끝없이 푸르고
해에 비친 연꽃은 갖가지 모양으로 붉구나.

西湖[1]

畢竟西湖六月中,[2] 風光不與四時同.
接天蓮葉無窮碧,[3] 映日荷花別樣紅.[4]

[주석]

1) 저본에는 작자가 소식(蘇軾)으로 되어 있으며, 제목이 「새벽에 정자사를 나와 임자방을 보내며(曉出淨慈寺送林子方)」로 되어 있는 판본도 있다. 정자사(淨慈寺)는 서호의 남쪽에 있으며, 영은사(靈隱寺)와 더불어 서호를 대표하는 절이다.
2) 畢竟(필경): 마침내.
3) 接天(접천): 하늘에 이어지다. 연잎으로 덮인 서호가 하늘에 닿아 있음을 말한 것이다.
4) 別樣(별양): 다른 모습.

「서호도(西湖圖)」 청(淸) 장종창(張宗蒼)

[해설]

이 시는 친구를 전송하러 나왔다가 서호의 여름 경관을 보고 읊은 것이다.

제1~2구에서는 서호의 유월 풍광이 다른 어느 때보다도 아름다움을 말하고 있는데, '마침내(畢竟)'라는 표현에서 시인의 오랜 기다림과 그에 걸맞은 절정의 서호 풍경을 짐작할 수 있다. 제3~4구에서는 호수 가득히 자란 푸른 연잎과 햇빛 아래 다양한 모습으로 피어 있는 붉은 연꽃으로 여름의 절정에 접어든 서호의 경관을 묘사하고 있다. 시에서는 서호의 여름이 특히 아름답다는 것을 강조하면서도 그 묘사의 대상을 연잎과 연꽃으로만 한정하고 있으니, 이른바 하나를 들어 셋을 미루어 알게 하는 '거일반삼(擧一反三)'의 수법을 활용하여 독자의 상상 속에서 서호의 아름다움을 무한의 경지로 확대하고 있다.

074. 호수 위에 막 비가 내려 소식(蘇軾)

물빛 반짝이며 일렁이는 것이 맑은 때에도 좋으며
산색 아득히 몽롱한 것이 비 오는 때에도 빼어나구나.
서호를 서시에 비유하고자 하니
옅은 화장이든 짙은 화장이든 모두가 어울리는구나.

湖上初雨[1]

水光瀲灩晴方好,[2] 山色空蒙雨亦奇.[3]
欲把西湖比西子,[4] 淡粧濃抹總相宜.[5]

[주석]

1) 제목이 「호수 위에서 술을 마시는데 처음에는 맑다가 후에 비가 내리다(飮湖上初晴後雨)」로 되어 있는 판본도 있으며, 총 2수 중 제1수이다.

2) 瀲灩(염염): 물결이 반짝이며 일렁이는 모양.
方(방): 바야흐로. 저본에는 '光(광)'으로 되어 있으며, '偏(편)'으로 되어 있는 판본도 있다.

3) 空蒙(공몽): 안개가 끼어 아득히 흐릿한 모양.

4) 西子(서자): 춘추시대 월(越)나라의 미녀 서시(西施). '월녀(越女)'라고도 한다. 『오월춘추(吳越春秋)』에 따르면, 서시는 본래 저라산(苧蘿山)에서 땔나무를 팔던 사람의 딸이었다. 월왕(越王) 구천(勾踐)이 오나라와의 전투에서 패배하여

와신상담하고 있을 때 오왕(吳王) 부차(夫差)가 여색을 좋아함을 알고 미인계를 써서 정사를 어지럽히고자 했다. 이에 서시와 정단(鄭旦)을 뽑아 3년을 다듬고 가르쳐서 범려(范蠡)를 통해 부차에게 바치니, 부차가 과연 이들에게 미혹되어 실정을 일삼게 되었고 마침내 월나라에게 멸망당하고 말았다.

5) 總(총): 모두. 저본에는 '也(야)'로 되어 있다.

宜(의): 어울리다. 어떤 모습이든 다 아름다움을 말한 것이다.

[해설]

이 시는 서호의 아름다운 경관을 미인의 모습에 비유하여 묘사한 것이다.

제1~2구에서는 맑은 날과 흐린 날로 구분하여 서호의 경관을 묘사하며 각기 다양한 모습으로 변함없는 아름다움을 지니고 있음을 말하고 있다. 제3~4구에서는 서호의 아름다운 경관을 월나라의 미녀 서시에 비유하며, 서시가 옅은 화장이든 짙은 화장이든 모두 잘 어울리는 것처럼 서호 또한 맑은 날이든 흐린 날이든 항상 변함없이 아름다움을 말하고 있다.

075. 숙직에 들어가

주필대(周必大)

길 양쪽의 푸른 홰나무에는 저녁 까마귀 모여 있었고
칙사가 황명을 전하여 자리에서 차를 내려주셨네.
옥당으로 돌아와 정신이 맑아 잠이 들지 못하는데
고리 같은 달이 막 자미화 위로 떠오르네.

入直[1]

綠槐夾道集昏鴉,[2] 勅使傳宣坐賜茶.[3]
歸到玉堂淸不寐,[4] 月鉤初上紫薇花.[5]

[주석]

1) 제목이 「숙직에 들어가 선덕전에서 소대하고 차를 하사받고 물러나와(入直召對選德殿賜茶而退)」로 되어 있는 판본도 있다. 선덕전(選德殿)은 남송의 궁전 이름이다.

2) 槐(괴): 홰나무. 낙엽교목으로 아카시아와 비슷하며 8월에 황백색의 작은 꽃이 가지 끝에 뭉쳐 핀다.

夾道(협도): 길을 사이에 끼다. 궁궐의 길 양쪽에 홰나무가 심겨 있는 것을 말한다.

3) 勅使(칙사): 황제의 명을 받은 사신. 여기서는 궁중 내시를 가리킨다.

傳宣(전선): 황명을 전하다. 황제가 선덕전으로 불러들인 것을 말한다. '선

(宣)'은 황제의 조칙(詔勅)으로 '선명(宣命)'을 뜻한다.

坐(좌): 소대(召對)하는 자리.

4) 玉堂(옥당): 한림원(翰林院). 황명을 받들어 책서(冊書)나 교서(敎書), 임명장 등의 문서 작성을 담당했다.

5) 月鉤(월구): 갈고리처럼 굽은 달.

紫薇花(자미화): 낙엽교목으로 늦여름에 자주색 꽃이 핀다. 여기서는 중서성(中書省)을 비유한다.

[해설]

이 시는 궁궐에 입직하여 황제를 소대하고 돌아와 황제의 은혜에 감사한 시이다.

시에서는 입직과 소대, 퇴청의 과정을 시간적 순서에 따라 서술하고 있다. 제1~2구에서는 먼저 홰나무가 심어진 길과 나무 위에 깃들여 있는 저녁 까마귀를 묘사하며 저녁에 입직을 위해 궁궐로 들어가고 있는 상황임을 말하고, 이어 궁중 내시가 소대의 명을 전해 온 일과 황제를 알현하여 정무를 처리하고 업무가 끝난 후 황제가 차를 하사한 일을 압축적으로 서술하고 있다. 제3~4구에서는 옥당으로 돌아와 자애로운 황제의 은혜에 감동하여 잠을 이루지 못하고 있음을 말하고, 중서성 위로 조각달이 떠오르는 상황으로 밤이 이미 깊었음을 나타내고 있다.

076. 물가 정자

채확(蔡確)

종이병풍과 돌베개, 네모난 대나무 평상,
손 피로하여 책 던지니 한낮의 꿈 길기만 하네.
잠에서 깨어 빙그레 홀로 미소 짓나니
몇 줄기 고깃배의 피리 소리 푸른 물 위에 있네.

水亭[1)]

紙屛石枕竹方床, 手倦抛書午夢長.[2)]
睡起莞然成獨笑,[3)] 數聲漁笛在滄浪.[4)]

[주석]

1) 제목이 「여름에 거개정에 올라(夏日登車蓋亭)」 또는 「거개정(車蓋亭)」으로 되어 있는 판본도 있으며, 총 10수 중 제4수이다. 거개정은 정자 이름으로, 지금의 호북성(湖北省) 안륙현(安陸縣)에 있다.
2) 手倦(수권): 손이 피로하다. 오랫동안 책을 읽었음을 말한다.
   抛書(포서): 책을 던져놓다.
3) 莞然(완연): 미소 짓는 모습.
4) 滄浪(창랑): 강이나 호수의 푸른 물결.

[해설]

이 시는 여름날 정자에 올라 한가로이 독서를 즐기다가 얼핏 든 낮잠에서 깨어난 감회를 쓴 것이다.

제1~2구에서는 정자에서 책을 읽다가 낮잠에 빠져든 모습이 나타나 있다. 제1구는 독서와 관련된 용품으로서 종이병풍과 돌베개, 대나무 침상을 명사구로 제시하고 있는데, 간략화된 표현이 소박한 소재와 단출한 수량과도 잘 어울리면서 독서인에 맞는 시인의 검소한 삶의 모습 또한 느끼게 한다. 제3~4구에서는 낮잠에서 깨어나 피리 소리 들려오는 고깃배를 미소 지으며 바라보고 있는 모습에서 시인의 여유롭고 한가로운 심적 상태를 느낄 수 있다.

077. 궁궐 문이 잠겨

홍자기(洪咨夔)

궁궐 문 깊이 잠겨 고요히 소리도 없고
황백의 두 삼베 종이에 진한 먹물 축축하네.
오경이 되었음을 알려오나 하늘은 아직 밝지 않고
붉은 계단 위 달빛은 자미화에 스미네.

禁鎖[1]

禁門深鎖寂無譁,[2] 濃墨淋灕兩相麻.[3]
唱徹五更天未曉,[4] 一墀月浸紫薇花.[5]

[주석]

1) 저본에는 작자가 홍준(洪遵)으로 되어 있다. 제목이 「옥당에 숙직하며 쓰다(直玉堂作)」 또는 「달빛 스미어(月浸)」로 되어 있는 판본도 있다.

2) 深鎖(심쇄): 깊이 잠겨 있다.
譁(화): 시끄럽다, 떠들썩하다.

3) 淋灕(임리): 흥건히 젖어 축축한 모양.
兩相麻(양상마): 재상을 임명하는 두 마지(麻紙). 마지는 삼을 넣어 만든 종이로, 거칠고 두터우며 내구성이 뛰어나 고대부터 중요한 기록을 남기는 데 사용됐다. 한림원(翰林院)에서는 황명을 받들어 책서(冊書)나 교서(敎書), 임명장 등을 마지로 작성했으며, 백마지(白麻紙)와 황마지(黃麻紙) 두 종류가 있다.

4) 唱徹五更(창철오경): 오경이 되었음을 소리치다. 고대 궁궐에는 전담하여 시각을 알리는 사람이 있었는데, 닭이 시간을 알리는 것에 비유하여 이를 '계인(鷄人)'이라 했다.
5) 墀(지): 궁전 앞의 계단 또는 그 위의 뜰. 붉은 칠로 되어 있어 '단지(丹墀)' 또는 '적지(赤墀)'라고 한다.

[해설]

이 시는 옥당에서 숙직하며 쓴 것으로, 한밤중의 적막하고 고요한 궁궐의 경관과 새벽이 될 때까지 공무에 임하는 시인의 모습이 나타나 있다.

제1구에서는 깊이 잠긴 궁궐 문과 번다한 소리 하나 들리지 않는 상황으로 궁궐의 삼엄함과 적막함을 나타내고 있다. 제2구에서는 황명을 받들어 이제 막 작성한 조서에 먹물이 채 마르지도 않았다는 말로 바쁘게 공무에 임하고 있는 시인의 모습을 말하며 앞 구의 적막한 궁궐의 모습과 대비하고 있다. 제3구에서는 오경이 되었으나 아직 날이 밝지 않았다는 말로 밤이 다하도록 공무가 아직 끝나지 않았음을 비유하고 있다. 밤새 이어지는 공무에 지치고 고단할 수도 있겠으나, 마지막 제4구에서 시인은 오히려 은은한 달빛이 스며드는 자미화를 묘사하며 자신에 대한 황제의 총애와 직무에 대한 자부심을 나타내고 있다.

078. 대나무 누각

이가우(李嘉祐)

오만한 관리는 몸 한가로워 권세가들을 비웃나니
서쪽 강에서 대나무 가져다 높은 누각을 세웠네.
남쪽에서 불어오는 바람에 포규 부채도 필요 없고
비단 모자 벗어 한가로이 잠자며 갈매기를 마주하고 있네.

竹樓[1)]

傲吏身閑笑五侯,[2)] 西江取竹起高樓.[3)]
南風不用蒲葵扇,[4)] 紗帽閑眠對水鷗.[5)]

[주석]

1) 제목이 「왕사인의 대나무 누각에 부쳐(寄王舍人竹樓)」로 되어 있는 판본도 있으며, 왕사인(王舍人)이 누구인지는 알 수 없다.

2) 傲吏(오리): 오만한 관리. 세상과 타협하지 않고 자신의 생각과 지조를 굽히지 않는 관리. 시인 자신을 가리킨다.
五侯(오후): 다섯 제후. 여기서는 황제 가까이에서 총애를 받고 있는 대신이나 환관들을 가리킨다. 앞의 021. 「한식(寒食)」 주 5) 참조.

3) 西江(서강): 서쪽 강. 지역 이름인 '강서(江西)'의 도치로 보인다.

4) 蒲葵(포규): 종려(棕櫚)나무. 야자나무과의 상록교목으로 잎이 좁고 길다. 잎을 엮어 돗자리나 부채를 만든다.

5) 紗帽(사모): 비단으로 만든 관원의 모자. 검은빛을 띠고 있어 '오사모(烏紗帽)'라고도 한다.

水鷗(수구): 갈매기.

[해설]

이 시는 권세를 위하여 자신을 굽히지 않고 자연을 즐기며 살아가는 유유자적한 생활을 노래한 것으로, 시인이 원주〔袁州, 지금의 강서성(江西省) 의춘시(宜春市) 지역〕에서 자사(刺史)를 지내고 있을 때 쓴 것이다.

제1~2구에서는 권세가를 비웃으며 한가로이 살아가는 자신을 오만한 관리에 비유하고 대나무로 누각을 지어 자연을 즐기는 모습이 나타나 있다. 이 시의 다른 제목인 「왕사인의 대나무 누각에 부쳐」로 볼 때 누각을 지은 주체를 왕사인으로 보고 그의 지조를 높인 것으로 볼 수도 있다. 대나무는 자연에서 취한 소박한 재료로서, 호사롭게 지은 권세가들의 누각과 대비되는 동시에 시인의 군자적 품성을 상징하고 있다. 또한 의도적으로 '높은 누각〔高樓〕'이라는 표현을 사용함으로써 세상과 타협하지 않은 고고한 기상을 드러내고 있다. 제2구의 '서쪽 강〔西江〕'이라는 표현은 강서 지역에서 보통 기와 대신 대나무를 사용하여 누각을 지었고 시인이 강서 지역에 있었음에 비추어볼 때 '강서(江西)'의 도치로 여겨지니, 비록 대구는 아니지만 다음 구의 '남풍(南風)'과 대비적인 효과를 고려한 것이라 할 수 있다. 제3~4구에서는 누각 위에서 서늘한 바람을 즐기며 한가로이 낮잠을 즐기는 모습을 쓸모없는 부채와 벗어놓은 비단 모자를 통해 나타내고 있다. 시원한 남풍에 부채조차 필요하지 않은 쾌적한 누각에서 관모를 벗어놓고 낮잠을 즐기는 행위는 부귀와 권세 없이도 충분히 만족을 느끼는 시인의 현재 상황과 심적 상태를 보여준다.

079. 중서성에 숙직하며

백거이(白居易)

황제의 조칙을 작성하는 곳에 글을 쓸 일 없나니
종고 누각에 물시계 소리 길기만 하구나.
홀로 황혼 녘에 앉아 있으니 누가 짝할 것인가?
자미화가 자미랑을 대하고 있구나.

直中書省[1)]

絲綸閣下文章靜,[2)] 鍾鼓樓中刻漏長.[3)]
獨坐黃昏誰是伴, 紫薇花對紫薇郎.[4)]

[주석]

1) 제목이 「자미화(紫薇花)」로 되어 있는 판본도 있다.

2) 絲綸(사륜): 명주실과 낚싯줄. 가는 실과 굵은 실을 가리키며 황제의 칙령을 의미한다. 『예기(禮記)·치의(緇衣)』에 "왕의 말은 명주실과 같으나 나오면 낚싯줄과 같다(王言如絲, 其出如綸)"라 하고, 공영달(孔穎達)의 소(疏)에 "왕의 말은 처음에 나올 때는 명주실과 같이 미세하지만, 밖으로 나와 행해지면 말이 더욱 커져 낚싯줄과 같아진다(王言初出, 微細如絲, 及其出行於外, 言更漸大, 如似綸也)"라 하여 이후 황제의 칙령을 '사륜'이라 칭했다. '사륜각(絲綸閣)'은 황제의 조서와 칙령을 작성하는 곳으로, 중서성(中書省)을 가리킨다.

文章靜(문장정): 문장이 고요하다. 일거리가 없는 것을 가리킨다.

3) 鍾鼓樓(종고루): 종과 북이 설치된 누각.

刻漏(각루): 물시계.

4) 紫薇郎(자미랑): 본래는 중서시랑(中書侍郎)을 가리키나, 여기서는 중서성의 관원을 범칭한 것으로 당시 중서사인(中書舍人)이었던 자신을 가리킨다. 중서성은 당 개원(開元) 원년(713)에 자미성(紫薇省)으로 개칭됐다가, 대력(大曆) 5년(770)에 다시 중서성으로 개칭됐다. 백거이가 이 시를 쓸 당시에는 이미 자미성이라 부르지 않았으나, 자미화와 대비시키기 위해 옛 이름을 차용했다.

[해설]

이 시는 중서성에서 숙직하며 한가로운 감회를 노래한 것으로, 백거이가 중서성에서 중서사인을 지낼 때 쓴 것이다.

제1~2구에서는 황제의 조칙을 작성하는 곳에서 글을 쓸 일이 없다는 말로 숙직의 한가로움을 말하고, 긴 물시계 소리로 더디게 느껴지는 시간의 흐름을 형상화하고 있다. 제3~4구에서는 황혼 녘에 홀로 쓸쓸히 앉아 있다가 자신의 직책과 비슷한 이름의 자미화를 바라보며 짝을 찾은 듯한 반가움을 나타내고 있다.

080. 책을 보고 느낀 바 있어

주희(朱熹)

반 무의 네모난 연못이 하나의 거울처럼 열리더니
하늘빛과 구름 그림자가 함께 비쳐 일렁이네.
그 물에게 어찌 그처럼 맑을 수 있는가 묻나니
근원이 있어 살아 있는 물이 오기 때문이라네.

觀書有感[1]

半畝方塘一鑑開,[2] 天光雲影共徘徊.[3]
問渠那得淸如許,[4] 爲有源頭活水來.[5]

[주석]

1) 『주문공집(朱文公集)』에는 「책을 보고 느낀 바 있어(觀書有感)」 총 2수 중 제1수로 되어 있다.

2) 半畝(반무): 반 무(畝) 넓이. 무(畝)는 논밭이나 집 등의 면적을 나타내는 단위로, 사방 6자의 면적이 1보(步)이며, 240보(步)가 1무(畝)이다.

方塘(방당): 방형(方形)의 네모난 연못.

一鑑開(일감개): 하나의 거울처럼 열리다. '감(鑑)'은 거울로, 천지 만물의 이치를 모두 담아 비추고 있는 상태를 상징한다.

3) 天光雲影(천광운영): 하늘빛과 구름 그림자. 모든 천지 만물을 상징한다.

共徘徊(공배회): 함께 배회하다. 하늘과 구름이 연못물에 비쳐 일렁이고 있는 것을 말한 것으로, 모든 천지 만물의 이치가 하나로 반영되어 있음을 상징한다.

4) 渠(거): 그, 저. 지시사. 연못의 물을 가리킨다.

那得(나득): 어떻게. 의문사.

如許(여허): 그와 같이 허락되다.

5) 爲(위): ~ 때문이다.

活水(활수): 살아 있는 물. 지속적인 독서와 학습을 상징한다.

[해설]

이 시는 연못의 비유를 통해 학문을 하는 자세와 의미에 대해 말하고 있는 설리시(說理詩)로, 도학자인 주희의 학문관을 잘 보여주고 있다.

제1~2구에서는 푸른빛과 흰빛의 색채 대비를 통해 네모난 작은 연못에 하늘과 구름이 맑게 비치고 있는 모습을 묘사하고, 이어 제3~4구에서는 문답의 형식을 사용하여 연못이 그처럼 맑은 이유를 묻고 그 이유가 연못의 근원에서 살아 있는 물이 끊이지 않고 계속해서 흘러들어 오기 때문임을 말하고 있다.

시의 제목에서 알 수 있듯이, 네모난 작은 연못은 시인이 읽고 있는 책을 상징하며 연못 가득한 맑은 물은 그 속에 담겨 있는 지식을 의미한다. 독서로 지식을 얻고 이를 통해 천지 만물의 운행 원리와 이치를 깨달을 수 있지만, 이는 다만 일회성의 독서로 이루어질 수 있는 것이 아니다. 시인은 살아 있는 물이 끊임없이 흘러들어야 연못이 계속 맑을 수 있듯이, 학문 또한 끊임없는 학습과 부단한 정진을 통해야만 비로소 그 맑음을 유지할 수 있으며 이를 통해 만물의 이치인 도(道)를 제대로 파악할 수 있음을 말하고 있다.

081. 배를 띄워

주희(朱熹)

어젯밤 강가에 봄물이 불어나더니
전함같이 큰 배도 깃털처럼 가볍구나.
전에는 배 움직이려 부질없이 힘 낭비했건만
오늘은 물 가운데서 자유롭게 가는구나.

泛舟[1]

昨夜江邊春水生,[2] 艨艟巨艦一毛輕.[3]
向來枉費推移力,[4] 此日中流白在行.

[주석]

1) 『주문공집(朱文公集)』에는 「책을 보고 느낀 바 있어(觀書有感)」 총 2수 중 제2수로 되어 있다.

2) 春水生(춘수생): 봄물이 불다. 봄에 계곡의 얼음과 눈이 녹아 물이 불어나는 것을 말한다.

3) 艨艟(몽동): 전함(戰艦)의 한 종류. 외관이 좁고 길며 날렵하다. 적의 배에 충돌하여 공격하므로 '몽충(艨冲)' 또는 '몽충(艨衝)'이라고도 한다. 적벽전투에서 주유(周瑜)가 섶에 불을 질러 조조의 본진을 공격할 때 사용했던 배로 유명하다.

4) 向來(향래): 지난번.

枉費(왕비): 그릇되게 사용하다.

몽동(艨艟)

[해설]

이 시는 앞의 「책을 보고 느낀 바 있어(觀書有感)」에 이어, 책을 읽고 얻은 깨달음을 자연현상에 빗대어 나타낸 설리시(說理詩)이다.

제1~2구에서는 밤사이 봄물이 불어나 강변에 정박되어 있던 커다란 전함들이 마치 깃털처럼 가벼이 물 위에 떠 있음을 말하고 있다. 제3~4구에서는 이전에 물이 얕았을 때는 전함을 끌어당기려 갖은 노력과 힘을 기울였음에도 결국 무위로 돌아가고 말았는데, 물이 불어난 지금은 가벼이 떠서 물 한가운데서 자유롭게 움직이고 있음을 말하고 있다.

시인은 앞의 시에서 '살아 있는 물(活水)'의 비유로써 부단한 정진과 학습을 강조했는데, 이 시에서는 학습을 통해 도(道)에 이르게 되는 과정과 그 결과에 대해 말하고 있다. 즉 아직 도(道)를 깨닫지 못한 상태에서는 아무리 노력을 기울여도 그 성과가 보이지 않아 공연히 힘과 시간만 낭비하는 것 같지만, 마치 순식간에 강물이 불어나는 것처럼 어느 순간 홀연 깨달음의 상태에 이르게 되며 그 이후에는 커다란 전함이 깃털처럼 물 위를 떠다니듯 도(道)의 경지에서 자유자재로 노닐 수 있게 됨을 말하고 있다. 지속적인 학습과 수양을 바탕으로 '활연관통(豁然

貫通)'의 과정을 통해 천지 만물의 운행 원리인 '이(理)'의 본질에 다다를 수 있다고 여겼던 주희의 철학관이 잘 반영된 시이다.

082. 냉천정

임진(林稹)

한 줄기 깊고 맑은 물이 시심을 적셔줄 수 있고
해마다 차갑고 따스함을 그 자신만이 안다네.
서호로 흘러가서는 춤과 노래를 싣고 있으니
돌아보면 산에 있을 때와 같지 않다네.

冷泉亭[1)]

一泓淸可沁詩脾,[2)] 冷煖年來只自知.[3)]
流出西湖載歌舞,[4)] 回頭不似在山時.

[주석]

1) 저본에는 시인이 임홍(林洪)으로 되어 있으며, 제목이 「냉천(冷泉)」으로 되어 있는 판본도 있다.

冷泉亭(냉천정): 정자 이름. 항주(杭州) 서호(西湖)의 영은사(靈隱寺) 앞 비래봉(飛來峰) 아래에 있다. 정자 아래에 냉천이 있어 서호로 흘러 들어간다.

2) 泓淸(홍청): 물이 깊고 맑다.

沁(심): 스미다, 적시다. '浸(침)'으로 되어 있는 판본도 있다.

脾(비): 비장, 지라. 오장육부(五臟六腑) 중 하나.

3) 冷煖(냉난): 차갑고 따뜻함. '煖(난)'이 '暖(난)'으로 되어 있는 판본도 있다.

只自知(지자지): 자신만 알다. 물이 그 온도를 스스로 결정함을 말한 것이다.

4) 載歌舞(재가무): 춤과 노래를 싣다. 서호에 가무을 즐기는 유람객들의 배가 떠 있는 것을 말한다.

[해설]

이 시는 냉천의 물이 산에 있을 때와 호수로 흘러갔을 때의 차이를 대비하여 묘사한 것으로, 사물의 본성이 환경에 따라 변화될 수밖에 없는 이치를 비유와 기탁의 방식으로 나타내고 있다.

제1~2구는 산에 있는 냉천을 묘사한 것으로, 냉천이 그 깊고 맑은 본성으로 시인의 시심을 불러일으키고 그 물의 온도 또한 자신이 결정하여 해마다 달리하고 있음을 말하며 그 순수하고 변화무쌍하며 주체적인 본성을 높이고 있다. 다음 제3~4구에서는 서호로 흘러 들어간 냉천이 춤추고 노래하는 유람선을 띄우고 있는 모습을 묘사하며, 산중에 있었을 때의 아름답고 순수한 모습을 잃어버리고 다만 유람객의 여흥이나 도와주는 보조적이며 피동적인 존재로 변화되고 말았음을 말하고 있다. 시인은 이 시를 통해 사람 또한 나아갈 곳과 머무를 곳을 잘 가리고 선택해야만 그 본성의 순수함을 유지하고 보존할 수 있음을 비유적으로 나타내고 있다.

083. 겨울 경치

소식(蘇軾)

연은 시들어 비를 가릴 연잎은 이미 없고
국화는 시들었으나 서리에 꿋꿋한 가지는 여전히 있다네.
일 년 중 가장 좋은 경치를 그대 꼭 기억해야만 하니
오렌지 노랗고 귤 푸를 때가 가장 좋다네.

冬景[1]

荷盡已無擎雨蓋,[2] 菊殘猶有傲霜枝.[3]
一年好景君須記, 最是橙黃橘綠時.[4]

[주석]

1) 제목이 「유경문에게 드리다(贈劉景文)」 또는 「초겨울(初冬)」로 되어 있는 판본도 있다. 유경문(劉景文)은 유계손(劉季孫)을 가리키며, 하남성(河南省) 상부〔祥符, 지금의 하남성 개봉시(開封市)〕 사람이다. 박학다식하여 일찍이 소식이 '강개하고 기이한 선비〔慷慨奇士〕'라 부르며 공융(孔融)에 비유하기도 했다.

2) 擎雨蓋(경우개): 높이 솟아 비를 막는 덮개. 연잎을 가리킨다. 연잎이 넓어 우산으로도 사용할 수 있기 때문에 이와 같이 불렀다. '경(擎)'은 '높이 솟다' '떠받들다'의 뜻.

3) 傲霜枝(오상지): 서리에 맞서는 가지. 여기서는 유경문을 비유한다.

4) 橙(등): 등자(橙子), 오렌지.

[해설]

이 시는 소식이 친구인 유경문에게 써준 것으로, 초겨울의 경관 묘사를 통해 친구에 대한 존경과 격려의 뜻을 나타낸 것이다.

제1~2구에서는 연잎은 이미 사라지고 국화 또한 시들어버린 초겨울의 황량한 경관을 배경으로 서리에 꿋꿋이 맞서고 있는 가지의 모습이 묘사되고 있다. 시인은 서리 맞은 가지를 통해 친구가 비록 인생에 있어 쇠락의 시기에 접어들었지만 그 지조와 신념은 변함없이 굳건함을 칭송하고 있다. 제3~4구에서는 황색의 등자가 익어가고 녹색의 귤이 자라고 있는 상황을 제시하며, 이 계절이 오히려 일 년 중 가장 아름다운 때임을 역설적으로 말하고 있다. 다른 만물들에게 겨울은 비록 소멸과 쇠락의 시기에 불과하지만, 등자와 귤은 이때에 자신을 더욱 성장시키며 그 존재감을 드러낸다. 시인은 친구가 현실에 좌절하지 않고 부단한 정진을 통해 자신의 꿈을 이루어나갈 것을 격려하고 있다.

084. 풍교에서 밤에 정박하며 장계(張繼)

달은 지고 까마귀 울고 서리는 하늘에 가득한데
강가 단풍과 고깃배 등불이 시름겨워 자는 이를 마주하네.
고소성 밖 한산사
한밤중 종소리가 나그네 배에 들려오네.

楓橋夜泊[1]

月落烏啼霜滿天, 江楓漁火對愁眠.
姑蘇城外寒山寺,[2] 夜半鐘聲到客船.[3]

[주석]

1) 楓橋(풍교): 지금의 강소성(江蘇省) 소주시(蘇州市) 서쪽 창문(閶門) 밖에 있으며, 한산사와 매우 가까운 거리에 있다. 『일통지(一統志)』에 "풍교는 소주부성의 서쪽 7리에 있으며, 남북으로 왕래함에 반드시 이곳을 지나야 한다(楓橋在蘇州府城七里, 南北往來, 必經於此)"라 했다.

2) 姑蘇城(고소성): 소주(蘇州)의 옛 이름. 서남쪽에 고소산(姑蘇山)이 있어 이름이 유래했다.
寒山寺(한산사): 남조(南朝) 양대(梁代)에 세워진 사찰. 원명은 묘리보명탑원(妙利普明塔院)인데 당대에 명승 한산(寒山)이 기거하여 한산사라는 이름을 얻었다.

3) 夜半(야반): 한밤중.

한산사(寒山寺) 풍교(楓橋)

[해설]

이 시는 날이 저물어 풍교에 정박한 나그네가 수심에 겨워 잠 못 이루는 정경을 묘사한 것이다.

제1~2구에서는 초겨울의 스산한 정경과 분위기가 나타나 있는데, '지는 달'과 '강가 단풍' '고깃배 등불'과 같은 시각적 이미지와 '까마귀 울음'과 같은 청각적 이미지, '하늘 가득한 서리'와 같은 촉각적 이미지 등을 총체적으로 활용하여 나타냄으로써 나그네의 수심을 보다 심화시키고 있다. 또한 표현에 있어 제2구에서는 '대(對)' 자를 중심으로 '수면(愁眠)'과 '강풍어화(江楓漁火)'의 위치를 바꾸어놓고 있는데, 이로 인해 '수심에 겨워 잠든 나그네'는 관찰의 대상으로서 객관화되어 시 속에서 보다 선명하게 부각되는 효과를 나타내고 있다. 제3~4구에서는 정적을 깨며 들려오는 한밤중의 종소리로 나그네의 수심을 절정에 이르게 하고 있는데, 그 수심의 내용과 원인이 무엇인지 구체적인 언급 없이 다만 '객선(客船)'이라고만 표현함으로써 독자의 상상을 통한 시의의 심화와 확장의 효과를 이루고 있다.

085. 차가운 밤

두뢰(杜耒)

차가운 밤에 객이 찾아와 차로 술을 대신하니
대나무 화로에 물은 끓고 불은 막 붉어졌도다.
평소와 다름없이 창 앞에 달은 떴지만
이제 막 매화 피어나니 이전과는 다르구나.

寒夜[1]

寒夜客來茶當酒,[2] 竹爐湯沸火初紅.[3]
尋常一樣窗前月,[4] 纔有梅花便不同.[5]

[주석]

1) 저본에는 작자가 두소산(杜小山)으로 되어 있다. '소산(小山)'은 두뢰(杜耒)의 호(號)이며, 자(字)는 자야(子野)이다.

2) 當(당): 충당하다, 대신하다.

3) 竹爐(죽로): 대나무로 틀을 만들어 넣은 화로.
湯沸(탕비): 물이 끓어오르다.

4) 尋常(심상): 평상시.

5) 纔(재): 비로소, 이제 막.

[해설]

이 시는 친구와 함께 차를 마시며 그에 대한 깊은 우정의 뜻을 나타낸 것이다.

제1~2구에서는 차가운 밤에 친구가 찾아왔으나 술이 없어 차로써 대신할 수밖에 없는 처지임을 말하고 이어 붉은 화롯불에 찻물이 끓고 있는 상황을 묘사하고 있다. 한밤중에라도 찾아올 수 있는 친구의 모습을 통해 그가 시인과 매우 막역한 사이임을 알 수 있다. 또한 술 대신 차를 대접하는 상황을 통해 시인의 생활 형편이 그다지 여유롭지 못함을 짐작할 수 있는데, 한편으로는 두 사람이 굳이 술이 없어도 충분히 즐거울 수 있는 이른바 '지음(知音)'의 관계임을 말한 것으로도 보인다. 타오르는 화로의 불꽃은 서로에 대한 뜨거운 열정을 상징적으로 보여주며, 끓어오르는 찻물의 맑은 소리는 끊임없이 이어지는 그들 간의 정감 어린 대화를 연상케 한다. 제3~4구에서는 창 아래 비치는 달은 여느 때와 다름없이 아름답지만 오늘 밤은 매화까지 피어 더욱 아름답게 느껴짐을 말하고 있다. 한밤중에 찾아온 친구는 홀연히 피어난 매화가 되어 일상의 시인에게 또 다른 즐거움을 더해주고 있다.

086. 서리 속의 달

이상은(李商隱)

날아오는 기러기 소리 막 들리니 매미 소리 이미 사라지고
백 척 누대에서 바라보니 물은 하늘과 이어져 있네.
청녀와 항아는 함께 추위를 견디며
달과 서리 속에서 아름다움을 다투고 있구나.

霜月

初聞征雁已無蟬,[1] 百尺樓臺水接天.
青女素娥俱耐冷,[2] 月中霜裏鬬嬋娟.[3]

[주석]

1) 征雁(정안): 북에서 날아오는 기러기.
   蟬(선): 매미. 저본에는 '嬋(선)'으로 되어 있다.

2) 青女(청녀): 전설상 서리와 눈을 관장한다고 하는 신녀(神女).
   素娥(소아): 항아(嫦娥) 또는 항아(姮娥)라고도 한다. 신화 속의 인물로 후예(后羿)의 처이다. 후예가 서왕모로부터 얻은 불사약을 훔쳐 먹고 달로 달아나 달 속의 선녀가 되었다고 한다.

3) 嬋娟(선연): 곱고 아름다움.

[해설]

이 시는 가을밤 누대에 올라 바라본 경관을 선녀의 고사를 빌려 표현한 것이다.

제1~2구에서는 기러기가 날아오고 매미 소리는 이미 들리지 않는다는 말로 계절적 배경을 말하고 있다. 매미는 음력 7월에 울고 기러기는 음력 8월에 돌아오며 서리는 음력 9월에 내리므로, 이때는 이미 늦가을에 접어든 시기임을 알 수 있다. 이어 백 척의 높은 누대로써 시인이 있는 공간적 배경을 말하고, 검은 물빛이 하늘과 이어져 구분이 안 되는 경관을 묘사하며 시간적 배경을 말하고 있다. 아울러 각 구에서 하늘과 지상의 상황, 수직과 수평의 경관을 대비시키면서 시의 경계를 확장시키고 있다. 제3~4구에서는 달빛 아래 서리가 비치는 경관을 청녀와 항아가 서로 아름다움을 겨루고 있는 상황으로 희화해 표현함으로써 자신이 마치 선계에 와 있는 것처럼 느껴짐을 말하고 있다.

「항아집계도(嫦娥執桂圖)」
명(明) 당인(唐寅)

087. 매화

왕기(王淇)

세상의 먼지는 반점 묻는 것조차 받아들이지 않고
대나무 울타리 초가집에서도 마음 달가워한다네.
다만 임포라는 사람을 잘못 알아
시인들이 지금까지 이야기하게 되었구나.

梅

不受塵埃半點侵,[1] 竹籬茅舍自甘心.[2]
只因誤識林和靖,[3] 惹得詩人說到今.[4]

[주석]

1) 塵埃(진애): 티끌, 먼지.
侵(침): 침범하다. 여기서는 먼지가 묻은 것을 말한다.

2) 竹籬(죽리): 대나무로 만든 울타리. 저본에는 '竹簾(죽렴)'으로 되어 있다.

3) 林和靖(임화정): 임포(林逋). 북송 항주(杭州) 전당(錢塘) 출신으로, 자는 군복(君復)이고 시호는 화정선생(和靖先生)이다. 초년에는 장강(長江)과 회수(淮水) 사이 지역을 돌아다니다가 만년에 항주로 돌아가 서호(西湖) 고산(孤山)에서 20년간 은거했다. 매화를 심고 학을 기르며 평생 결혼하지 않아, 매화를 아내로 삼고 학을 자식으로 삼았다는 뜻으로 '매처학자(梅妻鶴子)'라 불렸다.

4) 惹得(야득): 야기하다, 초래하다.

[해설]

이 시는 매화를 노래한 영물시로, 매화의 고아하고 탈속적인 자태와 품성을 노래하고 있다.

제1~2구에서는 세속의 작은 먼지도 허락하지 않는 매화의 맑고 고결한 자태와 세상의 명리에 초월한 채 초간모옥(草間茅屋)에 있는 것 또한 기꺼이 받아들이는 매화의 탈속적이고 청빈한 품성을 칭송하고 있다. 제3~4구에서는 매화를 좋아하여 매처학자(梅妻鶴子)라 불렸던 임포로 인해 매화가 줄곧 세상 사람들의 입에 회자되는 바람에 세상과 떨어져 은자의 삶을 살고자 했던 매화의 지향이 실현되지 못했음을 말하고 있다.

088. 이른 봄

백옥섬(白玉蟾)

남쪽 가지에 비로소 두세 송이 꽃이 피니
눈 속에서 향기 읊으며 분가루들을 희롱하네.
꽃은 옅은 안개에 싸여 짙은 달빛 머금고 있으며
꽃 그림자는 물에 짙게 덮이고 모래에 옅게 어리네.

早春

南枝纔放兩三花, 雪裏吟香弄粉些.[1]
淡淡著烟濃著月,[2] 深深籠水淺籠沙.[3]

[주석]

1) 吟香(음향): 향기를 읊다. 매화에 대한 감흥을 시로 읊는 것을 말한다.
弄(농): 희롱하다. 매화를 어루만지며 즐기는 것을 말한다.
粉些(분사): 흰 분가루들. 매화의 작은 꽃을 비유한 것이다. '사(些)'는 복수형.

2) 淡淡(담담): 안개가 옅게 끼어 있는 모습.
著(착): 붙어 있다. 매화에 안개가 덮이고 달빛이 비치고 있는 것을 말한다.

3) 深深(심심): 깊고 그윽한 모습.
籠(농): 덮다. 매화의 그림자가 물과 모래에 비쳐 있는 것을 말한다.

[해설]

이 시는 이른 봄에 막 피어난 매화를 감상하고 즐기는 기쁨을 노래한 것으로, 실경과 허경의 병행 묘사를 통해 아름다운 매화의 모습을 보다 입체적이고 생동감 있게 나타내고 있다.

제1~2구에서는 볕이 일찍 드는 남쪽 가지에 이제 막 몇 송이 매화가 피어난 상황과 이를 보고 이내 달려가 시를 읊으며 매화를 즐기는 시인의 흥겨운 모습이 나타나 있다. 이제 겨우 분가루처럼 피어난 단지 몇 송이의 매화에도 이토록 설레고 즐거워하는 모습에서 겨우내 이어졌을 시인의 간절한 기다림을 짐작할 수 있다. 제3~4구에서는 매화의 모습을 실제의 모습과 그림자의 모습으로 구분하여 묘사하고 있다. 제3구에서는 안개에 싸인 채 달빛에 비치고 있는 매화의 모습을 옅고 짙은 농담(濃淡)의 대조를 통해 환상적으로 묘사하고, 제4구에서는 물에 비치고 모래에 어린 매화의 그림자를 깊고 얕은 심천(深淺)의 대비를 통해 입체적으로 나타내고 있다.

089. 눈 속의 매화 (1)

노매파(盧梅坡)

매화와 눈이 봄을 다투며 서로 지려 하지 않으니
시인들은 붓을 멈추고 이들을 평하느라 힘썼네.
매화가 분명 하얗기로는 눈의 삼분에도 미치지 못하지만
눈은 오히려 매화보다 한 단의 향기가 부족한 것을.

雪梅 (其一)

梅雪爭春未肯降,[1] 騷人閣筆費評章.[2]
梅須遜雪三分白,[3] 雪卻輸梅一段香.[4]

[주석]

1) 爭春(쟁춘): 봄을 다투다. 서로 자신이 봄의 정취를 대표한다고 내세우는 것을 말한다.

未肯(미긍): 기꺼이 ~하려 들지 않다.

降(항): 지다, 항복하다.

2) 騷人(소인): 근심이 있는 사람. 굴원(屈原)의 「이소(離騷)」에서 유래한 말로, 시인이나 묵객(墨客)을 의미한다.

閣筆(각필): 붓을 내려놓다. 글쓰기를 멈추는 것을 뜻한다. '閣(각)'은 '擱(각)'과 같은 뜻으로, '내려놓다'의 의미이다.

費(비): 힘쓰다, 수고하다.

評章(평장): 평가하다, 평론하다.

3) 遜(손): 손색이 있다, 미치지 못하다.

三分(삼분): 10분의 3.

4) 輸(수): 승부에서 지다, 차이가 나다.

[해설]

이 시는 봄의 정경을 대표하는 매화와 눈꽃을 비교하며 둘 다 우열을 가릴 수 없이 각자 상호 보완적인 아름다움을 지닌 존재임을 말하고 있다.

제1~2구에서는 매화와 눈꽃을 의인화해 이들이 각자의 빼어남으로써 서로가 봄을 대표한다며 다투는 상황을 제시하고, 이들의 다툼이 사람들에게로까지 확대되어 시인들이 시를 쓰는 것도 멈추고 이들의 우열을 가르는 논쟁에 참여하게 된 상황을 말하고 있다. 제3~4구에서 시인은 이러한 논쟁에 대한 자신의 견해로서, 매화와 눈꽃이 지닌 각기 상호보완적인 장단점을 대비하여 서술하고 있다. 이는 이들 모두가 봄의 경관과 정취의 형성에 필수적인 존재임을 말한 것으로, 매화와 눈꽃 모두에 대한 시인의 각별한 애정을 느끼게 한다.

090. 눈 속의 매화 (2)

노매파(盧梅坡)

매화가 있되 눈이 없으면 운치가 없으며
눈이 있되 시가 없으면 속된 사람이라네.
날 저물어 시가 완성되자 하늘에서 또한 눈이 내리니
매화와 더불어 완연한 봄이 되었구나.

雪梅 (其二)

有梅無雪不精神,[1] 有雪無詩俗了人.[2]
日暮詩成天又雪, 與梅并作十分春.[3]

[주석]

1) 精神(정신): 마음으로 느껴지는 감흥, 운치(韻致).

2) 俗了人(속료인): 고상하지 못하고 속된 사람.

3) 十分(십분): 10분의 10. 완전하고 충만한 상태를 의미한다.

[해설]

앞의 시에서 시인은 매화와 눈꽃을 비교하며 이들 모두가 봄의 정경을 형성하는 데 필수적인 존재임을 말했는데, 이 시에서는 여기에다 봄의 감흥을 노래하는 한 편의 시가 더해졌을 때 비로소 완전한 봄이 이루어짐을 말하고 있다.

제1~2구에서는 매화는 있으나 눈이 없는 상황과 눈은 있으나 시가 없는 상황을 제시하며 각각 운치와 감흥이 부족하여 완전한 봄이 될 수 없음을 말하고 있다. 제3~4구에서는 감흥을 담은 시가 완성되자 하늘에서 눈이 내려 이미 핀 매화와 더불어 운치까지 더해져 비로소 완연한 봄을 느낄 수 있게 되었음을 기뻐하고 있다.

091. 종약옹에 답하다

목동(牧童)

가로지른 들에 풀은 예닐곱 리 펼쳐져 있고
저녁 바람에 피리 서너 곡조 부네.
황혼 후 돌아와 배불리 먹고
도롱이도 벗지 않은 채 밝은 달 아래 눕는다네.

答鍾弱翁[1]

草鋪橫野六七里,[2] 笛弄晚風三四聲.[3]
歸來飽飯黃昏後, 不脫簑衣臥月明.[4]

[주석]

1) 鍾弱翁(종약옹): 종부(鍾傅). 북송(北宋) 요주(饒州) 낙평(樂平) 출신으로 자가 약옹(弱翁)이다. 본디 서생이었다가 이헌(李憲)의 천거로 난주추관(蘭州推官)이 되었다. 집현전수찬(集賢殿修撰), 현모각대제(顯謨閣待制), 용도각직학사(龍圖閣直學士) 등을 지냈으며 서하(西夏)와의 전투에서 전공을 거짓으로 보고하여 여러 곳으로 좌천됐다. 목동(牧童)이 누구인지는 알 수 없으며, 작자가 여선목동(呂仙牧童)으로 되어 있는 판본도 있다.
2) 橫野(횡야): 가로질러 넓게 펼쳐진 들.
3) 弄(농): 피리를 불다.
4) 簑衣(사의): 도롱이.

[해설]

이 시는 목동이 종부(鍾傅)에게 답한 것으로, 부귀와 명리를 초탈하여 자연과 더불어 즐기며 만족스럽게 살아가는 목동의 삶이 나타나 있다.

제1~2구에서는 풀이 펼쳐져 있는 넓은 들에서 소를 치다가 저녁이 되어 피리 불며 돌아오는 목동의 모습이 한 폭의 그림처럼 묘사되고 있다. 제3~4구에서는 집으로 돌아와 배불리 먹고 달 아래 편안히 쉬는 모습으로, 세상 명리에서 벗어나 안분지족하는 즐겁고 여유로운 삶을 말하고 있다.

092. 밤에 진회하에 배를 대고 두목(杜牧)

찬 강물은 안개에 덮이고 모래밭은 달빛에 싸였는데
밤에 진회하에 배를 대니 술집이 가깝구나.
장사하는 여자들은 망국의 한도 모르고
강 건너에서 아직도 「후정화」를 부르는구나.

秦淮夜泊[1]

烟籠寒水月籠沙,[2] 夜泊秦淮近酒家.
商女不知亡國恨,[3] 隔江猶唱後庭花.[4]

[주석]

1) 秦淮(진회): 진회하(秦淮河). 강소성 율수현(溧水縣) 동북쪽에서 발원하여 서쪽으로 남경(南京)을 거쳐 장강(長江)으로 들어간다. 여기서는 남경 지역을 지나는 강을 가리킨다. 진시황(秦始皇)이 금릉[金陵, 지금의 강소성 남경(南京)]에서 나중에 천자(天子)가 나올 것이라는 말을 듣고 종산(鐘山)을 파헤쳐서 금릉의 기운을 절단시키려고 회수(淮水)를 끌어들여 물을 소통시켰기 때문에 '진회하'라고 불렀다 한다. 제목이 「진회하에 배를 대고(泊秦淮)」로 되어 있는 판본도 있다.

2) 籠(롱): 뒤덮다, 자욱하다.

3) 商女(상녀): 술을 파는 여자. 기녀를 가리킨다.

4) 後庭花(후정화): 「옥수후정화(玉樹後庭花)」. 남조시대 진(陳)의 후주(後主) 진숙보(陳叔寶)가 지은 악곡으로, 음탕한 궁중 생활을 반영한 무곡(舞曲)이다. 진숙보는 음란함과 향락을 즐기고 정치를 돌보지 않아 후에 수(隋)에 멸망당했는데, 이로 인해 후인들은 이를 '망국지음(亡國之音)'이라고 불렀다.

[해설]

이 시는 시인이 물길을 따라 여행하다가 진회하(秦淮河)에 정박하며 망국의 감회를 읊은 것으로, 정확한 작시 시기는 알 수 없으나 여정과 시의 분위기로 보아 장안(長安)을 떠나 호주자사(湖州刺史)로 부임하던 도중에 지은 것으로 여겨진다.

제1~2구에서는 서늘하고 황량한 금릉의 경관을 묘사하여 화려하고 번성한 도읍이었던 옛날의 모습과 대비시키고, 망국의 옛 도읍 곳곳에 술집이 있음을 말함으로써 진(陳)나라가 패망할 당시의 모습을 연상케 하고 있다. 제3~4구에서는 망국의 한을 알지 못하고 망국의 노래를 부르고 있는 기녀의 모습을 묘사하고 있는데, 아무런 생각 없이 부르는 기녀의 노래에서 망국의 비통함과 인생무상의 서글픔이 더욱 깊이 배어나고 있다.

093. 돌아가는 기러기

전기(錢起)

소수와 상수에서 어찌하여 아무렇지도 않게 돌아가는가?
물은 푸르고 모래는 밝으며 양 언덕에 이끼는 가득한데.
이십오 현 거문고로 달밤을 노래하니
맑고 슬픈 소리 이기지 못해 돌아가는 것이라오.

歸雁

瀟湘何事等閑回,[1] 水碧沙明兩岸苔.
二十五絃彈夜月,[2] 不勝淸怨卻飛來.[3]

[주석]

1) 瀟湘(소상): 소수(瀟水)와 상수(湘水). 지금의 호남성(湖南省)에 있으며 소수가 상수로 합류한 뒤 동정호(洞庭湖)로 흘러 들어간다. 여기서는 회안봉(回雁峰)이 있는 형양(衡陽) 지역을 가리킨다. 『방여승람(方輿勝覽)』에 "회안봉은 형양 남쪽에 있다. 기러기가 이곳에 이르러 지나가지 않고 봄이 되면 돌아간다(回雁峰在衡陽南. 雁至此不過, 遇春而回)"라 했다.
等閑(등한): 예사롭다, 아무렇지 않다.

2) 二十五絃(이십오현): 25현의 거문고. 『사기(史記) · 봉선서(封禪書)』에 "태제가 진녀에게 50현의 슬을 연주하게 했는데, 비통하여 태제가 참을 수 없어 그 슬을 부수어 25현으로 만들었다(太帝使秦女鼓五十弦, 悲, 帝禁不止, 故破其瑟爲

二十五弦)"라 했다. 여기서는 전설상 요(堯)임금의 두 딸이자 순(舜)임금의 부인들이었던 아황(娥皇)과 여영(女英)이 순임금을 애도하며 상수에서 거문고를 탔다는 고사를 인용한 것이다. '絃(현)'이 '弦(현)'으로 되어 있는 판본도 있다.

3) 淸怨(청원): 맑고 슬픔. 거문고의 애달픈 곡조 소리를 가리킨다.

[해설]

이 시는 봄이 되어 북으로 날아가는 기러기를 통해 자신의 애달픈 심사를 노래한 것으로, 기러기와의 문답 형식을 차용하고 있다.

제1~2구에서는 소수와 상수가 어우러진 형양 지역의 아름다운 자연 경관을 묘사하며 기러기에게 어찌하여 이러한 경관을 두고 무심히 떠나가는지 묻고 있다. 제3~4구에서는 상수의 풍광과 순임금을 애도했던 아황과 여영의 거문고 소리를 결합시켜, 아름다운 풍경과 어우러진 맑고 슬픈 거문고 소리로 인해 깊은 시름을 견디지 못하고 떠나는 것이라는 기러기의 대답을 통해 자신의 슬픔을 기탁하고 있다.

094. 벽에 쓰다

무명씨(無名氏)

한 무더기 띠풀이 어지러이 흩어져 있다가
돌연 하늘로 타올라 홀연히 사라져버리네.
어찌 같으리? 화로 가득 태우는 나무옹이가
천천히 불붙어 열기 가득해지는 것과.

題壁[1]

一團茅草亂蓬蓬,[2] 驀地燒天驀地空.[3]
爭似滿爐煨榾柮,[4] 漫騰騰地煖烘烘.[5]

[주석]

1) 저본에는 작자가 전기(錢起)로 되어 있다. 제목이 「숭산 준극중원의 법당 벽에 쓰다(題嵩山峻極中院法堂壁)」로 되어 있는 판본도 있다. 남송 장단의(張端義)의 『귀이집(貴耳集)』과 허의(許顗)의 『언주시화(彥周詩話)』 등에 따르면 이 시는 숭산(崇山) 꼭대기의 법당 벽에 쓴 것이라 한다.

2) 蓬蓬(봉봉): 어지러이 흩어져 있는 모양.

3) 驀地(맥지): 홀연, 갑자기.

4) 爭似(쟁사): 어찌 같으리?

榾柮(골돌): 나무뿌리의 옹이. 단단하여 석탄 대용으로 사용된다.

煨(외): 굽다, 태우다.

5) 漫(만): 느리다. '慢(만)'과 같다.

騰騰地(등등지): 등등하게. 불길이 점점 커져가는 것을 가리킨다.

煖(난): 열기, 온기. '熱(열)'로 되어 있는 판본도 있다.

烘烘(홍홍): 불이나 열기가 성한 모양.

[해설]

이 시는 띠풀과 나무옹이가 불에 타는 모습을 대비시켜 흥망성쇠에 대한 삶의 이치를 드러낸 것으로, '홀연〔驀地〕' '어찌 같으리?〔爭似〕' '등등하게〔騰騰地〕' 등과 같은 구어적인 표현을 통해 이를 보다 분명하면서도 직접적으로 나타내고 있다.

제1～2구에서는 들판에 널려 있는 띠풀은 불이 붙기가 쉽고 한번 불이 붙으면 하늘로 타올라 비록 그 기세가 크고 성대하지만 순간에 홀연히 사라져버림을 말하며, 옳지 않은 방법으로 추구하는 부귀공명의 허망함을 비유하고 있다. 제3～4구에서는 화로 속에서 비록 천천히 불이 붙지만 오래도록 뜨거운 열기를 낼 수 있는 나무옹이를 비교하며 분수를 지키고 인내하면 삶의 추위를 막아낼 수 있음을 말하고 있다.

『증보중정천가시주해(增補重訂千家詩註解)』 권하(卷下)
—칠언율시(七言律詩)

095. 대명궁의 아침 조회

가지(賈至)

은촉 켜고 조회 가는 장안 길은 길고
궁성의 봄색은 새벽 되어 짙푸르네.
천 가닥 가는 버들은 궁성 문에 드리웠고
온갖 소리 꾀꼬리는 건장궁을 감도네.
검과 패옥 소리는 옥 계단 오르는 걸음을 따르고
의관 갖춘 몸에는 어전 향로의 향이 스며드네.
함께 성은의 물결에 머리 감는 봉황 연못에서
아침마다 붓을 적시며 군왕을 모신다네.

早朝大明宮[1]

銀燭朝天紫陌長,[2] 禁城春色曉蒼蒼.[3]
千條弱柳垂青鎖,[4] 百囀流鶯繞建章.[5]
劍佩聲隨玉墀步,[6] 衣冠身惹御爐香.[7]
共沐恩波鳳池上,[8] 朝朝染翰侍君王.[9]

[주석]

1) 제목이 「대명궁의 아침 조회에 두 성의 동료들에게 드리다(早朝大明宮呈兩省僚友)」로 되어 있는 판본도 있다. 대명궁(大明宮)은 당(唐)의 궁전 이름이며, 양성(兩省)은 문하성(門下省)과 중서성(中書省)을 가리킨다.

2) 朝天(조천): 천자를 조회(朝會)하다.

紫陌(자맥): 자주색 길. 도성인 장안의 거리를 가리킨다.

3) 禁城(금성): 황제가 거주하는 궁성. 경비가 삼엄하여 이와 같이 부른다.

蒼蒼(창창): 푸른빛이 가득한 모양.

4) 青鎖(청쇄): 고리 모양의 문양을 연속으로 새겨 푸른색으로 장식한 문. 궁궐을 상징한다.

5) 建章(건장): 한(漢)의 궁전 이름. 여기서는 대명궁(大明宮)을 가리킨다.

6) 劍佩(검패): 칼과 패옥(佩玉). 조회하는 신하들이 갖춘 장신구를 가리킨다.

玉墀(옥지): 옥으로 만든 궁전 계단.

7) 惹(야): 엉기다, 달라붙다.

8) 沐恩波(목은파): 성은의 물결에 머리를 감다. 황제의 총애를 받는 것을 말한다.

鳳池(봉지): 봉황 연못. 중서성(中書省)이 있던 연못으로, 중서성이 황제와 가까운 위치에 있으며 총애를 받는 자리였기 때문에 이와 같이 불렀다.

9) 染翰(염한): 붓을 먹물에 적시다. 문서를 작성하는 것을 말한다.

[해설]

이 시는 대명궁에서 아침 조회하는 모습을 노래하며 당시 조정에서 함께 근무하던 두보(杜甫), 잠삼(岑參), 왕유(王維)에 부친 것으로, 위엄 있는 궁전의 모습과 의관을 갖춘 신하들의 모습들이 아름다운 봄날의 경관과 어우러져 화려하고 장엄한 분위기를 자아내고 있다. 당시 두보는 문하성 소속인 좌습유(左拾遺)였고, 가지(賈至)를 비롯하여 잠삼과 왕유는 각각 중서성 소속인 중서사인(中書舍人), 우보궐(右補闕), 우습유(右拾遺)로 모두 간관(諫官)이었다.

제1~2구에서는 날이 채 밝지 않아 불을 밝히고 조회를 가는 상황과 도중에 새벽이 밝아와 성 가득한 봄 경색을 느낄 수 있음을 말하고 있다. 제3~4구에서는 버들이 드리워지고 꾀꼬리 울음소리가 들려오는 궁성의 아침 모습을 묘사하고 있는데, 청(靑)과 황(黃)의 색채뿐 아니라 시각과 청각, 정(靜)과 동(動)의 대비도 함께 나타나고 있다. 제5~6구에서는 계단을 올라 도열하여 조회하는 모습이 묘사되고 있는데, 검과 패옥을 갖춘 신하들의 의관과 어전에 피어오르는 향로가 엄숙하고 장엄한 분위기를 느끼게 한다. 마지막 제7~8구에서는 황제의 총애를 받으며 정사에 참여하고 있는 자신들을 말하며 황제의 은총에 대한 감사와 자부심을 나타내고 있다.

096. 가 사인의 아침 조회에 화답하여

두보(杜甫)

오경의 물시계 소리는 새벽 시간을 재촉하고
궁궐의 봄색은 선계의 복숭아나무를 취하게 하네.
깃발에 태양 따뜻해지니 용과 뱀이 요동치고
궁전에 바람 잔잔하니 제비와 참새가 높이 나네.
조회 끝나 향 연기는 소매 가득 스미고
시 이루어지니 주옥이 휘날리는 붓에 있도다.
대대로 황명을 받들었던 아름다움을 알고자 하니
연못에는 지금도 봉황의 털이 남아 있구려.

和賈舍人早朝[1]

五夜漏聲催曉箭,[2] 九重春色醉仙桃.[3]
旌旗日煖龍蛇動,[4] 宮殿風微燕雀高.
朝罷香烟攜滿袖,[5] 詩成珠玉在揮毫.[6]
欲知世掌絲綸美,[7] 池上于今有鳳毛.[8]

[주석]

1) 제목이 「가지 사인의 '대명궁의 아침 조회'에 삼가 화답하여(奉和賈至舍人早朝大明宮)」로 되어 있는 판본도 있다.

2) 五夜(오야): 오경(五更). 새벽 3시부터 새벽 5시까지의 시간. 옛날에는 저녁 7시

부터 다음 날 새벽 5시까지를 다섯으로 나누어 오경(五更)으로 구분했다.

曉箭(효전): 새벽 시간에 물시계에서 시각을 가리키는 화살. 새벽 시간을 비유한다.

3) 仙桃(선도): 선계의 복숭아나무. 궁성의 복숭아나무를 비유한다.

4) 龍蛇(용사): 용과 뱀. 궁궐의 깃발에 그려진 문양을 가리킨다.

5) 攜(휴): 당기다, 지니다. 여기서는 향기가 스미는 것을 말한다.

6) 詩成(시성): 시가 이루어지다. 가지(賈至)의 시를 가리킨다.

7) 世掌(세장): 대대로 관장하다. 가지와 그의 부친 가증(賈曾)이 모두 중서사인(中書舍人)을 지낸 것을 말한다.

絲綸(사륜): 명주실과 낚싯줄. 가는 실과 굵은 실을 가리키며 황제의 칙령을 의미한다. 앞의 079.「중서성에 숙직하며(直中書省)」 주 2) 참조.

8) 池上(지상): 연못가. 중서성(中書省)을 가리킨다

鳳毛(봉모): 봉황의 털. 양(梁) 무제(武齊)가 사령운(謝靈運)의 손자 사초종(謝超宗)을 일러 "사초종은 특히 봉황의 털이 있다(超宗殊有鳳毛)"라 칭찬한 것에서 유래한 말로, 뛰어난 조상의 문풍을 지니고 있는 것을 말한다. '기린의 뿔(麟角)'과 함께 매우 귀하고 희소한 물건이나 뛰어난 인재를 가리키는 말로도 사용된다.

[해설]

이 시는 앞서 가지(賈至)가 대명궁의 아침 조회를 읊어 친구들에게 드린 시에 두보(杜甫)가 화답한 것으로, 가지가 묘사한 조회의 과정과 궁궐의 경관을 압축적으로 표현하고 가지의 시와 가문에 대한 칭송을 나타내고 있다.

제1~2구에서는 가지의 시 내용을 이어받아 새벽의 물시계 소리와

복숭아꽃 붉게 핀 모습으로 새벽에 출발한 조회 길과 봄색 가득한 궁성의 모습을 묘사하고, 제3~4구 역시 용과 뱀 문양의 깃발이 펄럭이고 새들이 궁전 높이 날아가는 모습으로 궁성의 위엄과 웅장함을 나타내고 있다. 제5~6구에서는 조회가 끝난 후 소매에 가득 스민 어향(御香)으로 가지에 대한 황제의 은총을 나타내고, 휘날리는 붓에서 떨어지는 주옥으로 그의 민첩하고 뛰어난 시재(詩才)를 비유하고 있다. 마지막 제7~8구에서는 그가 부친과 더불어 대대로 황제의 총애를 받았음을 말하고, 봉황지에 남아 있는 봉황의 털에 비유하여 그가 중서사인으로 있으면서 부친의 유풍을 이어받고 있음을 찬미하고 있다.

097. 가 사인의 아침 조회에 화답하여

왕유(王維)

붉은 두건 쓴 계인이 새벽 왔음을 알리자
상의가 막 비취색 구름 갖옷을 바치고,
하늘의 창합문이 궁전을 열자
만국의 사신들이 면류관에 절하네.
햇빛은 막 선인장에 내려와 일렁이고
향 연기는 곤룡포 옆에서 피어오르려 하네.
조회 끝나고 오색 조서를 지어야 하니
패옥 소리 울리며 봉황지 가로 돌아오네.

和賈舍人早朝[1]

絳幘雞人報曉籌,[2] 尙衣方進翠雲裘.[3]
九天閶闔開宮殿,[4] 萬國衣冠拜冕旒.[5]
日色纔臨仙掌動,[6] 香烟欲傍袞龍浮.
朝罷須裁五色詔,[7] 佩聲歸到鳳池頭.[8]

[주석]

1) 제목이 「가 사인의 '대명궁의 아침 조회'에 화답하여(和賈舍人早朝大明宮之作)」로 되어 있는 판본도 있다.

2) 絳幘雞人(강책계인): 닭 모양의 붉은 두건을 쓴 사람. 궁궐에서 아침을 알리

는 경비병을 가리킨다. 궁에서는 닭을 기를 수 없었기 때문에 닭 모양의 붉은 두건을 쓴 계인(雞人)이 대신 아침을 알렸다.

曉籌(효주): 새벽 시간에 물시계에서 시각을 가리키는 대나무 가지. '효전(曉箭)'과 같이 새벽 시간을 비유한다.

면류(冕旒)를 쓴 황제

3) 尙衣(상의): 천자의 의복을 담당하는 관직.

翠雲裘(취운구): 비취색의 구름 문양이 있는 가죽옷.

4) 九天(구천): 하늘 제일 높은 곳.

閶闔(창합): 전설상의 천문(天門). 여기서는 궁궐의 정문을 가리킨다.

5) 衣冠(의관): 옷과 모자. 각국의 사신들을 가리킨다.

冕旒(면류): 고대에 경대부(卿大夫) 이상이 예복에 갖추어 쓰던 관. 관 앞에 구슬을 늘어뜨렸는데 황제는 열두 줄이었다. 여기서는 황제를 가리킨다.

6) 仙掌(선장): 신선상(神仙像)의 손바닥. 선인장(仙人掌)이라고도 한다. 한(漢) 무제(武帝)는 신선이 되고 싶어서 건장궁(建章宮)의 신명대(神明臺)에 구리로 선인(仙人)을 조각하여 손을 펼치고 구리 쟁반과 옥잔을 들어 천상의 선로(仙露)를 받게 했다.

7) 裁(재): 재단하다, 자르다. 여기서는 '짓는다'는 의미이다.

五色詔(오색조): 오색의 종이에 쓴 천자의 조서(詔書).

8) 佩聲(패성): 허리에 찬 패옥(佩玉) 소리.

鳳池頭(봉지두): 봉황지(鳳凰池) 가. 중서성을 가리킨다.

[해설]

이 시는 가지(賈至)가 대명궁의 아침 조회를 읊어 친구들에게 드린 시에 왕유(王維)가 화답한 것으로, 장대하고 엄숙한 조회의 모습과 황제의 위용을 묘사하며 가지의 관직 생활의 모습을 말하고 있다.

제1~2구에서는 계인(雞人)이 새벽을 알리고 상의(尙衣)가 천자에게 의복을 대령하는 모습으로 아침이 되었음을 말하고, 제3~4구에서는 하늘의 문으로 비유된 궁성의 문이 열리고 온 천하에서 온 사신들이 천자를 조회하는 모습으로 황제의 위엄을 나타내고 있다. 제5~6구에서는 햇빛이 선인장에 일렁이고 향 연기가 곤룡포 옆에서 피어나는 신비로운 모습을 묘사하며 황제를 천제(天帝)로까지 높이고, 제7~8구에서는 조회가 끝나 중서성으로 돌아가 황명을 받들어 조서를 작성하는 모습을 통해 가지의 성실한 관직 생활을 칭송하고 있다.

098. 가 사인의 아침 조회에 화답하여

잠삼(岑參)

닭 우는 장안 길에 새벽빛은 싸늘하고
꾀꼬리 우는 도성에 봄색은 저물어가네.
궁궐의 새벽종에 만 개의 문이 열리니
옥 계단의 의장대가 백관을 에워싸네.
꽃은 검과 패옥을 맞이하고 별은 막 지는데
버들가지는 깃발을 스치고 이슬 아직 마르지 않았네.
다만 봉황지 가에 나그네 있어
그의 「양춘곡」 한 곡조에 화답하기 어렵다네.

和賈舍人早朝[1]

雞鳴紫陌曙光寒,[2] 鶯囀皇州春色闌.[3]
金闕曉鐘開萬戶,[4] 玉階仙仗擁千官.[5]
花迎劍佩星初落,[6] 柳拂旌旗露未乾.
獨有鳳凰池上客,[7] 陽春一曲和皆難.[8]

[주석]

1) 제목이 「가지 사인의 '대명궁의 아침 조회'에 화답하여(和賈至舍人早朝大明宮之作)」로 되어 있는 판본도 있다.

2) 紫陌(자맥): 자주색 길. 도성인 장안의 거리를 가리킨다.

3) 皇州(황주): 도성.

闌(란): 끝나다.

4) 金闕(금궐): 황금 궁궐. 황궁의 미칭으로 여기에서는 대명궁(大明宮)을 가리킨다.

萬戶(만호): 수없이 많은 궁궐 문을 가리킨다.

5) 玉階(옥계): 궁중의 섬돌.

仙仗(선장): 황제의 의장대.

6) 劍佩(검패): 칼과 패옥(佩玉). 조회하는 신하들이 갖춘 장신구를 가리킨다.

7) 鳳凰池客(봉황지객): 봉황지(鳳凰池)의 나그네. 여기서는 가지를 가리킨다. '봉황지'는 중서성(中書省)의 별칭.

8) 陽春(양춘): 옛 악곡의 이름. 창화(唱和)하기 어려운 고상한 곡조로 알려져 있으며 여기서는 가지의 시를 가리킨다

[해설]

이 시는 가지(賈至)가 대명궁의 아침 조회를 읊어 친구들에게 드린 시에 잠삼(岑參)이 화답한 것으로, 앞서 두보와 왕유의 창화시에서와 같이 가지의 시 내용을 이어받아 엄숙하고 위엄 있는 아침 조회의 모습을 묘사하며 가지에 대한 칭송을 나타내고 있다.

제1~2구에서는 닭이 우는 새벽에 조회를 떠나는 상황과 봄색이 저물어가는 궁성의 모습을 묘사하고, 제3~4구에서는 궁성의 문이 열리고 조회가 시작되는 모습을 활짝 열린 만 개의 문과 의장대에 둘러싸인 백관의 모습으로 장대하고 위엄 있게 나타내고 있다. 제5~6구에서는 꽃과 버들, 이제 막 지는 별과 아직 마르지 않은 이슬로 봄날의 새벽 경관을 특징적으로 묘사하고, 제7~8구에서는 봉황지(鳳凰池)를 통해 가지

가 중서사인(中書舍人)으로 있음을 밝히며 그의 시가 워낙 고상하여 쉽게 창화할 수 없다는 말로 그의 시재(詩才)를 높이고 있다.

099. 상원절에 응제하여

채양(蔡襄)

높이 열 지은 천 개 봉우리에 아름다운 횃불은 빽빽한데
남문이 바야흐로 기뻐하니 황제의 깃발이 이르러서라네.
황제께서 나오신 건 보름밤을 즐기려 함이 아니라
즐거운 일을 만백성과 함께하기 위해서라네.
하늘의 맑은 빛은 이 밤에 남아 있고
인간 세상의 온화한 기운은 봄의 한기를 막아주네.
알아야만 하니, 화주봉인의 축원으로 모두 경하드리는 건
사십여 년 은혜와 사랑이 깊어서이기 때문임을.

上元應制[1]

高列千峰寶炬森,[2] 端門方喜翠華臨.[3]
宸遊不爲三元夜,[4] 樂事還同萬衆心.
天上淸光留此夕, 人間和氣閣春陰.[5]
要知盡慶華封祝,[6] 四十餘年惠愛深.[7]

[주석]

1) 上元(상원): 정월 대보름. 원소절(元宵節)이라고도 한다.
　應製(응제): 시문 등을 황제의 명을 받들어 짓는 것을 말한다.
2) 千峰(천봉): 천 개의 봉우리. '오산등(鼇山燈)'을 가리킨다. 정월 대보름이면

오산등(鼇山燈)

자라의 등에 오산(鼇山)이라는 신산(神山)의 형상을 만들어 수백 개의 등을 달아 거리 한가운데에 설치했다.

3) 端門(단문): 궁궐의 남쪽 문.

翠華(취화): 푸른 새의 깃털로 장식한 화려한 깃발. 여기서는 황제의 어가(御駕)를 가리킨다.

4) 宸遊(신유): 황제의 출유(出遊). '신(宸)'은 궁궐을 의미하며, 여기서는 황제를 가리킨다.

三元夜(삼원야): 삼원절(三元節)의 밤. 고대에 음력 1월, 7월, 10월의 15일을 각각 상원(上元), 중원(中元), 하원(下元)이라 하고 이날을 삼원(三元)이라 통칭했다. 여기서는 정월 대보름 밤을 가리킨다.

5) 人間和氣(인간화기): 인간 세상의 따뜻한 기운. 백성을 향한 황제의 은총을 비유한다.

閣(각): 막다, 중지하다.

春陰(춘음): 봄날의 싸늘한 기운.

6) 要知(요지): 알아야만 한다.

華封祝(화봉축): 화주(華州)에 봉해진 이의 축원. 화주는 지금의 섬서성 화현(華縣)으로, 전설상 요(堯)임금이 화주에 시찰을 나갔을 때 화주에 봉해졌던 사람이 요임금에게 장수(長壽)와 많은 재물, 많은 자식을 축원했다고 한다.

7) 四十餘年(사십여년): 송(宋) 인종(仁宗)이 재위한 기간을 가리킨다.

[해설]

이 시는 상원절을 맞아 도성 밖으로 황제를 모시고 나가 관등행사에 참여하며 황제의 명을 받아 쓴 것으로, 화려하고 화목한 상원절의 분위기를 묘사하며 황제의 은덕을 칭송하고 있다. 당시 황제는 송(宋) 인종(仁宗)이었다.

제1~2구에서는 상원절을 맞아 밝힌 거대한 오산등(鼇山燈)을 묘사하며 황제가 남문 밖으로 행차했음을 말하고, 제3~4구에서는 황제의 행차가 관등(觀燈)이 목적이 아니라 백성들과 즐거움을 함께하기 위함임을 말하고 있다. 제5~6구에서는 만방을 밝히는 하늘의 보름달과 추위를 막아주는 인간 세상의 온화한 기운을 아울러 말하며 하늘의 덕과 함께하는 황제의 은덕을 칭송하고 있다. 제7~8구에서는 백성들이 황제에게 경하드리는 것은 다만 오늘 밤의 행차 때문이 아니라 지난 재위 기간 내내 베풀어주신 깊은 은혜 때문임을 말하며 황제의 인덕(人德)과 덕치(德治)를 칭송하고 있다.

100. 상원절에 응제하여

왕규(王珪)

눈 녹아 새하얀 달빛은 신선의 누대에 가득한데
만 개의 등촉 밝힌 누각에 아름다운 부채가 열리니,
두 봉황이 구름 속에서 어가를 받들어 내려오고
여섯 자라가 바다 위에서 오산을 몰고 오네.
호경에서의 봄술로 주나라의 연회를 두루 적셔주시고
분수에서의 「추풍사」로 한나라의 문재들을 부끄럽게 하시도다.
태평곡 한 곡조에 사람들 모두 즐거운데
임금께서 또 자하잔을 내리시네.

上元應制[1]

雪消華月滿仙臺,[2] 萬燭當樓寶扇開.[3]
雙鳳雲中扶輦下,[4] 六鼇海上駕山來.[5]
鎬京春酒霑周宴,[6] 汾水秋風陋漢才.[7]
一曲昇平人盡樂, 君王又進紫霞杯.[8]

[주석]

1) 저본에는 작자가 왕기(王淇)로 되어 있다.

2) 仙臺(선대): 신선의 누대. 여기서는 황제가 머무르고 있는 누대를 가리킨다.

3) 寶扇(보선): 화려하고 아름다운 부채. 황제의 의장선(儀仗扇)을 가리킨다.

4) 輦(련): 보련(步輦). 어가(御駕)의 일종으로, 사람이 끄는 뚜껑 없는 가마이다.

5) 山(산): 오산(鼇山). 전설상 신선이 산다는 산으로, 커다란 자라의 등에 있다고 한다.

6) 鎬京(호경): 서주(西周)의 도성. 지금의 섬서성(陝西省) 서안시(西安市)이다.
周宴(주연): 주(周)나라의 연회. 주(周) 무왕(武王)이 호경에서 봄날 신하들에게 베풀어준 연회를 가리킨다.

7) 汾水(분수): 산서성(山西省)을 흐르는 황하의 지류. 한(漢) 무제(武帝)가 산서 지역을 순시할 때 분수에서 신하들과 주연을 벌이며 「추풍사(秋風辭)」를 지었다.
漢才(한재): 한(漢)나라의 문재(文才)들. 여기서는 왕규를 비롯한 송(宋)의 신하들을 비유한다.

8) 進(진): 권하다. 황제가 신하들에게 술을 하사하는 것을 말한다.
紫霞杯(자하배): 자줏빛 놀이 그려진 술잔. 신선의 술잔을 가리킨다.

[해설]

이 시는 상원절을 맞아 궁성에서 황제가 베푼 연회에 참석하며 황제의 명을 받아 쓴 것으로, 황제를 신선에 비유하며 황제의 은덕과 문재를 칭송하고 있다. 왕규의 관직 이력으로 보아 당시 황제는 송(宋) 인종(仁宗) 또는 신종(神宗)으로 여겨지는데 분명하지는 않다.

제1~2구에서는 연회가 벌어지고 있는 누대를 묘사하고 있다. 눈과 달빛이 어우러진 희고 환한 누대의 외관과, 형형색색의 등과 황제의 의장선이 펼쳐진 화려하고 아름다운 누대 안의 모습이 대비되고 있다. 제3~4구에서는 황제가 연회에 등장하는 모습을 묘사하고 있다. 봉황이 하늘에서 어가를 받들어 내려오고 자라가 바다에서 오산을 등에 지고 오는 모습을 통해 황제를 신선의 지위로 추존하고 있다. 제5~6구에서는 주 무왕과 한 무제의 고사를 인용하여 주연을 베풀어준 황제의 은덕(恩德)과 자신들을 능가하는 황제의 문재(文才)를 칭송하고, 제7~8구에서는 태평성대를 누리는 자신들의 기쁨을 말하며 그러한 자신들에게 또다시 술을 하사하며 여민동락(與民同樂)하는 황제의 후덕한 품성을 찬미하고 있다.

101. 시연하며

심전기(沈佺期)

황가의 공주께서 신선을 좋아하시어
은하수 가에 처음 별장을 세우셨네.
세운 산은 모두가 명봉령 같고
만든 연못은 음룡천보다 못하지 않네.
아름다운 누각의 비췻빛 휘장은 봄을 머물게 하고
춤추는 누각의 황금 문 장식엔 해를 걸어놓았네.
어가 모시고 이곳으로 와
잔 올려 헌수하고 천상의 음악을 연주하네.

侍宴[1]

皇家貴主好神仙,[2] 別業初開雲漢邊.[3]
山出盡如鳴鳳嶺,[4] 池成不讓飮龍川.[5]
粧樓翠幌教春住,[6] 舞閣金鋪借日懸.[7]
侍從乘輿來此地, 稱觴獻壽樂鈞天.[8]

[주석]

1) 제목이 「안락공주의 새 집에서 시연하며 응제하여(侍宴安樂公主新宅應製)」로 되어 있는 판본도 있으며, 안락공주(安樂公主)는 당(唐) 중종(中宗)의 딸이자 현종(玄宗)의 누이이다.

2) 貴主(귀주): 공주(公主). 안락공주를 가리킨다.

3) 別業(별업): 별장.

4) 鳴鳳嶺(명봉령): 산 이름. 지금의 섬서성(陝西省) 봉상현(鳳翔縣)에 있다.

5) 飮龍川(음룡천): 위수(渭水)를 가리킨다. 감숙성(甘肅省) 위원현(渭源縣)에서 발원하여 섬서 지역을 지나 동관(潼關)에서 황하(黃河)로 합류한다.

6) 粧樓(장루): 아름답게 장식한 누각.

翠幌(취황): 비췻빛 휘장.

7) 金鋪(금포): 문 위에 설치한 금동(金銅) 장식.

8) 稱觴獻壽(칭상헌수): 술잔을 들어 장수를 축원하다. '稱(칭)'은 '擧(거)'와 같다.

鈞天(균천): 하늘의 중앙. 전설상 천제(天帝)가 거주하는 곳이다. 여기서는 '균천광악(鈞天廣樂)'의 뜻으로 천상의 음악을 가리킨다.

[해설]

이 시는 당(唐) 현종(玄宗)이 누이인 안락공주(安樂公主)의 새 저택에 행차하여 연회를 벌일 때 황제의 명을 받아 쓴 것으로, 새로 만든 저택의 웅장하고 화려한 모습을 찬미하며 황제의 장수를 축원하고 있다.

제1~2구에서는 안락공주의 새 저택이 마련됐음을 말하고 있는데, 천상의 은하수를 들어 안락공주의 저택을 선계에 비유하고 있다. 이어 제3~4구에서는 저택 주위의 인공산과 인공연못을 들어 그 웅장한 규모를 말하고, 이름에 봉황과 용이 들어 있는 산과 강을 의도적으로 들어 이곳과 비교하며 그녀가 황가(皇家)의 신분임을 밝히고 있다. 제5~6구에서는 비췻빛 휘장이 드리워진 화려한 누각과 황금 문 장식에 비치는 찬란한 태양 빛을 통해 성대하고 위엄 있는 연회의 상황을 비유하고 있다. 마지막 제7~8구에서는 황제가 이곳으로 행차하여 연회를 벌였음을 말하고, 잔 올려 헌수하고 천상의 음악을 연주하는 모습으로써 황가에 대한 공경과 찬미를 나타내고 있다.

102. 정원진에 답하여

구양수(歐陽修)

봄바람이 하늘 끝에는 이르지 않았는지
2월임에도 산성에는 꽃이 보이지 않네.
남은 눈이 가지를 눌러도 오히려 귤은 있고
차가운 우레가 죽순을 놀라게 해 싹이 나려 하네.
밤에 들리는 기러기 울음소리에 고향 생각 일어나고
병중에 맞이한 신년에 아름다운 경물을 느낀다네.
일찍이 낙양의 꽃 아래에서 노닐던 나그네였으니
들꽃 늦게 핀들 한탄할 필요 없으리.

答丁元珍[1]

春風疑不到天涯,[2] 二月山城未見花.
殘雪壓枝猶有橘, 凍雷驚筍欲抽芽.[3]
夜聞啼雁生鄉思, 病入新年感物華.[4]
曾是洛陽花下客,[5] 野芳雖晚不須嗟.

[주석]

1) 제목이 「원진에 장난삼아 답하여(戲答元珍)」로 되어 있는 판본도 있다.
元珍(원진): 정보신(丁寶臣). 구양수의 친구로 자가 원진(元珍)이다. 당시 협주 판관(峽州判官)으로 있었다.

2) 天涯(천애): 하늘 끝. 구양수가 좌천되어 있는 이릉(夷陵)을 가리킨다.

3) 凍雷(동뢰): 차가운 우레. 초봄의 우렛소리를 가리킨다.

4) 物華(물화): 아름다운 경물(景物).

5) 洛陽花(낙양화): 낙양(洛陽)의 꽃. 낙양은 모란(牡丹)의 고장으로 유명한데, 일찍이 구양수는 낙양에 있으면서 모란을 즐기며 「낙양모란기(洛陽牡丹記)」를 쓰기도 했다. 당시 정보신도 함께 낙양에 거주했다.

[해설]

이 시는 구양수가 협주(峽州)의 이릉현령(夷陵縣令)으로 좌천되어 있을 때 친구 정보신이 보내온 시에 답한 것으로, 시인의 정치적 실의와 불우한 삶에 대한 회한이 깊게 나타나 있다.

제1~2구에서는 봄이 더디게 찾아오는 이릉의 경관을 묘사하며 황제의 은총이 도달하지 않는 자신의 신세를 비유하고 있다. 그러나 제3~4구에서는 눈에 덮인 채 익어가는 귤과 우렛소리에도 싹을 틔우는 죽순을 통해 굴하지 않는 자신의 지조를 나타내고 있다. 제5~6구에서는 고향에 대한 그리움과 병중에 신년을 맞이한 남다른 감회를 말하고, 제7~8구에서는 옛날 영화로웠던 시절을 회상하며 외롭고 불우한 현실의 위안으로 삼고 있다.

103. 꽃 꽂고 노래하다

소옹(邵雍)

머리에 꽂은 꽃이 술잔에 비치니
술잔 속에 좋은 꽃가지가 있네.
몸은 평생 태평한 날을 살아왔고
눈으로는 네 성조의 전성기를 보았네.
하물며 육신 또한 그런대로 건강하니
향기롭고 아름다운 시절을 어찌 감당할 수 있으리?
꽃 그림자 머금은 술 붉은빛으로 일렁이니
어찌 차마 꽃 앞에서 취하여 돌아가지 않을 수 있으리?

插花吟

頭上花枝照酒卮,[1] 酒卮中有好花枝.
身經兩世太平日,[2] 眼見四朝全盛時.[3]
況復筋骸粗康健,[4] 那堪時節正芳菲.[5]
酒涵花影紅光溜,[6] 爭忍花前不醉歸.[7]

[주석]

1) 酒卮(주치): 술잔.

2) 兩世(양세): 60년. 사람의 일평생을 가리킨다. 1세(世)는 30년을 의미한다.

3) 四朝(사조): 송(宋) 진종(眞宗), 인종(仁宗), 영종(英宗), 신종(神宗)을 가리킨다.

4) 筋骸(근해): 힘줄과 뼈. 몸을 의미한다.

粗(조): 그나마, 대체로.

5) 芳菲(방비): 화초가 향기롭고 아름답다.

6) 溜(류): 흐르다, 일렁이다.

7) 爭(쟁): 어찌.

[해설]

꽃 피는 봄날, 술잔을 마주하며 삶의 만족과 여유를 노래한 시이다.

제1~2구에서는 봄을 맞아 머리에 꽃을 꽂은 채 술잔에 비친 꽃가지를 바라보며 안락함을 느끼고, 제3~4구에서는 태평성대를 살아온 지난 삶을 회상하며 만족감을 나타내고 있다. 제5~6구에서는 하물며 자신의 건강 또한 무탈하니 향기롭고 아름다운 봄의 계절을 그냥 지나칠 수 없음을 말하고, 제7~8구에서는 꽃 앞에서 흠뻑 취하고 싶은 바람을 나타내고 있다.

104. 뜻을 담아

안수(晏殊)

기름칠한 향기로운 수레는 다시 만나기 어렵고
무협의 구름은 자취도 없이 동서로 정처 없네.
배꽃 핀 정원에 일렁이는 달빛
버들솜 날리는 연못에 살랑이는 바람.
며칠을 적막함 속에 술로 몸 상한 후
한 차례 쓸쓸함이 밀려드는 한식날이네.
편지 부치고 싶지만 어느 길로 보내리?
물 멀고 산 길어 어디든 마찬가지인 것을.

寓意

油壁香車不再逢,[1] 峽雲無跡任西東.[2]
梨花院落溶溶月,[3] 柳絮池塘淡淡風.[4]
幾日寂寥傷酒後,[5] 一番蕭索禁烟中.[6]
魚書欲寄何由達,[7] 水遠山長處處同.

[주석]

1) 油壁(유벽): 유벽거(油壁車). 벽면에 기름을 칠하고 사방을 가린 수레. 부녀자들이 타는 작은 수레를 가리키며, '유변거(油輧車)'라고도 한다. 저본에는 '油碧(유벽)'으로 되어 있다.

2) 峽雲(협운): 무협(巫峽)의 구름. 초(楚) 회왕(懷王)과 운우지정(雲雨之情)을 나누었던 무산(巫山)의 신녀(神女)를 비유한다.

跡(적): 자취, 흔적. '迹(적)'으로 되어 있는 판본도 있다.

3) 院落(원락): 정원 모퉁이. 건물의 전후로 울타리나 난간을 둘러 만든 공간을 가리킨다.

溶溶(용용): 물이 흐르는 모양. 여기서는 달빛이 일렁이는 모습을 비유한다.

4) 淡淡(담담): 가볍고 담박한 모양.

5) 寂寥(적료): 적막하고 고요하다.

傷酒(상주): 과음으로 몸이 상하다.

6) 一番(일번): 한 차례.

蕭索(소삭): 외롭고 쓸쓸하다.

禁烟(금연): 한식(寒食). 앞의 019. 「청명(淸明)」 주 3) 참조.

7) 魚書(어서): 편지. 악부(樂府) 「장성의 동굴에서 말에게 물을 먹이며(飮馬長城窟行)」에서 "반가운 손님이 먼 곳에서 찾아와, 나에게 잉어를 두 마리 주었네. 아이를 불러 삶으라 하니, 뱃속에 한 자짜리 비단 편지가 들어 있네(客從遠方來, 遺我雙鯉魚. 呼童烹鯉魚, 中有尺素書)"라 한 것에서 유래한 것으로, 고대에는 물고기와 기러기를 편지를 전해주는 사자(使者)로 여겼다.

達(달): 전달하다, 보내다.

[해설]

이 시는 여인에 대한 그리움을 노래한 것으로, 사랑하는 여인을 만나지 못하는 안타까움과 소식조차 전할 수 없는 절망의 심정이 나타나 있다.

제1~2구에서는 향기로운 수레와 무협의 구름으로 아름다운 여인의 모습을 비유하며 그녀와 다시 만날 수 없게 된 현실을 말하고, 제3~4구에서는 배꽃과 버들솜이 가득한 봄밤의 정경을 묘사하며 외롭고 슬픈 자신의 현실과 대비시키고 있다. 제5~6구에서는 이별의 아픔을 잊으려 몸이 상할 정도로 며칠 밤낮을 술에 의지했지만 한식 명절을 맞아 마음은 더욱 쓸쓸해질 뿐임을 말하고, 제7~8구에서는 멀리 떨어져 있는 여인에게 그리움을 담은 서신이라도 보내고 싶지만 이마저도 뜻대로 할 수 없음을 안타까워하고 있다.

105. 한식

조정(趙鼎)

외진 마을 적적한 사립문에도
버들가지 꽂아 아름다운 계절을 기념하네.
불을 금하는 것이 월 땅까지는 이르지 않았어도
성묘는 그래도 방덕공이 가족을 인솔한 것과 같이 하네.
한과 당의 능침에는 보리밥조차 없는데
산 계곡 들 길에는 배꽃이 가득하네.
술 한 동이 다 마시고 푸른 이끼 깔고 누워
성마루 저녁 피리 소리 상관하지 않는다네.

寒食[1]

寂寂柴門村落裏, 也敎插柳紀年華.[2]
禁烟不到粵人國,[3] 上塚亦攜龐老家.[4]
漢寢唐陵無麥飯,[5] 山谿野徑有梨花.
一樽竟藉靑苔臥,[6] 莫管城頭奏暮笳.[7]

[주석]

1) 제목이 「한식에 일을 적다(寒食書事)」로 되어 있는 판본도 있으며, 총 2수 중 제1수이다. 저본에는 작자가 조원진(趙元鎭)으로 되어 있으며, '원진(元鎭)'은 조정(趙鼎)의 자이다. 작자가 유극장(劉克莊)으로 되어 있는 판본도 있다.

2) 插柳(삽류): 버들가지를 꽂다. 고대 풍속에 한식날 문 앞에 버들가지를 꽂아 봄의 시작을 기념했다.

年華(연화): 일 년 중 가장 아름다운 때. 즉 봄을 가리킨다.

3) 禁烟(금연): 불을 금하다. 여기서는 한식(寒食)의 풍습을 가리킨다.

粵人國(월인국): 월(粵) 땅. 지금의 광동(廣東), 광서(廣西) 지역이다.

4) 攜(휴): 끌다, 인솔하다.

龐老家(방로가): 방덕공(龐德公)의 가족. 방덕공은 동한(東漢) 말의 은자이다. 『후한서(後漢書) · 일민전(逸民傳)』에 따르면, 방덕공은 호북성 양양(襄陽) 사람으로 현산(峴山)의 남쪽에서 몸소 농사를 지으며 살았다. 그는 형주자사(荊州刺史) 유표(劉表)가 여러 번 오기를 청했으나 뜻을 굽히지 않았고, 후에 처자를 데리고 녹문산에 올라가 약초를 캐며 다시는 돌아오지 않았다. 제갈량(諸葛亮), 사마휘(司馬徽), 서서(徐庶) 등과 교유했는데, 한번은 사마휘가 찾아갔다가 도중에 온 가족을 거느리고서 성묘하고 돌아오는 그를 만났다고 한다.

5) 寢陵(침릉): 능침(陵寢). 황제의 무덤.

麥飯(맥반): 보리밥. 여기서는 보잘것없는 제수 음식을 가리킨다.

6) 竟(경): 다하다, 끝내다.

藉(자): 깔개로 삼다.

7) 莫管(막관): 상관하지 않다, 아랑곳하지 않다.

[해설]

이 시는 조정(趙鼎)이 조주〔潮州, 지금의 광동성(廣東省) 조주시(潮州市)〕에 폄적되어 있을 때 한식을 맞아 쓴 것으로, 변방 지역의 한식날 풍습을 묘사하며 삶에 대한 성찰을 나타내고 있다.

제1~2구에서는 외딴 마을과 적막한 사립문을 통해 자신이 변방 먼

곳에 폄적되어 있음을 말하고, 문에 버들가지를 꽂으며 한식 명절을 기념하는 행동으로나마 홀로 타향에서 지내고 있는 자신을 위안하고 있다. 제3~4구에서는 불을 금하는 한식날의 풍습이 전해지지 않을 정도로 외진 곳이지만, 그럼에도 온 가족이 조상의 묘를 찾아 성묘하는 풍습은 내지와 같음을 말하고 있다. 제5~6구에서는 변변한 제수 음식 하나 올리는 이 없는 역대 제왕 능의 황량한 모습과, 산과 들에 배꽃이 만발한 민간의 아름다운 풍경을 대비시키며 인생무상과 급시행락(及時行樂)의 감회를 나타내고 있다. 제7~8구에서는 술 한 동이 다 비우고 날이 저물도록 푸른 들녘에 한가로이 누워 있는 자신의 모습을 말하며 인생사에 대한 달관의 심경을 나타내고 있다.

106. 청명 황정견(黃庭堅)

좋은 절기 청명에 복사꽃 오얏꽃은 만발하고
들녘 황량한 무덤에는 시름만 생겨나는데,
천지를 놀라게 하는 우레에 용과 뱀은 깨어나고
들판 가득 적시는 비에 초목은 싹이 트네.
남은 제사 음식 구걸했던 사람은 처첩에게 뽐냈으며
기꺼이 불에 타 죽었던 선비는 공후의 작위를 거부하였지.
어진들 어리석은들 천년 세월에 누가 알아주리?
눈 가득한 쑥대밭에 모두가 하나의 무덤일 뿐인 것을.

清明

佳節清明桃李笑, 野田荒塚只生愁.
雷驚天地龍蛇蟄,[1] 雨足郊原草木柔.[2]
人乞祭餘驕妾婦,[3] 士甘焚死不公侯.[4]
賢愚千載知誰是,[5] 滿眼蓬蒿共一坵.[6]

[주석]

1) 蟄(칩): 겨울잠에서 깨어나다.

2) 柔(유): 약하다, 부드럽다. 초목의 싹이 돋아나는 것을 가리킨다.

3) 乞祭餘(걸제여): 남은 제사 음식을 구걸하다. 『맹자(孟子) · 이루하(離婁下)』에

나오는 제(齊)나라 사람을 가리킨다. 남의 무덤을 다니며 남은 제사 음식을 구걸하여 먹고는 처첩에게 부귀한 사람의 접대를 받았다고 자랑했다.

4) 甘焚死(감분사): 불에 타 죽는 것을 달갑게 여기다. 춘추시대 진(晉)나라 개자추(介子推)를 가리킨다. 개자추는 여러 해 동안 진나라 공자(公子) 중이(重耳)를 보필하면서 자신의 넓적다리를 도려내어 그를 구하는 등 충성을 다했다. 후에 중이가 진(晉) 문공(文公)으로 즉위하여 논공행상을 했는데 개자추를 누락시켰다. 개자추는 이를 치욕스럽게 여겨 어머니를 모시고 면곡(綿谷)에 은거했으며 진 문공이 수차례 불러도 나오지 않았다. 진 문공은 그를 나오게 할 목적으로 산에 불을 질렀으나 개자추는 끝내 나오지 않고 불에 타 죽었다.

5) 賢愚(현우): 어진 자와 어리석은 자. 앞의 개자추와 제(齊)나라 사람을 가리킨다.

6) 蓬蒿(봉호): 쑥과 쑥대.

[해설]

이 시는 청명절의 감회를 읊은 것으로, 화사한 꽃들이 만발한 아름다운 절기이면서 또한 제사를 통해 죽은 이와 교융하는 날이기도 한 청명절을 생(生)과 사(死)의 대비를 통해 묘사하며 삶에 대한 성찰을 나타내고 있다.

제1~2구에서는 복사꽃과 오얏꽃이 만발한 모습으로 청명 절기의 아름다운 경관을 묘사하고, 황량한 무덤에 시름이 생겨나는 모습으로 지금이 제사를 지내는 시기임을 말하고 있다. 제3~4구에서는 청명을 맞은 자연의 왕성한 생명력을 겨울잠 자던 동물들이 깨어나고 초목에 새로운 싹이 움트는 모습으로 나타내고 있다. 제5~6구에서는 개자추 같은 현자(賢者)와 제나라 사람 같은 우인(愚人)이 공존하는 인간 세상을 회상하며 자연 세계와 대비시키고 있다. 제7~8구에서는 현자이든 우인이든 결국은 모두가 죽음으로 돌아감을 말하며 인생의 유한함과 덧없음을 탄식하고 있다.

107. 청명

고저(高翥)

남북 산꼭대기에 무덤도 많아
청명에 성묘하느라 각기 분주하구나.
종이 재는 날려 흰나비 되고
피눈물은 물들어 붉은 두견새 되었네.
날 저물어 여우와 삵은 무덤 위에서 잠들고
저녁에 돌아와 남녀들은 등불 앞에서 웃음 짓네.
사람의 삶에 술이 있으면 응당 취해야 하리니
한 방울이라도 어찌 일찍이 구천에 이를 수 있었으리?

清明[1]

南北山頭多墓田, 清明祭埽各紛然.[2]
紙灰飛作白蝴蝶,[3] 淚血染成紅杜鵑.[4]
日落狐狸眠塚上,[5] 夜歸兒女笑燈前.
人生有酒須當醉, 一滴何曾到九泉.[6]

[주석]

1) 제목이 「청명일에 술 대하고(清明日對酒)」로 되어 있는 판본도 있다. 저본에는 작자가 고국간(高菊磵)으로 되어 있다. '국간(菊磵)'은 고저(高翥)의 호(號)이고, 자(字)는 구만(九萬)이다.

2) 祭埽(제소): 제사를 지내고 무덤을 청소하다. 성묘(省墓)를 의미한다.

3) 紙灰(지회): 종이를 태운 재. 망자를 위해 태우는 지전(紙錢)을 가리킨다.

4) 淚血(누혈): 피를 토하며 울다.

杜鵑(두견): 두견새. 전설에 촉(蜀)에서 쫓겨난 망제(望帝) 두우(杜宇)가 죽어서 두견새로 변하여 촉 땅을 그리워하며 '불여귀(不如歸)'라는 소리로 피를 토하며 울었다고 한다.

5) 狐狸(호리): 여우와 살쾡이.

6) 九泉(구천): 황천(黃泉). 저승 세계를 가리킨다.

[해설]

이 시는 한식날 성묘하는 모습을 노래한 것으로, 생자(生者)와 사자(死者)의 모습을 대비시키며 인생무상과 급시행락의 감회를 나타내고 있다.

제1~2구에서는 청명절을 맞아 수많은 무덤이 성묘객으로 북적대고 있음을 말하고, 제3~4구에서는 종이돈을 태워 제사 지내고 깊은 슬픔으로 망자를 애도하는 모습을 흰나비가 날고 붉은 두견새가 우는 시각과 청각의 대비를 통해 나타내고 있다. 제5~6구에서는 날이 저문 후 생과 사의 공간의 서로 다른 모습을 묘사하고 있는데, 여우와 삵이 잠자는 망자의 황량한 무덤과 남녀들이 웃음 짓는 생자의 떠들썩한 공간이 극명하게 대비되고 있다. 제7~8구에서는 죽어서는 제아무리 성대한 제사라 한들 한 방울의 술도 마실 수 없음을 강조하며 살아 있을 때 마음껏 취하며 즐길 것을 권하고 있다.

108. 교외로 나가 즉시 쓰다

정호(程顥)

향기로운 들녘 푸른 들판을 내키는 대로 거닐 때
봄이 먼 산으로 들어와 사방이 푸르네.
흥에 겨워 어지러이 붉은 꽃잎 쫓아 버들 거리를 지나고
피곤하면 흐르는 물가로 가 이끼 낀 바위에 앉는다네.
술잔의 술에 흠뻑 취하는 것 사양하지 말지니
다만 바람에 꽃잎 떨어져 날릴까 걱정이라네.
하물며 청명에 날씨조차 좋으니
오래도록 노닐기 좋지만 돌아갈 것 잊어서는 안 되리.

郊行卽事

芳原綠野恣行時,[1] 春入遙山碧四圍.
興逐亂紅穿柳巷,[2] 困臨流水坐苔磯.[3]
莫辭盞酒十分醉, 祗恐風花一片飛.[4]
況是淸明好天氣,[5] 不妨遊衍莫忘歸.[6]

[주석]

1) 恣行(자행): 마음대로 가다. 발길 닿는 대로 가는 것을 말한다.
時(시): ~때. 저본에는 '事(사)'로 되어 있다.

2) 亂紅(난홍): 어지러이 피어 있는 붉은 꽃잎.

3) 苔磯(태기): 이끼 낀 물가 바위.

4) 風花(풍화): 바람에 날리는 꽃잎.

5) 天氣(천기): 날씨.

6) 不妨(불방): 방해되지 않다.

遊衍(유연): 느긋하게 즐기며 오래도록 노닐다.

[해설]

이 시는 청명절에 교외로 나가 봄을 즐기며 유람하는 감회를 나타내고 있다.

제1~2구에서는 향기로운 풀이 자라난 들판을 거닐며 초록의 봄빛으로 가득한 먼 산의 모습을 바라보고 있고, 제3~4구에서는 마음 내키는 대로 걷고 달리며 때로는 앉아 쉬면서 아름다운 봄의 풍광을 즐기고 있다. 제5~6구에서는 머지않아 져버릴 봄을 안타까워하며 술과 더불어 봄을 한껏 즐겨야 함을 말하고, 제7~8구에서는 청명절에 비도 오지 않고 날씨조차 좋아 오래도록 즐기며 노닐기 좋지만, 돌아갈 것을 잊어서는 안 된다는 경계의 말로써 절제와 수양을 중시하는 도학자적인 풍도를 나타내고 있다.

109. 그네

승(僧) 혜홍(惠洪)

아로새긴 시렁에 두 줄 비췻빛 끈 비끼어 있으니
아름다운 여인이 작은 누각 앞에서 봄을 즐기는 것이라네.
나부끼는 붉은 치마 땅을 스치더니
옥 같은 여인을 끌어 하늘로 올려 보내네.
꽃 장식 발판은 붉은 살구꽃 비에 촉촉이 젖고
채색 그넷줄은 푸른 버들 안개에 비끼어 걸려 있네.
내려와 편안한 곳에서 다소곳이 서 있으니
아마도 월궁에서 귀양 내려온 선녀인 듯.

鞦韆[1]

畫架雙裁翠絡偏,[2] 佳人春戲小樓前.
飄揚血色裙拖地,[3] 斷送玉容人上天.[4]
花板潤霑紅杏雨,[5] 彩繩斜挂綠楊烟.[6]
下來閒處從容立,[7] 疑是蟾宮謫降仙.[8]

[주석]

1) 저본에는 작자가 홍각범(洪覺範)으로 되어 있다. 혜홍(惠洪)은 송대 승려로 속성(俗姓)은 팽(彭)이며 자는 각범(覺範)이다.

2) 畫架(화가): 아름답게 장식한 시렁. 그네를 매는 횡목(橫木)을 가리킨다.

雙裁(쌍재): 두 줄로 만들다.

翠絡(취락): 비췻빛 그넷줄.

3) 拖地(타지): 땅에 끌리다. 치마가 땅을 스치는 것을 가리킨다.

4) 斷送(단송): 손으로 밀치다.

5) 花板(화판): 꽃으로 장식한 그네 발판.

杏雨(행우): 살구꽃 필 때 내리는 비. 청명 절기에 내리는 비를 가리킨다.

6) 楊烟(양연): 버들에 덮인 안개.

7) 從容(종용): 모습이나 행동이 조신하고 다소곳한 모양.

8) 蟾宮(섬궁): 월궁(月宮). 전설상 달의 여신인 항아(姮娥)가 사는 곳이다.

[해설]

이 시는 가랑비 내리는 봄날 그네를 타는 여인의 모습을 묘사한 것으로, 마치 눈앞에서 보는 듯한 섬세하고 생동감 있는 묘사와 한 폭의 채색화와도 같은 화려하고 선명한 색채 대비가 나타나 있다.

제1~2구에서는 화려하게 장식한 시렁과 비껴 있는 비췻빛 그네 끈의 모습을 통해 아름다운 여인이 지금 그네를 타고 있는 상황임을 말하고, 제3~4구에서는 치마를 펄럭이며 지상에서 하늘로 솟구치는 모습을 생동감 있게 나타내고 있다. 제5~6구에서는 가랑비와 안개가 자욱한 배경 속 그네의 모습을 묘사하고 있는데, 꽃 장식 발판과 채색 그넷줄이 여인의 신분과 미모를 짐작게 한다. 제7~8구에서는 그네에서 내려와 편안한 곳에서 다소곳이 단아하게 서 있는 여인의 모습을 보며 하늘에서 귀양 내려온 선녀가 아닐까 의심하고 있다.

110. 곡강에서 (1)

두보(杜甫)

날리는 한 조각 꽃잎에도 봄기운은 줄어들건만
바람에 흩날리는 만 점 꽃잎이 참으로 사람 시름겹게 하네.
눈앞을 스치며 지려 하는 꽃을 보며
입에 들어와 몸 좀 상하는 술이야 꺼리지 말지니.
강가 작은 집에는 비취새가 둥지를 틀고
동산가 높은 무덤에는 돌기린이 누워 있네.
사물의 이치를 잘 살펴 즐겨야 하리니
어찌 헛된 명성에 이 몸을 얽어매리?

曲江[1] (其一)

一片花飛減卻春,[2] 風飄萬點正愁人.
且看欲盡花經眼,[3] 莫厭傷多酒入脣.[4]
江上小堂巢翡翠,[5] 苑邊高塚臥麒麟.[6]
細推物理須行樂,[7] 何用浮名絆此身.[8]

[주석]

1) 저본에는 제목이 「곡강에서 술 대하고(曲江對酒)」로 되어 있다. 총 2수 중 제1수이다.

曲江(곡강): 연못 이름. 곡강지(曲江池)를 가리킨다. 지금의 섬서성(陝西省) 서안시(西安市) 동남쪽 곡강진(曲江鎭)에 있는 연못으로, 모양이 구불구불하여 '곡강지'라고 불렸다. 삼짇날이나 중양절(重陽節)이면 귀족들이 이곳에서 연회를 벌이고 과거 급제자들을 위한 축하연을 열기도 하는 등 당대 최고의 명승지였으나, 당나라 말엽에 이미 말라버렸다.

기린 석상(麒麟石像)

2) 減卻(감각): 감퇴되다.

3) 經眼(경안): 눈앞을 스치다.

4) 莫厭(막염): 싫어하지 말라, 꺼리지 말라.

傷(상): 손상되다. 술로 몸이 상하는 것을 말한다.

酒入唇(주입순): 술이 입술로 들어오다. '唇(순)'은 '脣(순)'과 같다.

5) 翡翠(비취): 비취새.

6) 苑(원): 동산. 부용원(芙蓉苑)을 가리킨다. 한(漢) 무제(武帝)가 곡강 주변에 의춘원(宜春苑)이라는 동산을 만들었는데, 수(隋)나라 때 부용원으로 이름이 바뀌었다.

麒麟(기린): 무덤가에 세운 기린 석상(石像).

7) 細推(세추): 세밀히 살펴 헤아리다.

物理(물리): 사물의 변화와 흥망성쇠의 이치.

8) 絆(반): 얽매다, 속박하다.

[해설]

이 시는 곡강(曲江)의 늦봄 풍경을 바라보며 삶에 대한 감회를 나타낸 것으로, 당(唐) 숙종(肅宗) 건원(乾元) 원년(758) 좌습유(左拾遺)로 있을 때 쓴 것이다.

제1~2구에서는 날리는 꽃잎 하나에도 저무는 봄을 느낄 정도인데, 하늘 가득 바람에 날리어 떨어지는 꽃잎으로 인해 시름을 더욱 견딜 수 없음을 말하고 있다. 제3~4구에서는 시드는 꽃이 안타까워 술로나마 위안을 삼고 싶은 마음을 나타내며 자신에게는 육신의 건강보다는 정신의 치유가 더 우선임을 말하고 있다. 제5~6구에서는 곡강가의 작은 집에 비취새가 둥지를 틀고 동산의 무덤을 장식하던 돌기린이 쓰러져 있는 모습을 통해 안사(安史)의 난으로 황폐하고 피폐해진 나라의 상황을 비유하고, 이어 제7~8구에서는 사람의 생이란 사물의 흥망성쇠의 이치를 잘 헤아려 때에 맞춰 즐기면 그만일 뿐 헛된 명성의 추구에 얽매일 필요가 없음을 말하고 있다.

111. 곡강에서 (2)

두보(杜甫)

조회에서 돌아와 날마다 봄옷을 저당 잡혀
매일같이 강가에서 흠뻑 취해 돌아오네.
술빚이야 늘 가는 곳마다 있지만
인생 칠십은 예로부터 드물다네.
꽃 사이를 날며 나비는 언뜻언뜻 보이고
물을 스치며 잠자리는 느릿느릿 날아가네.
풍광에 말 전하니, 함께 떠도는 처지에
잠시 감상하는 일이나마 저버리지 말기를.

曲江[1] (其二)

朝回日日典春衣,[2] 每日江頭盡醉歸.
酒債尋常行處有,[3] 人生七十古來稀.
穿花蛺蝶深深見,[4] 點水蜻蜓款款飛.[5]
傳語風光共流轉,[6] 暫時相賞莫相違.[7]

[주석]

1) 저본에는 제목이 「곡강에서 술 대하고(曲江對酒)」로 되어 있다. 총 2수 중 제2수이다.

2) 典(전): 저당 잡히다.

3) 酒債(주채): 술빚. 외상 술값을 의미한다.

4) 穿花(천화): 꽃 사이를 뚫다. 꽃 사이로 나는 것을 말한다.

蛺蝶(협접): 나비.

深深(심심): 보이다 안 보이다 하는 모양.

5) 點水(점수): 물에 점을 찍다. 물을 스치며 나는 것을 말한다.

蜻蜓(청정): 잠자리.

款款(관관): 천천히 움직이는 모양.

6) 傳語(전어): 말을 전하다. 저본에는 '傳與(전여)'로 되어 있다.

流轉(유전): 한곳에 정착하지 못하고 떠돌다.

7) 違(위): 저버리다.

[해설]

앞 시에 이어 곡강에서 매일같이 술로 지내는 자신의 일상을 말하며 저무는 봄에 대한 아쉬움을 나타내고 있다.

제1~2구에서는 조회에서 돌아오면 날마다 곡강으로 나가 술에 취해 돌아오고 있음을 말하고 있다. 이제 입고 있어야 할 봄옷을 저당 잡혀 술을 먹는 모습에서 단지 그의 빈한한 형편뿐 아니라 이미 저당 잡힐 다른 옷이 없을 정도로 오랫동안 술을 먹어왔음을 짐작할 수 있다. 제3~4구에서는 가는 곳마다 늘 있는 술빚과 인생에 이르기 드문 70세의 나이로 자신의 넉넉함과 부족함을 대비시켜 나타내고 있다. 제5~6구에서는 꽃 사이로 나비가 언뜻언뜻 보이고 물을 스치며 잠자리가 느릿느릿 날고 있는 모습을 통해 늦봄 곡강 주변의 물과 땅의 경관을 전체적으로 아우르며 생동감 있고 섬세하게 묘사하고 있다. 제7~8구에서는 한곳에 머무르지 못하고 떠나갈 수밖에 없는 봄과 정처 없이 떠도는 자신이 같은 처지임을 말하며, 잠시나마 봄의 풍광을 감상할 수 있도록 이내 떠나지 말고 머물러 있어주기를 부탁하고 있다.

112. 황학루

최호(崔顥)

옛사람은 이미 황학을 타고 떠나버리고
이곳에는 다만 황학루만 남아 있네.
황학은 한번 떠나 다시 돌아오지 아니하고
흰 구름만 천년토록 부질없이 떠다니네.
맑은 하늘 비치는 강물에 한양 땅의 나무는 또렷하고
향기로운 풀은 앵무주에 우거져 있네.
날은 저무는데 고향은 어디인가?
안개 낀 강가는 사람을 시름겹게 하네.

黃鶴樓[1]

昔人已乘黃鶴去,[2] 此地空餘黃鶴樓.[3]
黃鶴一去不復返, 白雲千載空悠悠.[4]
晴川歷歷漢陽樹,[5] 芳草萋萋鸚鵡洲.[6]
日暮鄉關何處是,[7] 烟波江上使人愁.

[주석]

1) 黃鶴樓(황학루): 누각 이름. 지금의 호북성(湖北省) 무한시(武漢市) 무창구(武昌區)의 황학산에 있다. 『남제서(南齊書)·주군지(州郡志)』에는 신선 자안(子安)이 황학을 타고 이곳을 지나갔다고 했으며, 『태평환우기(太平寰宇記)』에는 신선

비문위(費文禕)가 황학을 타고 가다 이곳에서 잠시 쉬었다고 했다. 『보응록(報應錄)』에 인용된 『무창지(武昌志)』의 기록에 따르면, 한 사나이가 벽에 황학을 그리고선 후에 이를 불러내어 타고 하늘로 올라가니 사람들이 그곳에 누각을 지어 황학루라 불렀다고 했다.

2) 昔人(석인): 옛사람. 황학을 타고 날아갔다고 하는 전설상의 사람들을 가리킨다.

3) 空(공): 다만, 단지.

4) 千載(천재): 천년. 오랜 세월을 비유한다.

悠悠(유유): 구름이 아득히 흘러가는 모양.

5) 晴川(청천): 맑은 하늘이 비치는 강.

歷歷(역력): 뚜렷하고 선명한 모양.

漢陽(한양): 지금의 호북성 무한시 한양구(漢陽區). 무창(武昌)의 서쪽으로 장강(長江)을 사이에 두고 황학루와 마주 보고 있다.

6) 芳草(방초): 향기로운 풀.

萋萋(처처): 무성한 모양.

鸚鵡洲(앵무주): 지금의 호북성 무한시 서남쪽으로 장강 가운데 있는 작은 섬. 동한(東漢) 말 강하태수(江夏太守) 황조(黃祖)의 큰아들인 장릉태수(章陵太守) 황역(黃射)이 일찍이 이곳에서 빈객들을 모아 잔치를 벌였는데, 앵무새를 바치는 이가 있었다. 황역이 예형(禰衡)에게 부(賦)를 써서 빈객들을 즐겁게 해줄 것을 청했고, 이에 예형은 「앵무부(鸚鵡賦)」를 지어 응했다. 후에 예형이 황조에게 살해되어 이곳에 묻히면서 이 섬은 앵무주라 불리게 되었다.

7) 鄕關(향관): 고향.

[해설]

이 시는 황학루에 올라 먼 곳의 풍광을 바라보며 쓴 것으로, 변함없는 자연과 장구한 역사의 흐름 속에 유한한 인간의 삶을 생각하고 고향에 대한 그리움을 나타내고 있다. 이 시에 대해 송(宋) 엄우(嚴羽)는 『창랑시화(滄浪詩話)』에서 "당대 시인들의 칠언율시 가운데 이 시를 으뜸으로 쳐야 한다(唐人七律詩, 當以此爲第一)"라며 극찬하기도 했다.

제1~2구에서는 전설상의 고사를 들어 신선이 황학을 타고 떠난 후에도 황학루는 여전히 남아 있음을 말하며 황학루의 신비성과 오랜 역사성을 강조하고 있다. 제3~4구에서는 황학을 타고 한번 떠나가 다시 돌아오지 않는 신선과 천년 세월 변함없이 그곳에 떠 있는 흰 구름을 말하며 인생의 유한함과 자연의 유구함을 대비시키고 있다. 제5~6구에서는 황학루에서 바라본 원경을 묘사하고 있다. 맑은 하늘 아래 강물 위로 강 언덕의 나무들이 또렷이 비치고 물 가운데 모래섬에는 향기로운 풀이 가득한 모습을 통해 고향에 대한 그리움이 갈수록 생생하고 무성해짐을 상징적으로 나타내고 있다. 제7~8구에서는 날이 저물어 향수가 더욱 깊어짐을 말하고 안개 낀 강물에 자신의 복잡하고 어지러운 심사를 비유하며 깊은 시름에 잠겨 있는 자신을 나타내고 있다.

원(元) 신문방(辛文房)의 『당재자전(唐才子傳)』에 따르면, 최호가 무창을 유람하다가 황학루에 올라 이 시를 지었는데, 나중에 이백(李白)이 황학루에 올라가서 "눈앞의 풍경을 말로 표현할 수 없는데, 최호가 지은 시가 위에 있구나(眼前有景道不得, 崔顥題詩在上頭)"라고 말한 후 시 짓기를 포기하고 가버렸다는 일화가 전해진다.

113. 나그네의 회포

최도(崔塗)

흐르는 물 지는 꽃, 둘 다 무정하니
봄바람 다 보내고 초 땅 성을 지난다네.
나비의 꿈속에 고향집은 만 리 밖에 있고
두견새 우는 가지 위에 달은 삼경에 떠 있네.
고향에서 오는 편지는 한 해 넘도록 끊겼고
흰머리 봄이 재촉하여 두 귀밑머리에 생겨나네.
돌아가지 못하는 것일 뿐, 돌아가면 얻을 수 있으려니
오호의 안개 낀 경치를 누구와 다투리?

旅懷[1]

水流花謝兩無情, 送盡東風過楚城.[2]
蝴蝶夢中家萬里,[3] 杜鵑枝上月三更.
故園書動經年絶,[4] 華髮春催兩鬢生.[5]
自是不歸歸便得, 五湖烟景有誰爭.[6]

[주석]

1) 제목이 「봄밤(春夕)」 또는 「봄밤의 나그네 회포(春夕旅懷)」로 되어 있는 판본도 있다.

2) 東風(동풍): 봄바람.

3) 蝴蝶夢(호접몽): 나비의 꿈. 장자(莊子)가 꿈에 나비가 되어 생생한 세상 경험을 했던 일을 가리키는 것으로, 인생의 덧없고 무상함을 비유한다.

4) 故園(고원): 옛 동산. 고향을 가리킨다.

書動(서동): 편지가 오다.

5) 華髮(화발): 백발.

6) 五湖(오호): 오(吳)와 월(越) 지역의 호수를 두루 가리키며 태호(太湖)를 지칭하기도 한다. 춘추시대 월(越)의 대부(大夫) 범려(范蠡)가 월왕 구천(句踐)을 도와 오(吳)를 멸망시킨 뒤 일엽편주를 타고 오호를 유랑하며 숨어 지냈다고 한다.

有誰爭(유수쟁): 누가 있어 다투리? 자신이 오로지 독차지할 것임을 말한다.

[해설]

이 시는 고향을 떠나 타향에서 봄을 보내는 나그네의 감회를 노래한 것으로, 고향에 대한 그리움과 공업을 이루지 못하고 헛되이 세월만 보내며 떠돌고 있는 자신의 신세를 탄식하고 있다.

제1~2구에서는 흐르는 물과 지는 꽃으로 무정한 세월의 흐름을 나타내며 타향을 유랑하는 자신의 신세를 말하고, 제3~4구에서는 장자가 꾸었다는 나비의 꿈과 촉(蜀)의 망제(望帝)의 원혼이 깃든 두견새의 울음소리를 통해 인생에 대한 회의와 시름을 나타내며 멀리 떠나온 고향을 그리워하고 있다. 제5~6구에서는 일 년이 넘도록 끊긴 고향에서의 소식과 다시 한 해를 보내면서 더욱 자라난 흰머리를 말하며 고독하고 쓸쓸한 자신의 심경을 나타내고, 제7~8구에서는 월(越)의 범려(范蠡)가 공업을 이루고 물러나 은거했던 오호(五湖)를 들어 자신 또한 오호의 풍광 속에 묻혀 살고 싶지만 아직 공업을 이루지 못한 까닭에 돌아갈 수 없음을 안타까워하고 있다.

114. 이담에게 답하여

위응물(韋應物)

지난해 꽃 속에서 그대를 만나 이별하였는데
오늘 꽃이 피니 또 일 년이 되었구려.
세상사 아득하여 헤아리기 어려우니
봄 시름 가득한 채 홀로 잠을 이룬다오.
몸에 병은 많아 고향 생각뿐이고
고을에 떠도는 백성들 있어 녹봉 받는 것이 부끄럽다오.
방문하러 오시려 한단 말 들었는데
서쪽 누각의 보름달은 몇 번이나 둥글었는지?

答李儋元錫[1]

去年花裏逢君別, 今日花開又一年.
世事茫茫難自料,[2] 春愁黯黯獨成眠.[3]
身多疾病思田里, 邑有流亡愧俸錢.[4]
聞道欲來相問訊,[5] 西樓望月幾回圓.[6]

[주석]

1) 李儋(이담): 자가 원석(元錫)이다. 위응물의 친구로 일찍이 시어사(侍御史)를 지냈다. 저본에는 제목이 「이첨에게 답하여(答李瞻)」로 되어 있으며, 「이담 원석에게 부쳐(寄李儋元錫)」로 되어 있는 판본도 있다.

2) 茫茫(망망): 아득하고 분명하지 않은 모양.

自料(자료): 헤아리다, 짐작하다.

3) 黯黯(암암): 시름겨운 모양.

4) 流亡(유망): 일정한 거처 없이 떠도는 백성들. '유맹(流氓)'의 뜻이다.

5) 聞道(문도): 듣다.

6) 圓(원): 둥글다. 달이 차오르는 것을 말한다.

[해설]

이 시는 위응물이 소주자사(蘇州刺史)로 있을 때 도성에 있는 친구 이담(李儋)에게 쓴 것으로, 친구에 대한 그리움과 타향에서 관직 생활을 하고 있는 감회를 나타내고 있다.

제1~2구에서는 꽃 피는 때 친구와 헤어졌는데 다시 꽃이 피어 한 해가 지나버렸음을 말하고, 제3~4구에서는 알 수 없는 인생사에 다시 만날 기약도 하지 못하고 외로움과 시름 속에 홀로 봄을 보내고 있음을 말하고 있다. 제5~6구에서는 일신에 가득한 질병 때문에 고향에 대한 그리움은 더욱 깊어지고 자사로서 백성들 또한 잘 다스리지 못하고 있는 자괴감을 나타내고, 제7~8구에서는 친구가 방문한다는 소식이 있고 난 이후로 이미 달이 여러 번 둥글었음을 말하며 하루빨리 만나게 될 수 있기를 고대하고 있다.

115. 강가 마을

두보(杜甫)

맑은 강 한 굽이 마을을 안아 흐르고
긴 여름 강가 마을에는 일마다 한가롭네.
절로 갔다 절로 오는 것은 들보 위의 제비요
서로 친하고 서로 가까운 것은 물 가운데 갈매기로다.
늙은 아내는 종이에 그려 바둑판을 만들고
어린아이는 바늘 두드려 낚싯바늘을 만드네.
많은 병에 필요한 건 다만 약물뿐이니
미천한 몸이 이외에 또 무엇을 구하리?

江村[1]

淸江一曲抱村流, 長夏江村事事幽.[2]
自去自來梁上燕, 相親相近水中鷗.
老妻畫紙爲棋局,[3] 稚子敲針作釣鉤.[4]
多病所須惟藥物, 微軀此外更何求.[5]

[주석]

1) 江村(강촌): 강가 마을. 저본에는 제목이 「맑은 강(淸江)」으로 되어 있다.

2) 幽(유): 한가롭다, 유심(幽深)하다.

3) 畫紙(화지): 종이에 선을 긋다.

4) 釣鉤(조구): 낚싯바늘.

5) 微軀(미구): 미천한 몸. 시인 자신을 가리킨다.

[해설]

이 시는 두보가 만년에 성도(成都) 완화계(浣花溪) 근처의 초당(草堂)에 기거할 때 쓴 것으로, 여름날 강가 마을의 고요하고 한가로운 정경과 초당에서의 편안하고 안락한 일상이 나타나 있다.

제1~2구에서는 맑은 강물이 에돌아 흐르고 긴 여름날 한가롭기만 한 강촌의 정경을 묘사하고, 제3~4구에서는 뭍과 물 및 원경과 근경으로 구분하여 자유로이 날아다니는 제비와 가까이 날며 희롱하는 갈매기를 통해 자연과 동화되어 살고 있는 삶을 말하고 있다. 제5~6구에서는 바둑판을 만드는 늙은 아내와 낚싯바늘을 만드는 어린아이의 모습을 통해 초당에서의 안락한 일상을 말하고, 제7~8구에서는 일신의 많은 병으로 인해 자신은 그저 약물만 필요할 따름이라 말하며 세상의 명리에 초월한 달관의 심경을 나타내고 있다.

116. 여름날

장뢰(張耒)

긴 여름 강가 마을에 바람과 햇빛은 맑고
처마의 제비와 참새는 이미 태어나 자랐네.
한낮 꽃가지에서 나비 날개 가루 말리고
비 개니 집 모퉁이 거미줄에 실 더하네.
성긴 발은 드문드문 달그림자 맞이하고
빈 베개는 졸졸 계곡물 소리 받아들이네.
오래도록 희끗하던 두 귀밑머리 눈서리와 같아지니
그저 나무하고 물고기 잡으며 이 삶을 지내려 하네.

夏日

長夏江村風日淸, 簷牙燕雀已生成.[1]
蝶衣曬粉花枝午,[2] 蛛網添絲屋角晴.[3]
落落疏簾邀月影,[4] 嘈嘈虛枕納溪聲.[5]
久斑兩鬢如霜雪,[6] 直欲樵漁過此生.[7]

[주석]

1) 簷(첨): 처마. '檐(첨)'으로 되어 있는 판본도 있다.

2) 蝶衣(접의): 나비 날개.

3) 蛛網(주망): 거미그물, 거미줄.

4) 落落(낙락): 듬성듬성 성긴 모양. 발 사이로 달빛이 비치는 것을 가리킨다.

邀(요): 맞이하다.

月影(월영): 달그림자. 저본에는 '月飮(월음)'으로 되어 있다.

5) 嘈嘈(조조): 물이 흐르거나 찰랑이는 소리.

納(납): 받아들이다.

6) 斑(반) :희끗하다.

兩鬢(양빈): 두 귀밑머리. 저본에는 '兩賓(양빈)'으로 되어 있다.

7) 直(직): 다만.

樵漁(초어): 나무하고 물고기 잡다. 초야에서 자연과 더불어 사는 삶을 말한다.

[해설]

이 시는 여름날 한적한 강가 마을의 정경을 묘사하며 자연과 더불어 살고 싶은 뜻을 나타내고 있다.

제1~2구에서는 강가 마을의 맑은 바람과 햇빛을 묘사하며 이미 태어나 자란 제비와 참새를 통해 지금의 계절이 여름임을 말하고 있다. 이어 제3~4구와 제5~6구에서는 낮과 밤, 밖과 안으로 시간과 공간을 달리하며 다양한 경관과 상황을 묘사하고 있다. 제3~4구에서는 한낮에 꽃가지 위에서 날개를 말리고 있는 나비와 비 갠 후 거미줄을 짜는 거미의 모습을 세밀하게 묘사하고 있다. 고요한 상태로 사물을 섬세하게 관찰하고 있는 시인의 모습에서 여름날의 여유로움과 한적함을 느낄 수 있다. 제5~6구에서는 저녁이 되어 발 사이로 달그림자가 비치고 홀로 누운 베갯머리에 개울물 소리가 들려오는 상황을 말하고 있다. '맞이하다[邀]'와 '받아들이다[納]'라는 표현을 통해 발과 베개를 의인화하고 있는 것이 특징적이다. 마지막 제7~8구에서는 희끗했던 버리가 어느새 눈서리처럼 하얗게 되어버렸음을 말하며 아름답고 평온한 자연 속에 묻혀 여생을 보내고 싶은 바람을 나타내고 있다.

117. 장맛비 내리는 망천장에서 쓰다

왕유(王維)

장맛비 내리는 빈 숲에 연기 더디 피어오르더니
명아주 삶고 기장밥 지어 동쪽 밭으로 보내네.
드넓은 논에는 백로 날아가고
울창한 여름 나무에선 꾀꼬리 지저귀네.
산속에서 고요를 익히며 무궁화꽃을 보고
소나무 밑에서 재계하며 아욱을 딴다네.
시골 노인 남들과 자리다툼하며 지내왔거늘
바다의 갈매기가 무슨 일로 다시 의심하리?

積雨輞川莊作[1)]

積雨空林烟火遲,[2)] 蒸藜炊黍餉東菑.[3)]
漠漠水田飛白鷺,[4)] 陰陰夏木囀黃鸝.[5)]
山中習靜觀朝槿,[6)] 松下淸齋折露葵.[7)]
野老與人爭席罷,[8)] 海鷗何事更相疑.[9)]

[주석]

1) 積雨(적우): 궂은비, 장맛비.

輞川莊(망천장): 망천의 별장. 망천(輞川)은 지금의 섬서성 남전현(藍田縣) 망천진(輞川鎭)의 종남산(終南山) 기슭에 있는 개울이며, 모습이 수레바퀴와 같다 하여 이와 같이 불렀다. 망천장은 본래 초당(初唐)의 시인 송지문(宋之問)이 지은 별장으로, 왕유가 관직을 그만두고 돌아와 머물렀던 곳이다. 왕유는 『망천집(輞川集)』 서문에서 "나의 별장이 망천 골짜기에 있는데 노닐 만한 곳으로 맹성요 · 화자강 · 문행관 · 근죽령 · 녹채…… 등이 있어 배적(裴迪)과 한가로운 틈을 타서 각각 절구를 지어 읊었다(余別業在輞川山谷, 其遊止有孟城坳 · 華子岡 · 文杏館 · 斤竹嶺 · 鹿柴……, 與裴迪閒暇, 各賦絶句云爾)"라 하고 망천 일대의 절경 20곳을 오언절구(五言絶句) 40수로 읊었다. 저본에는 제목이 「망천의 장맛비(輞川積雨)」로 되어 있다.

2) 烟火遲(연화지): 연기가 늦게 피어오르다. 오랜 비에 일어나는 시간도 늦어진 것을 말한다.

3) 藜(려): 명아주. 명아줏과의 한해살이풀로 식용으로 쓰인다.

黍(서): 기장. 오곡(五穀)의 하나이다.

餉(향): 밥을 보내다.

菑(치): 밭. 본래 개간한 지 1년 된 밭을 뜻하나 여기서는 경작지를 두루 가리킨다.

4) 漠漠(막막): 드넓게 펼쳐진 모양.

水田(수전): 논.

5) 陰陰(음음): 수목이 울창하여 녹음이 우거진 모양.

囀(전): 지저귀다.

黃鸝(황리): 꾀꼬리.

6) 習靜(습정): 맑고 고요한 심성을 익히다.

朝槿(조근): 무궁화. 여름과 가을 사이에 꽃이 피며 아침에 폈다가 저녁에 오므리기 때문에 이와 같이 불렀다.

7) 淸齋(청재): 재계하다. 소식(素食)하는 것을 가리킨다. 소식은 불가에서의 수

행의 한 방법으로 고기를 먹지 않고 채소만 먹는 것을 가리킨다. 『구당서(舊唐書) · 왕유전(王維傳)』에 "왕유의 형제들은 모두 불교를 신봉하여 항상 채소를 먹고 지냈으며 비리고 핏기 있는 것을 먹지 않았다. 만년에는 오랫동안 재계하며 무늬 있는 옷을 입지 않았다(維弟兄俱奉佛, 居常素食, 不茹葷血, 晚年長齋, 不衣文彩)"라 했다.

露葵(노규): 아욱.

8) 野老(야로): 시골 노인. 왕유 자신을 가리킨다.

爭席(쟁석): 자리를 다투다. 시골 사람들과 어울려 스스럼없이 지냈음을 말한다. 『장자(莊子) · 우언(寓言)』에 따르면, 양주(楊朱)가 노자에게 배움을 얻으러 갔을 때 노자는 그의 교만하고 과시하는 모습을 지적했다. 전에 양주가 여관에 있을 때 함께 묵는 사람들은 그를 전송하고 맞이했으며 주인은 방석을 들고 오고 주인댁은 수건과 빗을 가져왔다. 또한 그를 보면 함께 묵는 사람들은 자리를 피하고 불을 때던 사람도 부뚜막을 피해 갔다. 그러나 양주가 노자의 가르침을 받고 난 후에는 사람들이 자리를 다투며 그와 함께 어울리게 되었다.

罷(파): ~했을 뿐이다. 지금껏 그렇게 지내왔음을 말한다.

9) 海鷗(해구): 바다의 갈매기. 세속적인 욕망에서 벗어났음을 말한다. 『열자(列子) · 황제(黃帝)』에 따르면, 바닷가 사람 중에 갈매기를 좋아하는 자가 있어 매일 아침 바닷가에서 갈매기와 놀았는데 수없이 많은 갈매기들이 날아와서 떠나가지 않았다. 그의 아버지가 말하기를 "내가 듣자니 갈매기들이 모두 너를 따라다니며 논다고 하니 네가 잡아 오면 내가 가지고 놀겠다"라 했다. 다음 날 바닷가로 갔더니 갈매기들이 하늘에서 춤출 뿐 내려오지 않았다.

[해설]

이 시는 망천장에서의 여유롭고 평화로운 삶을 노래한 것으로, 불가적인 청정무욕의 생활과 백성들과 어울려 살아가는 소박한 모습이 사실적으로 묘사되고 있다.

제1~2구에서는 여러 날 계속되는 비에 농민들의 일어나는 시간도 늦어졌음을 말하고, 명아주와 기장으로 들밥을 지어 나르는 모습을 묘사하고 있다. 제3~4구에서는 색채와 공간 및 상하 시선의 대비를 통해 백로가 나는 드넓은 논과 꾀꼬리 울어대는 울창한 여름 나무를 묘사하며 여유롭고 풍성한 농촌의 삶을 나타내고 있다. 제5~6구에서는 끝없이 피고 지는 무궁화를 바라보며 고요히 참선하고 아욱 뜯어 소식(素食)하면서 정신과 육신의 수양을 함께 쌓고 있는 청정무욕의 일상을 나타내고 있다. 마지막 제7~8구에서는 자신이 이미 다른 사람들과 어울려 허물없는 사이가 되었음을 말하며, 더 이상 세속적인 욕망과 물욕이 남아 있지 않음을 말하고 있다.

118. 동호의 새로 자란 대나무

육유(陸游)

가시나무 심어 울타리 만들어 삼가며 보호하였더니
차가운 푸른빛이 자라 잔물결 비치네.
맑은 바람 땅을 스치니 가을이 먼저 다다르고
붉은 해 하늘을 지나도 한낮에 더위를 알지 못한다네.
죽순 껍질 벗겨지며 이따금씩 바스락 소리 들려오고
가지 끝 터지며 이제 막 어른거리는 그림자 보이네.
고향 돌아가 한가로운 때 나 자주 대나무에게로 와
베개와 대자리가 늘 도처에 따라다니게 하리니.

東湖新竹[1)]

插棘編籬謹護持,[2)] 養成寒碧映漣漪.[3)]
淸風掠地秋先到, 赤日行天午不知.[4)]
解籜時聞聲簌簌,[5)] 放梢初見影離離.[6)]
歸閑我欲頻來此,[7)] 枕簟仍教到處隨.[8)]

[주석]

1) 저본에는 제목이 「새로 자란 대나무(新竹)」로, 작자가 황정견(黃庭堅)으로 되어 있다.

東湖(동호): 촉주(蜀州)에 있는 호수. 육유가 촉(蜀) 지역에서 관직 생활을 할 때 머물던 곳이다.

2) 插棘(삽극): 가시나무를 심다.

3) 漣漪(연의): 잔물결. 바람에 일렁이는 대나무 그림자를 가리킨다. '淪漪(윤의)'로 되어 있는 판본도 있으며 뜻은 같다.

4) 行天(행천): 하늘을 운행하다.

5) 解籜(해탁): 죽순 껍질이 벗겨지다.

簌簌(속속): 바스락거리는 소리.

6) 放梢(방초): 대나무 가지 끝이 터지다.

離離(리리): 그림자가 어른거리는 모양.

7) 歸閑(귀한): 고향으로 돌아가 한가롭게 지내다.

8) 枕簟(침점): 베개와 대자리.

仍(잉): 늘, 거듭해서 자주.

到處隨(도처수): 곳곳을 따라다니다. 대나무가 있는 곳 어디에서든 편히 누워 쉬고 싶다는 뜻을 나타낸다.

[해설]

이 시는 대나무를 노래한 영물시로, 대나무의 생장 과정을 세밀하게 관찰하여 묘사하고 있다.

제1~2구에서는 어린 대나무를 보호하기 위해 가시나무 울타리를 만들었으며 이것이 자라 여름날 푸른 그림자를 드리우게 되었음을 말하고 있다. 제3~4구에서는 대나무 아래에 있으면 땅으로 부는 바람이 시원하여 마치 가을이 먼저 온 듯하고 뜨거운 태양이 떠 있는 한낮에도 더위를 느끼지 못함을 말하고 있다. 제5~6구에서는 대나무의 죽순 껍질이 벗겨지고 가지 끝이 터지며 자라는 모습을 시각과 청각을 통해 섬세하고 세밀하게 묘사하고 있다. 마지막 제7~8구에서는 관직 생활을 마치고 고향으로 돌아가게 되면 자주 대나무 있는 곳으로 찾아가 베개와 대자리 들고서 어디에서든 편히 누워 쉬고 싶다는 뜻을 나타내고 있다.

119. 사촌 형과 옛이야기 하며

두숙향(竇叔向)

야합화 피니 향기는 정원에 가득하고
깊은 밤 가랑비 속에 취기 막 깨도다.
먼 곳의 편지는 귀중하니 어찌해야 도달할 수 있을까?
옛일은 처량하여 들을 수조차 없다네.
지난날의 아이들은 모두 장성하였고
옛날의 친구들은 태반이 시들어 사라졌네.
내일 아침 또 외로운 배로 이별하게 되면
강 다리에서 주막의 푸른 휘장을 시름 속에 보게 되리.

表兄話舊[1)]

夜合花開香滿庭,[2)] 夜深微雨醉初醒.
遠書珍重何由達,[3)] 舊事淒涼不可聽.
去日兒童皆長大, 昔年親友半凋零.[4)]
明朝又是孤舟別, 愁見河橋酒幔青.[5)]

[주석]

1) 제목이 「여름밤 사촌 형 댁에서 자며 옛이야기 하다(夏夜宿表兄宅話舊)」로 되어 있거나, '宅(택)' 자가 빠져 있는 판본도 있다.
表兄(표형): 고종사촌이나 이종사촌.

2) 夜合花(야합화): 꽃 이름. 야래향(夜來香)이라고도 하며 낙엽교목으로 잎이 홰나무와 비슷하다. 청백색의 꽃이 피어 밤이 되면 합쳐지며, 여름밤에 짙은 향기를 풍긴다.

3) 遠書(원서): 먼 곳으로 보내는 편지. 사촌 형이 자신에게 보내는 편지를 가리킨다.

何由(하유): 무엇을 통해, 무슨 방법으로.

4) 凋零(조령): 시들어 떨어지다. 친구들이 죽어 사라진 것을 의미한다.

5) 酒幔(주만): 주막의 문 앞에 드리운 휘장. 사촌 형과의 이별의 장소를 가리킨다.

[해설]

이 시는 사촌 형과 이별하며 지난날을 회상하며 쓴 것으로, 오랜만의 짧은 만남의 감회와 다시 이별해야 하는 아쉬움이 나타나 있다.

제1~2구에서는 야합화 향기 가득한 사촌 형 집 정원에서 가랑비 속에 밤 깊도록 함께 술 마시고 있는 상황을 말하고 있다. 밤에만 합쳐지는 야합화와 소리 없이 스며드는 가랑비가 이들의 만남이 한시적이며 슬픔을 담고 있는 것임을 짐작게 한다. 제3~4구에서는 이별 후 사촌 형으로부터 편지를 받을 길 없다는 말로써 자신이 멀리 떠나감을 말하고, 사촌 형의 처량했던 지난날을 말함으로써 그를 두고 떠나는 자신의 슬픔이 더욱 견딜 수 없음을 나타내고 있다. 제5~6구에서는 그와 옛이야기를 나누며 이미 장성해버린 그 옛날의 아이들과 태반이 죽어버린 옛 친구들을 통해 그들이 오랜 시간 서로 떨어져 있었음을 말하고 있다. 마지막 제7~8구에서는 내일 아침이면 다시 홀로 배를 타고 떠나며 사촌 형과 이별하는 곳을 시름 속에 바라보게 될 것임을 말하고 있다.

120. 우연히 짓다

정호(程顥)

한가로워 일마다 느긋하지 않은 것 없어
잠에서 깨니 동창에 해는 이미 붉도다.
만물 고요히 바라보며 이치를 모두 스스로 터득하고
사계절의 좋은 흥취를 사람들과 함께한다네.
도는 천지의 형체 바깥으로 통하고
생각은 풍운의 변화 속으로 들어가네.
부귀도 마음 어지럽히지 못하고 빈천에도 즐거워하니
사나이 이 경지에 이르면 바로 대장부라네.

偶成[1]

閒來無事不從容,[2] 睡覺東窗日已紅.[3]
萬物靜觀皆自得,[4] 四時佳興與人同.[5]
道通天地有形外,[6] 思入風雲變態中.[7]
富貴不淫貧賤樂,[8] 男兒到此是豪雄.[9]

[주석]

1) 제목이 「가을날 우연히 짓다(秋日偶成)」로 되어 있는 판본도 있다.

2) 從容(종용): 느긋하다, 여유롭다.

3) 日(일): 태양. 도(道)를 비유한다. 도(道)가 천지에 가득한 상태를 비유한다.

4) 靜觀(정관): 고요히 관찰하다. 만물의 관찰을 통해 도에 이르는 '격물치지(格物致知)'의 상태를 말한다.

5) 與人同(여인동): 다른 사람들과 함께하다. 『맹자(孟子) · 등문공하(滕文公下)』에서 도를 터득하여 다른 사람들과 함께 공유하는 '여민유지(與民由之)'의 상태를 말한다.

6) 有形外(유형외): 형상이 있는 사물의 바깥. 즉 무형의 존재를 가리킨다.

7) 風雲變態(풍운변태): 비와 구름의 변화. 생각이 하나에 얽매이지 않고 자유롭게 변화하고 대응하는 것을 말한다.

8) 富貴不淫(부귀불음): 부귀가 마음을 어지럽히지 못하다. '음(淫)'은 마음이 흔들리는 것을 뜻한다. 『맹자(孟子) · 등문공하(滕文公下)』에 "천하의 넓은 거처에서 살며 천하의 바른 자리에 서서 천하의 큰 도를 행한다. 뜻을 얻으면 백성들과 이를 함께하고 뜻을 얻지 못하면 홀로 그 도를 행한다. 부귀가 그 마음을 흔들지 못하며 빈천도 그 마음을 변하게 할 수 없으며 위압과 무력도 그 마음을 굴복시킬 수 없다. 이러한 사람을 대장부라고 부른다(居天下之廣居, 立天下之正位, 行天下之大道. 得之, 與民由之, 不得之, 獨行其道. 富貴不能淫, 貧賤不能移, 威武不能屈. 此之謂大丈夫)"라 했다.

9) 豪雄(호웅): 호걸, 대장부.

[해설]

이 시는 도(道)의 깨달음과 실천에 대해 말한 철리시(哲理詩)이다.

제1~2구에서는 도를 깨달았을 때 모든 일에서 평온함과 여유로움을 느끼게 됨을 말하며, 하늘에 붉게 떠오른 태양으로 천지만물을 망라하는 도의 이치를 비유하고 있다. 제3~4구에서는 만물에 깃든 도의 이치를 정밀히 관조하여 터득하고, 이를 여러 사람들과 함께 공유해야 함을 말하고 있다. 제5~6구에서는 도는 유형의 사물뿐 아니라 무형의 존재에도 깃들어 있음을 말하고, 따라서 어느 하나에 얽매이지 않는 자유롭고 광대한 사유를 통해 도의 길로 나아가야 함을 말하고 있다. 마지막 제7~8구에서는 도를 추구하는 마음은 부귀의 유혹에 흔들려서는 안 되고 빈천함 속에서도 그 즐거움을 잊어서는 안 됨을 강조하며, 능히 이렇게 할 수 있는 사람이야말로 대장부라 할 수 있음을 말하고 있다.

121. 월피에서 노닐며

정호(程顥)

월피 둑 위에서 사방을 배회하니
북쪽 하늘 높이 백 척 누대 있구나.
만물은 이미 가을 기운 따라 변하고
술동이 하나로 그저 저물녘 서늘함을 펼쳐보네.
물 가운데 구름 그림자 한가로이 비치고
수풀 아래 샘물 소리 고요히 들려오네.
세상사 까닭도 없으니 어찌 헤아릴 수 있으랴만,
다만 좋은 계절 만나 다시 함께할 것을 약속하네.

遊月陂[1]

月陂堤上四徘徊,[2] 北有中天百尺臺.
萬物已隨秋氣改, 一樽聊爲晩涼開.[3]
水心雲影閑相照, 林下泉聲靜自來.
世事無端何足計,[4] 但逢佳節約重陪.[5]

[주석]

1) 저본에는 제목이 「월전에서 노닐며(遊月殿)」로 되어 있다.

2) 月陂(월피): 저수지 이름. 어느 곳인지 분명하지 않다. 저본에는 '月坡(월파)'로 되어 있다.

徘徊(배회): 배회하다. 저본에는 '排徊(배회)'로 되어 있다.

3) 聊爲(요위): 그저 ~로 삼다.

4) 無端(무단): 까닭 없다. 예측할 수 없음을 말한다.

計(계): 헤아리다, 따지다. 저본에는 '寄(기)'로 되어 있다.

5) 重陪(중배): 다시 함께하다.

[해설]

이 시는 가을 저녁에 월피 제방을 노닐며 쓴 것으로, 세월의 흐름과 인생의 불가측성에 대한 감회를 나타내고 있다.

제1~2구에서는 월피 제방을 배회하고 있는 자신을 말하며 아득히 솟아 있는 백 척 누대로써 자신이 찾고 있는 도의 경지를 비유하고 있다. 제3~4구에서는 가을 기운이 완연한 주변의 경관을 감상하며 한 동이 술과 함께 만물의 변화와 세월의 흐름을 느끼고 있다. 제5~6구에서는 물에 비친 한가로운 구름 그림자와 고요히 들려오는 수풀의 샘물 소리를 통해 평온하고 정적인 자신의 심적 상태를 말하고, 마지막 제7~8구에서는 사람의 인생사 헤아릴 수 없음을 말하며 좋은 계절에 다시 이곳을 찾아와 노닐고 싶은 바람을 나타내고 있다.

122. 가을의 흥취 (1)

두보(杜甫)

옥 같은 이슬에 단풍 숲 시들어 낙엽 지니
무산의 무협에 기운은 스산하기만 하네.
강 사이 물결은 하늘에 이어져 솟구치고
변방 위 풍운은 땅에 이어져 어둑하네.
국화 떨기 두 번 피나니 지난날 눈물 흘렸고
외로운 배 한 척 묶여 있나니 고향 그리운 마음이라네.
겨울옷 장만에 곳곳에서 가위질 재촉하고
백제성 높은 곳에 저녁 다듬이 소리 급박하네.

秋興 (其一)

玉露凋傷楓樹林,[1] 巫山巫峽氣蕭森.[2]
江間波浪兼天湧,[3] 塞上風雲接地陰.[4]
叢菊兩開他日淚,[5] 孤舟一繫故園心.[6]
寒衣處處催刀尺,[7] 白帝城高急暮砧.[8]

[주석]

1) 凋傷(조상): 잎이 시들어 낙엽 지다.

2) 巫山(무산): 지금의 중경시(重慶市) 무산현(巫山縣) 동쪽에 있다.

巫峽(무협): 장강(長江)이 무산을 지나는 협곡. 구당협(瞿塘峽), 서릉협(西陵峽)

과 함께 장강(長江) 삼협(三峽)의 하나로 불리며 당시 두보가 머물고 있던 기주(夔州)에 속했다. 기주는 높은 산과 험하고 세찬 물길로 둘러싸여 있어 예로부터 요충지(要衝地)로 이용됐다.

蕭森(소삼): 쓸쓸하고 음삼(陰森)하다.

3) 兼天(겸천): 하늘에 이어지다. '兼(겸)'은 '連(연)'과 같다.

4) 風雲(풍운): 바람과 구름.

5) 兩開(양개): 두 번 피다. 두보가 기주에 머문 지 2년이 지났음을 말한다.

他日(타일): 다른 날. 지난날을 의미한다.

백제성(白帝城)

6) 故園心(고원심): 고향으로 돌아가고픈 마음.

7) 寒衣(한의): 겨울옷.

刀尺(도척): 가위와 자. 옷 만드는 것을 의미한다.

8) 白帝城(백제성): 장강 삼협 가운데 가장 상류인 구당협(瞿塘峽)의 북쪽 백제산에 있다. 삼국시대 유비(劉備)가 오(吳)나라 토벌에 실패하여 퇴각하고 머물다 죽은 곳이기도 하다.

砧(침): 다듬잇돌. 여기서는 다듬이 소리를 의미한다.

[해설]

성도(成都)의 초당(草堂)에 머무르고 있던 두보는 영태(永泰) 원년(765)

자신의 든든한 지지자였던 엄무(嚴武)가 병사하자 대력(大曆) 원년(766) 기주[夔州, 지금의 사천성 봉절현(奉節縣)]로 돌아가 기거했다. 이 시는 이듬해인 대력 2년(767) 기주에 머물고 있을 때 쓴 것으로, 두보 만년 율시의 대표작으로 꼽힌다.

총 8수로 이루어져 있으며 이 중 제1수는 서곡(序曲)에 해당하고, 제2수와 제3수는 기주에서의 생활과 감회를 말하며, 제4수부터 제8수까지는 장안에서의 생활을 회상하고 있다. 『천가시』에는 이 중 제1수, 제3수, 제5수, 제7수가 수록되어 있다. 제1수인 이 시에서는 가을을 맞이한 변방 기주의 쇠락하고 스산한 풍경을 묘사하며 지난날 자신의 삶에 대한 회한과 고향에 대한 그리움을 나타내고 있다.

제1~2구에서는 이슬이 내려 단풍 숲에 낙엽은 지고 스산한 기운만이 가득한 무협의 정경을 묘사하며 자신의 쓸쓸한 심경을 기탁하고, 제3~4구에서는 하늘로 이어져 솟구치는 물결과 변경 땅에 가득한 음산한 풍운을 통해 무협의 장대한 모습과 자신의 암울한 미래를 나타내고 있다. 제5~6구에서는 기주로 돌아와 슬픔과 괴로움 속에 2년의 세월을 보냈으며 마음속에는 고향으로 돌아가고 싶은 생각만 가득함을 말하고, 제7~8구에서는 겨울옷을 만들며 겨울 준비에 바쁜 기주 사람들의 상황을 묘사하며 고향에 대한 그리움이 더욱 깊어짐을 말하고 있다.

123. 가을의 흥취 (3)

두보(杜甫)

많은 집 들어선 산성에 아침 햇빛은 고요한데
날마다 강가 누대에 앉아 열푸른 산빛을 바라보네.
이틀 밤을 지샌 어부는 아직 물에 떠 있고
맑은 가을에 제비는 여전히 날아다니네.
광형처럼 직언의 상소 올렸건만 공명은 박하기만 하고
유향처럼 경서에 전념하려 해도 마음과 일은 어긋나고 말았네.
함께 공부했던 젊은이들은 대부분 지위 높아졌으니
장안에서 가벼운 갖옷에 살진 말 타고 있겠지.

秋興 (其三)

千家山郭靜朝暉,[1] 日日江樓坐翠微.[2]
信宿漁人還泛泛,[3] 淸秋燕子故飛飛.[4]
匡衡抗疏功名薄,[5] 劉向傳經心事違.[6]
同學少年多不賤,[7] 五陵裘馬自輕肥.[8]

[주석]

1) 山郭(산곽): 산성(山城).
朝暉(조휘): 아침 햇빛.

2) 翠微(취미): 산의 옅은 푸른빛.

3) 信宿(신숙): 이틀 밤을 자다. 『좌전(左傳) · 장공3년(莊公三年)』에 "무릇 군사가 하루를 자는 것을 '사(舍)'라 하고 이틀을 자는 것을 '신(信)'이라 하며, '신(信)'을 넘는 것을 '차(次)'라 한다(凡師一宿爲舍, 再宿爲信, 過信爲次)"라 했다. 여기서는 어부가 여러 날을 배에 머무르며 물고기를 잡는 것을 가리킨다.

4) 故(고): 여전히.

5) 匡衡(광형): 서한(西漢) 사람으로 원제(元帝) 때 승상(丞相)을 지냈다. 여러 번 상소를 올려 정사에 대해 직언을 했다가 원제의 중시를 받아 광록대부(光祿大夫), 태자소부(太子少傅) 등으로 승진됐다.

抗疏(항소): 임금의 뜻에 대항하여 직언하는 상소.

功名薄(공명박): 공명이 박하다. 자신은 광형처럼 승진하지 못하고 오히려 쫓겨나게 된 것을 말한다. 두보는 좌습유로 있으면서 상소하여 전투에서 패한 방관(房琯)을 변호했으나 오히려 숙종(肅宗)의 노여움을 받아 좌천됐다.

6) 劉向(유향): 서한(西漢) 사람으로 유가의 경전에 능통했다. 선제(宣帝) 때 황명을 받들어 『춘추곡량전(春秋穀梁傳)』을 전수했으며, 석거각(石渠閣)에서 『오경(五經)』을 강의했다.

心事違(심사위): 마음과 일이 어긋나다. 자신도 유향처럼 조정에서 능력을 펼치고 싶었으나 실현할 기회를 얻지 못한 것을 말한다.

7) 不賤(불천): 지위가 낮지 않다. 이미 높은 지위에 올랐음을 말한다.

8) 五陵(오릉): 한나라 황제 다섯 명의 무덤. 고제(高帝) 유방(劉邦)의 '장릉(長陵)', 혜제(惠帝) 유영(劉盈)의 '안릉(安陵)', 경제(景帝) 유계(劉啓)의 '양릉(陽陵)', 무제(武帝) 유철(劉徹)의 '무릉(茂陵)', 소제(昭帝) 유불릉(劉弗陵)의 '평릉(平陵)'을 가리키며 장안성(長安城) 북쪽에 있다. 여기서는 장안을 가리킨다.

裘(구): 갖옷. 짐승의 털가죽을 소재로 무릎까지 내려오게 만든 옷이다. '衣(의)'로 되어 있는 판본도 있다.

輕肥(경비): 옷은 가볍고 말은 살지다. 신분이 높고 부유함을 의미한다.

[해설]

이 시는 총 8수 중 제3수로, 기주의 풍광을 바라보며 지난날의 자신의 삶을 회상하고 불우한 자신의 운명에 대한 안타까움과 득의한 친구들에 대한 부러움을 나타내고 있다.

제1~2구에서는 아침에 강가 누대에 올라 바라본 기주의 산성에 늘어선 집들과 푸른빛 가득한 산의 풍광을 묘사하고, 제3~4구에서는 시선을 강으로 옮겨 밤새워 물 위에 떠 있는 어부의 배와 물 위를 나는 제비의 모습을 묘사하며 백성들의 고달픈 노동의 삶과 그저 평온하고 아름답기만 한 자연의 풍광을 역설적으로 대비시키고 있다. 제5~6구에서는 지난날 장안에서의 삶을 회상하며 광형과 유향의 일을 들어 이들과 달리 직언으로 인해 오히려 쫓겨나고 능력을 펼칠 기회조차 얻지 못한 자신의 신세를 탄식하고 있다. 제7~8구에서는 옛날 함께 공부했던 친구들은 자신과 달리 장안에 있으면서 이미 득의하여 부귀공명을 이루었을 것임을 생각하며 친구들에 대한 부러움과 함께 자신에 대한 자괴감을 나타내고 있다.

124. 가을의 흥취 (5)

두보(杜甫)

봉래궁은 종남산을 마주 대하고
이슬 받는 구리 기둥은 높은 하늘에 솟아 있었네.
서쪽으로 서왕모 내려왔던 요지가 바라다보이고
동쪽에서 온 자색 기운이 함곡관에 가득하였네.
구름이 꿩의 꼬리털을 옮기니 궁궐의 부채가 펼쳐지고
태양이 용의 비늘을 에워싸니 성군의 얼굴을 알아보았네.
한 번 푸른 강에 누웠다가 세월 저문 것에 놀라니
몇 번이나 궁궐 문에서 조회 반열에 들었던가?

秋興 (其五)

蓬萊宮闕對南山,[1] 承露金莖霄漢間.[2]
西望瑤池降王母,[3] 東來紫氣滿函關.[4]
雲移雉尾開宮扇,[5] 日繞龍鱗識聖顏.[6]
一臥滄江驚歲晚,[7] 幾回靑鎖點朝班.[8]

[주석]

1) 蓬萊宮闕(봉래궁궐): 봉래궁(蓬萊宮). 당대 장안에 있던 대명궁(大明宮)을 가리킨다.

南山(남산): 종남산(終南山).

2) 承露(승로): 이슬을 받다. 두 손으로 쟁반을 받쳐 들고 있는 신선의 동상이 하늘의 이슬을 받고 있는 모습을 말한다.

金莖(금경): 금빛으로 칠한 구리 기둥. 신선 동상이 올려져 있는 기둥을 가리킨다. 한(漢) 무제(武帝) 때 건장궁(建章宮) 서쪽에 구리 기둥을 세우고 그 위에 신선상을 설치하여 신선로(神仙露)를 받아 이를 마시며 장생불로를 추구했는데, 그 높이가 12장(丈)이었다고 한다.

승로반(承露盤)

霄漢(소한): 은하수. 높은 하늘을 가리킨다.

3) 瑤池(요지): 전설상 서왕모(西王母)가 산다고 하는 연못 이름.

4) 紫氣(자기): 자색 기운. 상서로운 기운을 가리킨다. 노자(老子)가 함곡관(函谷關)을 나갈 때 관문을 지키던 사람이 동쪽에서 자색의 상서로운 기운이 오는 것을 보았다고 한다.

函關(함관): 함곡관.

5) 雉尾(치미): 꿩의 꼬리 깃털. 여기서는 이것으로 만든 부채를 가리킨다. 황제가 조회할 때 얼굴을 가리는 데 사용됐다.

宮扇(궁선): 궁궐의 부채.

6) 龍鱗(용린): 용의 비늘. 황제가 입고 있는 곤룡포의 문양을 가리킨다.

7) 滄江(창강): 푸른 강. 두보가 머물고 있는 기주(夔州) 지역의 장강(長江)을 가리킨다.

8) 青鎖(청쇄): 한대(漢代) 건장궁(建章宮)의 문에 장식됐던 푸른 고리 모양의 문양. 일반적으로 궁문을 가리킨다.

點朝班(점조반): 조회 반열을 점검하다. 조회에 참석할 때 관원의 이름을 부르고 지위와 직급에 따라 열을 지어 들어가는 것을 말한다.

[해설]

이 시는 총 8수 중 제5수로, 장안에서 좌습유(左拾遺)로 있으면서 황제를 모시던 때를 회상한 것으로 선경(仙境)을 통해 대명궁의 존엄과 황제의 위용을 묘사하며 영락한 자신의 현실을 안타까워하고 있다.

제1~2구에서는 종남산을 마주한 대명궁에 신선로(神仙露)를 받기 위한 구리 기둥이 높이 솟아 있는 실경(實景)을 말하고, 이어 제3~4구에서는 서왕모가 사는 요지와 노자가 지나간 함곡관의 허경(虛景)을 들어 대명궁의 존귀함과 지엄함을 높이고 있다. 제5~6구에서는 화려하고 아름다운 어선(御扇)이 펼쳐지며 빛나는 곤룡포를 입은 황제가 등장하는 조회의 광경을 묘사하고, 제7~8구에서는 조정을 떠나온 지 이미 오랜 시간이 지났음을 안타까워하며 옛날 조회에 참석했던 시절을 그리움으로 회상하고 있다.

125. 가을의 흥취 (7)

두보(杜甫)

곤명지의 물은 한나라 때의 공적이니
무제의 깃발이 눈앞에 있는 듯하였네.
직녀의 베틀 실은 달밤에 헛되기만 하고
고래 석상의 비늘은 가을바람에 요동쳤네.
물결에 흔들리는 고미는 검은 구름처럼 잠기고
이슬에 시든 연방은 붉은 가루처럼 떨어졌네.
변방 요새는 하늘에 닿아 새들만 지날 수 있고
강과 호수는 온 땅에 가득한데 고기잡이 늙은이 하나뿐이네.

秋興 (其七)

昆明池水漢時功,[1] 武帝旌旗在眼中.[2]
織女機絲虛夜月,[3] 石鯨鱗甲動秋風.[4]
波飄菰米沈雲黑,[5] 露冷蓮房墜粉紅.[6]
關塞極天惟鳥道,[7] 江湖滿地一漁翁.[8]

[주석]

1) 昆明池(곤명지): 한(漢) 무제(武帝) 때 조성한 못으로, 장안 서남쪽에 있다. 둘레가 40리이고 면적이 332경(頃)으로 연못 가운데에는 견우(牽牛)와 직녀(織女)의 두 석상이 있다. 한(漢) 무제(武帝)가 견독국〔身毒國, 지금의 인도인 천축국

(天竺國)]과 통하고자 했으나 곤명국(昆明國)에 가로막히게 되었는데, 곤명국에 사방 3백 리나 되는 전지(滇池)가 있었기 때문이었다. 이에 무제는 곤명국을 치고자 원수(元狩) 3년(B.C. 120) 장안 인근에 전지를 본떠 곤명지를 만들어 그곳에서 수전(水戰)을 익히게 했다.

2) 武帝(무제): 한 무제.

3) 織女(직녀): 곤명지에 세운 직녀 석상(石像).

機絲(기사): 베틀과 실.

虛夜月(허야월): 달밤에 헛되기만 하다. 직녀 석상이라 실제로 베를 짜지는 못하는 것을 말한다.

4) 石鯨(석경): 곤명지에 세운 고래 석상. 곤명지에는 고래 석상이 있었는데 우레가 치고 비가 내리면 항상 울음소리를 내고 꼬리가 요동쳤다고 한다.

鱗甲(인갑): 비늘.

5) 菰米(고미): 줄. 벼과 식물인 고엽(菰葉)의 열매. 모양이 쌀과 같아 이와 같이 부르며, 밥으로 지어 먹는다.

6) 蓮房(연방): 연꽃의 꽃받침. '연봉(蓮蓬)'이라고도 하며, 열매가 각각의 방에 들어 있는 모양이어서 이와 같이 불렀다.

7) 關塞(관새): 변방의 요새. 두보가 있는 기주(夔州) 지역을 가리킨다.

鳥道(조도): 새가 날아 지날 수 있는 길. 높고 험한 지형을 의미한다.

8) 漁翁(어옹): 늙은 어부. 시인 자신을 가리킨다.

[해설]

이 시는 총 8수 중 제7수로, 장안 곤명지(昆明池)의 경관을 묘사하며 쇠락해진 당의 현실과 대비시키고 변방에서 홀로 지내는 자신의 외로운 삶을 말하고 있다.

제1~2구에서는 곤명지가 한 무제 때 만들어졌으며 그 공적이 지금껏 남아 있음을 말하고, 제3~4구에서는 곤명지에 세워진 직녀상과 고래상을 정태(靜態)와 동태(動態)의 대비를 통해 묘사하고 있다. 제5~6구에서는 아무도 거두는 이 없이 고미가 물속에 잠겨 자라고 연방이 물속으로 떨어지고 있는 곤명지의 쓸쓸한 경관을 묘사하며 안사의 난으로 쇠락해진 당의 현실을 비유하고 있다. 제7~8구에서는 자신이 있는 기주가 변방 요새로서 나는 새만이 지날 수 있는 높고 험한 곳임을 말하고, 온 땅에 가득한 강과 호수에서 홀로 고기 잡고 있는 자신의 모습으로 세상과의 단절감과 외로움을 나타내고 있다.

126. 달밤에 배 안에서

대복고(戴復古)

배 가득한 밝은 달빛에 마치 허공 속에 잠긴 듯
푸른 강물은 흔적도 없고 밤기운 밀려드네.
시의 구상은 돛대 그림자 속에 떠올랐다 사라지고
꿈속의 혼은 노 젓는 소리 속에 떠돌며 날아다니네.
별들은 푸른 물 깊은 곳에 차갑게 떨어지고
기러기들은 붉은 여뀌 부는 바람에 슬피 우네.
몇 점 고깃배 등불은 오래된 강 언덕에 기대어 있고
끊어진 다리 아래 오동나무에 이슬은 방울져 떨어지네.

月夜舟中

滿船明月浸虛空, 綠水無痕夜氣沖.[1]
詩思浮沈檣影裏,[2] 夢魂搖拽櫓聲中.[3]
星辰冷落碧潭水,[4] 鴻雁悲鳴紅蓼風.[5]
數點漁燈依古岸,[6] 斷橋垂露滴梧桐.

[주석]

1) 無痕(무흔): 흔적이 없다. 물이 거울처럼 잔잔하여 물결도 일지 않는 것을 말한다.

2) 詩思(시사): 시상(詩想), 시흥(詩興).

檣(장): 돛대. 돛을 매다는 장대.

3) 搖拽(요설): 공중을 떠돌며 날아다니다. '표탕(飄蕩)'의 뜻이다.

櫓(노): 노. 배 젓는 도구.

4) 碧潭(벽담): 강이나 호수의 물이 깊어 짙푸른 곳.

5) 鴻雁(홍안): 큰 기러기와 작은 기러기.

紅蓼(홍료): 붉은 여뀌. 주로 물가에서 자라며 6~9월에 끝에 붉은빛이 조금 도는 꽃이 피나 꽃받침만 있고 꽃잎은 없다. 여뀌의 잎은 음식의 향신료나 지혈, 항균의 여성용 약재로 사용된다.

6) 古岸(고안): 오래된 강 언덕. 오랫동안 사람들이 살아왔던 포구를 가리킨다.

[해설]

이 시는 달밤에 배 안에서 느낀 정취를 노래한 것으로, 물가 주변의 고요하고 적막한 달밤의 정경이 한 폭의 그림처럼 묘사되고 있다. 시에서는 시각과 청각, 색채의 대비뿐 아니라 인간과 자연, 실경(實景)과 허경(虛景)의 교묘한 대비를 통해 시의 예술미를 극대화하고 있다.

제1~2구에서는 배에 가득한 밝은 달빛으로 인해 마치 배가 허공을 날고 있는 듯하며, 잔물결조차 없이 고요한 푸른 강물 위로 가을밤의 차가운 기운이 엄습하고 있음을 말하고 있다. 여기에서는 '물 위의 배'와 '푸른 강물'이라는 실경이 '허공을 나는 배'와 '흔적 없는 강물'이라는 허경으로 전환되고 있다. 제3~4구에서는 깨어 있을 때와 잠든 때를 대비시켜 시흥(詩興)이 생겨났다 사라지고 꿈속의 혼이 자유로이 하늘을 떠돌고 있는 느낌을 말하고 있다. 여기에서도 앞서와 마찬가지로 '시흥'과 '꿈속의 혼'이라는 허경이 '돛대 그림자'와 '노 젓는 소리'의 시각과 청각의 대비를 통해 실경(實景)으로 전환되고 있다. 제5~6구에서는 물에 비친 별의 모습과 기러기 울음소리를 시각과 청각 및 색채의 대비를 통해 나타내고 차가운 촉각의 느낌까지 함께 담아냄으로써 가을밤의 처량하고 서글픈 정서를 보다 실감 나게 하고 있다. 제7~8구에서는 오래된 포구의 고깃배와 끊어진 다리를 대비시키며 인간사의 성쇠 변화를 드러내고, 끊어진 다리 아래 오동나무 잎에 방울져 떨어지는 이슬을 통해 쇠락과 소멸에 대한 깊은 슬픔을 나타내고 있다.

127. 장안에서 가을날 바라보며

조하(趙嘏)

쓸쓸하고 서늘한 구름 빛깔이 새벽에 흐르니
한나라 궁궐에 깊은 가을 경관이 살아나네.
성긴 별 몇 점 속에 기러기는 변방을 가로지르고
한 줄기 긴 피리 소리에 사람은 누각에 기대어 있네.
자줏빛 자태 반쯤 핀 채 울타리의 국화는 고요하고
붉은 꽃잎 모두 떨어져 못의 연은 시름겹네.
농어 맛 딱 좋을 때이나 돌아가지 못하고
헛되이 남관을 쓴 채 초나라 죄수를 배우고 있구나.

長安秋望[1]

雲物淒涼拂曙流,[2] 漢家宮闕動高秋.[3]
殘星幾點雁橫塞,[4] 長笛一聲人倚樓.[5]
紫艷半開籬菊靜,[6] 紅衣落盡渚蓮愁.[7]
鱸魚正美不歸去,[8] 空戴南冠學楚囚.[9]

[주석]

1) 제목이 「장안의 늦가을(長安晩秋)」로 되어 있는 판본도 있다.

2) 雲物(운물): 구름의 색깔. 『주례(周禮)·춘관(春官)·보장씨(保章氏)』에 "다섯 가지 구름의 색깔로 길흉과 가뭄, 풍년과 기근의 조짐을 판별한다(以五雲之物,

辨吉凶, 水旱降豊荒之祲象)"라 했는데, 정현의 주에서 "물(物)은 색깔이다. 해 주위의 구름 색을 본다(物, 色也. 視日旁雲氣之色)"라 했다.

凄涼(처량): 쓸쓸하고 서늘함.

拂曙(불서): 새벽녘. '拂曉(불효)'와 같다. 저본에는 '拂署(불서)'로 되어 있다.

3) 漢家宮闕(한가궁궐): 한(漢)나라의 궁궐. 여기서는 장안성을 가리킨다.

動(동): 요동치다.

高秋(고추): 깊은 가을. 즉 만추(晩秋)의 경관을 가리킨다.

4) 殘星(잔성): 성긴 별.

橫塞(횡새): 변방을 가로지르다. 기러기가 변방에서 열 지어 날아오는 것을 말한다.

5) 倚樓(의루): 누각에 기대다.

6) 紫艶(자염): 자줏빛의 아름다움. 국화꽃을 가리킨다.

7) 紅衣(홍의): 붉은 옷. 붉은 연꽃을 가리킨다.

8) 鱸魚(노어): 농어.

9) 南冠(남관): 남쪽 초나라 사람들이 쓰는 모자. 자신이 남쪽 지역 출신임을 말한다.

學楚囚(학초수): 초나라 죄수를 배우다. 『좌전(左傳)』에 "진 경공(景公)이 군부를 둘러보다가 종의를 보고는 남쪽 모자를 쓰고 갇혀 있는 자가 누구인지 물으니, 담당 관리가 대답하기를 '정나라에서 바친 초나라 죄수입니다'라고 했다(晉侯觀於軍府, 見鍾儀問之曰, 南冠而縶者誰也. 有司對曰, 鄭人所獻楚囚也)"는 말이 있다. 이 구는 관직을 얻기 위해 타향에 머물러 있어야 하는 자신의 처지가 고향을 떠나 타향에 갇혀 있는 초나라 죄수와 같음을 비유한 것이다. 조하는 초주(楚州) 산양(山陽) 출신으로, 이곳은 춘추전국시대 초(楚)의 영지에 속했다.

[해설]

이 시는 장안의 가을 풍경을 바라보며 자신의 감회를 기탁한 것으로, 객지에서 간알하며 지내고 있는 자신의 현실을 안타까워하고 있다.

제1~2구에서는 깊어가는 장안의 가을 풍경을 묘사하고 있는데, '쓸쓸하고 서늘하다(凄涼)'는 어구를 통해 자신의 심적 상태를 투영시키고, 궁궐을 묘사의 대상으로 설정하며 관직에 대한 자신의 지향을 드러내고 있다. 다음 제3~4구에서는 시선을 상하로 이동시키며 성긴 별과 변방에서 날아오는 기러기로 가을 새벽의 쓸쓸한 경관을 묘사하고, 이어 피리 소리 속에 홀로 누각에 기대어 있는 사람의 모습으로 자신의 외로움을 나타내고 있다. 이 두 구는 두목(杜牧)이 "여운이 다함이 없다"며 극찬을 한 구로, 이후 조하에게 '조의루(趙倚樓)'라는 별명이 있게 한 구이기도 하다. 제5~6구에서는 시선을 다시 땅과 물로 이동시키며 이제 막 피려 하는 울타리의 국화와 꽃이 다 져버린 못의 연밥을 대비시키고 있다. 이들은 비록 상반된 사물들이지만 모두가 실의한 시인의 처지를 상징하고 있는 것으로 볼 수 있으니, 시인 자신은 아직 능력이 드러나지 않아 인정받지 못하는 국화일 수도 있으며 이미 때를 잃고 쇠락해버린 연밥일 수도 있기 때문이다. 마지막 제7~8구에서는 마음속의 고향을 떠올리며 차마 돌아가지도 못하고 타향에서 유랑 생활을 해야만 하는 자신의 현실을 안타까워하고 있다.

128. 새로 찾아온 가을

무명씨(無名氏)

불같은 구름은 아직 기이한 봉우리를 거두지 않았거늘
베개에 기대어 잎 하나에 부는 바람에 막 놀란다네.
스산한 풍경 속 몇몇 정원 숲,
적막한 고요 속에 누구네 집 다듬이질 소리인가?
매미 소리 끊어졌다 이어지며 남은 달을 슬퍼하고
반딧불 높고 낮게 날며 저녁 하늘을 비추네.
글을 써 금문으로 가 다시 올리기를 기약하다가
깊은 밤 머리 긁으며 날리는 쑥 같은 신세 탄식하네.

新秋[1]

火雲猶未斂奇峰,[2] 欹枕初驚一葉風.[3]
幾處園林蕭瑟裏,[4] 誰家砧杵寂寥中.[5]
蟬聲斷續悲殘月,[6] 螢燄高低照暮空.[7]
賦就金門期再獻,[8] 夜深搔首嘆飛蓬.[9]

[주석]

1) 저본에는 작자가 두보(杜甫)로 되어 있다.

2) 火雲(화운): 불같이 뜨거운 구름. 여름 구름을 가리킨다.

奇峰(기봉): 기이한 봉우리. 여름 구름이 다양한 산봉우리의 모습으로 피어나는 것을 가리킨다.

3) 欹枕(의침): 베개에 기대다.

4) 蕭瑟(소슬): 서늘하고 쓸쓸하다.

5) 砧杵(침저): 다듬잇돌과 다듬이방망이. 여기서는 다듬이질 또는 그 소리를 가리킨다.

寂寥(적료): 적막하고 고요하다.

6) 殘月(잔월): 그믐달, 새벽달. 여기서는 저녁 무렵에 떠오르는 초승달을 의미한다.

7) 螢燄(형염): 반딧불.

8) 金門(금문): 한(漢)나라의 미앙궁(未央宮)에 있던 금마문(金馬門). 『사기(史記)·동방삭전(東方朔傳)』에 "금마문은 궁궐의 문이다. 문 옆에 구리로 만든 말이 있어 금마문이라 부른다(金馬門者, 宮署門也. 門傍有銅馬, 故謂之金馬門)"라 했다. 여기서는 조정을 비유한다.

9) 飛蓬(비봉): 날아다니는 쑥. 정처 없이 떠돌아다니는 나그네 신세를 비유한다.

[해설]

이 시에서는 막 가을로 접어든 계절의 풍광을 노래하며 회재불우(懷才不遇)한 자신의 신세를 탄식하고 있다.

제1~2구에서는 봉우리처럼 피어나는 여름의 뜨거운 구름이 아직 채 사라지지 않았지만, 잎 하나에 스치는 바람에서 가을의 기운을 느낄 수 있음을 말하고 있다. 제3~4구에서는 몇몇 정원 숲에 스산한 기운이 감돌고 겨울을 준비하는 다듬이질 소리가 들려오는 상황으로 계절이 이미 가을로 접어들었음을 말하고 있다. 제5~6구에서는 쇠잔해진 여름 매미의 울음소리와 높고 낮게 날아다니는 반딧불의 청각과 시각의 대비를 통해 초가을 저물녘의 쓸쓸하고 적막한 경관을 묘사하고 있다. 마지막 제7~8구에서는 공업 성취의 뜻은 간절하나 기회를 얻지 못하고 있는 자신의 처지를 말하며 밤 깊도록 시름에 잠긴 채 떠도는 나그네와 같은 자신의 신세를 안타까워하고 있다.

129. 중추절

이박(李朴)

밝은 달이 허공에 있으니 보배로운 거울이 떠오른 듯
구름 사이 신선의 퉁소는 적막하여 소리도 없네.
가을의 한가운데에 하나의 수레바퀴 가득 차더니
오래도록 하늘길 따라가며 천 리까지 밝게 비치네.
교활한 토끼는 상하현 밖으로 달아나지 못하고
요사한 두꺼비는 눈앞에서 생겨나기를 그쳤네.
신령한 뗏목 타고 함께 손잡고 가기를 기약하고
은하수 더없이 맑아지기를 다시금 기다린다네.

中秋[1]

皓魄當空寶鏡升,[2] 雲間仙籟寂無聲.[3]
平分秋色一輪滿,[4] 長伴雲衢千里明.[5]
狡兔空從弦外落,[6] 妖蟆休向眼前生.[7]
靈槎擬約同攜手,[8] 更待銀河徹底淸.[9]

[주석]

1) 저본에는 작자가 계박(季朴)으로 되어 있다.

2) 皓魄(호백): 밝은 달.

3) 仙籟(선뢰): 신선의 퉁소.

4) 平分秋色(평분추색): 가을 경치를 절반으로 나누다. 중추절이 가을의 한가운데 있기 때문에 이와 같이 말한 것이다.

輪(륜): 수레바퀴. 둥근 달을 비유한다.

5) 雲衢(운구): 구름 속의 하늘길. 달이 지나는 길을 가리킨다.

6) 狡兔(교토): 교활한 토끼. 전설상 달에서 약을 찧는다고 하는 토끼를 가리킨다. 여기서는 교활한 토끼가 달아날 구멍을 세 군데 파놓는다는 '교토삼굴(狡兔三窟)'의 의미를 차용하여, 달이 보름달이라 교활한 토끼라도 숨을 곳이 없음을 말한다.

弦(현): 달의 활처럼 굽은 부분. 매월 초8일 전후에 나타나는 초승달을 상현달이라 하고, 23일 전후에 나타나는 그믐달을 하현달이라 한다.

7) 妖蟆(요마): 요사한 두꺼비. 전설상 달을 먹어 월식을 만든다는 두꺼비. 여기서는 달이 보름달로 밝아 이지러짐이 없는 것을 가리킨다

8) 靈槎(영사): 신령한 뗏목. 하늘의 은하수로 가는 뗏목을 가리킨다. 『박물지(博物志)·잡설(雜說)』에 다음과 같은 이야기가 있다. "옛말에 '은하수와 바다가 통한다'라 했다. 근래에 바닷가에 사는 어떤 사람이 해마다 8월에 빈 뗏목을 띄워보면 오고 가는 기간에 어김이 없었다. 그는 기이한 뜻을 품고서 뗏목 위에 높은 누각을 세우고는 식량을 가득 싣고 뗏목에 올라 떠났다. 열흘 동안에는 여전히 일월성신이 보였는데 그 후로는 아득해지더니 낮인지 밤인지 구별되지 않았다. 열흘을 더 가서 문득 한곳에 이르렀는데 성곽의 형상이 있었고 집들이 매우 정연했다. 멀리 궁궐 안이 바라다보이는데 베 짜는 여인들이 많았다. 장부 한 명이 소를 물가로 끌고 와 물을 먹이는 것이 보였다. 소 끄는 사람은 깜짝 놀라 '어떻게 여기에 이르렀소?'라고 물었다. 그가 오게 된 뜻을 모두 말하며 아울러 '여기가 어딘가요?'라 물으니 '그대가 돌아가 촉군에 가서 엄군평을 만나보면 알게 될 것이오'라 대답했다. 결국 강

언덕으로 올라가지는 않았으며, 돌아와보니 기간이 딱 맞았다. 뒤에 촉에 이르러 엄군평에게 물어보니 '모년 모월 모일에 객성이 견우성을 침범하였네'라고 말했다. 날짜를 따져보니 바로 은하수에 도달했던 그때였다(舊說云, 天河與海通. 近世有人居海渚者, 年年八月有浮槎, 去來不失期. 人有奇志, 立飛閣於槎上, 多齎糧, 乘槎而去. 十餘日中, 猶觀星月日辰, 自後茫茫忽忽, 亦不覺晝夜. 去十餘日, 奄至一處, 有城郭狀, 屋舍甚嚴. 遙望宮中, 多織婦. 見一丈夫牽牛渚次飮之. 牽牛人乃驚問曰, 何由至此. 此人具說來意, 竝問此是何處. 答曰, 君還, 至蜀郡訪嚴君平則知之. 竟不上岸, 因還如期. 後至蜀, 問君平, 曰, 某年月日, 有客星犯牽牛宿. 計年月, 正是此到天河時也)."

擬約(의약): 기약하다.

9) 更待(갱대): 다시 기다리다.

徹底(철저): 밑바닥까지, 철저하게.

[해설]

이 시는 중추절 보름달의 밝고 아름다운 모습을 묘사한 것으로, 불의와 사악함이 존재할 수 없는 환한 세상이 앞으로 더욱더 밝아지기를 고대하는 마음을 담고 있다.

제1~2구에서는 허공에 떠오른 달이 마치 보배로운 거울과 같아 선경과 같은 신비한 분위기를 자아내지만 고요히 아무런 소리도 들려오지 않음을 말하고 있다. 제3~4구에서는 보름달이 가을의 한가운데에서 밤새도록 하늘길을 따라가며 천 리 먼 곳까지 온 세상을 밝게 비추고 있음을 말하고 있다. 제5~6구에서는 전설상의 고사를 활용하여 보름달에서는 교활한 토끼와 요사한 두꺼비가 더 이상 몸을 숨기거나 나타날 수 없음을 말하며 세상의 불의와 사악함에 대해 거부감을 드러내고 있다. 마지막 제7~8구에서는 사람들과 함께 뗏목을 타고 천상의 선경으로 가고 싶은 바람을 나타내며, 은하수가 더없이 맑아지기를 기다린다는 말로써 보다 밝고 환한 세상이 도래하기를 고대하고 있다.

130. 중양절에 남전의 최씨 장원에서

두보(杜甫)

늙어가며 서글픈 가을에 애써 스스로 마음 너그럽게 하니
흥이 일어 오늘 그대와 즐거움을 다하네.
짧은 머리라 바람에 모자 날릴까 부끄러워
웃으며 옆 사람에게 모자 바로 쓰라 청하네.
남수는 멀리 천 개 골짜기에서 떨어지고
옥산은 높이 두 봉우리와 함께 차갑네.
내년 이 모임에 누가 건강할지?
취하여 수유꽃 쥐고 자세히 바라보네.

九日藍田崔氏莊[1)]

老去悲秋强自寬,[2)] 興來今日盡君歡.
羞將短髮還吹帽,[3)] 笑倩旁人爲正冠.[4)]
藍水遠從千澗落,[5)] 玉山高竝兩峰寒.[6)]
明年此會知誰健, 醉把茱萸仔細看.[7)]

[주석]

1) 저본에는 제목이 「중양절에 남전에 모여 마시다(九日藍田會飮)」로 되어 있다. 藍田(남전): 지금의 섬서성(陝西省) 남전현(藍田縣)으로, 장안(長安) 동남쪽에 있다.

崔氏莊(최씨장): 최계중(崔季重)의 장원(莊園). 당시 그는 복양태수(濮陽太守)로 있었다.

2) 寬(관): 마음을 너그럽게 하며 위안하다.

3) 吹帽(취모): 모자가 바람에 날리다. 동진(東晉) 환온(桓溫)의 참군(參軍)이었던 맹가(孟嘉)의 고사를 인용한 것이다. 맹가가 중양절에 환온을 모시고 용산(龍山)에서 연회를 벌였는데, 바람이 불어 모자가 날아간 것도 모르고 옆 사람과 담소를 계속했다. 이에 환온은 맹가가 자리를 비운 사이 손성(孫盛)에게 이를 조롱하는 글을 쓰게 했다. 맹가가 돌아와 이를 보고 답하는 글을 지었는데, 두 글이 모두 뛰어난 글이라 칭찬을 받았다.

4) 倩(천): 청하다. '請(청)'과 같다.

5) 藍水(남수): 남계(藍溪). 남전산(藍田山) 아래를 흐르는 강.

6) 玉山(옥산): 남전산. 좋은 옥의 산지로 유명하다.

兩峰(양봉): 두 개의 봉우리. 화산(華山) 동북쪽에 있는 운대산(雲臺山)의 두 봉우리를 가리킨다.

7) 茱萸(수유): 향초 이름. 옛 풍속에 중양절이 되면 붉은 수유꽃을 머리에 꽂고 높은 곳에 올랐는데, 액운을 막고 겨울을 이겨내고자 하는 뜻을 담았다.

[해설]

이 시는 중양절에 최계중(崔季重)의 장원(莊園)에서 연회하며 쓴 것으로, 가을을 맞이한 시인의 쓸쓸한 심경과 예측할 수 없는 미래에 대한 회의가 나타나 있다.

제1~2구에서는 나이가 들어가며 가을이 그저 슬프게만 느껴지고 억지로나마 스스로를 위안하며 지낼 따름임을 말하고, 중양절을 맞아 친구들과 연회를 벌이며 즐길 수 있게 된 상황을 기뻐하고 있다. 제3~4구에서는 중양절 연회에서 바람에 모자가 날아갔던 맹가(孟嘉)의 고사를 들어 늙어서 머리칼이 짧은 탓에 바람에 날리려 하는 모자를 자꾸 고쳐 쓰고 있는 자신을 말하고, 이러한 행동을 오히려 옆 사람에게 모자 바로 쓰라 청하는 말로 합당화하며 자신의 노쇠함을 드러내지 않으려 하고 있다. 제5~6구에서는 장원에서 바라보이는 남수와 옥산의 정경을 색채와 원근 및 수평과 수직의 공간 대비를 통해 나타내고, 제7~8구에서는 내년 중양절에도 오늘처럼 건강한 모습으로 모일 수 있을지 인생의 불가측성을 말하며, 술과 꽃과 함께하는 지금의 즐거움을 마음껏 누리고 있다.

131. 가을 생각

육유(陸游)

이욕이 사람 내모는 것은 꼬리에 불 매단 만 마리 소와 같고
강호에 떠도는 흔적은 모래 위 한 마리 갈매기와 같다네.
하루가 한 해처럼 긴 것은 한가로워야 비로소 알게 되고
일이 하늘처럼 크다 해도 취하면 역시 그만둔다네.
깊은 거리 달빛 아래 다듬이질 소리 잦아들고
옛 정원의 가을에 우물가 오동잎 흔들려 떨어지네.
노쇠한 눈 떠보려 하나 높은 곳 없으니
진등의 백 척 누대를 어찌하면 얻을 수 있을지?

秋思

利欲驅人萬火牛,[1] 江湖浪跡一沙鷗.[2]
日長似歲閑方覺,[3] 事大如天醉亦休.[4]
砧杵敲殘深巷月,[5] 井桐搖落故園秋.[6]
欲舒老眼無高處,[7] 安得元龍百尺樓.[8]

[주석]

1) 火牛(화우): 꼬리에 불을 매단 소. 전국시대(戰國時代) 제(齊)의 전단(田單)이 연(燕)과의 전투에서 사용했던 소를 가리킨다. 전단은 천여 마리 소의 뿔에 날카로운 칼을 달고 소의 꼬리에 기름 묻힌 건초를 매달아 불을 질러 적진

으로 내달리게 함으로써 연의 군대를 대파했다.

2) 浪跡(낭적): 이리저리 떠도는 흔적. '跡(적)'이 '迹(적)'으로 되어 있는 판본도 있다.

3) 歲(세): 년. 저본에는 '水(수)'로 되어 있다.

4) 休(휴): 멈추다, 그치다.

5) 砧杵(침저): 다듬잇돌과 다듬이방망이. 여기서는 다듬이질 소리를 가리킨다.

6) 井桐(정동): 우물가 오동나무. 저본에는 '梧桐(오동)'으로 되어 있다.

7) 舒(서): 펴다. 눈을 뜨는 것을 의미한다.

8) 元龍(원룡): 진등(陳登). 삼국시대(三國時代) 사람으로 자가 원룡이다. 유비(劉備)가 허사(許汜)와 함께 유표(劉表) 앞에서 천하의 인물에 대해 평론했는데, 허사는 진등이 그저 강호의 평범한 사람에 불과하다 했다. 그 이유로 허사는 진등을 만났을 때 그가 자신과 오래 이야기하지 않았으며 잠을 잘 때도 그는 침대에서 자면서 자신은 침대 아래에서 자게 하는 등 손님을 접대하는 도리가 없었음을 들었다. 이 말을 들은 유비는 허사가 진등과 더불어 세상 구하는 일을 말하지 않고 집과 밭을 사는 것만 말했기 때문에 진등이 그와 오래 이야기하지 않은 것이라 말하고, 만약 자신이 진등이었다면 다만 침대 하나 차이가 아니라 백 척 누각에 올라 자면서 허사를 땅에서 자게 했을 것이라고 했다.

   百尺樓(백척루): 백 척 높이의 누각. 유비가 허사에게 말한 누각으로, 여기에서는 공업 수립의 염원을 실현할 수 있는 장소를 의미한다.

[해설]

이 시는 가을날의 감회를 쓴 것으로, 삶의 의미와 가치에 대해 돌아보며 이루지 못한 공업 수립에 대한 회한을 나타내고 있다.

제1~2구에서는 이욕을 추구하는 인간의 맹목적인 욕망을 꼬리에 불을 매단 채 치달리는 소에 비유하며, 인간의 삶이란 결국 모래 위 갈매기의 발자국처럼 정처 없는 흔적만 남긴 채 사라지고 마는 것이라는 말로 이를 비판하고 있다. 제3~4구에서는 한가로우면 짧은 하루도 일 년처럼 느껴지며 아무리 중요한 큰일도 술에 취하면 할 수 없듯이, 인간의 인식과 가치는 상대적이며 자신이 처한 상황에 따라 달라질 수 있음을 말하고 있다. 제5~6구에서는 청각과 시각을 통해 깊은 거리와 옛 정원의 가을밤 적막하고 쓸쓸한 경관을 묘사하고, 제7~8구에서는 몸은 비록 늙었어도 공업 수립을 향한 마음은 여전하건만 어디에서도 뜻을 실현할 곳이 보이지 않는 암울한 현실을 탄식하고 있다.

132. 주산인에게

두보(杜甫)

금리선생은 오각건을 쓰고 계신데
장원에서 토란과 밤 수확하니 아주 가난하지는 않다네.
손님 보는 것에 익숙하여 아이들도 기뻐하고
계단 끝에서 모이 얻어먹어 새들도 길들었네.
가을 물은 겨우 네다섯 척 정도 깊고
시골 배는 꼭 두세 사람 탈 수 있다네.
흰 모래 푸른 대나무 속 강촌에 저녁 되어
떠나보내는 사립문에 달빛이 새롭네.

與朱山人[1]

錦里先生烏角巾,[2] 園收芋栗未全貧.[3]
慣看賓客兒童喜, 得食階除鳥雀馴.[4]
秋水纔深四五尺, 野航恰受兩三人.[5]
白沙翠竹江村暮, 相送柴門月色新.[6]

[주석]

1) 제목이 「남쪽 이웃(南隣)」으로 되어 있는 판본도 있다.
朱山人(주산인): 두보가 성도(成都)에 머물 때 남쪽 이웃에 살던 은사로, 이름이 주희진(朱希眞)이다.

2) 錦里(금리): 금성(錦城) 또는 금관성(錦官城)이라고도 하며 지금의 사천성 성도를 가리킨다. 성도 부근의 금강(錦江)에서 명칭이 유래했다.

烏角巾(오각건): 검은색 비단으로 만든 각진 두건. 은사들이 즐겨 썼으며 후에 소식(蘇軾)이 즐겨 써서 동파건(東坡巾)이라고도 불린다.

3) 芋栗(우율): 토란과 밤.

4) 階除(계제): 계단 끝.

馴(순): 길들다. 저본에는 '訓(훈)'으로 되어 있다.

5) 野航(야항): 시골의 배. 작고 투박한 배를 가리킨다.

恰(흡): 마침, 꼭.

6) 柴門(시문): 사립문.

[해설]

이 시는 남쪽 이웃의 은사를 방문하고 돌아온 감회를 노래한 것으로, 은사의 여유롭고 평온한 생활과 함께 그와 만나 즐기고 돌아오는 과정이 시간순으로 나타나 있다.

제1~2구에서는 오각건을 쓰고 있는 모습을 통해 이웃이 은사임을 드러내고, 그래도 장원을 소유하고 있어 궁핍하지는 않은 생활을 하고 있음을 말하고 있다. 제3~4구에서는 손님 대하는 것에 익숙한 아이들과 계단에 날아들어 모이 먹는 것에 익숙해진 새들의 모습이 묘사되고 있다. 이를 통해 그동안 은사의 집에 이미 많은 사람들이 출입했으며 은사가 동물들에게까지도 따뜻한 마음을 지니고 있는 사람임을 짐작할 수 있다. 제5~6구에서는 가을이 되어 배를 띄우기에 적당할 정도로 물이 줄었고 배 또한 두세 사람이 타기에 알맞은 크기임을 말하며, 은자와 함께하는 과하지도 부족하지도 않은 즐거움을 나타내고 있다. 제7~8구에서는 낮을 함께하다 저녁이 되어 헤어져 돌아오는 상황을 말하고 있다. 전송 나온 사립문 위에 새로 떠오른 달빛을 통해 시인에 대한 은자의 아쉬움과 돌아갈 길을 염려하는 세심한 마음을 느낄 수 있다.

133. 피리 소리를 듣고

조하(趙嘏)

누가 아름다운 누대에서 피리를 부나?
끊어졌다 이어지는 바람 따라 소리도 끊어졌다 이어지네.
울리는 소리는 지나는 구름 막으며 푸른 하늘에 드리우고
맑은 소리는 차가운 달빛에 화답하며 발 드리운 창에 이르네.
흥이 일어 세 번 연주한 환이가 있으며
한 편의 부를 쓴 마융이 생각나도다.
곡은 끝나고 사람이 있는지는 알 수 없는데
남은 소리 영롱히 여전히 허공을 떠도네.

聞笛

誰家吹笛畫樓中,[1] 斷續聲隨斷續風.[2]
響遏行雲橫碧落,[3] 淸和冷月到簾櫳.[4]
興來三弄有桓子,[5] 賦就一篇懷馬融.[6]
曲罷不知人在否, 餘音嘹喨尙飄空.[7]

[주석]

1) 畫樓(화루): 아름답게 장식한 누각.

2) 斷續聲(단속성): 끊어졌다 이어지는 소리.

3) 遏行雲(알행운): 지나가는 구름을 멈추게 하다. '遏(알)'은 '막다, 저지하다'

의 뜻이다. 『열자(列子) · 탕문(湯問)』에 따르면, 전국시대 진(秦)나라 설담(薛譚)이 진청(秦靑)에게서 노래를 배웠는데 얼마 후 스스로 다 배웠다고 여기고 진청에게 집으로 돌아가겠다고 말했다. 진청은 별다른 말 없이 그를 교외까지 전송했고, 이별할 때 박자에 맞추어 슬피 노래 부르니 숲의 나무가 흔들리고 지나가는 구름이 멈추었다. 설담은 이에 감동하여 진청에게 계속 노래 배우기를 청했고 후에 둘은 나란히 명성을 떨쳤다.

碧落(벽락): 푸른 하늘.

4) 簾櫳(염롱): 발이 드리워진 창문.

5) 三弄(삼농): 세 번 연주하다.

桓子(환자): 환이(桓伊). 동진(東晉) 사람으로 피리를 잘 불어 당시 강남의 일인자로 칭송됐다. 일찍이 그가 청계(淸溪)를 건널 때 왕휘지(王徽之)가 배를 정박시키고 피리를 불어주기를 청하니 말에서 내려 의자에 앉아 세 번 연주해주고 떠났다고 한다.

6) 賦就(부취): 부(賦)를 쓰다.

馬融(마융): 동한(東漢) 사람으로 문장에 뛰어났으며 많은 제자들을 배출했다. 피리를 노래한 「장적부(長笛賦)」를 썼다.

7) 嘹喨(요량): 소리가 맑고 영롱하다.

飄空(표공): 허공을 떠돌며 날다.

[해설]

이 시는 달밤에 누대에서 들려오는 피리 소리를 듣고 감회를 나타낸 것이다.

제1~2구에서는 누대에서 누군가 부는 피리 소리가 바람 따라 끊어질 듯 이어지며 들려오고 있음을 말하고, 제3~4구에서는 구름을 멈추게 했던 진청(秦青)의 노래에 비유하여 아름다운 피리 소리가 차가운 달빛과 어우러져 청아하게 울려 퍼지고 있음을 말하고 있다. 제5~6구에서는 동진의 환이(桓伊)와 동한의 마융(馬融)을 들어 피리와 관련된 옛 고사를 이야기하고, 마지막 제7~8구에서는 피리 곡조는 끝났어도 허공 가득 여향이 남아 있다는 말로 그 뛰어난 연주와 깊은 여운을 나타내고 있다.

134. 겨울 풍경

유극장(劉克莊)

환한 창에서 일찍 깨어 아침 햇빛 사랑스러운데
대나무 밖 가을 소리는 갈수록 위세를 떨치네.
노복 시켜 새로 화로 넣은 방 마련하게 하고
아이 불러 지난 겨울옷 다림질하게 하네.
옅은 초록 대나무 잎 떠오른 듯 술은 막 익었고
향기로운 노란 등자 갈라놓은 듯 게는 한창 살져 있네.
정원 가득한 부용과 국화 모두 탐스러우니
이를 좋아 즐기는 마음 어겨서는 안 되리.

冬景

晴窗早覺愛朝曦,[1] 竹外秋聲漸作威.[2]
命僕安排新煖閣,[3] 呼童熨貼舊寒衣.[4]
葉浮嫩綠酒初熟,[5] 橙切香黃蟹正肥.[6]
蓉菊滿園皆可羨,[7] 賞心從此莫相違.[8]

[주석]

1) 朝曦(조희): 아침 햇빛.

2) 作威(작위): 위세를 떨치다. 가을이 깊어가며 추위가 더해가는 것을 말한다.

3) 煖閣(난각): 화로 등의 난방설비를 갖춘 방.

4) 熨貼(위첩): 다림질하여 펴다.

5) 葉浮嫩綠(엽부눈록): 대나무 잎이 떠오른 듯한 옅은 녹색. 막 익은 술 위에 피어오르는 대나무 잎 모양의 옅은 초록색 포말을 가리킨다.

6) 橙(등): 등자(橙子). 오렌지.

蟹(해): 게.

7) 羨(선): 탐스럽다.

8) 賞心(상심): 마음으로 즐기며 기뻐하다.

違(위): 어기다, 위배되다.

[해설]

이 시는 늦가을의 풍경을 묘사한 것으로, 겨울 준비를 마치고 한가롭게 계절의 정취를 즐기는 시인의 여유로운 일상이 나타나 있다.

제1~2구에서는 느지막이 잠에서 깨어 맑고 화창한 가을 햇살을 감상하면서 늦가을 풍경 속에 추위가 한결 가까이 다가왔음을 말하고 있다. 제3~4구에서는 노복과 아이들에게 화로와 겨울옷을 준비시키면서 다가올 겨울을 대비하고 있으며, 제5~6구에서는 막 익은 술과 살진 게 안주를 즐기는 안락하고 여유로운 일상을 말하고 있다. 제7~8구에서는 정원 가득한 탐스러운 부용과 국화를 바라보며 오래도록 이들을 감상하고 즐기고 싶은 마음을 나타내고 있다.

135. 동지 전날

두보(杜甫)

하늘의 때와 사람의 일은 날마다 재촉하기만 하니
동지 되어 양기 생겨나 봄이 다시 오려 하네.
오색 무늬 수놓는 일에 실이 조금 더해지고
여섯 관 갈대 재 넣은 곳에 재가 날아오르네.
섣달 기다리는 강 언덕의 모습은 장차 버들 틔우려 하고
한기 부딪히는 산의 뜻은 매화 피우려 함이라네.
경치는 다르지 않고 고향만 다를 뿐이니
아이 시켜 술 따라 다시금 손에 든 잔 들이켜네.

小至[1]

天時人事日相催, 冬至陽生春又來.
刺繡五紋添弱線,[2] 吹葭六管動飛灰.[3]
岸容待臘將舒柳,[4] 山意衝寒欲放梅.
雲物不殊鄉國異,[5] 教兒且覆掌中杯.[6]

[주석]

1) 저본에는 제목이 「겨울 풍경(冬景)」으로 되어 있다.

小至(소지): 소동일(小冬日)이라고도 하며, 일반적으로 동지 전날을 가리킨다. 『당회요(唐會要)』에 따르면, 개원(開元) 8년에 중서문하성에서 「개원신격(開元

新格)」을 상주하여 동짓날에 환구단에 제사 지내고 소동일을 이용해 조회를 보았다고 했다. 이에 따르면 소동일은 동지 다음 날을 가리킨다.

2) 五紋(오문): 오색 무늬.

添弱線(첨약선): 약간의 실을 더하다. 수놓는 여인들의 일이 늘어나는 것을 말한다. 『당잡록(唐雜錄)』에 "궁중에서는 여인들이 하는 일로 날의 길이를 헤아렸는데, 동지 이후에는 해가 점점 길어지니 평일에 비해 실 하나씩의 일을 더하였다(宮中以女工揆日之長短, 冬至後, 日晷漸長, 比常日增一線之工)"라 했다.

3) 吹葭六管(취가육관): 여섯 관에 있는 갈대껍질 재를 날리다. 고대에 절기를 측정하는 방법이다. 갈대껍질을 태워 율관(律管)에 넣으면 양기의 변화에 따라 절기에 맞추어 각각의 율관에서 재가 날아오르는데, 동지는 황종(黃鍾)에 해당한다. 앞의 009. 「입춘에 우연히 짓다(立春偶成)」 주 1) 참조.

4) 臘(랍): 선달.

5) 雲物(운물): 경관.

6) 覆(복): 뒤집다. 술잔을 한 번에 들이켜는 것을 말한다.

[해설]

이 시는 타향에서 동지를 맞이하는 감회를 나타낸 것으로, 동지를 맞은 계절의 변화를 섬세하게 묘사하며 비록 타향이나마 장차 다가올 생동하는 봄을 마음껏 즐기고 싶은 마음을 드러내고 있다.

제1~2구에서는 인생사처럼 계절의 흐름도 쏜살같아 어느새 동지가 되어 봄이 오려 하고 있음을 말하고 있다. 제3~4구에서는 수놓는 여인의 일이 조금씩 늘어나고 율관에 갈대 재가 피어오르는 상황으로 낮의 길이가 점점 늘어나며 양기가 충만해가는 동지의 변화를 특징적으로 나타내고 있다. 제5~6구에서는 아직은 차가운 겨울 풍경 속에서도 움트고 생동하려 하는 봄의 기운을 의인화의 수법을 통해 나타내고 있다. 마지막 제7~8구에서는 동지를 맞은 이곳의 경관이 고향과 다름없음을 말하며, 아이 시켜 술 따라 호쾌하게 들이켜며 다가올 봄을 들뜬 마음으로 기대하고 있다.

136. 매화

임포(林逋)

뭇 꽃들 시들어 떨어져도 홀로 어여쁜 모습으로
고상한 풍정 독점한 채 작은 정원 향해 있네.
맑고 얕은 물에 성긴 그림자 드리우고
황혼의 달 아래 그윽한 향기 떠오르네.
겨울새 내려오려다 먼저 시선을 빼앗기니
나비가 매화 알았다면 분명 정신을 잃었으리.
다행히 읊을 수 있는 시가 있어 친해질 수 있으니
박판 두드리며 금 술잔과 함께할 필요 없다네.

梅花

衆芳搖落獨鮮姸,[1] 占斷風情向小園.[2]
疏影橫斜水淸淺,[3] 暗香浮動月黃昏.[4]
霜禽欲下先偸眼,[5] 粉蝶如知合斷魂.[6]
幸有微吟可相狎,[7] 不須檀板共金樽.[8]

[주석]

1) 鮮姸(선연): 곱고 아름답다. '鮮(선)'이 '暄(훤)'으로 되어 있는 판본도 있으며, 뜻은 같다.

2) 占斷(점단): 독점하다. '斷(단)'이 '盡(진)'으로 되어 있는 판본도 있으며, 뜻

은 같다.

風情(풍정): 풍류(風流)와 정취(情趣). 매화의 고상한 모습을 비유한다.

3) 疏影(소영): 성긴 그림자. 가지에 드문드문 피어 있는 매화의 모습을 말한다.

橫斜(횡사): 비끼어 걸치다.

4) 暗香(암향): 그윽한 향기.

浮動(부동): 떠올라 퍼지다. 옛사람들은 난(蘭)의 향은 선형으로 피어나 곧바로 다다르고, 매화의 향은 안개처럼 떠올라 은은히 퍼지는 것으로 여겼다.

5) 霜禽(상금): 서리 맞은 날짐승. 겨울새를 가리킨다.

6) 粉蝶(분접): 분가루 날리는 나비.

合(합): 분명.

斷魂(단혼): 정신을 잃다.

7) 微吟(미음): 나지막이 읊조리다.

狎(압): 친압하다, 친하게 지내다.

8) 檀板(단판): 박달나무 박판(拍板). 노래나 춤에서 박자를 맞추는 데에 쓰는 악기.

金樽(금준): 금 술잔.

[해설]

이 시는 매화의 고고한 자태와 품성을 노래한 것으로, 매화에 대한 칭송을 통해 시인의 은일자적한 삶에 대한 지향을 나타내고 있다.

제1~2구에서는 뭇 꽃들이 다 시들어 떨어져버린 작은 정원에 매화 홀로 고상한 풍정 가득한 채 어여쁘게 피어 있는 모습을 묘사하고, 제3~4구에서는 물에 비친 그림자와 달 아래 떠오르는 향기를 통해 매화의 고요하고 은은한 정취를 나타내고 있다. 제5~6구에서는 땅으로 내려오는 겨울새가 매화의 아름다움에 반해 시선을 빼앗기고, 만약 나비가 있어서 보았다면 정신을 잃었을 것이라 말하며 실경과 허경을 대비하여 매화의 아름다운 자태를 칭송하고 있다. 마지막 제7~8구에서는 자신은 시를 읊으며 매화와 친해질 수 있음을 다행스럽게 여기며 노래와 술이 없어도 매화를 충분히 즐기고 감상할 수 있음을 즐거워하고 있다.

137. 스스로를 읊다

한유(韓愈)

아침에 상소 하나 황제께 올렸다가
저녁에 팔천 리 조양으로 귀양 간다네.
본디 성스러운 조정을 위해 폐정을 없애려 한 것이니
장차 늙어 죽을 몸이 남은 세월을 아까워하리?
구름 드리워진 진령에 집은 어디인가?
눈 덮인 남관에 말조차 나아가지 않네.
네가 멀리까지 따라 나온 뜻을 아니
장강가에 내 뼈를 잘 묻어주렴.

自詠[1]

一封朝奏九重天,[2] 夕貶潮陽路八千.[3]
本爲聖朝除弊政,[4] 敢將衰朽惜殘年.[5]
雲橫秦嶺家何在,[6] 雪擁藍關馬不前.
知汝遠來應有意, 好收吾骨瘴江邊.[7]

[주석]

1) 제목이 「좌천되어 남관에 이르러 조카 한상에게 보이다(左遷至藍關示姪孫湘)」로 되어 있는 판본도 있다. 남관(藍關)은 남전관(藍田關)을 가리키며 지금의 섬서성(陝西省) 남전현(藍田縣) 동남쪽에 있다.

2) 朝奏(조주): 아침 조회 때 올리는 상소문.

九重天(구중천): 천자가 머무르는 구중궁궐. 여기서는 황제를 가리킨다.

3) 貶(폄): 폄적되다, 귀양 가다.

潮陽(조양): 조주(潮州). 지금의 광동성(廣東省) 조주시(潮州市)이다. 저본에는 '朝陽(조양)'으로 되어 있다.

4) 弊政(폐정): 적폐의 정치.

5) 敢(감): 감히 ~하겠는가? '肯(긍)'으로 되어 있는 판본도 있으며, 뜻은 같다.

6) 秦嶺(진령): 산맥 이름. 섬서성 서남부에 있으며 장안에서 남쪽으로 가려면 반드시 지나야 하는 곳이다.

7) 好收(호수): 잘 거두다. 뼈를 수습하여 잘 묻어주는 것을 말한다.

瘴江(장강): 강 이름. 광동성 조주 일대를 흐른다.

[해설]

한유는 불교를 숭상했던 헌종(憲宗)에게 「간영불골표(諫迎佛骨表)」를 올려 반대하다가 조주자사(潮州刺史)로 좌천됐다. 이 시는 조주로 가던 도중 남관을 지날 때 함께 따라온 조카 한상(韓湘)에게 쓴 것으로, 자신의 신념에 대한 자긍심이 잘 나타나 있다.

제1~2구에서는 황제의 뜻에 거슬리는 상소를 올렸다가 멀리 조주로 귀양 가게 되었음을 말하고 있다. 제3~4구에서는 자신의 이러한 행동이 잘못된 정사를 바로잡기 위한 충정에서 나온 것임을 말하며, 일신의 안위를 위해 자신의 신념을 저버리지 않겠다는 의지를 피력하고 있다. 제5~6구에서는 구름이 드리워진 진령(秦嶺)과 눈 덮인 남관(藍關)의 모습을 묘사하며 귀양길의 험난함과 어려움을 말하고, 제7~8구에서는 함께 따라온 조카에게 조주의 장강(瘴江)에 자신을 묻어달라 말하며 죽음을 불사한 자신의 굳은 신념과 의지를 나타내고 있다.

138. 전란

왕중(王中)

전란이 아직 평정되지 않았는데 어디를 가려 하는가?
이룬 일 하나 없이 두 귀밑머리는 새하얗네.
지나온 흔적은 왕찬의 전기와 대략 같고
느꼈던 감회는 두보의 시와 약간 비슷하다네.
할미새 소리 끊어지니 사람은 천 리 밖에 있고
까막까치 둥지 차가운데 달은 가지 하나에 걸려 있네.
어찌하면 중산의 천일주를 얻어
흠뻑 취해 있다가 곧장 태평시대에 이를 수 있을지?

干戈

干戈未定欲何之,[1] 一事無成兩鬢絲.[2]
蹤跡大綱王粲傳,[3] 情懷小樣杜陵詩.[4]
鶺鴒音斷人千里,[5] 烏鵲巢寒月一枝.[6]
安得中山千日酒,[7] 酩然直到太平時.[8]

[주석]

1) 干戈(간과): 방패와 창. 전란(戰亂)을 의미한다.

2) 兩鬢絲(양빈사): 두 귀밑머리가 가늘다. 하얗게 센 것을 가리킨다.

3) 大綱(대강): 대체로 일치하다.

王粲(왕찬): 동한(東漢) 말 건안칠자(建安七子) 중의 한 사람. 처음에 동탁의 난을 피해 형주(荊州)에 15년을 머물며 유표(劉表)를 섬겼으나 15년 동안 중용되지 못했고, 「등루부(登樓賦)」를 써 자신의 회재불우(懷才不遇)함을 탄식했다. 유표 사후에 아들 유종(劉琮)을 설득하여 조조(曹操)에 투항하게 함으로써 조조의 인정을 받았다.

4) 小樣(소양): 약간 비슷하다.

杜陵(두릉): 두보(杜甫). 두보의 자호(自號)가 소릉(少陵)이다.

5) 鶺鴒(척령): 할미새. 날 때 시끄럽게 울며 걸을 때 비틀거리며 걸어 마치 황급한 일이 있는 것처럼 보인다. 『시경(詩經)·소아(小雅)·상체(常棣)』에 "할미새가 들에 있는 듯 형제가 급하고 어려움을 도와주네(脊令在原, 兄弟急難)"라 했는데, 할미새가 물 밖으로 나가면 동료들이 불러서 구해주는 것을 말한다. 이후 척령으로 형제를 비유했다.

音斷(음단): 소리가 끊어지다. 소식이 끊긴 것을 의미한다.

6) 烏鵲(오작): 까마귀와 까치. 조조(曹操)의 「단가행(短歌行)」에서 "달은 밝고 별은 성긴데 까마귀와 까치는 남으로 날아가네. 나무를 세 번 도니 어느 가지에 의지할 수 있으리?(月明星稀, 烏鵲南飛. 繞樹三帀, 何枝可依)"라 한 뜻을 차용한 것으로, 한곳에 정착하지 못하고 떠도는 신세를 비유한다.

7) 中山(중산): 지명. 지금의 하북성(河北省) 정현(定縣) 일대.

千日酒(천일주): 한 번 마시면 천 일을 취하여 잠든다는 술. 저본에는 '酒(주)'가 '醉(취)'로 되어 있다. 장화(張華)의 『박물지(博物志)』에 따르면, 유현석(劉玄石)이라는 사람이 중산(中山)의 술장수에게서 술을 샀는데 술장수가 천일주를 주면서 절제해야 하는 횟수를 깜박 잊고 말하지 않았다. 유현석은 집에서 크게 취해 며칠을 깨어나지 못했고, 집안사람들은 그가 죽었다고 여겨 관에 넣어 묻었다. 천 일이 지난 후 술장수가 유현석이 술을 사 갔던 일을 떠올리고 지금쯤 깨었으리라 여겨 집으로 찾아갔으나 이미 매장한 후였다. 이에 관을 여니 그제야 술에서 깨어났다. 간보(干寶)의 『수신기(搜神記)』에도 비슷한 이야기가 전하는데, 여기에는 술장수가 적희(狄希)로 되어 있다.

8) 酩然(명연): 술에 흠뻑 취한 모양.

[해설]

이 시는 전란의 시기에 유랑하며 떠도는 자신의 신세를 탄식한 것으로, 이루지 못한 공업에 대한 회한과 헤어져 있는 가족에 대한 그리움이 나타나 있다.

제1~2구에서는 전란의 시기에 갈 곳을 정하지 못하고 있는 자신을 말하며 어느 것 하나 이룬 일 없이 헛되이 시간만 흘러버렸음을 탄식하고, 제3~4구에서는 기구한 삶을 살았던 왕찬(王粲)과 시로써 시대에 대한 감회를 읊었던 두보(杜甫)를 떠올리며 그들의 삶과 감회가 자신과 유사함을 말하고 있다. 제5~6구에서는 할미새와 까마귀, 까치의 비유를 들어 떨어져 있는 형제들에 대한 그리움과 안주할 곳을 찾지 못하고 떠도는 자신의 신세를 말하고, 제7~8구에서는 천일주를 마시고 오래도록 취해 있다가 태평한 시대에 깨어나고 싶다는 말로 혼란한 시대에 대한 염증과 평온한 삶에 대한 갈망을 나타내고 있다.

139. 돌아가 은거하며

진단(陳摶)

십 년의 자취 홍진 속을 달리며
청산 그리워해도 꿈에만 자주 들어올 뿐이었네.
자색 인끈 영화롭다 한들 어찌 편히 잠자느니만 할 것이며
붉은 대문 부귀하다 한들 가난에 만족하느니만 못하다네.
위급한 군주 창칼로 보좌하는 소식 근심하며 듣고
취한 사람들 속 시끄러운 피리와 노래 소리 번민하며 들었네.
옛 책들 가져다가 옛 은거지로 돌아가니
들에 핀 꽃과 우는 새들이 봄과 같구나.

歸隱

十年蹤跡走紅塵,[1] 回首青山入夢頻.[2]
紫綬縱榮爭及睡,[3] 朱門雖富不如貧.[4]
愁聞劍戟扶危主,[5] 悶聽笙歌聒醉人.[6]
攜取舊書歸舊隱,[7] 野花啼鳥一般春.[8]

[주석]

1) 蹤跡(종적): 발자취, 흔적.
紅塵(홍진): 붉은 먼지 이는 세상. 세속(世俗)을 가리킨다.

2) 回首(회수): 고개 돌려 바라보다. 그리워하는 것을 말한다.

青山(청산): 푸른 산. 고향을 의미한다.

3) 紫綬(자수): 자색 인끈. 높은 관직을 의미한다. 고대에 관리로 임명되면 도장과 인끈을 하사받았는데, 이품 이상은 금도장과 자색 인끈을 받았으며 삼품은 은도장과 청색 인끈을 받았다.

縱(종): 설령.

爭(쟁): 어찌.

睡(수): 잠들다. 청산에서 안락하게 지내는 것을 의미한다.

4) 朱門(주문): 붉은 대문. 권문세가의 집을 가리킨다.

不如貧(불여빈): 안빈낙도(安貧樂道)하며 사는 것만 못하다.

5) 扶(부): 돕다, 보좌하다.

危主(위주): 위급한 시기의 군주. 오대(五代) 혼란기의 왕들을 가리킨다.

6) 聒(괄): 떠들썩하다, 시끄럽다.

7) 攜取(휴취): 손으로 끌어서 취하다.

8) 一般(일반): ~와 같다.

[해설]

이 시는 관직을 버리고 은거 생활로 돌아온 감회를 말한 것으로, 이전의 관직 생활에 대한 회의와 옛 은거지로 다시 돌아오게 된 기쁨이 나타나 있다.

제1~2구에서는 10년 동안 관직 생활을 하며 꿈에서도 고향에 대한 그리움으로 가득했음을 말하고, 제3~4구에서는 제아무리 높은 관직과 부귀영화라도 고향에서 안빈낙도하며 편안하게 지내는 것만 못함을 말하고 있다. 제5~6구에서는 무력으로 나라를 찬탈하여 번번이 왕조가 뒤바뀌는 오대(五代) 시기의 혼란을 근심하며, 술과 가무에 빠져 사치와 향락을 일삼는 위정자들에 대한 환멸을 나타내고 있다. 제7~8구에서는 관직을 버리고 고향으로 돌아가 꽃과 새들을 감상하며 봄이 한창인 자연을 마음껏 즐기고 있음을 말하고 있다.

140. 지금 세상의 노래 두순학(杜荀鶴)

남편은 전쟁에서 죽고 초가집 지키고 있으며
삼베 모시 치마저고리에 머리칼은 초췌하네.
뽕나무 황폐해졌어도 오히려 세금은 내야 하고
밭과 뜰에 잡초만 무성해도 여전히 청묘세를 걷어가네.
늘 들녘 푸성귀 캐어 뿌리와 함께 삶고
이내 생나무 잘라 잎 달린 채 태운다네.
아무리 깊은 산 가장 깊은 곳에 있다 한들
응당 세금과 부역을 피할 길이 없다네.

時世行[1]

夫因兵死守蓬茅,[2] 麻苧裙衫鬢髮焦.[3]
桑柘廢來猶納稅,[4] 田園荒盡尙徵苗.[5]
時挑野菜和根煮,[6] 旋斫生柴帶葉燒.[7]
任是深山最深處,[8] 也應無計避征徭.[9]

[주석]

1) 제목이 「산속의 과부(山中寡婦)」 또는 「지금 세상의 노래로 시골 아낙에게 드리다(時世行贈田婦)」로 되어 있는 판본도 있다.

2) 兵死(병사): 전쟁에서 죽다. 저본에는 '其亂(기란)'으로 되어 있으며, '兵亂

(병란)'으로 되어 있는 판본도 있다.

蓬茅(봉모): 쑥이나 띠풀로 지붕을 이은 집. 허름하고 초라한 집을 가리킨다.

3) 麻苧(마저): 삼베와 모시.

焦(초): 초췌(憔悴)하다. 머리칼이 마르고 푸석한 것을 말한다.

4) 桑柘(상자): 뽕나무와 산뽕나무.

5) 徵苗(징묘): 청묘전(靑苗錢)를 징수하다. 청묘전은 당대(唐代) 세금 이름으로, 1무(畝)당 15전(錢)을 징수했는데 이삭이 푸를 때 미리 징수한다고 하여 이와 같이 불렀다.

6) 時(시): 늘, 언제나.

挑(도): 가려서 뽑다.

7) 旋(선): 이내, 곧바로.

砍(감): 베다, 자르다.

生柴(생시): 말리지 않은 땔나무.

8) 任是(임시): 설령 ~라 할지라도.

9) 也應(야응): 또한 마땅히 ~하다.

無計(무계): 계책이 없다.

征徭(정요): 세금과 부역. '징요(徵徭)'라고도 한다.

[해설]

이 시는 전쟁으로 남편을 잃고 산속에서 홀로 살아가고 있는 여인의 곤궁하고 비참한 삶을 노래한 것으로, 가혹한 세금과 국가의 혹정을 직설적으로 비판하고 있다.

제1~2구에서는 남편은 전쟁에서 죽고 홀로 초가집 지키며 삼베옷에 초췌한 모습으로 살아가고 있는 여인을 말하고, 제3~4구에서는 뽕나무는 말라 죽고 밭에는 잡초만 가득하여 먹고 살아갈 방도도 없건만 세금은 가혹하게 징수되고 있는 현실을 비판하고 있다. 제5~6구에서는 항상 푸성귀 뜯어 뿌리째 삶아 먹고 생나무 베어 땔감으로 삼아 살아가고 있는 여인의 곤궁한 생활을 묘사하고, 제7~8구에서는 아무리 깊은 산속으로 들어가 살아도 가혹한 세금과 부역에서 벗어날 수 없음을 탄식하고 있다.

141. 천사를 보내며

영헌왕(寧獻王)

서리 내린 지성에 버들 그림자는 성긴데
도타운 정으로 파양호로 나가는 객을 전송하네.
황금 장식 상자에 뇌정인을 봉해두고
붉은 비단 전대에 일월부를 싸두었네.
천상에서 새벽에 길 나서며 한 마리 학을 타고
속세에서 밤에 유숙하며 한 쌍 오리를 벗어두네.
총총히 신선부로 돌아가니
묻건대 반도는 익었는지?

送天師[1)]

霜落芝城柳影疏,[2)] 殷勤送客出鄱湖.[3)]
黃金甲鎖雷霆印,[4)] 紅錦韜纏日月符.[5)]
天上曉行騎只鶴,[6)] 人間夜宿解雙鳧.[7)]
匆匆歸到神仙府,[8)] 爲問蟠桃熟也無.[9)]

[주석]

1) 天師(천사): 도교 종파의 조사(祖師)를 존칭하는 말. 여기서는 장천사(張天師)를 가리킨다. 당시 남창〔南昌, 지금의 강서성(江西省) 남창시(南昌市)〕에 있으면서 영헌왕(寧獻王) 주권(朱權)과 교유했다.

천사(天師)의 뇌정인(雷霆印)

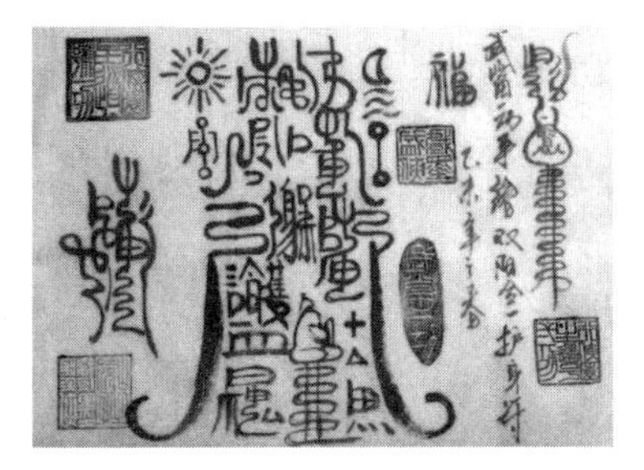

일월부(日月符)

2) 芝城(지성): 지명. 지금의 강서성 파양현(鄱陽縣).

柳影疏(유영소): 버들이 시들어 잎이 성기다. 가을이 깊었음을 말한다.

3) 殷勤(은근): 정이 깊고 두터운 모양.

鄱湖(파호): 파양호(鄱陽湖). 장강(長江) 남쪽 강서성 북쪽에 있다.

4) 黃金甲(황금갑): 황금으로 장식한 상자.

雷霆印(뇌정인): 천사(天師)의 도장. 벼락 맞은 버드나무로 만들며 귀신을 쫓아내는 막강한 힘이 있다고 한다.

5) 紅錦韜(홍금도): 붉은 비단으로 만든 전대.

纏(전): 둘러서 싸다. 저본에는 '傳(전)'으로 되어 있다.

日月符(일월부): 천사(天師)의 부적. 해와 달을 형상화하여 기하학적으로 그리고 뇌정인을 찍은 것으로, 귀신을 쫓아내는 기능을 한다.

6) 只鶴(지학): 한 마리 학.

7) 雙鳧(쌍부): 한 쌍의 오리. 오리가 변한 신선의 신발을 가리킨다. 『후한서(後漢書)·왕교전(王喬傳)』에 따르면, 후한의 왕교가 섭현령(葉縣令)으로 있으면서 매달 보름이면 멀리 조정의 조회에 참석하러 왔다. 황제가 이를 수상히 여겨 사람을 시켜 살펴보게 하니 왕교가 도착하면 하늘에서 두 마리 오리가

날아온다고 말했다. 그래서 그물을 쳐 오리를 잡았는데 오리는 없고 신발 한 켤레만 있었다.

8) 神仙府(신선부): 신선의 관부(官府). 여기서는 장천사의 도관(道觀)을 비유한다.

9) 蟠桃(반도): 전설상 서왕모(西王母)가 먹었다고 하는 복숭아. '벽도(碧桃)'라고도 한다.

[해설]

영헌왕(寧獻王)은 명(明) 태조(太祖) 주원장(朱元璋)의 17번째 아들인 주권(朱權)으로, 처음에 대녕(大寧)을 봉지로 받아 영왕(寧王)에 책봉됐으며 후에 남창(南昌)으로 봉지를 옮겼다. 주권이 남창에 있을 때 대대로 그곳에 거주하던 도사 장천사(張天師)와 교유했는데, 이 시는 장천사를 전송하며 쓴 것이다. 시에서는 도가적 비유와 상상을 통해 장천사의 뛰어난 도력을 칭송하고 있다.

제1~2구에서는 깊은 정과 아쉬움으로 장천사를 떠나보내며 서리 내리고 잎 지는 황량한 가을의 정경으로 자신의 쓸쓸한 심정을 비유하고 있다. 제3~4구에서는 그가 지니고 있는 황금 상자 속의 뇌정인(雷霆印)과 붉은 전대 속의 일월부(日月符)를 묘사하며 그의 높은 도력을 칭송하고 있다. 제5~6구에서는 천상에서는 학을 타고 세속에서는 오리 신발을 신고 날아다니는 모습을 통해 그를 신선으로 추앙하고, 이어 제7~8구에서는 그의 도관을 직접 신선부(神仙府)라 부르며 선계의 선도(仙桃)가 익었는지를 물어보고 있다.

142. 모백온을 보내며

명(明) 세종(世宗)

대장군이 남으로 출정하니 담대한 용기는 호방하고
허리에는 가을 물처럼 빛나는 안령도를 찼도다.
바람에 울리는 악어가죽 북소리에 산과 강은 요동치고
번개 번뜩이는 깃발 위로 해와 달은 높도다.
하늘의 기린은 본디 종류가 있으니
구멍 속 땅강아지와 개미 어찌 달아날 수 있으리?
태평하여 조서 기다렸다가 돌아오는 날,
내 선생의 전투복을 벗겨주리다.

送毛伯溫[1)]

大將南征膽氣豪,[2)] 腰橫秋水雁翎刀.[3)]
風吹鼉鼓山河動,[4)] 電閃旌旗日月高.[5)]
天上麒麟原有種,[6)] 穴中螻蟻豈能逃.[7)]
太平待詔歸來日, 朕與先生解戰袍.[8)]

[주석]

1) 제목이 「남방 정벌에 나서는 도독첨사 양문광에게 하사하여(賜都督僉事楊文廣征南)」로 되어 있는 판본도 있다.
毛伯溫(모백온): 자가 여려(汝厲)이며 길수[吉水, 지금의 강서성(江西省) 길안시(吉

安市)] 사람이다. 명(明) 세종(世宗) 가정(嘉靖) 18년(1539)에 병부상서겸우도어사(兵部尙書兼右道御史)가 되어 안남(安南)의 반란을 평정했다.

2) 南征(남정): 남으로 출정하다. 모백온이 가정 18년에 안남을 정벌한 일을 가리킨다.

膽氣(담기): 대담하고 용맹한 기운.

3) 腰橫(요횡): 허리에 비껴 차다.

雁翎刀(안령도): 칼 이름. 칼 모양이 기러기 털과 같아 붙은 이름이다.

4) 鼉鼓(타고): 악어가죽으로 만든 북.

5) 電閃(전섬): 번개가 번뜩이다.

6) 麒麟(기린): 전설상의 상서로운 동물. 세상의 존귀한 공경(公卿)들을 비유하며, 여기서는 모백온을 가리킨다.

原有種(원유종): 본래부터 종류가 있다. 하늘로부터 선택받은 존귀한 존재임을 말한다.

7) 螻蟻(누의): 땅강아지와 개미. 안남의 반군을 비유한다.

8) 朕(짐): 나. 황제 자신을 가리킨다.

先生(선생): 모백온을 높여 부른 말이다.

戰袍(전포): 전투복.

[해설]

이 시는 안남(安南)을 정벌하러 출정하는 모백온에게 황제가 직접 써 준 것으로, 모백온과 그의 군대의 용맹스러운 모습을 칭송하며 정벌에서 승리하고 돌아올 것을 희망하고 있다.

제1~2구에서는 모백온의 담대함과 용기를 칭송하며 허리에 찬 날카로운 칼로 그의 용맹스러움을 말하고, 제3~4구에서는 산하를 울리는 북소리와 하늘 높이 솟은 깃발로 병사들의 높은 사기와 위용을 나타내고 있다. 제5~6구에서는 모백온을 천상의 기린에 비유하며 그가 하늘로부터 선택된 존귀한 사람임을 말하고, 땅강아지와 개미 같은 안남의 반군들이 그에게 대항할 수 없음을 확신하고 있다. 제7~8구에서는 반란을 평정하고 태평한 시기가 되면 조칙으로 불러들여 황제 자신이 직접 그의 전투복을 벗겨주겠다는 말로 승전에 대한 기대와 그에 대한 격려를 나타내고 있다.

『신전오언천가시전주(新鐫五言千家詩箋註)』 권상(卷上)
— 오언절구(五言絕句)

143. 봄날 아침

맹호연(孟浩然)

봄잠에 날이 새는 줄 몰랐더니
곳곳에서 새 울음소리 들리네.
간밤 비바람 소리에
꽃은 얼마나 떨어졌을지?

春曉[1]

春眠不覺曉, 處處聞啼鳥.[2]
夜來風雨聲,[3] 花落知多少.[4]

[주석]

1) 저본에는 제목이 「봄잠(春眠)」으로 되어 있다.

2) 啼(제): 우짖다.

3) 夜來(야래): 밤사이, 간밤.

4) 多少(다소): 얼마나.

[해설]

이 시는 봄날 아침, 잠에서 깨어난 뒤의 정경과 감회를 읊은 것이다.

시에서는 매 구에서 '봄잠' '새 울음소리' '비바람' '꽃'과 같이 봄을 대표하는 경물들을 각각 시각과 청각을 달리하여 배치하고, 이를 다시 실경(實景)과 허경(虛景)으로 나누어 묘사함으로써 봄을 특징적이고 생동감 있게 나타내고 있다.

제1~2구에서는 날이 밝은 줄도 모르고 자다가 새 지저귀는 소리에 깨었음을 말하고, 제3~4구에서는 간밤에 비바람 쳤던 일을 떠올리고 비바람에 꽃이 얼마나 떨어졌을까 생각하며 지는 봄에 대한 안타까움을 나타내고 있다.

144. 원 습유를 찾아갔으나 만나지 못해 맹호연(孟浩然)

낙양으로 뛰어난 이를 찾아갔지만
강령 땅 유배인이 되었다네.
듣기에 그곳은 매화 일찍 핀다 하던데
어찌 이곳의 봄만 하겠는가?

訪袁拾遺不遇[1)]

洛陽訪才子,[2)] 江嶺作流人.[3)]
聞說梅花早, 何如此地春.[4)]

[주석]

1) 제목이 「낙양으로 원 습유를 찾아갔으나 만나지 못해(洛中訪袁拾遺不遇)」로 되어 있는 판본도 있다.
袁拾遺(원습유): 습유(拾遺) 원씨(袁氏). 원관(袁瓘)을 가리킨다고 한다. 원관은 맹호연의 친구이며 습유(拾遺)로 있다가 죄를 얻어 영남(嶺南)으로 유배됐다. 후에 무릉승(武陵丞)을 거쳐 예장위(豫章尉)를 지냈다.
2) 才子(재자): 재주 있는 자. 여기서는 원 습유를 가리킨다.
3) 江嶺(강령): 장강(長江)과 대유령(大庾嶺)을 중심으로 한 오령(五嶺) 이남 지역. 당대에 유배지였다.
4) 此地(차지): 이곳. 낙양을 가리킨다. '北地(북지)'로 되어 있는 판본도 있다.

[해설]

이 시는 유배를 떠난 친구의 소식을 접하고 안타까움과 그리움을 전한 것이다.

제1~2구에서는 낙양으로 친구를 만나러 갔다가 이미 강령으로 유배된 사실을 알게 되었음을 말하고 있는데, 친구를 재주 있는 이라 말하며 그의 유배가 합당하지 않은 것임을 우회적으로 나타내고 있다. 제3~4구에서는 매화가 일찍 피는 유배지의 특성을 언급하고 그래도 이곳 낙양의 봄보다는 못하리라 말하고 있다. 굳이 매화를 언급함으로써 평소 매화를 좋아했던 원 습유의 고담한 성품을 드러내고, 비록 좋아하는 매화가 일찍 피는 곳이라 할지라도 친구와 함께하는 낙양보다는 못할 것이라 말하며 원 습유에 대한 그리움을 나타내고 있다.

145. 곽 사창을 보내며

왕창령(王昌齡)

문에 비치는 회수의 푸르름이여,
말 붙잡아두고 싶은 주인의 마음이로다.
밝은 달은 어진 관리를 따라가고
봄물은 밤마다 깊어만 가네.

送郭司倉[1)]

映門淮水綠,[2)] 留騎主人心.
明月隨良掾,[3)] 春潮夜夜深.

[주석]

1) 저본에는 제목이 「곽 사창에게 말하다(道郭司倉)」로 되어 있다.
郭司倉(곽사창): 누구인지 알 수 없다. '사창(司倉)'은 관직 이름으로, 주현(州縣)의 창고를 관장했다. 당대에는 부(府)의 관원을 창조참군(倉曹參軍), 주(州)의 관원을 사창참군(司倉參軍), 현(縣)의 관원을 사창(司倉)으로 구분하여 칭했다.
2) 淮水(회수): 강물 이름. 회하(淮河)라고도 하며, 하남성(河南省) 동백산(桐柏山)에서 발원하여 안휘(安徽), 강소(江蘇)를 거쳐 장강으로 들어간다.
3) 良掾(양연): 어진 관리. 여기서는 곽 사창을 가리킨다. '연(掾)'은 주현(州縣)에 소속된 관원을 의미한다.

[해설]

이 시는 회수를 따라 내려가는 친구를 전송하며 쓴 것으로, 경물에 자신의 심정을 기탁하여 이별의 아쉬움을 나타내고 있다.

제1~2구에서는 문 앞에 일렁이는 회수의 푸른 물결을 묘사하며 친구가 떠나갈 길을 말하고, 그를 붙잡아두고 싶은 마음을 드러내고 있다. 제3~4구에서는 친구를 따라가는 밝은 달과 밤마다 깊어져 가는 봄물의 비유를 통해 친구를 차마 떠나보내지 못하는 아쉬움과 날로 깊어져만 가는 그리움을 나타내고 있다.

146. 낙양의 길

저광희(儲光羲)

커다란 길 곧게 뻗은 것이 머리칼과 같고
봄날 아름다운 기운이 많기도 하구나.
오릉의 귀공자들,
쌍쌍이 말 옥 장식을 울리네.

洛陽道[1]

大道直如髮, 春日佳氣多.[2]
五陵貴公子,[3] 雙雙鳴玉珂.[4]

[주석]

1) 제목이 「낙양의 길 5수를 여사 낭중께 드리다(洛陽道五首獻呂四郎中)」로 되어 있는 판본도 있으며, 여사 낭중(呂四郎中)은 당(唐) 개원(開元) 연간에 낭중을 지냈던 여향(呂向)을 가리킨다. 총 5수 중 제3수이다.
2) 佳氣(가기): 아름다운 기운. 봄날의 화창하고 아름다운 경관을 가리킨다.
3) 五陵(오릉): 한나라 황제 다섯 명의 무덤. 앞의 123. 「가을의 흥취(秋興) (3)」 주 8) 참조. 일반적으로 오릉이 있는 장안(長安)을 가리키며, 여기서는 낙양의 귀공자들을 장안의 귀공자에 비유한 것이다.
4) 玉珂(옥가): 말고삐에 달린 옥 장식. 말이 걸어가면 울리기 때문에 '명가(鳴珂)'라고도 한다.

[해설]

이 시는 낙양(洛陽)의 봄 풍경을 묘사한 것으로, 아름다운 풍경이 가득한 낙양의 성대한 거리와 이를 즐기는 낙양 귀공자들의 호사로운 모습이 나타나 있다.

제1~2구에서는 크고 평탄하게 펼쳐진 낙양의 길을 곧게 뻗은 머리카락에 비유하며 온 거리에 아름다운 봄기운이 가득함을 말하고 있다. 번성한 낙양의 거리에 화려한 봄의 풍광이 더해지며 인문환경과 자연환경이 서로 상승효과를 나타내고 있다. 제3~4구에서는 낙양의 귀공자들을 장안의 귀공자에 비유하며 화려한 옥 장식을 달고 쌍쌍이 무리지어 말을 타고 노니는 이들의 호사로운 일상을 말하고 있다.

147. 경정산에 홀로 앉아

이백(李白)

뭇 새들은 높이 날아 사라지고
외로운 구름은 홀로 가며 한가롭구나.
서로 보아도 둘 다 싫증 나지 않는 것은
다만 경정산뿐이라네.

獨坐敬亭山[1]

衆鳥高飛盡, 孤雲獨去閑.
相看兩不厭,[2] 只有敬亭山.

[주석]

1) 敬亭山(경정산): 산 이름. 지금의 안휘성 선성현(宣城縣) 북쪽에 있다.

2) 兩(량): 둘. 자신과 경정산을 가리킨다.
厭(염): 싫증 나다.

[해설]

이 시는 천보(天寶) 12년(753) 이백이 선성(宣城)을 유람할 때 쓴 것으로, 자연과 더불어 하나 된 고요하고 탈속적인 경계가 나타나 있다.

제1~2구에서는 새가 높이 날아 사라진 하늘에 구름만 홀로 떠가고 있는 모습을 묘사하고 있는데, 고요하고 한가로운 정적인 상황을 새가 날고 구름이 흘러가는 동적인 묘사를 통해 표현하고 있는 점이 뛰어나다. 제3~4구에서는 경정산을 의인화하여 서로 바라보아도 싫증 나지 않는다는 말을 함으로써 인격체로서의 자연과 동화된 물아일체(物我一體)의 경지를 나타내고 있다.

148. 관작루에 올라 왕지환(王之渙)

흰 해는 서산에 기대어 지고
황하는 동해로 흘러 들어간다.
천 리 밖 풍경을 다 보려
다시금 누각을 한 층 더 올라가네.

登鸛雀樓[1)]

白日依山盡, 黃河入海流.
欲窮千里目, 更上一層樓.[2)]

[주석]

1) 저본에는 제목이 「관작루에 올라(登鸛鵲樓)」로 되어 있다.
鸛雀樓(관작루): 누대 이름. 지금의 산서성(山西省) 영제현(永濟縣) 서남쪽 황하(黃河) 언덕에 있다. '관작(鸛雀)'은 황샛과의 물새 이름으로, 주위에 관작이 많이 서식하고 있어 이와 같은 이름이 붙었다.

2) 更上(갱상): 다시 오르다. 실제 관작루는 3층으로 되어 있다.

[해설]

이 시는 관작루(鸛雀樓)에 올라 사방 경관을 내려다본 감회를 쓴 것으로, 상하좌우를 포괄하는 공간 묘사뿐 아니라 수평에서 수직으로의 공간 이동을 통해 장대하고 웅혼한 느낌을 자아내고 있다.

제1~2구에서는 시각과 청각의 대비를 통해 서쪽의 산과 동쪽의 물을 함께 아우르며 상하좌우의 공간을 압축적으로 담아내고 있다. 제3~4구에서는 이미 온 천하를 다 아우르고도 다시 더 멀리 보려고 한 층 더 높이 오르고 있는 시인의 모습이 나타나 있는데, 이를 통해 정진에 정진을 거듭하고자 하는 시인의 의지를 느낄 수 있다.

149. 번국으로 들어가는 영락공주를 보고　손적(孫逖)

변방 지역에 꾀꼬리와 꽃 적으니
새해가 되어도 새로운 줄 모른다네.
미인이 천상에서 떨어지니
용성 변새도 비로소 봄을 알겠지.

觀永樂公主入蕃[1)]

邊地鶯花少, 年來未覺新.[2)]
美人天上落,[3)] 龍塞始應春.[4)]

[주석]

1) 제목이 「낙양 이 소부의 '번국으로 들어가는 영락공주를 보고'에 화답하여(同洛陽李少府觀永樂公主入蕃)」로 되어 있는 판본도 있으며, 이(李) 소부(少府)가 누구인지는 알 수 없다.
永樂公主(영락공주): 당(唐) 현종(玄宗) 개원(開元) 4년(716)에 거란왕(契丹王) 이실활(李失活)이 귀순하니 현종이 동평왕(東平王)의 외손녀 양씨(楊氏)를 영락공주로 책봉하여 이실활에게 시집보냈다.
蕃(번): 번국(蕃國). 당나라에 귀환한 변방 이민족의 국가를 가리킨다.
2) 年來(연래): 새해가 되다.
3) 美人(미인): 아름다운 사람. 영락공주를 가리킨다.

4) 龍塞(용새): 용성(龍城) 변새. 한나라 때 흉노(匈奴)의 땅으로 흉노족이 하늘에 제사를 지내던 곳이다. '용정(龍井)'이라고도 하며 지금의 몽고고원(蒙古高原) 대사막(大沙漠) 이북 지역이다.

應春(응춘): 봄을 알다. '應(응)'은 '知(지)'와 같다.

[해설]

이 시는 귀순한 거란왕(契丹王) 이실활(李失活)의 부인이 되어 번국(蕃國)으로 떠나는 영락공주(永樂公主)를 보며 안타까움을 나타낸 것이다.

제1~2구에서는 꾀꼬리와 꽃이 드물어 해가 바뀌어 봄이 되어도 변화를 알 수 없는 변방의 삭막한 기후 환경을 말하며, 이러한 곳으로 떠나는 영락공주에 대한 연민을 나타내고 있다. 제3~4구에서는 영락공주를 천상에서 떨어져 내려온 미인에 비유하며, 그녀로 인해 변방 지역에서는 오히려 봄의 아름다움을 알 수 있게 될 것이라 말하고 있다.

150. 이주의 노래

개가운(蓋嘉運)

저놈의 꾀꼬리를 장대로 두들겨 날려
나뭇가지 위에서 울지 않게 해주세요.
저놈이 울어대면 내 꿈이 깨어
임 계신 요서 땅에 못 가니까요.

伊州歌[1]

打起黃鶯兒,[2] 莫敎枝上啼.[3]
啼時驚妾夢,[4] 不得到遼西.[5]

[주석]

1) 제목이 「봄날의 원망(春怨)」으로, 작자가 김창서(金昌緖)로 되어 있는 판본도 있다.

2) 打起(타기): 때려서 날려 보내다.
黃鶯兒(황앵아): 꾀꼬리. '황리(黃鸝)'라고도 한다.

3) 莫敎(막교): ~하게 하지 말라. '敎(교)'는 사역동사이다.

4) 妾(첩): 여인이 자신을 낮추어 부르는 말.

5) 遼西(요서): 요하(遼河)의 서쪽 지역. 지금의 하북성(河北省) 동북부와 요녕성(遼寧省) 서부 지역을 가리킨다.

[해설]

이 시는 사랑하는 사람을 전장으로 떠나보낸 여인의 그리움을 노래한 것으로, 사랑하는 사람을 꿈속에서나마 만나보고 싶어 하는 간절함과 안타까움이 나타나 있다.

제1~2구에서는 장대로 꾀꼬리를 쫓아버리고 싶은 마음을 말하고, 이어 제3~4구에서는 그 이유가 꾀꼬리의 울음소리 때문에 꿈속에서나마 사랑하는 사람을 보고 싶어 하는 자신의 작은 소망마저 이룰 수 없기 때문임을 말하고 있다. 당시 요서 지역은 당나라의 정벌전쟁이 벌어지고 있던 곳으로, 사랑하는 사람이 이곳으로 종군한 것임을 알 수 있다.

151. 좌액의 배꽃

구위(丘爲)

차가운 아름다움이 완전히 눈을 압도하고
남은 향기는 홀연 옷으로 스며드네.
봄바람아 멈추지 말고
옥 계단으로 불어 날려주렴.

左掖梨花[1]

冷豔全欺雪,[2] 餘香乍入衣.[3]
春風且莫定,[4] 吹向玉階飛.[5]

[주석]

1) 左掖(좌액): 문하성(門下省). 당대에 문하성은 선정전(宣政殿) 왼쪽에 있어서 이와 같이 불렀으며, 좌성(左省)이라고 했다.

2) 冷豔(냉염): 차갑고 아름다운 모습. 배꽃의 모습을 가리킨다.

全(전): 전적으로, 완전히.

欺(기): 압도하다.

3) 乍(사): 잠깐, 홀연.

4) 定(정): 그치다, 멈추다.

5) 玉階(옥계): 옥 계단. 여기서는 황제가 있는 곳을 의미한다.

[해설]

이 시는 배꽃의 아름답고 향기로운 자태를 묘사한 것으로, 배꽃에 자신을 비유하여 자신의 존재가 황제에게 알려지고 인정받기를 바라고 있다.

제1~2구에서는 배꽃이 눈보다도 희고 아름다운 모습으로 눈에는 없는 은은한 향기까지 지니고 있음을 찬미하고 있다. 제3~4구에서는 봄바람이 배꽃을 불어 황제가 계신 곳으로 날려 보내주기를 바라는 말로 황제에게 인정받아 조정에서 중용되고 싶은 자신의 정치적 포부를 기탁하고 있다.

152. 임금을 그리워하는 슬픔

영호초(令狐楚)

궁궐 작은 정원에 꾀꼬리 노랫소리 그치고
장문궁에 나비 춤추는 모습 많기도 하네.
눈으로 봄이 또 지나가는 것을 보고 있나니
황제의 어가는 일찍이 들르지도 않았다네.

思君怨[1]

小苑鶯歌歇,[2] 長門蝶舞多.[3]
眼看春又去, 翠輦不曾過.[4]

[주석]

1) 제목이 「임금의 총애를 그리워하며(思君恩)」로 되어 있는 판본도 있다.

2) 小苑(소원): 궁궐 안의 작은 정원.

3) 長門(장문): 장문궁(長門宮). 한(漢) 무제(武帝) 때 진황후(陳皇后)가 총애를 잃고 유폐됐던 곳으로, 황제의 총애를 잃은 비빈(妃嬪)의 거처를 비유한다.

4) 翠輦(취련): 물총새의 푸른 깃털로 장식한 수레. 황제의 어가(御駕)를 가리킨다.

[해설]

이 시에서는 황제의 총애를 잃은 비빈(妃嬪)의 비애를 나타내고 있다. 제1~2구에서는 작은 정원과 장문궁(長門宮)을 통해 황제의 총애를 잃은 비빈의 처지를 말하고, 꾀꼬리 울음소리가 그치고 나비들이 날아다니는 모습으로 계절이 봄을 지나 여름으로 접어들었음을 나타내고 있다. 제3~4구에서는 또다시 헛되이 봄을 보내는 비빈의 비애를 말하고, 찾아오지 않는 황제의 어가에 슬픔과 그리움을 나타내고 있다.

153. 원씨의 별장에 쓰다

하지장(賀知章)

주인과는 알지도 못하는데
우연히 앉았으니 아름다운 산수경관 때문이라네.
술 살 수나 있을까 헛되이 걱정하지는 말지니
주머니에 돈은 있다오.

題袁氏別業[1]

主人不相識, 偶坐爲林泉.[2]
莫謾愁沽酒,[3] 囊中自有錢.[4]

[주석]

1) 袁氏(원씨): 누구인지 알 수 없다.
別業(별업): 별장.

2) 爲(위): ~ 때문이다.
林泉(임천): 숲과 샘. 여기서는 산수의 아름다운 경관을 의미한다.

3) 謾(만): 헛되이, 부질없이.
沽酒(고주): 술을 사다.

4) 囊(낭): 주머니, 전대.

[해설]

이 시는 산수를 유람하다가 우연히 산속의 별장에 들르게 된 즐거움을 노래한 것으로, 사람과의 친소에 구애받지 않는 시인의 소탈하고 자유분방한 성격이 잘 드러나 있다.

제1~2구에서는 별장의 주인과는 일면식도 없는 사이임에도 그저 별장의 산수경관이 좋아 무작정 찾아와 자리 잡고 앉았음을 말하고 있다. 제3~4구에서는 행여 자신에게 술 살 돈이 없을까 걱정하지는 말라며 그래도 주머니에 술값 정도는 지니고 있다는 말로 주인을 안심시키고 있다. 별장이 주막이 아닌 까닭에 술을 팔 필요도 없고 주인 또한 술을 살 것인가 물어보지도 않았을 것이니, 시인의 이 말은 이처럼 아름다운 경관에는 마땅히 술이 함께 있어야 제격임을 에둘러 말한 것이라 할 수 있다.

154. 밤에 조종을 보내며

양형(楊炯)

그대 조씨는 열다섯 성과 바꿀 수 있는 보옥이니
지금껏 천하에 전해지고 있네.
옛 고향으로 돌아가는 그대를 전송하니
밝은 달은 앞 시내에 가득하네.

夜送趙縱[1]

趙氏連城璧,[2] 由來天下傳.[3]
送君還舊府,[4] 明月滿前川.

[주석]

1) 趙縱(조종): 시인의 친구이며 누구인지는 알 수 없다.

2) 趙氏(조씨): 조종(趙縱)을 가리킨다.

連城璧(연성벽): 전국시대 조(趙) 혜문왕(惠文王)의 보옥. 진(秦) 소왕(昭王)이 이를 탐내어 진나라의 열다섯 성과 바꾸려 한 것에서 이름이 유래했다.

3) 由來(유래): 처음 이래로, 역대로.

4) 舊府(구부): 옛 고향. 여기서는 조(趙)나라의 옛 땅을 가리키며, 조종의 성이 조씨(趙氏)인 까닭에 옛 고향이라 표현했다.

[해설]

이 시는 조(趙) 땅으로 가는 친구 조종(趙縱)을 전송하며 쓴 것으로, 친구의 성과 지명 및 고사를 교묘하게 결합시켜 친구에 대한 칭송과 축원을 나타내고 있다.

제1~2구에서는 그의 성씨와 결부시켜 그를 전국시대 조(趙)나라의 연성벽(連城璧)에 비유하고, 옛날의 그 진귀한 보물이 지금까지도 전해지고 있음을 말하며 그의 뛰어난 재능을 칭송하고 있다. 이어 제3~4구에서는 조(趙) 땅으로 가는 그의 여정을 옛 고향으로 돌아가는 길이라 말하며 여정의 노고를 위안하고, 시내에 가득한 달빛으로 그의 밝은 앞길을 축원하고 있다.

155. 죽리관

왕유(王維)

그윽한 대숲에 홀로 앉아
거문고를 타고 또 길게 휘파람을 부네.
깊숙한 숲속이라 사람들은 모르지만
밝은 달이 찾아와 비춰주네.

竹裏館[1]

獨坐幽篁裏,[2] 彈琴復長嘯.[3]
深林人不知, 明月來相照.

[주석]

1) 竹裏館(죽리관): 왕유의 망천별장(輞川別莊) 주변에 있는 20개의 빼어난 경관 가운데 하나이다. 망천(輞川)은 지금의 섬서성(陝西省) 남전현(藍田縣) 서남쪽이다. 왕유는 「망천집서(輞川集序)」에서 "내 별장은 망천의 산골짜기에 있는데 찾아가서 놀고 쉰 곳으로 맹성요, 화자강, 문행관, 근죽령, 녹채, 목란채, 수유반, 궁괴맥, 임호정, 남타, 의호, 유랑, 난가뢰, 금설천, 백석탄, 북타, 죽리관, 신이오, 칠원, 초원 등이 있다. 배적과 더불어 한가할 때 각각 절구를 지었다(余別業在輞川山谷, 其遊止有孟城坳, 華子岡, 文杏館, 斤竹嶺, 鹿柴, 木蘭柴, 茱萸沜, 宮槐陌, 臨湖亭, 南垞, 欹湖, 柳浪, 欒家瀨, 金屑泉, 白石灘, 北垞, 竹裏館, 辛夷塢, 漆園, 椒園等. 與裴迪閒暇各賦絶句)"라 했다.

2) 幽篁(유황): 그윽한 대밭.

3) 長嘯(장소): 길게 휘파람을 불다.

[해설]

이 시는 시인이 만년에 망천(輞川)에 은거할 때 쓴 것으로, 죽리관(竹裏館)에서의 평온하고 한적한 일상이 나타나 있다. 망천의 빼어난 경관을 읊은 『망천집(輞川集)』 20수 가운데 제17수이다.

제1~2구에서는 깊은 밤 그윽한 대숲에서 홀로 거문고를 타고 즐기는 시인의 여유롭고 평온한 모습이 나타나 있으며, 제3~4구에서는 숲 속에서의 깊고 그윽한 정취를 다른 사람들은 알지 못하고 다만 밝은 달만이 찾아와 비추며 이를 함께하고 있음을 말하고 있다.

156. 장안으로 들어가는 주대를 전송하며 맹호연(孟浩然)

나그네 오릉으로 떠나니
나의 보검은 천금의 가치가 있다네.
헤어지며 풀어 그대에게 드리니
내 평생의 한 조각 마음이라오.

送朱大入秦[1)]

遊人五陵去,[2)] 寶劍值千金.[3)]
分手脫相贈, 平生一片心.[4)]

[주석]

1) 저본에는 작자가 왕유(王維)로 되어 있다.
朱大(주대): 주거비(朱去非). '대(大)'는 항렬이다. 맹호연의 친구로 자세한 사적은 알려져 있지 않다. 맹호연의 다른 시 「현산에서 파동으로 유람 가는 주거비를 보내며(峴山送朱大去非遊巴東)」에도 나온다.
秦(진): 진 땅. 여기서는 장안(長安)을 가리킨다.

2) 五陵(오릉): 한나라 황제 다섯 명의 무덤. 앞의 123. 「가을의 홍취(秋興) (3)」 주 8) 참조. 여기서는 장안을 가리킨다.

3) 値(치): 값어치가 나가다.

4) 一片心(일편심): 한 조각 마음. 친구에 대한 변함없는 우정을 가리킨다.

[해설]

이 시는 장안(長安)으로 떠나는 친구를 전송하며 그에 대한 축원과 우정을 나타낸 것이다.

제1~2구에서는 친구가 장안으로 떠나게 되었음을 말하고 자신의 보검이 천금의 값어치가 있음을 말하고 있다. 보검은 평소 자신이 지녀온 공업 수립을 향한 포부와 이상을 상징하는 것으로, 친구에게도 어울리는 것이기도 하다. 따라서 제3~4구에서는 이 보검을 풀어 친구에게 주며 그의 전도를 축원하고 그에 대한 자신의 변함없는 신뢰와 우정을 나타내고 있다.

157. 장간의 노래

최호(崔顥)

그대의 집은 어디인지요?
소녀는 횡당에 살고 있답니다.
가던 배 멈추고 잠시 물어보니
혹시 저와 동향인가 싶어서랍니다.

長干行[1]

君家在何處,[2] 妾住在橫塘.[3]
停船暫借問,[4] 或恐是同鄉.[5]

[주석]

1) 長干行(장간행): 옛 악부(樂府)의 곡조 이름. '장간(長干)'은 옛 지명으로 지금의 강소성(江蘇省) 남경시(南京市) 남쪽이다. 제목이 「장간의 노래(長干曲)」 또는 「강남의 노래(江南曲)」로 되어 있는 판본도 있다. 총 4수 중 제1수이다.

2) 在何處(재하처): 어디에 있는가? '何處住(하처주)' 또는 '住何處(주하처)' '定何處(정하처)' 등으로 되어 있는 판본도 있다.

3) 橫塘(횡당): 지금의 강소성 남경시(南京市)의 서남쪽으로 장간(長干)과 가깝다.

4) 停船(정선): 배를 멈추다.
借問(차문): 잠시 물어보다.

5) 或恐(혹공): 아마도 ~인 것 같다.

[해설]

이 시는 남조 악부(樂府)의 잡곡가사(雜曲歌辭)에서 제목을 차용한 민가풍의 노래로서, 여인이 우연히 배에서 만난 사내에게 반하여 먼저 말을 걸어 구애하는 모습이 나타나 있다.

제1~2구에서 여인은 사내의 집이 어디인지를 묻고 사내가 묻지도 않은 자신의 집을 먼저 밝히고 있다. 제3~4구에서는 혹 서로 동향 사람인가 싶어 묻는다는 말로 이유를 대며 사내와 연결되고 싶은 마음을 보다 적극적으로 나타내고 있다. 시 전체가 여인의 물음으로만 이루어져 있어 사내를 향한 여인의 깊은 흠모를 보다 절실하게 느끼게 한다.

158. 역사를 읊다

고적(高適)

일찍이 명주 솜옷을 준 것은
응당 범저의 빈한함을 가련히 여겨서였으리.
천하의 선비임을 알지 못하고
도리어 평범한 사람으로만 여겼구나.

詠史

尙有綈袍贈,[1] 應憐范叔寒.[2]
不知天下士,[3] 猶作布衣看.[4]

[주석]

1) 綈袍(제포): 두꺼운 명주로 만든 솜옷.

2) 范叔(범숙): 범저(范雎)를 가리킨다. 범저는 전국시대 위(魏)나라 사람으로 자가 숙(叔)이다. 위나라 대부 수가(須賈)의 모함을 받아 죽을 고비를 넘기고 진(秦)나라로 달아나 이름을 장록(張祿)으로 바꾸고 진의 재상이 되었다. 후에 수가가 진의 사신으로 왔을 때 범저는 해진 옷을 입고 객사에 가서 수가를 만났는데, 수가는 범저의 초라한 행색을 보고 이를 불쌍히 여겨 음식을 남겨 주고 명주 솜옷 한 벌을 내어주었다. 후에 수가는 범저가 이미 진의 재상이 되었음을 알고 사죄하러 갔는데, 범저는 그가 명주 솜옷을 주며 옛정을 잊지 않았기에 그를 죽이지 않았다고 말했다. 『사기(史記) · 범저열전(范雎列傳)』에

관련 내용이 있다.

3) 天下士(천하사): 천하의 뛰어난 재능을 가진 선비.

4) 布衣(포의): 베옷. 벼슬을 하지 않은 일반 사람.

[해설]

이 시는 전국시대 범저(范雎)와 수가(須賈)의 고사를 통해 득의하지 못한 자신을 탄식한 것이다.

제1~2구에서는 수가가 진(秦)의 재상이 된 범저의 실체를 알지 못하고 명주 솜옷을 내어주며 그를 동정했던 사실을 말하고, 이어 제3~4구에서는 인재를 알아보지 못한 수가의 어리석음을 조롱하고 있다. 시인은 이 시를 통해 자신을 뛰어난 재능을 갖춘 범저에 비유하며 자신을 알아주지 못하는 세상에 대한 조롱과 비판을 나타내고 있다.

159. 재상에서 물러나며 쓰다

이적지(李適之)

현자에게 자리 피해주고 막 재상에서 물러나
술 즐기며 또 술잔을 입에 댄다네.
문 앞에 찾아오던 객들에게 묻나니
오늘 아침에는 몇이나 올 건지?

罷相作

避賢初罷相,[1] 樂聖且銜杯.[2]
爲問門前客,[3] 今朝幾個來.[4]

[주석]

1) 避賢(피현): 현자에게 자리를 피하다. 재능 있고 뛰어난 사람에게 자리를 양보하고 물러나는 것을 말한다.

2) 樂聖(낙성): 성인(聖人)을 즐기다. 여기서는 술을 가리킨다. 예로부터 맑은 술을 성인(聖人)이라 하고 탁한 술을 현인(賢人)이라 했다.

銜杯(함배): 술잔을 입에 물다. 술을 마시는 것을 말한다.

3) 門前客(문전객): 문 앞의 손님. 예전에 재상으로 있을 때 찾아오던 손님들을 가리킨다.

4) 幾個(기개): 몇 명.

[해설]

이 시는 관직에서 물러나 한가로운 생활을 즐기는 감회를 노래한 것으로, 세태에 대한 풍자 또한 나타나 있다.

제1~2구에서는 자신보다 뛰어난 사람에게 재상 자리를 물려주고 내려와 술을 즐기며 한가롭게 지내고 있는 일상을 말하고 있다. 제3~4구에서는 재상으로 있을 때 문이 닳도록 드나들던 사람들이 이제는 더 이상 찾아오지 않음을 말하며 사리사욕의 추구에만 매달리는 박정한 세태를 비판하고 있다.

160. 협객을 만나

전기(錢起)

연나라와 조나라의 비장한 노래 부르던 호걸을
극맹의 고향에서 만났구려.
한 치 마음을 말로 다 하지 못했거늘
앞길에 해는 기우려 하네.

逢俠者

燕趙悲歌士,[1] 相逢劇孟家.[2]
寸心言不盡,[3] 前路日將斜.

[주석]

1) 燕趙(연조): 연나라와 조나라. 연나라는 지금의 하북성 북부와 요녕성 남부 지역이고 조나라는 지금의 산서성 북부와 하북성 남부 지역으로, 예로부터 형가(荊軻)와 섭정(聶政) 등 협객이 많기로 유명했다.

悲歌士(비가사): 비장한 노래를 부르는 호걸. 협객을 가리킨다.

2) 劇孟(극맹): 한대(漢代)의 협객으로 낙양(洛陽) 사람이다. 재물을 귀하게 여기지 않고 어려움에 빠진 사람을 구했다.

3) 寸心(촌심): 한 치〔寸〕의 마음. 옛날에는 마음의 크기를 사방 한 치로 여겨 이와 같이 말했다.

[해설]

이 시는 낙양(洛陽)에서 협객을 만난 감회를 쓴 것으로, 자신과 뜻이 맞는 협객을 만난 기쁨과 이별을 앞둔 아쉬움이 나타나 있다.

제1~2구에서는 협객을 연나라의 형가(荊軻)와 조나라의 섭정(聶政)에 비유하고 그와 만난 낙양 또한 한대(漢代)의 협객인 극맹(劇孟)의 고향임을 들어 그의 의기를 높이고 있다. 제3~4구에서는 협객과 만나 서로 의기투합했으나 마음속의 말을 다 나누지도 못한 채 이별의 시간이 다가오는 것을 아쉬워하고 있다.

161. 강으로 가며 광려산을 바라보다

전기(錢起)

지척에 두고 비바람 때문에 시름겨우니
광려산을 오를 수가 없다네.
다만 구름안개 싸인 동굴에
아직도 육조의 승려가 있는 듯하네.

江行望匡廬[1]

咫尺愁風雨,[2] 匡廬不可登.
祗疑雲霧窟,[3] 猶有六朝僧.[4]

[주석]

1) 제목이 「강으로 가며 무제시(江行無題)」로 되어 있는 판본도 있으며, 총 100수 중 제69수이다.
   匡廬(광려): 여산(廬山). 지금의 강서성 구강시(九江市)에 있다. 주(周)나라 때 광속(匡俗) 일곱 형제가 이곳에 오두막을 짓고 살다가 신선이 되어 날아갔다는 이야기에서 이름이 유래했다.
2) 咫尺(지척): 아주 가까운 거리.
3) 祗(지): 다만. '只(지)'와 같다.
   窟(수): 동굴.
4) 六朝(육조): 여섯 조대. 동오(東吳), 동진(東晉), 송(宋), 제(齊), 양(梁), 진(陳)을

가리키며 모두 지금의 남경(南京)인 건강(建康)을 도읍으로 삼았다.

[해설]

이 시는 물길 따라 여행하다 여산을 지나며 쓴 것으로, 여산의 신비로운 모습을 묘사하며 선계(仙界)에 대한 지향을 나타내고 있다.

제1~2구에서는 여행 중에 배를 정박하고 여산을 오르려 했으나 비바람으로 인해 지척에 두고도 오르지 못하고 있음을 아쉬워하고 있다. 제3~4구에서는 구름안개에 싸인 동굴을 바라보며 그곳에 아직도 옛날 육조의 승려들이 머무르고 있을 것 같다는 상상을 통해 인간 세상에서의 시간의 흐름에서 벗어난 선계로서의 여산의 모습에 감탄과 동경을 나타내고 있다.

162. 이한에게 답하다

위응물(韋應物)

숲에서 『주역』 보기를 끝내고는
개울가에서 갈매기 마주하며 한가로이 지낸답니다.
초 땅에는 시인이 많은데
어떤 사람과 가장 친하게 지내시는지요?

答李澣[1)]

林中觀易罷,[2)] 溪上對鷗閑.
楚俗饒詞客,[3)] 何人最往還.[4)]

[주석]

1) 제목이 「이완에게 답하다(答李浣)」로 되어 있는 판본도 있으며, 총 3수 중 제 3수이다.
李澣(이한): 위응물(韋應物)의 친구로 자세한 사적은 알려져 있지 않다. 당시 초(楚) 지역으로 나가 있었다.
2) 易(역): 『역경(易經)』. 『주역(周易)』을 가리킨다.
3) 饒(요): 넉넉하다, 많다.
詞客(사객): 시인, 묵객(墨客).
4) 往還(왕환): 왕래하다, 교유하다.

[해설]

이 시는 위응물이 낙양령(洛陽令)을 지내고 있을 때 초(楚) 지역에 있는 진구 이한에게 쓴 답시(答詩)로, 자신의 근황을 묻는 친구에게 답하고 이어 친구의 근황을 묻고 있다.

제1~2구에서는 천지자연의 이치와 원리를 담고 있는 『주역(周易)』을 읽고 개울가에서 갈매기와 짝하며 노닐고 있는 모습을 통해 자신은 세상의 명리에서 벗어나 고아하고 평온한 삶을 살고 있음을 말하고 있다. 제3~4구에서는 초 땅은 본디 굴원(屈原)과 송옥(宋玉) 같은 뛰어난 시인들이 많은 곳임을 말하고, 그곳에서 누구와 친하게 지내고 있는지 묻는 말로써 그가 그들과 교유하며 많은 가르침을 얻기를 권하고 있다.

163. 가을바람

유우석(劉禹錫)

어느 곳에서 가을바람 불어오나?
쓸쓸히 기러기 떼 보내오네.
아침에 뜰 나무에 불어오니
외로운 객이 가장 먼저 듣는다네.

秋風引[1]

何處秋風至, 蕭蕭送雁群.[2]
朝來入庭樹, 孤客最先聞.[3]

[주석]

1) 引(인): 고대 악부시(樂府詩) 문체의 한 종류. 거문고 곡을 가리킨다.

2) 蕭蕭(소소): 바람이 쓸쓸하게 부는 모양.

3) 孤客(고객): 외로운 나그네. 시인 자신을 가리킨다.

[해설]

유우석은 당(唐) 영정(永貞) 연간에 왕숙문(王叔文)의 개혁정책에 참여했다가 실패한 후 낭주사마(郎州司馬)로 폄적됐는데, 이 시는 이때 쓴 것으로 쓸쓸히 불어오는 가을바람에 자신의 불우한 심경을 기탁하고 있다.

제1~2구에서는 가을바람에 날아오는 기러기 떼를 묘사하며 객지에 나와 있는 자신의 외로움과 고향에 대한 그리움을 말하고, 제3~4구에서는 아침에 뜰 나무로 불어오는 바람 소리를 자신이 가장 먼저 듣고 있음을 말하며 날이 밝도록 잠 못 이루고 있는 자신의 깊은 시름을 나타내고 있다.

164. 가을밤 구 원외에게 부쳐

위응물(韋應物)

그대 생각하는 마침 이 가을밤
이리저리 거닐며 서늘한 날씨를 읊나니,
빈산 솔방울 떨어지는 소리에
은자께선 틀림없이 잠 못 이루겠지요.

秋夜寄丘員外[1]

懷君屬秋夜,[2] 散步咏涼天.
空山松子落, 幽人應未眠.[3]

[주석]

1) 제목이 「가을밤 구 이십이 원외에게 부쳐(秋夜寄丘二十二員外)」로 되어 있는 판본도 있다.
丘員外(구원외): 원외랑(員外郎) 구단(丘丹). 성당(盛唐) 시인으로 구위(丘爲)의 아우이다. 위응물이 소주자사(蘇州刺史)로 있을 때 그와 가까이 지내며 화답시를 주고받았다. 당시 구단은 임평산[臨平山, 지금의 절강성(浙江省) 여항현(余杭縣) 동북쪽]에서 수도하고 있었다.

2) 屬(속): 마침 ~하다. '適(적)'과 같다.

3) 幽人(유인): 은자. 구단을 가리킨다.

[해설]

이 시는 시인이 임평산(臨平山)에서 수도하고 있는 친구 구단(丘丹)에게 부친 것으로, 현실과 상상의 공간을 결합하여 자신과 친구의 깊은 우정을 나타내고 있다.

제1~2구에서는 현실의 공간에서 가을밤에 산책을 하며 친구를 그리워하고 있는 자신의 모습을 말하고, 제3~4구에서는 친구가 있는 곳을 상상하며 친구 또한 고요한 산속에서 솔방울 떨어지는 소리를 들으며 자신과 마찬가지로 잠을 이루지 못한 채 자신을 그리워하고 있으리라 상상하고 있다.

165. 가을날

경위(耿湋)

석양빛이 마을 거리에 드니
근심은 찾아들건만 누구와 함께 말할까?
옛길에 지나가는 사람은 적고
가을바람은 벼와 기장을 흔들고 있네.

秋日

返照入閭巷,[1] 憂來誰共語.[2]
古道少人行, 秋風動禾黍.[3]

[주석]

1) 返照(반조): 되돌아 비치는 빛. 석양의 빛을 가리킨다.
閭巷(여항): 마을의 거리. 고대에 다섯 집을 하나의 '인(隣)'으로 삼고 다섯 '인(隣)'을 하나의 '이(里)'로 삼았으며, '이(里)'의 문을 '여(閭)'라 했다.

2) 憂來(우래): 근심이 일어나다.

3) 禾黍(화서): 벼와 기장.

[해설]

이 시는 석양 속 인적이 드문 황폐한 마을의 경관을 묘사하며 전란으로 피폐해진 백성들의 삶에 연민을 나타내고 있다.

제1~2구에서는 석양빛이 스며드는 황량한 마을 거리를 묘사하며 시름에 빠지고 있는 자신을 말하고 있다. 제3~4구에서는 옛날 번화했던 거리가 지금은 인적조차 드문 상황과 논밭에 아무도 거두는 이 없이 농작물만 가을바람에 흔들리고 있는 모습을 통해 전란으로 삶의 터전을 잃고 떠도는 백성들의 참혹한 현실을 말하고 있다.

166. 가을날 호숫가에서

설영(薛瑩)

석양에 오호에서 노니니
연기 싸인 물결 곳곳이 시름겹기만 하도다.
천고의 일들이 떠올랐다 가라앉으니
누구와 더불어 동으로 흐르는 물에 물어볼까나?

秋日湖上

落日五湖遊,[1] 烟波處處愁.
浮沈千古事,[2] 誰與問東流.

[주석]

1) 五湖(오호): 오(吳)와 월(越) 지역의 호수를 두루 가리키며 여기서는 태호(太湖)를 의미한다. 『오록(吳錄)』에 따르면 오호는 태호의 별칭으로, 그 둘레가 5백여 리여서 이와 같이 불렀다고 한다. 춘추시대 말 월(越)의 대부(大夫) 범려(范蠡)가 월왕 구천(句踐)을 도와 오(吳)를 멸망시킨 뒤 일엽편주를 타고 오호(五湖)를 유랑하며 숨어 지냈다.

2) 千古事(천고사): 먼 옛날의 일. 여기서는 오(吳)와 월(越)의 쟁패의 역사를 가리킨다.

[해설]

이 시에서는 가을날 태호(太湖)의 경관을 바라보며 인간사의 흥망성쇠에 대한 감회를 노래하고 있다.

제1~2구에서는 석양을 배경으로 안개에 싸여 있는 태호의 경관을 바라보며 시름에 잠겨 있는 자신을 말하고, 제3~4구에서는 옛날 이곳을 배경으로 펼쳐졌던 오(吳)와 월(越)의 쟁패의 역사를 떠올리며 인생사의 무상함을 탄식하고 있다.

167. 궁중에서 쓰다

당(唐) 문종황제(文宗皇帝)

어가가 지나는 길에 가을 풀은 자라고
상림원에는 가지에 꽃이 가득하네.
높이 오르니 생각이 어찌 끝이 있겠는가마는
다시금 알아주는 신하가 없구나.

宮中題

輦路生秋草,[1] 上林花滿枝.[2]
憑高何限意,[3] 無復侍臣知.[4]

[주석]

1) 輦路(연로): 황제의 어가(御駕)가 지나는 길.
2) 上林(상림): 한대(漢代) 황제의 정원인 상림원(上林苑). 여기서는 당(唐) 궁궐의 정원을 가리킨다.
3) 憑高(빙고): 높은 곳에 기대다. 높이 올라 아래를 굽어보는 것을 말한다.
4) 侍臣(시신): 황제 가까이에서 모시는 신하.

[해설]

당(唐) 문종(文宗)은 이름이 이앙(李昂)이며 목종(穆宗) 이항(李恒)의 차자(次子)로, 경종(敬宗) 이담(李湛)이 환관들에 의해 살해된 후 환관들에 의해 황제로 옹립됐다. 즉위 후 문종은 조정의 폐단과 환관들의 전횡을 막고자 여러 개혁정책을 실시했으나 번번이 환관들에 의해 좌절되고 말았다. 이 시는 궁궐 높은 곳에 올라 주위의 경관을 바라보며 자신의 감회를 드러낸 것으로, 개혁의 뜻을 이루지 못한 좌절과 절망감이 나타나 있다.

제1~2구에서는 어가가 지나는 길에 가을 풀이 황폐하게 자라나 있는 모습과 황제의 정원에 아무도 감상하는 이 없이 부질없이 꽃만 가득 피어 있는 상황을 통해 무너지고 쇠락한 황권을 비유적으로 나타내고 있다. 제3~4구에서는 높은 곳에 올라 끝없는 생각과 회한에 잠겨 있는 자신을 말하고 주위에 자신의 뜻을 알아주는 신하가 없음을 탄식하고 있다.

168. 은자를 찾아갔다가 만나지 못하고 가도(賈島)

소나무 아래에서 동자에게 물으니
스승께서는 약초 캐러 가셨다 하네.
다만 이 산속에 있을 터인데
구름이 깊어서 있는 곳을 모르겠네.

尋隱者不遇

松下問童子,[1] 言師採藥去.[2]
只在此山中, 雲深不知處.[3]

[주석]

1) 童子(동자): 은자(隱者)의 제자를 가리킨다.

2) 師(사): 스승. 은자를 가리킨다.

3) 不知處(부지처): 은자가 산중 어느 곳에 있는지를 알지 못한다는 뜻이다.

[해설]

이 시는 은자의 거처로 은자를 찾아갔다가 만나지 못한 감회를 노래한 것이다.

제1~2구는 시인과 동자의 문답으로 이루어져 있다. 은자가 함께 살고 있는 사람이 순수한 마음을 상징하는 '동자(童子)'이고 동자를 만난 장소가 군자를 상징하는 '소나무' 아래이며, 은자가 몸과 정신의 병을 치유하기 위해 '약초'를 캐러 가고 없는 상황을 통해 세상의 명리를 멀리한 참된 은자의 삶을 느낄 수 있다. 제3~4구에서는 같은 산속에 있지만 구름이 깊어 은자가 있는 곳을 알 수 없음을 말하고 있다. 이 둘의 만남을 가로막고 있는 것은 '짙은 구름'으로, 아직까지 시인이 버리지 못하고 있는 뜬구름과 같은 세속의 헛된 부귀와 명리를 상징한다. 결국 이 구는 피세인(避世人)과 세속인(世俗人)이라는 은자와 시인의 넘을 수 없는 존재적 차이를 말한 것으로, 자신 또한 세상의 명리를 버렸을 때에야 비로소 은자와 온전한 만남을 이룰 수 있음을 말한 것이라 할 수 있다.

169. 분수 가에서 가을에 놀라 소정(蘇頲)

북풍이 흰 구름을 불어오는데
만 리 길 분수를 건너네.
어지러운 마음이 요락의 시기를 만나니
가을 소리 들을 수가 없구나.

汾上驚秋[1]

北風吹白雲, 萬里渡河汾.[2]
心緒逢搖落,[3] 秋聲不可聞.

[주석]

1) 汾上(분상): 분수(汾水) 가. 분수는 황하의 지류이며 산서성(山西省) 영무현(寧武縣)에서 발원하여 서남쪽으로 흘러 황하와 합류한다.

2) 河汾(하분): '분하(汾河)'라고도 하며 분수(汾水)를 가리킨다.

3) 搖落(요락): 나뭇잎이 흔들려 떨어지다.

[해설]

이 시는 시인이 사명(使命)을 받아 분수(汾水)를 지나며 쓴 것으로, 홀연히 찾아온 가을의 시기에 놀라며 쇠잔한 가을의 정경에 여정의 고달픔을 기탁하고 있다.

제1~2구에서는 북풍에 흰 구름이 치달리고 있는 분수의 경관을 묘사하며 만 리 사행길을 떠나고 있는 자신의 상황을 말하고, 제3~4구에서는 만불이 시들어 쇠락하는 가을을 맞아 가뜩이나 어지러운 나그네의 시름이 더욱 깊어짐을 말하고 있다.

170. 촉 땅 길에서 기약한 시간에 늦어 　장열(張說)

나그네 마음 시간을 다투어
오고 감에 미리 여정을 기약하였건만,
가을바람은 기다려주지 않고
먼저 낙양성에 도착하였네.

蜀道後期[1]

客心爭日月,[2] 來往預期程.[3]
秋風不相待,[4] 先至洛陽城.

[주석]

1) 蜀道(촉도): 촉(蜀) 땅의 길. 예로부터 섬(陝)과 촉(蜀) 지역은 산세가 높고 지형이 험준하여 통행이 어려웠다.
後期(후기): 기약한 시간에 늦다.
2) 爭日月(쟁일월): 일월과 다투다. 조급한 마음에 시간을 다투는 것을 말한다.
3) 期程(기정): 여정을 기약하다.
4) 待(대): 기다리다.

[해설]

이 시는 촉 땅을 떠나 낙양으로 돌아가던 도중에 쓴 것으로, 하루빨리 돌아가고픈 자신의 바람과는 달리 예정했던 시간보다 늦어지게 되었음을 탄식하고 있다.

제1~2구에서는 하루라도 빨리 낙양으로 돌아가고 싶은 조급한 마음에 도착할 날짜를 미리 기약했음을 말하고, 제3~4구에서는 촉 땅의 험준한 지형으로 인해 자신의 일정이 지체되는 바람에 낙양에 가을이 이미 먼저 도착해버렸음을 안타까워하고 있다.

171. 고요한 밤의 그리움

이백(李白)

침상 앞의 밝은 달빛
땅 위의 서리 같구나.
고개 들어 밝은 달을 바라보고
고개 숙여 고향을 그리워하네.

靜夜思[1)]

牀前明月光,[2)] 疑是地上霜.[3)]
擧頭望明月,[4)] 低頭思故鄕.[5)]

[주석]

1) 제목이 「밤 생각(夜思)」으로 되어 있는 판본도 있다.

2) 牀前(상전): 침상 앞.

3) 疑(의): ~인 것 같다.

4) 擧頭(거두): 고개를 들다.

5) 低頭(저두): 고개를 숙이다.

[해설]

이 시는 나그네의 객수(客愁)를 노래한 것으로, 타향에서 달빛을 보고 깊은 향수에 빠져드는 나그네의 모습이 나타나 있다.

제1~2구에서는 달빛이 비치는 정경을 묘사하고 있다. 침상 앞에 비치는 달빛은 밤이 깊도록 잠을 이루지 못하는 시인을 말해주고, 서리 같은 날빛은 시인의 차갑고 서늘한 심적 상태를 나타내고 있다. 제3~4구에서는 고개 들어 달을 바라보며 고향을 그리워하다가 이내 다시 고개를 숙이고 시름에 잠기는 모습이 나타나 있다. 시인은 달을 올려다보며 고향과의 공간적인 단절감을 극복해보려 하지만, 고개 숙여 깨닫는 고향과의 현실적인 거리감은 시인으로 하여금 더욱 깊은 시름을 느끼게 할 뿐이다.

172. 추포의 노래

이백(李白)

백발이 삼천 장이니
시름으로 인해 이처럼 길어졌구나.
모르겠도다, 밝은 거울 속
어디에서 가을 서리 얻었는지.

秋浦歌[1]

白髮三千丈, 緣愁似箇長.[2]
不知明鏡裏, 何處得秋霜.

[주석]

1) 秋浦(추포): 시내 이름. 지금의 안휘성 귀지현(貴池縣)에 있다.

2) 緣(연): ~으로 인해. 저본에는 '離(리)'로 되어 있다.
箇(개): 이, 그. 지시사(指示詞). '此(차)'와 같다.

[해설]

이 시는 천보(天寶) 13년(754) 무렵 이백이 추포(秋浦)를 유랑할 때 쓴 것으로, 거울에 비친 모습을 보며 늙음을 한탄한 시이다. 총 17수로 이루어져 있으며, 이 시는 이 중 제15수이다.

제1~2구에서는 과장의 수법을 사용하여 삼천 장이나 하얗게 센 머리칼이 시름 때문임을 말하고, 제3~4구에서는 거울을 바라보며 어쩌다 홀연 이러한 모습에 이르게 되었는지 탄식하고 있다. 『이백시전집(李白詩全集)』에서 왕기(王琦)는 "기구(起句)가 매우 기이하며 다음 글을 보고서야 이해를 하게 되니, 글자마다 모두 오묘한 뜻을 이루었다. 참으로 시선(詩仙)의 재능이 아니라면 어찌 이것을 쓸 수 있겠는가?(起句奇甚, 得下文一解, 字字皆成妙義. 洵非仙才, 那能作此)"라 하며 극찬했다.

173. 교 시어에게 드리다

진자앙(陳子昂)

한나라 조정에서는 아첨하는 관리가 영화롭고
운각에서는 변방의 공을 박하게 여기네.
가련하도다, 청총마 탄 시어사여!
흰머리 되도록 누구를 위한 영웅인가?

贈喬侍御[1)]

漢廷榮巧宦,[2)] 雲閣薄邊功.[3)]
可憐驄馬使,[4)] 白首爲誰雄.[5)]

[주석]

1) 제목이 「사산봉의 나무에 쓰고 교 십이 시어에게 드리다(題祀山烽樹贈喬十二侍御)」로 되어 있는 판본도 있다. 저본에는 '御(어)'가 '郞(랑)'으로 되어 있다. 사산봉(祀山烽)은 봉수대(烽燧臺) 이름으로, 지금의 감숙성(甘肅省) 장액(張掖) 지역에 있다.
喬侍御(교시어): 시어사(侍御史) 교지지(喬知之). 진자앙은 수공(垂拱) 2년(686) 교지지를 따라 서북 변방으로 종군했는데 당시 교지지는 좌보궐섭시어사(左補闕攝侍御史)였다. 시어사는 백관을 규찰하고 조칙을 받드는 일을 관장했으며 관원의 추천이나 탄핵 등의 일을 주로 맡았다.

2) 漢廷(한정): 한나라 조정. 여기서는 당나라 조정을 비유한다. 저본에는 '庭

(정)'으로 되어 있다.

巧宦(교환): 교묘한 관리. 아첨이나 청탁으로 관직을 추구하는 데 능한 관리를 가리킨다.

3) 雲閣(운각): 운대(雲臺)와 기린각(麒麟閣). 운대는 한대 남궁(南宮) 안에 있던 누대로, 동한(東漢) 명제(明帝) 때 전대의 공신들을 추도하여 28인의 초상을 그려두었다. 기린각은 한대 미앙궁(未央宮) 안에 있던 전각으로, 서한(西漢) 선제(宣帝) 때 흉노 정벌에 공이 있는 곽광(霍光), 소무(蘇武) 등 11인의 초상을 그리고 관직과 이름을 적어 걸었다.

邊功(변공): 변방을 다스리며 지키거나 개척한 공.

4) 驄馬使(총마사): 청총마(青驄馬)를 탄 시어사. 동한(東漢)의 시어사 환전(桓典)을 가리키며, 여기서는 교지지를 비유한다. 『후한서(後漢書)·환전전(桓典傳)』에 "〔그는〕 높은 품제로 천거되어 시어사에 배수되었다. 당시 환관이 권력을 쥐고 있었는데 환전은 집정하면서 조금도 그들을 두려워하거나 피하지 않았다. 항상 청총마를 타고 다녔는데 경사 사람들도 그를 두려워하고 꺼렸다(擧高第, 拜侍御史. 是時宦官秉權, 典執政無所回避. 常乘驄馬, 京師畏憚)"라 했다.

5) 雄(웅): 영웅. 저본에는 '榮(영)'으로 되어 있다.

[해설]

이 시는 진자앙이 시어사 교지지(喬知之)를 따라 종군하며 쓴 것으로, 한나라의 비유를 들어 당시 조정의 부패함을 비판하고 교지지의 불우함을 안타까워하고 있다.

제1~2구에서는 후한 말기에 아첨하는 간신들이 영화를 누리고 변방에 공을 세운 장수들이 오히려 중시되지 못했음을 말하며 당시 무측천(武則天)의 조정을 비판하고 있다. 제3~4구에서는 교지지를 한나라의 시어사 환전(桓典)에 비유하여 그의 강직함을 칭송하며 그가 오래도록 공을 인정받지 못하고 있음을 탄식하고 있다.

174. 무릉태수에게 답하다

왕창령(王昌齡)

검을 차고 천 리를 가며
미천한 몸으로 감히 한 말씀 올립니다.
일찍이 대량의 객이 되었으니
신릉군의 은혜를 저버리지 않겠습니다.

答武陵太守[1]

仗劍行千里,[2] 微軀敢一言.
曾爲大梁客,[3] 不負信陵恩.[4]

[주석]

1) 제목이 「무릉의 전 태수에게 답하다(答武陵田太守)」로 되어 있는 판본도 있다. 武陵(무릉): 지명. 지금의 호남성(湖南省) 상덕시(常德市).

2) 仗(장): 검이나 지팡이 등을 짚다. '按(안)'으로 되어 있는 판본도 있다.

3) 大梁客(대량객): 대량(大梁)의 나그네. 대량성(大梁城) 동문인 이문(夷門)의 수문장을 지냈던 후영(侯嬴)을 가리키며, 여기서는 왕창령 자신을 비유한다. 후영은 위(魏)의 은자로, 나이 칠십에 집안이 가난하여 이문의 수문장을 맡았는데 인재를 알아본 신릉군의 예우를 받았다. 신릉군이 진(秦)의 공격을 받은 조(趙)를 구원하러 갈 때 그의 수행자로 주해(朱亥)를 천거하고 여희(如姬)로 하여금 위왕(魏王)의 병부를 훔쳐오게 하여 진비(晉鄙)의 군대를 탈취하

는 계략을 성사시켰다. 계략이 성공한 후에 스스로 목을 베어 신릉군을 보호했다. 대량은 지금의 하남성(河南省) 개봉시(開封市)이다.

4) 信陵(신릉): 신릉군(信陵君). 전국시대 위(魏)나라 소왕(昭王)의 아들로 이름은 위무기(魏無忌)이다. 널리 인재를 구하고 예로써 후대하여 문하에 3천 명의 문객들이 있었다. 당시 널리 인재를 구했던 사람으로 또한 조(趙)의 평원군(平原君) 조승(趙勝), 제(齊)의 맹상군(孟嘗君) 전문(田文), 초(楚)의 춘신군(春申君) 황헐(黃歇)이 있었는데, 이들을 세칭 '전국사공자(戰國四公子)'라 했다. 여기에서는 무릉태수를 비유한다.

[해설]

이 시는 왕창령이 용표위(龍標尉)로 좌천되어 가던 도중 무릉(武陵)을 지나며 쓴 것으로, 자신을 환대해준 무릉태수에게 감사하며 보은의 뜻을 나타내고 있다. 용표(龍標)는 지금의 호남성 회화지구(懷化地區)이다.

제1~2구에서는 검을 차고 천 리를 가고 있는 상황으로써 비록 멀리 좌천되어 가지만 웅대한 포부를 지니고 있는 자신을 말하고, 겸손한 태도로 무릉태수에게 감사의 말을 전하고 있다. 제3~4구에서는 자신과 무릉태수를 각각 대량의 수문장이었던 후영(侯嬴)과 그를 후대했던 신릉군(信陵君)에 비유하며 은혜에 보답하겠다는 뜻을 나타내고 있다.

175. 행군하며 중양절에 장안의 옛집을 그리워하다

잠삼(岑參)

억지로라도 높은 곳에 오르고자 하지만
술 보내오는 사람도 없구나.
멀리 고향의 국화가 애달프니
분명 전쟁터 옆에서 피어 있겠지.

行軍九日思長安故園[1)]

强欲登高去,[2)] 無人送酒來.[3)]
遙憐故園菊,[4)] 應傍戰場開.[5)]

[주석]

1) 저본에는 제목이 「행군하며 중양절에 그리워하다(行軍九日思)」로 되어 있다.
長安故園(장안고원): 장안(長安)의 옛집. 시인의 고향이 장안이었기 때문에 이와 같이 말했다.

2) 强(강): 억지로.
登高(등고): 높은 곳에 오르다. 음력 9월 9일은 중양절(重陽節)로, 고대에 이 날이 되면 높은 곳에 올라 머리에 수유꽃을 꽂고 국화주를 마시는 풍습이 있었다.

3) 送酒(송주): 술을 보내다. 진대(晉代) 도잠(陶潛)이 여산(廬山)에 있을 때 중양

절을 맞아 강주태수(江州太守) 왕홍(王弘)이 도잠에게 술을 보내주고 함께 즐겼던 일을 차용한 것으로, 자신은 함께 술 마시며 즐길 사람이 없음을 말한 것이다.

4) 憐(련): 가련하다, 애달프다.

5) 應(응): 응당, 마땅히.

戰場(전장): 전쟁터. 안사(安史)의 난으로 전화에 휩싸인 장안을 가리킨다.

[해설]

이 시는 안사(安史)의 난 때 숙종(肅宗)을 보좌하며 촉(蜀)으로 피신하던 도중 중양절을 만나 쓴 것으로, 전란 중에 명절을 맞은 쓸쓸한 감회와 나라에 대한 걱정이 나타나 있다.

제1~2구에서는 비록 전란 중이지만 그래도 중양절을 맞아 억지로라도 높은 곳에 올라보려 하지만 적막하고 쓸쓸한 심정을 어찌할 수 없음을 말하고 있다. 제3~4구에서는 전란의 혼란 속에서 보고 즐기는 이 없이 홀로 피어 있을 고향의 국화를 떠올리며 나라의 안위를 염려하고 있다.

176. 첩여의 원망

황보염(皇甫冉)

꽃가지는 건장궁 밖으로 나오고
봉황피리 소리는 소양궁에서 일어나네.
이에 묻나니, 황제의 총애를 받은 이
두 눈썹 얼마나 길답니까?

婕妤怨[1]

花枝出建章,[2] 鳳管發昭陽.[3]
借問承恩者,[4] 雙蛾幾許長.[5]

[주석]

1) 婕妤(첩여): 궁녀의 직급 이름으로, 여기서는 한대(漢代) 성제(成帝)의 총애를 받았으나 조비연(趙飛燕) 자매의 모함으로 인해 장신궁(長信宮)으로 쫓겨난 반첩여(班婕妤)를 가리킨다. 반첩여는 이때 「원가행(怨歌行)」을 지어 "제나라 흰 비단을 새로 짰는데, 선명하고 깨끗함이 서리와 눈 같구나. 재단하여 합환선을 만드니, 둥글둥글 가을 달을 닮았네. 임의 품속과 소매를 들락거리고, 흔드니 미풍이 일어나네. 가을이 오는 것 늘 두렵나니, 서늘한 바람이 더운 기운 앗아가겠지. 상자 속에 버려질 것이요, 은혜와 애정은 중도에 끊어지리(新製齊紈素, 鮮潔如霜雪. 裁爲合歡扇, 團團似秋月. 出入君懷袖, 動搖微風發. 常恐秋節至, 涼飈奪炎熱. 棄捐篋笥中, 恩情中道絶)"라 하며 버림받은 자신의 신세를 탄식했다.

2) 建章(건장): 한나라 궁전의 이름.

3) 昭陽(소양): 한나라 궁전의 이름.

4) 承恩者(승은자): 황제의 총애를 입은 사람. 여기서는 조비연(趙飛燕), 조합덕(趙合德) 자매를 가리킨다.

5) 雙蛾(쌍아): 한 쌍의 나방 눈썹. 아미(蛾眉)를 가리킨다.

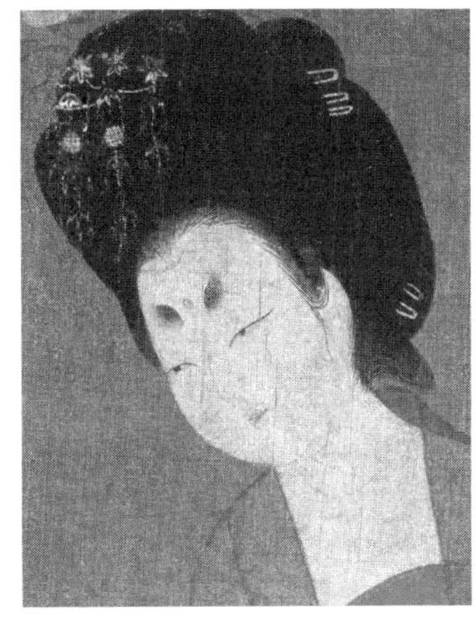

아미(蛾眉)
「잠화사녀도(簪花仕女圖)」(부분) 당(唐) 주방(周昉)

[해설]

이 시는 한대(漢代) 반첩여의 고사를 빌려 황제의 총애를 잃은 궁녀의 회한을 노래하고 있다.

제1~2구에서는 궁궐 밖으로 삐져나온 꽃가지와 전각 너머로 들려오는 아름다운 피리 소리를 통해 황제의 총애를 받고 있는 다른 여인에 대해 부러움과 시기를 나타내고, 제3~4구에서는 그 여인이 얼마나 아름답기에 이처럼 황제의 총애를 독차지하는지 물으며 깊은 원망과 회한을 나타내고 있다.

177. 죽림사에 쓰다

주방(朱放)

인간 세상 세월은 촉박하기만 한데
이곳에 안개와 노을은 많구나.
미련의 아쉬움 가득한 죽림사에
다시 몇 번이나 올 수 있을지?

題竹林寺[1]

歲月人間促,[2] 烟霞此地多.[3]
殷勤竹林寺,[4] 更得幾回過.[5]

[주석]

1) 竹林寺(죽림사): 사찰 이름. 학림사(鶴林寺)라고도 하며 지금의 강서성 구강시(九江市) 여산(廬山)에 있다.

2) 促(촉): 촉박하다.

3) 烟霞(연하): 안개와 노을.

多(다): 많다. 저본에는 '名(명)'으로 되어 있다.

4) 殷勤(은근): 정이 깊고 두텁다. 여기서는 차마 떠나지 못하는 아쉬움이 가득한 것을 말한다.

5) 更得(갱득): 다시 ~할 수 있다.

[해설]

이 시는 죽림사를 떠나며 쓴 것으로, 죽림사의 아름다운 선경을 묘사하며 예측할 수 없는 인생사에 대한 감회를 나타내고 있다.

제1~2구에서는 촉박하고 유한한 인간의 삶을 안개와 노을에 싸인 죽림사의 경관과 대비하며 그 탈속적이고 신비로운 분위기를 부각시키고 있다. 제3~4구에서는 미련과 아쉬움에 이곳을 차마 떠나지 못하는 심정을 말하고 앞으로 얼마나 이곳을 다시 찾아올 수 있을지 알 수 없는 인간 세상의 불가측성을 탄식하고 있다.

178. 굴원의 사당

대숙륜(戴叔倫)

원수와 상수는 끊임없이 흐르는데
굴원의 한은 어찌 그리 깊은가?
석양에 가을바람 일어
단풍나무 숲에 쓸쓸히 불어오네.

三閭廟[1]

沅湘流不盡,[2] 屈子怨何深.[3]
日暮秋風起, 蕭蕭楓樹林.[4]

[주석]

1) 三閭廟(삼려묘): 굴원(屈原)의 사당. 굴원은 전국시대 초(楚)나라의 삼려대부(三閭大夫)를 지냈으며 참소되어 상수(湘水)로 추방당해 유랑하다가 자신의 억울함을 호소하며 멱라수(汨羅水)에 투신했다.

2) 沅湘(원상): 원수(沅水)와 상수(湘水). 모두 호남성(湖南省) 경내를 흐르며 동정호(洞庭湖)로 들어간다.

3) 屈子(굴자): 굴원(屈原).

4) 蕭蕭(소소): 바람이 쓸쓸하게 부는 모양.

[해설]

이 시는 굴원의 사당을 지나며 그의 죽음을 애도한 것이다.

제1~2구에서는 굴원이 유랑하다가 투신하여 죽었던 원수와 상수의 물은 지금도 굴원의 깊은 한을 간직한 채 변함없이 흐르고 있음을 말하며 만고에 사라지지 않을 그의 우국정신을 기리고 있다. 제3~4구에서는 석양 아래 단풍나무 숲에 불어오는 가을바람에 자신의 비통한 마음을 기탁하고 있다.

179. 역수에서의 송별 낙빈왕(駱賓王)

이곳은 연나라 태자 단이 이별하던 곳.
장사의 머리칼은 관에 솟구쳤네.
옛날의 사람은 이미 죽었건만
지금의 물은 여전히 차갑기만 하네.

易水送別[1)]

此地別燕丹,[2)] 壯士髮衝冠.[3)]
昔時人已沒, 今日水猶寒.

[주석]

1) 제목이 「역수에서 사람을 전송하며(易水送人)」로 되어 있는 판본도 있다.
易水(역수): 강물 이름. 지금의 하북성(河北省) 역현(易縣)에서 발원하여 흐르며 전국시대 연(燕)나라 태자 단(丹)이 진왕(秦王) 정(政)을 암살하러 떠나는 형가(荊軻)를 전별하던 곳이다.

2) 燕丹(연단): 연(燕)나라 태자 단(丹). 일찍이 조(趙)나라에 볼모로 있으면서 조나라에서 태어난 진왕(秦王) 정(政)과 친하게 지냈으나, 정이 진왕이 되었을 때 단이 진나라 볼모로 가게 되었는데 단을 예우하지 않아 원망하며 도망쳐 돌아왔다. 진에 원수를 갚으려 전광(田光)에게서 형가(荊軻)를 추천받아 진왕을 암살하려 했으나, 형가의 실패 후 진왕의 보복을 두려워한 연왕(燕王)에

의해 죽임을 당했다.

3) 壯士(장사): 기개 있는 선비. 형가(荊軻)를 가리킨다. 본래 위(衛)나라 사람으로 연나라로 옮겨 가 살며 악사 고점리(高漸離), 은사 전광(田光) 등과 친하게 지냈다. 후에 연나라 태자 단의 사주를 받아 진왕 정[후의 진시황(秦始皇)]을 암살하려 했으나 실패하고 죽임을 당했다.

髮衝冠(발충관): 머리카락이 관에 솟구치다. 형가(荊軻)가 진왕을 암살하러 갈 때 역수에서 태자 단과 이별하며 악사 고점리의 반주에 맞추어 "바람 소소한데 역수는 차갑고, 장사는 한번 떠나면 다시 돌아오지 못하리(風蕭蕭兮易水寒, 壯士一去兮不復還)"라 노래했는데, 그 소리가 너무나 비분강개하여 듣는 사람들의 머리칼이 솟아 관을 찔렀다고 한다.

[해설]

이 시는 역수를 바라보며 자객 형가를 회상한 것으로, 죽음을 무릅쓰고 진왕을 암살하려 했던 그의 굳은 의기와 영웅적 행동을 칭송하며 깊은 애도의 뜻을 나타내고 있다.

제1~2구에서는 역수가 연나라 태자 단이 형가를 전별하던 곳이며, 떠나면서 형가가 불렀던 비장한 노래가 전송하는 사람들의 마음을 감동시켰음을 말하고 있다. 제3~4구에서는 끝내 뜻을 이루지 못하고 죽어버린 형가를 애도하며 지금도 변함없이 흐르고 있는 역수의 차가운 물에 자신의 비통한 심경을 기탁하고 있다.

180. 노진경과 이별하며

사공서(司空曙)

만날 기약 있음을 알고 있지만
이 밤 헤어지기가 어렵네.
친구의 술을
석우풍만 못하게 하지는 마시게나.

別盧秦卿[1]

知有前期在,[2] 難分此夜中.
無將故人酒,[3] 不及石尤風.[4]

[주석]

1) 제목이 「노진경에게 남겨주며(留盧秦卿)」로 되어 있는 판본도 있다.
   盧秦卿(노진경): 사공서(司空曙)의 친구이며 자세한 사적은 알려져 있지 않다.
2) 前期(전기): 이전의 기약. 훗날 만나기로 한 기약을 가리킨다.
3) 無(무): ~하지 마라.
   將(장): ~을.
   故人酒(고인주): 친구의 술. 떠나는 이를 만류하며 권하는 자신의 술을 가리킨다.
4) 石尤風(석우풍): 길을 막는 큰 바람. 원(元)나라 이세진(伊世珍)의 『낭환기(琅環記)』에 인용된 「강호기문(江湖紀聞)」의 석씨(石氏) 부인 이야기를 인용했다.

옛날에 상인 우(尤)씨가 석씨를 아내로 맞았는데 금슬이 매우 돈독했다. 우씨가 멀리 행상을 떠나 돌아오지 않자 부인이 그를 그리워하다 병들어 죽게 되었는데, 남편을 막지 못한 것을 한탄하며 대풍(大風)이 되어 세상의 부인들을 위해 행상들의 길을 막겠노라 말했다. 후에 길 떠나는 사람이나 뱃머리에 부는 역풍을 가리켜 석씨와 우씨의 성씨를 따 이와 같이 불렀다.

[해설]

이 시는 친구와 이별하며 쓴 송별시로, 이별의 아쉬움과 차마 떠나보내지 못하는 미련이 나타나 있다.

제1~2구에서는 비록 다시 만날 기약을 하기는 했으나 이별의 마지막 밤을 맞아 친구와 차마 헤어지지 못하는 아쉬움을 말하고, 제3~4구에서는 떠나는 길을 막는 석우풍의 고사를 들어 우정을 담은 술을 권하며 그를 잡아두고 싶은 마음을 나타내고 있다.

181. 사람에게 답하다

태상은자(太上隱者)

우연히 소나무 아래로 와서는
돌 높이 베고 잠든다네.
산중에 책력이 없어
추위 다 지나도록 어느 해인지 모른다오.

答人

偶來松樹下,[1] 高枕石頭眠.[2]
山中無曆日,[3] 寒盡不知年.

[주석]

1) 偶來(우래): 우연히 오다. 목적지를 정하지 않고 발길 닿는 대로 오는 것을 말한다.

2) 高枕(고침): 베개를 높이 하고 눕다. 은자가 기거하는 모습을 의미한다.

3) 曆日(역일): 책력(冊曆).

[해설]

이 시는 어떤 이가 산중 은자(隱者)에게 은거하는 이유와 나이를 물은 것에 답한 것으로, 세상 명리에 초연하고 세월의 흐름에 초탈한 은자의 자유롭고 탈속적인 삶이 잘 나타나 있다.

제1~2구에서는 우연히 소나무 아래로 와 돌베개를 높이 베고 누워 잔다고 말하며 어떤 특별한 목적이 있어 은거하는 것이 아니라고 답하고, 제3~4구에서는 산중에 책력이 없어 겨울이 가고 봄이 오도록 때를 알지 못하니 자신의 나이 또한 알 수 없음을 말하고 있다.

『신전오언천가시전주(新鐫五言千家詩箋註)』 권하(卷下)
— 오언율시(五言律詩)

182. 촉 땅으로 행차했다가 검문에 이르러

당(唐) 현종황제(玄宗皇帝)

검문산의 잔도는 구름을 가로질러 솟아 있고
황제의 수레는 순시 나갔다 돌아온다네.
푸른 병풍 같은 절벽은 천 길 높이로 합쳐져 있고
붉은 산봉우리는 다섯 장정이 열어놓은 것이네.
관목들은 깃발을 둘러싸며 돌고
신선의 구름은 말을 스치며 오는도다.
때를 타서 바야흐로 덕에 머물러야 하리니
그대들의 비석에 길이 새겨질 재능에 감탄하도다.

幸蜀西至劍門[1]

劍閣橫雲峻,[2] 鑾輿出狩回.[3]
翠屏千仞合,[4] 丹嶂五丁開.[5]
灌木縈旗轉,[6] 仙雲拂馬來.[7]
乘時方在德,[8] 嗟爾勒銘才.[9]

[주석]

1) 저본에는 제목이 「촉 땅으로 행차했다가 돌아오며 검문에 이르러(幸蜀回至劍門)」로 되어 있다.

蜀西(촉서): 촉(蜀) 땅. 촉 지역이 장안의 서쪽이 있기 때문에 이와 같이 불렸다.

劍門(검문): 산 이름. 지금의 사천성 검각현(劍閣縣) 북쪽에 있으며 촉 지역에서 장안으로 들어올 때 지나는 산이다. 대검산과 소검산이 연이어 있으며 깎아지른 절벽과 험준한 지세로 인해 절벽에 구멍을 뚫고 나무를 대어 잔도(棧道)를 가설하여 통행했다.

2) 劍閣(검각): 검문산의 잔도.

3) 鑾輿(난여): 황제의 수레. '란(鑾)'은 황제의 수레에 다는 방울을 가리킨다.

出狩(출수): 순수(巡狩)를 나서다. 황제가 지방을 순시하는 것을 말한다.

4) 翠屛(취병): 푸른 병풍. 절벽이 푸른빛으로 솟아 병풍처럼 둘러져 있는 것을 가리킨다.

仞(인): 길. 길이의 단위. 7자 또는 8자에 해당한다.

5) 丹嶂(단장): 붉은색의 높고 가파른 산봉우리.

五丁(오정): 촉으로 통하는 길을 낸 다섯 장정. 『촉왕본기(蜀王本紀)』에 "하늘이 촉나라를 위하여 다섯 명의 역사를 내었는데 산을 옮길 수 있었다. 진왕(秦王)이 촉왕에게 미녀를 바치자 다섯 장정을 보내어 여인들을 맞이하도록 했다. 도중에 큰 뱀 한 마리가 산의 동굴로 들어가는 것을 보고 다섯 장정이 함께 뱀을 잡아당겼더니 산이 무너져 다섯 장정은 깔려 죽고 진나라의 여인들은 모두 돌로 변했으며 산은 나뉘어 다섯 봉우리가 되었다(天爲蜀生五丁力士, 能徙山. 秦王獻美女與蜀王, 遣五丁迎女. 見一大蛇入山穴中, 五丁共引蛇, 山崩, 壓殺五丁, 秦女皆化爲石, 而山分爲五嶺)"라 했다.

6) 灌木(관목): 무리 지어 조밀하고 무성하게 자라 있는 나무. 저본에는 '灌水(관수)'로 되어 있다.

縈旗(영기): 깃발을 둘러싸다.

7) 拂馬(불마): 말을 스치다.

8) 乘時(승시): 때를 타다. 안사(安史)의 난이 평정되고 나라가 안정을 되찾게 된 것을 말한다.

在德(재덕): 덕에 머무르다. 덕치(德治)를 행하는 것을 말한다.

9) 爾(이): 그대. 2인칭 대명사.

勒銘才(늑명재): 비석에 새겨질 재능. 여기서는 안사(安史)의 반군을 평정한 신하들의 공적을 가리킨다. 저본에는 '銘(명)'이 '名(명)'으로 되어 있다.

[해설]

이 시는 안사(安史)의 난을 피해 촉으로 피신한 현종이 난이 평정되고 난 후 장안으로 돌아오던 도중 검문산을 지나며 쓴 것으로, 검문산의 험준한 산세와 지형을 묘사하며 전란이 평정된 기쁨과 신하들의 공적에 대한 치하를 나타내고 있다.

제1~2구에서는 검문산의 잔도가 구름을 가로질러 높이 솟아 있는 모습을 묘사하며 자신이 촉을 떠나 장안으로 돌아오고 있는 상황을 말하고 있는데, 실제는 난을 피해 촉으로 피신한 것이었음에도 순수(巡狩)에서 돌아왔다는 표현을 통해 스스로에 대한 자존감을 잃지 않고 있다. 제3~4구에서는 푸른빛과 붉은빛의 색채 대비를 통해 높고 험준한 검문산의 지형을 묘사하고, 제5~6구에서는 무성한 관목 숲길 사이를 돌아가는 깃발과 구름을 스치며 지나는 말의 모습을 통해 이를 보다 실감나게 나타내고 있다. 제7~8구에서는 나라가 안정을 되찾은 이 기회를 잘 활용하여 덕으로 나라를 다스리겠다는 다짐을 말하고, 비석에 새겨져 길이 전해질 것이라는 말로써 전란을 평정한 신하들의 공을 치하하고 있다.

183. 진릉현승 육씨의 「이른 봄나들이」에 화답하여

두심언(杜審言)

다만 벼슬 따라 떠도는 사람이기에
만물의 새로운 변화가 그저 놀랍기만 하다네.
구름과 놀이 바다에서 피어나는 새벽,
매화와 버들이 강을 건너는 봄날.
따스한 기운은 노란 꾀꼬리 울음을 재촉하고
화창한 햇빛은 푸른 네가래에 어른거리네.
홀연 옛 격조의 노래 들으니
돌아가고픈 생각에 눈물이 수건을 적시려 하네.

和晉陵陸丞早春遊望[1)]

獨有宦遊人,[2)] 偏驚物候新.[3)]
雲霞出海曙,[4)] 梅柳渡江春.
淑氣催黃鳥,[5)] 晴光轉綠蘋.[6)]
忽聞歌古調,[7)] 歸思欲霑巾.[8)]

[주석]

1) 晉陵(진릉): 지금의 강소성 상주시(常州市) 무진구(武進區).
陸丞(육승): 당시 진릉현승(晉陵縣丞)을 지냈던 사람으로 육원방(陸元方)이라는 설이 있으나 분명치 않다. 현승은 부현령(副縣令)에 해당하는 관직이다.

遊望(유망): 이리저리 노닐며 멀리 경관을 바라보다.

2) 宦遊人(환유인): 벼슬을 따라서 사방으로 떠돌아다니는 사람.

3) 物候(물후): 만물이 계절의 변화에 따라 변하는 현상.

4) 曙(서): 새벽.

5) 淑氣(숙기): 따뜻한 봄기운.

黃鳥(황조): 꾀꼬리.

6) 轉(전): 뒹굴다. 밝은 햇빛이 봄을 맞아 푸르러진 네가래 위에 어른거리는 모습을 말한다. 강엄(江淹)의 「미인의 봄나들이를 노래하다(咏美人春遊)」에 "강남의 이월 봄날, 동풍이 푸른 네가래에 어른거리네(江南二月春, 東風轉綠蘋)"라는 구절이 있다.

7) 古調(고조): 옛 격조. 여기서는 육승(陸丞)의 「이른 봄나들이(早春遊望)」를 가리키는 것으로, 그의 시가 옛사람의 격조에 가깝다고 높인 것이다.

8) 霑巾(점건): 수건을 적시다. 저본에는 '沾(첨)'으로 되어 있다.

[해설]

두심언은 강음(江陰)에서 현위(縣尉)와 현승(縣丞)을 지낸 적이 있었다. 이 시는 당시 같은 군에서 진릉현승(晉陵縣丞)을 지내고 있던 육씨(陸氏)에게 화답한 것으로, 타향에서 맞는 봄의 낯선 경관들을 묘사하며 고향에 대한 그리움을 나타내고 있다.

제1~2구에서는 자신이 타향을 떠돌며 벼슬살이하는 사람인 까닭에 타향의 계절 변화가 놀랍고 낯설게 느껴짐을 말하고 있다. 제3~4구에서는 새벽 바다에서 구름과 놀이 피어나고 봄 강에 매화와 버들이 피어 점점 북쪽으로 번져가는 모습을 묘사하며, 제5~6구에서는 따스한 봄기운 속에 꾀꼬리가 울고 푸른 네가래에 햇빛이 일렁이는 광경을 묘사하고 있다. 이와 같은 풍경들은 강남의 전형적인 봄 풍경이지만 시인에게는 고향의 봄과는 대비되는 그저 낯설고 놀랍기만 한 풍경일 뿐이다. 따라서 마지막 제7~8구에서는 육승의 시를 옛 격조와 가깝다고 높이며 그의 시에 대한 화답의 뜻을 나타내고 수건이 젖도록 눈물 흘리고 있는 자신의 모습을 통해 깊은 향수를 나타내고 있다.

184. 봉래 삼전에서 시연하며 칙명을 받들어 종남산을 읊다

두심언(杜審言)

북두성은 장안성 가에 걸려 있고
종남산은 전각 앞에 기대어 있도다.
구름 끝에 황금 궁궐은 아득하고
나무 끝에 옥 대궐이 걸려 있으며,
고개 중턱에는 아름다운 기운이 통하고
봉우리 가운데는 상서로운 연기가 감돌고 있네.
소신 종남산을 가져다 장수를 축원하오니
오래도록 이처럼 요임금의 하늘을 이고 있을 수 있기를.

蓬萊三殿侍宴奉敕咏終南山[1]

北斗掛城邊,[2] 南山倚殿前.[3]
雲標金闕逈,[4] 樹杪玉堂懸.[5]
半嶺通佳氣,[6] 中峰繞瑞烟.[7]
小臣持獻壽,[8] 長此戴堯天.[9]

[주석]

1) 蓬萊(봉래): 봉래궁(蓬萊宮). 당(唐)의 대명궁(大明宮)을 가리킨다. 『구당서(舊唐書)』에 따르면 태종(太宗) 정관(貞觀) 8년(634)에 처음 지어졌을 때는 이름이

영안궁(永安宮)이었다가 이듬해 대명궁으로 바뀌었으며, 고종(高宗) 용삭(龍朔) 2년(662)에 증축하며 다시 봉래궁으로 바뀌었다.

三殿(삼전): 대명궁의 인덕전(麟德殿)을 가리킨다. 인덕전이 삼면이 있는 것에서 유래한 말로, 인덕전이 동서로 회랑이 연결되어 있기 때문이라거나 인덕전 자체가 전전(前殿), 중전(中殿), 후전(後殿)의 세 전각이 하나로 연결된 것이기 때문이라고 한다. 황제가 주관하는 각종 행사와 의례가 치러졌던 곳이다.

奉敕(봉칙): 황제의 칙명을 받들다.

終南山(종남산): 넓은 의미로는 섬서성 서안시(西安市) 남쪽에 있는 산맥인 진령(秦嶺)을 가리키고, 좁은 의미로는 진령의 한 봉우리인 종남산을 가리킨다.

2) 北斗(북두): 북두성(北斗星).

城(성): 장안성(長安城).

3) 南山(남산): 종남산(終南山).

4) 雲標(운표): 구름 끝.

金闕(금궐): 황금으로 장식한 궁궐.

逈(형): 멀다, 아득하다.

5) 樹杪(수초): 나무 끝.

玉堂(옥당): 옥으로 장식한 전각.

懸(현): 매달다, 걸리다.

6) 半嶺(반령): 고개 중턱.

7) 瑞烟(서연): 상서로운 연기.

8) 持(지): 들다, 지니다. 종남산의 무궁함을 가지고 온다는 뜻이다. 『시경(詩經)·소아(小雅)·천보(天保)』에 "달이 차오르듯 해가 떠오르듯 남산이 무궁하듯 이지러지지도 않고 무너지지도 않는다네(如月之恆, 如日之升, 如南山之壽, 不騫

不崩)"라 했으니, 여기서는 이 뜻을 차용하여 종남산의 무궁함에 빗대어 장수를 축원한 것이다.

獻壽(헌수): 장수(長壽)를 축원하다.

9) 戴堯天(대요천): 요(堯)임금의 하늘을 머리에 이다. 요임금이 다스리는 태평성세와 같은 세상에서 살고 싶다는 뜻이다.

[해설]

이 시는 대명궁(大明宮)의 인덕전(麟德殿)에서 중종(中宗)을 모시고 시연하며 황제의 명을 받들어 쓴 응제시(應製詩)로, 종남산의 웅장하고 신비로운 경관을 묘사하며 황제의 장수를 축원하고 있다.

제1~2구에서는 북두성의 천세와 종남산의 지세를 동원하여 장안성에 자리 잡은 대명궁 인덕전의 위용을 묘사하며 하늘과 땅의 중심으로서의 황제의 권위와 위세를 강조하고 있다. 제3~4구에서는 대명궁 주변의 전각들이 구름에 가려 아득하고 마치 나뭇가지 끝에 걸려 있는 듯한 모습을 묘사하며 이곳이 선계(仙界)와 같이 신비로운 곳임을 말하고, 이어 제5~6구에서는 아름다운 기운이 가득하고 상서로운 연기가 감싸고 있는 종남산의 모습을 묘사하며 이를 대명궁과 일치시키고 있다. 제7~8구에서는 종남산의 신비로움과 무궁함을 끌어다 황제의 장수를 축원하고 중종(中宗)을 요임금에 비유하며 황제가 다스리는 태평성세에서 오래도록 살고 싶은 바람을 나타내고 있다.

185. 봄밤 친구와 이별하며

진자앙(陳子昂)

은촛대는 푸른 연기를 토해내고
금술잔은 수놓은 대자리를 대하고 있네.
헤어지는 집에서 친구를 생각하니
이별의 길은 산천을 둘러싸고 있네.
밝은 달은 높은 나무에 가리고
은하수는 새벽하늘에 잠기네.
아득히 낙양으로 떠나가니
이 같은 만남이 어느 해에나 있을는지.

春夜別友人

銀燭吐清烟,[1] 金樽對綺筵.[2]
離堂思琴瑟,[3] 別路繞山川.[4]
明月隱高樹, 長河沒曉天.
悠悠洛陽去,[5] 此會在何年.

[주석]

1) 銀燭(은촉): 은촛대.

2) 綺筵(기연): 화려한 무늬로 수놓은 대자리.

3) 琴瑟(금슬): 큰 거문고와 작은 거문고. 일반적으로 부부를 가리키나 여기서

는 친구를 의미한다.

4) 繞(요): 두르다, 감기다.

5) 悠悠(유유): 멀고 아득한 모양.

去(거): 떠나다. '道(도)'로 되어 있는 판본도 있다.

[해설]

이 시는 광택(光宅) 원년(684) 진자앙이 낙양으로 떠나면서 전별연을 벌이며 친구와의 이별의 아쉬움을 나타낸 것으로, 총 2수 중 제1수이다.

제1~2구에서는 푸른 연기가 피어오르는 은촛대와 아름다운 대자리 위의 금술잔을 대비시키며 성대하고 화려한 이별연의 정경을 나타내고, 제3~4구에서는 친구와의 깊은 우정을 말하며 눈앞에 다가온 이별을 아쉬워하고 있다. 제5~6구에서는 깊은 밤 달이 높은 나무에 가리고 은하수가 새벽하늘로 저무는 모습을 통해 아쉬움으로 인해 차마 마치지 못하고 밤새도록 이어진 전별연을 말하고, 마지막 제7~8구에서는 낙양으로의 먼 길을 생각하며 친구와의 재회를 고대하고 있다.

186. 장녕공주의 동쪽 별장에서 시연하며 이교(李嶠)

별장은 동쪽 교외에 임해 있는데
황제의 수레가 황궁에서 내려오셨네.
길게 배열된 연회 자리에 백관들이 모여 있고
신선의 퉁소는 봉황조를 연주하네.
나무 이어져 남쪽 산은 가깝고
안개 머금어 북쪽 모래톱은 아득하도다.
성은을 입어 모두 이미 취했건만
아쉬워하며 즐기시느라 말 재갈 돌리지 못하시네.

長寧公主東莊侍宴[1]

別業臨青甸,[2] 鳴鑾降紫霄.[3]
長筵鵷鷺集,[4] 仙管鳳凰調.[5]
樹接南山近,[6] 烟含北渚遙.[7]
承恩咸已醉, 戀賞未還鑣.[8]

[주석]

1) 제목이 「장녕공주의 동쪽 별장에서 시연하며 응제하다(侍宴長寧公主東莊應制)」로 되어 있는 판본도 있다.

長寧公主(장녕공주): 당(唐) 중종(中宗)의 장녀이며 중종의 총애를 받았다. 처음에 양신교(楊愼交)와 혼인했다가 그가 죽은 후에 소언백(蘇彦伯)과 재혼했으며, 중종이 그녀를 위해 장안 동쪽 교외에 별장을 지어주고 자주 찾아가 연회를 베풀었다.

東莊(동장): 동쪽에 있는 별장.

2) 別業(별업): 별장.

青甸(청전): 동쪽 교외. 오행(五行)에서 '청(青)'은 동쪽에 해당하며 '전(甸)'은 교외 지역을 가리킨다.

3) 鳴鑾(명란): 황제의 수레에 다는 방울.

紫霄(자소): 자줏빛 하늘. 여기서는 황제의 궁전을 의미한다.

4) 長筵(장연): 길게 배열된 자리. 성대하고 위엄 있는 연회 자리를 의미한다.

鵷鷺(원로): 원추새와 해오라기. 이 새들은 날아갈 때 차례를 지키는 까닭에 여기서는 품계의 서열이 있는 조정 백관들을 비유한다.

5) 仙管(선관): 신선의 퉁소.

鳳凰調(봉황조): 봉황을 불러들이는 곡조. 『열선전(列仙傳)』에 따르면 진(秦) 목공(穆公)의 딸 농옥(弄玉)이 소사(蕭史)와 부부가 되어 살며 그에게서 퉁소를 배웠는데, 농옥이 퉁소를 불면 그 소리가 봉황의 울음소리와 같아 봉황이 날아와 그 집에 머물렀다고 한다.

6) 南山(남산): 종남산(終南山).

7) 北渚(북저): 북쪽 모래톱. 여기서는 위수(渭水)를 가리킨다.

8) 戀賞(연상): 연연해하며 감상하다. 아쉬움에 차마 떠나지 못하고 즐기는 것을 말한다.

鑣(표): 말 재갈.

[해설]

이 시는 당(唐) 중종(中宗)의 장녀 장녕공주(長寧公主)의 별장에서 황제를 모시고 시연하며 쓴 응제시(應制詩)로, 연회의 상황과 별장의 경관을 묘사하며 황제의 성은과 자애로움을 칭송하고 있다.

제1~2구에서는 동쪽 교외에 있는 장녕공주의 별장으로 황제가 친히 찾아갔음을 말하고, 제3~4구에서는 조정 백관들이 열 지어 있고 아름다운 음악이 울려 퍼지는 성대하고 장엄한 연회의 모습을 묘사하고 있다. 제5~6구에서는 주위에 심어진 나무가 가까이 종남산에 이어져 있고 자욱한 안개 너머로 아득히 위수의 모래톱이 바라보이는 별장의 아름다운 경관을 묘사하고, 제7~8구에서는 성은을 입어 자신들은 이미 모두 술에 취했건만 황제는 아쉬움에 차마 궁성으로 돌아가지 못하고 있다는 말로써 자신들에 대한 황제의 은총과 자식에 대한 황제의 자애를 칭송하고 있다.

187. 은혜로이 여정전 서원의 연회를 내려주시니 '임(林)' 자를 얻어 응제하다

장열(張說)

동벽은 도서가 소장되어 있는 곳이요
서원은 문인들이 모여 있는 곳이니,
『시경』을 낭송하며 나라의 정사를 듣고
『역경』을 강론하며 하늘의 이치를 본다네.
지위를 훔쳐 재상의 직책은 무겁고
은혜를 탐하여 술에 취함이 깊도다.
이에 춘흥의 곡을 노래하여
나를 알아주는 분께 마음의 정을 다한다네.

恩賜麗正殿書院宴應制賦得林字[1]

東壁圖書府,[2] 西園翰墨林.[3]
誦詩聞國政,[4] 講易見天心.[5]
位竊和羹重,[6] 恩叨醉酒深.[7]
載歌春興曲,[8] 情竭爲知音.[9]

[주석]

1) 저본에는 제목이 「은혜로이 여정전 서원과 연회를 내려주시니 '임(林)' 자를 얻어 응제하다(恩賜麗正殿書院賜宴應得林字)」로 되어 있다.

麗正殿(여정전): 당(唐) 대명궁(大明宮) 안에 있는 전각. 현종(玄宗) 개원(開元) 13년(725)에 이곳에 서원을 설치하고 장열(張說)을 지원사(知院事)로 삼아 서원을 관장하게 했다.

賦得(부득): 시인들이 모여 함께 시를 지을 때 시제(詩題)나 시구(詩句), 또는 운자(韻字)를 분배받는 것을 가리키는 말로, 본래 이전 사람의 시구를 시제로 삼을 경우 제목에 '부득(賦得)'이라는 말을 붙였던 것에서 비롯됐다. 과거에서는 주로 이전 사람의 시구를 시제로 부과했기 때문에 제목에 이를 붙였으며, 임금의 명을 받아서 짓는 응제시(應制詩)에도 붙였다. 여기서는 '임(林)' 자를 운자로 받았음을 말한다.

2) 東壁(동벽): 별자리 이름. 28수(宿) 중의 하나로 벽수(壁宿)를 가리키며 천문(天門)의 동쪽에 있어 이와 같이 부른다. 영성(營星)과 실성(室星) 두 별이 있는데 문장을 주관하며 황궁의 장서가 있는 곳으로 여겼다.

圖書府(도서부): 도서가 소장되어 있는 곳.

3) 西園(서원): 위(魏) 조조(曹操)가 업성(鄴城)에 만든 원림으로, 조식(曹植)이 천하의 문인들을 불러 시문을 짓고 연회를 즐겼다.

翰墨林(한묵림): 문인들이 모여 있는 곳.

4) 誦詩(송시): 『시경(詩經)』을 낭송하다.

聞國政(문국정): 국정을 듣다. 『시경』을 통해 나라를 다스리는 원리와 이치를 깨닫는 것을 말한다.

5) 講易(강역): 『역경(易經)』을 강론하다. 『역경』을 통해 천지자연의 운행의 원리와 이치를 깨닫는 것을 말한다.

見天心(견천심): 하늘의 이치를 보다.

6) 位竊(위절): 지위를 훔치다. 겸손의 뜻이다.

和羹(화갱): 국의 맛을 조화롭게 하다. 오미(五味)를 잘 조절하여 국을 만든

다는 뜻으로, 재상의 직책을 가리킨다.

7) 恩叨(은도): 은혜를 탐내다. 겸손의 뜻이다.

8) 載(재): 이에.

9) 情竭(정갈): 마음속의 정을 다하다.

知音(지음): 자신을 알아주는 사람. 여기서는 현종(玄宗)을 가리킨다.

[해설]

이 시는 당(唐) 현종(玄宗)이 여정전(麗正殿)에 서원(書院)을 설치하고 유신들에게 잔치를 베풀 때 황제의 명에 따라 쓴 응제시(應制詩)로, 서원의 연회를 내려주고 자신을 알아주는 황제의 은혜에 감사하고 있다.

제1~2구에서는 천궁의 도서가 소장되어 있는 동벽(東壁) 별자리와 뛰어난 문인들이 모여들었던 조식의 서원(西園)을 들어 천하의 서적과 인재가 모여 있는 여정전의 서원을 비유하고, 제3~4구에서는 그곳에서 경서를 읽고 강론하며 정사의 이치와 천지만물의 원리를 궁구하고 있는 문인학자들의 모습을 말하고 있다. 제5~6구에서는 재상의 중책을 맡고 있는 자신에 대해 겸손함을 나타내며 술에 흠뻑 취한 모습으로써 황제의 성은에 깊이 감사하고 있다. 제7~8구에서는 봄날 연회에서의 흥을 노래하면서 황제가 자신을 알아주는 것에 감사하며 자신의 충심을 나타내고 있다.

188. 친구를 보내며

이백(李白)

푸른 산은 북쪽 성곽에 가로놓이고
흰 강물은 동쪽 성을 감돌아 흐르네.
이곳에서 한번 이별하게 되면
외로운 쑥이 되어 만 리를 떠돌겠지.
떠가는 구름은 그대 나그네의 마음이요
지는 해는 이 친구의 우정이라네.
손 흔들며 이곳에서 떠나가니
히힝히힝 헤어지는 말들도 우네.

送友人

靑山橫北郭,[1] 白水遶東城.[2]
此地一爲別, 孤蓬萬里征.[3]
浮雲遊子意,[4] 落日故人情.[5]
揮手自玆去,[6] 蕭蕭班馬鳴.[7]

[주석]

1) 北郭(북곽): 북쪽 성곽. 옛날의 성곽은 내성(內城)과 외성(外城)의 구별이 있었는데, 내성은 '성(城)'이라 하고 외성은 '곽(郭)'이라 했다.

2) 遶(요): 감돌아 흐르다. '繞(요)'로 되어 있는 판본도 있다.

3) 孤蓬(고봉): 외로운 쑥. 바람에 날려 뒹구는 다북쑥을 가리키며, 여기서는 홀로 먼 길을 떠나는 친구를 비유한다.

征(정): 멀리 가다.

4) 浮雲(부운): 떠가는 구름. 날아가는 구름처럼 먼 곳으로 떠나가는 것을 말한다.

遊子(유자): 나그네. 친구를 가리킨다.

5) 落日(낙일): 지는 해. 서산에 걸린 석양처럼 아쉬움에 미적거리는 것을 말한다.

故人(고인): 친구. 자신을 가리킨다.

6) 揮手(휘수): 손을 흔들다.

自茲(자자): 이곳으로부터. 저본에는 '自知(자지)'로 되어 있다.

7) 蕭蕭(소소): 말의 울음소리.

班馬(반마): 무리에서 이탈한 말. '반(班)'은 '헤어지다'라는 뜻. 『시경(詩經)·수아(小雅)·거공(車攻)』의 "히힝히힝 말이 우네(蕭蕭馬鳴)"에서 나온 말로, 이별하는 두 말을 가리킨다.

[해설]

이 시는 먼 곳으로 떠나는 친구를 전송하며 쓴 것으로, 떠나는 친구의 쓸쓸한 모습과 친구를 향한 자신의 우정을 말하며 이별의 아쉬움을 나타내고 있다.

제1~2구에서는 이별의 과정과 배경을 시간의 흐름에 따라 산과 강으로 나누어서 묘사하고 있는데, 청(靑)과 백(白)의 색채와 북(北)과 동(東)의 방향이 극명하게 대비되며 조화를 이루고 있다. 제3~4구에서는 이곳에서 헤어져 만 리 먼 길을 홀로 떠나갈 친구의 모습을 상상하고, 제5~6구에서는 '떠가는 구름(浮雲)'과 '지는 해(落日)'로써 먼 길 떠나는 친구의 외로움과 그를 떠나보내는 자신의 아쉬움을 비유하고 있다. 마지막 제7~8구에서는 헤어지는 두 말의 울음소리를 통해 사람뿐 아니라 말들 또한 이별을 슬퍼하고 있음을 말하며 이별의 슬픔을 배가하고 있다.

189. 촉 땅으로 들어가는 친구를 보내며

이백(李白)

듣기에 촉 땅 길은
높고 험준하여 가기가 쉽지 않다 하니,
산은 사람 얼굴 앞에서 솟아오르고
구름은 말 머리 가에서 피어나겠지.
향기로운 나무는 진의 잔도를 뒤덮고
봄물은 촉 땅의 성을 휘감겠지.
인생의 부침이야 이미 정해져 있는 것이니
엄군평에게 물어볼 필요는 없으리.

送友人入蜀

見說蠶叢路,[1] 崎嶇不易行.[2]
山從人面起, 雲傍馬頭生.
芳樹籠秦棧,[3] 春流遶蜀城.[4]
升沈應已定,[5] 不必問君平.[6]

[주석]

1) 見說(견설): 말하는 것을 듣다.

蠶叢路(잠총로): 잠총(蠶叢)의 땅으로 가는 길. 잠총은 전설상 고대 촉(蜀)나라의 국왕으로, 백성들에게 뽕나무를 심도록 하여 잠업(蠶業)을 장려했다고 한다. 여기서는 촉 땅으로 들어가는 길을 의미한다.

2) 崎嶇(기구): 가파르고 험준하다.

3) 籠(농): 뒤덮다.

秦棧(진잔): 진(秦)의 잔도(棧道). 절벽에 구멍을 뚫어 나무를 가설하여 만든 길. 진(秦)에서 촉(蜀)으로 들어가는 험한 길에 많이 설치되어 있어 이와 같이 부른다.

4) 遶(요): 감돌아 흐르다. '繞(요)'로 되어 있는 판본도 있다.

잔도(棧道)

蜀城(촉성): 촉 땅의 성(城). 성도(成都)를 가리킨다.

5) 升沈(승침): 부침(浮沈).

6) 君平(군평): 엄준(嚴遵). 서한(西漢)의 촉(蜀) 지역 사람으로, 자가 군평(君平)이다. 성도(成都)에서 점을 치며 살았다.

[해설]

이 시는 촉(蜀) 땅으로 들어가는 친구를 전송하며 쓴 것으로, 친구가 지나갈 험한 여정을 생각하며 위안과 격려의 뜻을 나타내고 있다.

제1~2구에서는 촉으로 들어가는 길이 매우 험난하고 고생스러울 것임을 말하고, 제3~4구에서는 눈앞으로 끝없이 이어지는 산과 말 머리가에서 피어나는 구름을 통해 촉으로 가는 높고 험준한 산세를 나타내고 있다. 제5~6구에서는 잔도를 뒤덮은 향기로운 나무와 촉 땅의 성을 휘감아 도는 봄 강물을 묘사하며 비록 고난의 여정이지만 운치는 느낄 수 있을 것이라는 말로 친구를 위안하고, 제7~8구에서는 인생의 부침은 이미 정해져 있어 인력으로 어찌할 수는 없으니 성도로 가서 굳이 엄군평 같은 이를 찾아가 점을 쳐볼 필요는 없다는 말로써 운명에 순응하며 살아갈 것을 권하고 있다.

190. 북고산 밑에서 묵으며

왕만(王灣)

나그넷길은 푸른 산 밖으로 나 있고
떠나는 배는 푸른 물 앞에 있네.
조수는 평평하고 양 언덕은 드넓은데
바람 순조로워 돛 하나 내걸었네.
바다의 해는 밤이 다 새기 전에 뜨고
강의 봄은 한 해가 다 가기 전에 찾아드네.
고향으로 보내는 편지 어느 곳에 부칠까?
낙양 가로 돌아가는 기러기 편이라네.

次北固山下[1]

客路青山外,[2] 行舟綠水前.[3]
潮平兩岸闊,[4] 風正一帆懸.[5]
海日生殘夜,[6] 江春入舊年.[7]
鄉書何處達,[8] 歸雁洛陽邊.[9]

[주석]

1) 次(차): 여행 도중에 잠시 머물다.

北固山(북고산): 산 이름. 지금의 강소성(江蘇省) 진강시(鎭江市)에 있으며 삼면이 장강(長江)으로 둘러싸여 있다.

2) 靑山(청산): 푸른 산. 북고산을 가리킨다.

外(외): 바깥. '下(하)'로 되어 있는 판본도 있다.

3) 綠水(녹수): 푸른 물. 장강을 가리킨다.

4) 潮平(조평): 조수가 평평하다. 봄물이 불어 강의 양 언덕까지 물이 차오른 것을 말한다.

闊(활): 드넓다.

5) 風正(풍정): 바람이 순조롭다. 배가 나아가려는 방향으로 바람이 부는 것을 가리킨다.

6) 海日(해일): 바다의 해. 장강의 드넓은 수면 위로 떠오른 해를 가리킨다.

殘夜(잔야): 쇠잔해지는 밤. 날이 새기 직전을 가리킨다.

7) 舊年(구년): 묵은해. 아직 새해가 되기 전을 가리킨다.

8) 鄕書(향서): 고향으로 보내는 편지.

9) 歸雁(귀안): 북쪽으로 돌아가는 기러기. 기러기는 겨울이 되면 따뜻한 남쪽으로 날아가고 봄이 되면 너무 덥지 않은 북쪽으로 날아간다. 고대에 기러기 발에 서신을 달아 소식을 전한 것에서 유래하여 서신을 '안서(雁書)' 또는 '안족서(雁足書)'라 칭했다.

洛陽(낙양): 지금의 하남성(河南省) 낙양시(洛陽市). 왕만(王灣)의 고향이다.

[해설]

이 시는 장강을 따라 뱃길로 내려가며 여행하던 도중 북고산(北固山)에 머물러 쓴 것으로, 북고산과 주변 장강의 봄 풍경을 묘사하며 향수를 나타내고 있다.

시의 앞 여섯 구에서는 경물을 묘사하고 마지막 두 구에서는 정감을 드러내고 있다. 제1~2구에서는 원경과 근경, 육로와 수로, 청색과 녹색의 대비를 통해 북고산과 장강을 지나는 나그네의 여로를 묘사하고, 제3~4구에서는 봄이 되어 물이 불어나 드넓어진 장강에 순풍을 맞아 돛을 달고 떠나는 모습이 나타나 있다. 제5~6구에서는 밤이 채 새기 전에 장강의 수면 위로 떠오르는 해와 아직 새해가 되기 전임에도 이미 찾아든 장강의 봄을 말하며 강북보다 해가 빨리 뜨고 봄이 일찍 시작되는 강남 지역의 특징을 말하고 있다. 마지막 제7~8구에서는 고향을 떠올리며 고향인 낙양 쪽으로 날아가는 기러기 편에 소식을 전하고 싶은 마음을 나타내고 있다.

191. 소씨의 별장

조영(祖詠)

별장 짓고 그윽한 곳에서 지내시는데
와보니 은거하고픈 마음 생겨나네.
남산은 방과 창을 마주하고
풍수는 뜰과 숲을 비추며,
대나무에는 겨울 지나온 눈이 덮여 있고
마당은 어둑하니 저녁 어두움 때문이 아니라네.
고요히 인간 세상 바깥에서
한가로이 앉아 봄의 새소리 듣는다네.

蘇氏別業[1]

別業居幽處, 到來生隱心.[2]
南山當戶牖,[3] 灃水映園林.[4]
竹覆經冬雪,[5] 庭昏未夕陰.[6]
寥寥人境外,[7] 閑坐聽春禽.[8]

[주석]

1) 蘇氏(소씨): 누구인지 알 수 없다.
別業(별업): 별장.

2) 隱心(은심): 은거하고 싶은 마음.

3) 南山(남산): 종남산(終南山)을 가리킨다.

戶牖(호유): 방문과 창문.

4) 灃水(풍수): 강 이름. 섬서성(陝西省) 진령(秦嶺)에서 발원하여 서북쪽으로 흘러 위수(渭水)로 들어간다.

5) 經冬(경동): 겨울을 지나오다.

6) 未夕陰(미석음): 저녁의 어두움 때문이 아니다. 우거진 나무들로 인해 마당이 그늘진 것을 말한다.

7) 寥寥(요요): 고요하고 적막한 모양.

人境(인경): 인간 세상.

8) 春禽(춘금): 봄철의 새.

[해설]

이 시는 이른 봄에 소씨의 별장을 방문하고 쓴 것으로, 별장의 경관을 묘사하며 소씨의 고아하고 은일자적(隱逸自適)한 삶을 말하고 있다.

제1~2구에서는 그윽한 곳에 별장을 짓고 지내는 소씨를 찾아가니 자신 또한 은거하고 싶은 마음이 생겨남을 말하고 있다. 다음 네 구에서는 원경과 근경, 산경과 수경을 대비시키며 소씨 별장의 주변 경관을 묘사하고 있다. 제3~4구에서는 방과 창밖으로 종남산이 바라보이며 주변을 흐르는 풍수에 정원의 숲이 비치고 있는 경관을 묘사하고, 제5~6구에서는 겨울에 내린 눈이 채 녹지 않고 대나무에 덮여 있으며 우거진 나무에 그늘져 마당이 어둑한 모습을 묘사하고 있다. 각 구에서 묘사된 종남산과 풍수, 눈 덮인 대나무와 그늘 드리운 나무들이 다만 풍경 자체에 그치지 않고 참된 은자로서의 소씨의 지조와 품덕을 상징적으로 드러내고 있다. 제7~8구에서는 인간 세상과 떨어진 고요하고 적막한 곳에서 한가로이 봄철 새 울음소리를 듣고 있는 소씨의 모습을 말하며 흠모와 존경의 뜻을 함께 나타내고 있다.

192. 봄날 좌성에서 숙직하며

두보(杜甫)

저물녘의 궁궐 담에 꽃은 몸을 숨기고
지저귀며 둥지 찾는 새들이 지나간 뒤,
별은 만 개의 궐문에 임하여 반짝이고
달은 하늘 궁궐에 곁하여 더 환히 빛나네.
잠 못 든 채 황금 자물쇠 소리 들으며
바람결에 들려오는 말방울 소리인가 생각하네.
내일 아침 조회에서 올릴 상소문 있어
밤이 얼마나 지났는지 몇 번이고 물어본다네.

春宿左省[1]

花隱掖垣暮,[2] 啾啾棲鳥過.[3]
星臨萬戶動,[4] 月傍九霄多.[5]
不寢聽金鑰,[6] 因風想玉珂.[7]
明朝有封事,[8] 數問夜如何.[9]

[주석]

1) 宿(숙): 숙직하다.

左省(좌성): 당대(唐代)의 문하성(門下省). 선정전(宣政殿) 왼쪽에 있어서 이렇게 불렀으며 좌액(左掖)이라고도 했다. 당시 두보는 좌습유(左拾遺)로서 문하성에 속해 있었다.

2) 隱(은): 숨다. 궁궐 담장 밑에 핀 꽃이 어둠 속에서 형체가 묻히는 것을 말한다.

掖垣(액원): 궁궐의 담장. 여기서는 문하성의 담장을 가리킨다.

3) 啾啾(추추): 새 울음소리.

棲鳥(서조): 둥지로 돌아가는 새.

4) 萬戶(만호): 천문만호(千門萬戶). 궁궐의 수많은 문을 가리킨다.

動(동): 반짝이다.

5) 傍(방): 곁하다. 가까이 다가가다.

九霄(구소): 구천(九天). 하늘 중 가장 높은 곳을 의미하며 여기서는 황제가 사는 궁궐을 가리킨다. 궁궐이 높아 달과 가까워 달빛이 다른 곳보다 더 많이 비친다는 의미이다.

6) 金鑰(금약): 황금 자물쇠. 궁궐의 자물쇠를 가리킨다.

7) 玉珂(옥가): 말의 굴레에 다는 장식품. 대개 옥으로 만들기 때문에 이와 같이 불렸으며 말이 걸어가면 울리기 때문에 '명가(鳴珂)'라고도 한다. 여기서는 조회에 참석하러 오는 조정 관원들의 수레 소리를 가리킨다.

8) 封事(봉사): 밀봉하여 천자에게 올리는 상소문. 당대 보궐(補闕)과 습유(拾遺)는 간언하는 일을 담당했는데, 사안의 경중에 따라 조정에서 직접 간언하거나 봉사를 올렸다.

9) 數問(삭문): 자주 묻다.

[해설]

이 시는 당(唐) 숙종(肅宗) 건원(乾元) 원년(758)에 두보가 좌습유(左拾遺)로 있을 때 문하성에서 숙직하며 쓴 것으로, 궁궐의 저녁과 밤의 풍경을 묘사하며 직무에 충실한 자신의 충정을 나타내고 있다. 시에서는 저녁부터 새벽까지의 궁궐의 모습이 시간의 흐름에 따라 정동(靜動)과 출몰(出沒), 시각과 청각 등의 대비를 통해 순차적으로 섬세하게 묘사되고 있다.

제1~2구에서는 어둠에 묻히는 궁궐 담의 꽃과 지저귀며 둥지 찾아 날아가는 새의 모습을 대비시키며 정적에 잠긴 궁궐의 저녁 풍경을 묘사하고 있다. 제3~4구에서는 궁궐 가득 환히 비치는 별빛과 달빛을 각각 '동(動)'과 '다(多)'로 표현함으로써 정적인 밤의 시간을 동적인 상황으로 전환하고 있다. 제5~6구에서는 궁문의 자물쇠 소리를 들으며 조정 관원들이 조회하러 들어오는 소리로 여기고, 제7~8구에서는 이튿날 아침에 황제에게 간언할 일 때문에 시간이 얼마나 지났는지 몇 번이고 물어보며 아침이 오기만을 기다리고 있는 모습을 통해 직무에 대한 성실한 태도와 조정에 대한 충성심을 나타내고 있다.

193. 현무선사의 거처 벽에 쓰다

두보(杜甫)

어느 해에 고개지가
벽 가득히 창주를 그려놓았나?
붉은 태양 아래 돌과 숲에서 기운이 서리고
푸른 하늘 아래 강과 바다는 흘러가네.
석장을 날려 항상 학과 가까이하고
나무잔을 타고 강을 건너며 갈매기를 놀라게 하지도 않으니,
마치 여산으로 가는 길을 얻어
진정 혜원승려를 따라 노니는 듯하네.

題玄武禪師屋壁[1]

何年顧虎頭,[2] 滿壁畫滄洲.[3]
赤日石林氣, 青天江海流.
錫飛常近鶴,[4] 杯渡不驚鷗.[5]
似得廬山路,[6] 眞隨惠遠遊.[7]

[주석]

1) 玄武禪師(현무선사): 법명이 현무(玄武)인 승려.
屋(옥): 거처. 여기서는 절을 의미하며 지금의 사천성(四川省) 중강현(中江縣)에 있다.

2) 顧虎頭(고호두): 고개지(顧愷之). 동진(東晉)의 저명한 화가로 어릴 때 이름이 호두(虎頭)였다.

3) 滄洲(창주): 물가. 은자의 거처를 의미한다.

석장(錫杖)

4) 錫飛(석비): 석장(錫杖)을 날리다. '석장'은 승려들이 짚는 지팡이로, 끝에 주석을 달아 장식하여 이와 같이 불렀다. 『고승전(高僧傳)』에 다음과 같은 기록이 있다. "서주(舒州)의 잠산(潛山)은 경치가 매우 아름다운데 산기슭이 특히 빼어났다. 보지공(寶誌公)과 백학도인(白鶴道人)이 그곳을 갖고 싶어 함께 양(梁) 무제(武帝)에게 상의했다. 황제는 두 사람 모두 신통력을 갖추고 있다 여기고 각자 물건으로 그 땅을 표시하여 얻은 곳에 살게 했다. 백학도인이 말하기를, "저는 학이 머무는 곳을 표기로 삼겠습니다"라고 했다. 보지공이 말하기를, "저는 석장이 꽂히는 곳을 표기로 삼겠습니다"라고 했다. 잠시 후 학이 먼저 날아가 산기슭에 이르러 멈추려 했다. 홀연 공중에서 석장 날아가는 소리가 들리더니 보지공의 석장이 마침내 산기슭에 꽂혔다. 백학도인은 불쾌했으나 앞서 한 말을 식언할 수 없었기에 마침내 각자의 표시에 따라 집을 지었다(舒州潛山最奇絶, 而山麓尤勝. 寶誌公與白鶴道人欲之, 同謀于梁武帝. 帝以二人俱具靈通, 俾各以物誌其地, 得者居之. 道人云, 某以鶴止處爲記. 誌公云, 某以卓錫處爲記. 已而鶴先飛去, 至麓將止. 忽聞空中錫飛聲, 誌公之錫, 遂卓于山麓. 道人不懌然, 然以前言不可食, 遂各以所誌築室焉)."

5) 杯渡(배도): 나무잔을 타고 건너다. 저본에는 '度(도)'로 되어 있다. 『고승전

(高僧傳)』에 다음과 같은 기록이 있다. "배도라는 사람은 그 성명을 알 수 없다. 항상 나무잔을 타고 황하를 건넜기 때문에 이름이 붙여졌다. 자질구레한 수행은 하지 않고 깊이 정진하지도 않았으며 술 마시고 고기도 먹어 속인들과 다르지 않았다(杯渡者, 不知其姓名. 常乘木杯渡河, 因名焉. 不修細行, 不甚精持, 飮酒食肉, 與俗人不殊)."

6) 廬山(여산): 지금의 강서성(江西省) 구강시(九江市)에 있는 산으로, 풍광이 빼어나 이백(李白)과 소식(蘇軾) 등 역대 많은 시인들이 시의 소재로 삼았다.

7) 惠遠(혜원): 동진(東晉)의 승려로, 여산(廬山)에 용천정사(龍泉精舍)를 지어 거주했다. 후에 자사 환이(桓伊)가 혜원법사를 위해 여산의 동쪽에 승방과 불전을 세워 동림사(東林寺)를 조성하니 팽성(彭城) 사람 유유민(劉遺民), 예장(豫章) 사람 뇌차종(雷次宗), 안문(雁門) 사람 주속지(周續之), 신채(新蔡) 사람 필영지(畢穎之), 남양(南陽) 사람 종병(宗炳) 등 23인이 혜원법사에 귀의하여 함께 노닐며 머물렀다.

[해설]

이 시는 당(唐) 숙종(肅宗) 보응(寶應) 원년(762) 두보가 재주(梓州)에 있을 때 대웅산(大雄山) 현무묘(玄武廟)의 벽화를 보고 쓴 것으로, 신비롭고 탈속적인 경치를 담아내고 있는 벽화의 아름다운 모습을 찬미하며 이로 인해 자신 또한 선정(禪定)의 경지에 들어선 듯한 감동을 나타내고 있다.

제1~2구에서는 현무묘의 벽화가 마치 고개지(顧愷之)가 그린 것처럼 그 수준이 뛰어남을 말하고, 제3~4구에서는 벽화 속의 경관이 천지산천을 모두 아우르면서 탈속적이며 신비하고 역동적인 분위기를 자아내고 있음을 말하고 있다. 제5~6구에서는 벽화 속에 그려진 학과 갈매기의 그림에 착안하여 잠산(潛山)을 두고 경쟁했던 보지공(寶誌公)과 백학도인(白鶴道人)의 고사와 나무잔을 타고 황하를 건넜다는 고승의 고사를 떠올리고 있다. 제7~8구에서는 그림을 통해 자신이 마치 여산으로 가서 선정(禪定)에 들어 그 옛날 혜원선사와 노닐었던 뇌차종, 종병과 같은 사람이 된 듯한 감동을 느끼고 있다.

194. 종남산

왕유(王維)

태을산은 천자의 도성과 가깝고
이어진 산들은 바다 끝까지 이어지는데
흰 구름은 돌아 바라보면 합쳐져 있고
푸른 안개는 들어가보면 없어지네.
지역은 봉우리를 경계로 달라지고
흐리고 맑음은 계곡마다 다르다네.
사람들 사는 곳에서 묵고 싶어
개울 너머 나무꾼에게 물어보네.

終南山[1]

太乙近天都,[2] 連山到海隅.[3]
白雲迴望合, 靑靄入看無.[4]
分野中峰變,[5] 陰晴衆壑殊.[6]
欲投人處宿,[7] 隔水問樵夫.[8]

[주석]

1) 終南山(종남산): 넓은 의미로는 섬서성(陝西省) 서안시(西安市) 남쪽에 있는 산맥인 진령(秦嶺)을 가리키고, 좁은 의미로는 진령의 한 봉우리인 종남산을 가리킨다.

2) 太乙(태을): 산 이름. '태일산(太一山)'이라고도 하며 종남산의 주봉이다. 여기서는 종남산을 가리킨다.
天都(천도): 천자(天子)가 사는 도성. 장안(長安)을 가리킨다.
3) 連山(연산): 이어진 산. 여기서는 종남산의 산맥을 가리킨다.
到(도): 이르다, 다다르다. '接(접)'으로 되어 있는 판본도 있다.
海隅(해우): 바다 모퉁이. '해(海)'는 '동해'를 가리킨다.
4) 青靄(청애): 푸르스름한 안개.
5) 分野(분야): 하늘의 28수(宿) 별자리와 12개의 별에 대응하여 땅의 구역을 28개 또는 12개로 나눈 것. 이 구는 종남산이 광대하여 이를 경계로 지역이 바뀌는 것을 말한다. 종남산의 북쪽은 옹주(雍州)로 정수(井宿)와 괴수(鬼宿)에 해당하고, 남쪽은 양주(梁州)와 형주(荊州)로 익수(翼宿)와 진수(軫宿)에 해당한다.
6) 陰晴(음청): 흐린 것과 갠 것.
7) 投(투): 묵다, 투숙하다.
8) 隔水(격수): 물을 사이에 두다. 개울 너머 떨어져 있는 것을 말한다.
樵夫(초부): 나무꾼.

[해설]

이 시는 종남산의 웅장한 경관을 노래한 것으로, 왕유(王維)가 장안 부근의 종남산에서 은거하던 개원(開元) 말에 지은 것으로 여겨진다.

제1~2구에서는 수직과 수평의 대비를 활용하여 도성인 장안 가까이에 우뚝 솟아 천리 밖까지 산줄기가 이어지고 있는 종남산의 웅장한 모습을 묘사하고, 제3~4구에서는 원경과 근경, 흰색과 푸른색의 색채 대비를 활용하여 멀리 산 주위의 흰 구름이 합쳐져 운해를 이루고 있으며 산에 서린 푸른 안개가 가까이 가면 보이지 않는 상황을 나타내고 있다. 제5~6구에서는 봉우리를 경계로 땅이 나뉘고 산의 계곡마다 맑고 흐린 경관이 제각각임을 말하며 종남산의 규모가 광대함을 드러내고, 마지막 제7~8구에서는 하룻밤 투숙하려고 개울 너머 어부에게 사람 사는 곳을 묻는 말을 통해 이곳이 인적이 드문 깊고 험준한 곳임을 나타내고 있다.

195. 좌성의 두 습유에게 부쳐

잠삼(岑參)

발걸음 나란히 붉은 계단으로 나아가다
부서 나뉘어 자미성에만 있게 되었네.
새벽에는 천자의 의장 따라 들어가고
저녁에는 어전의 향기 묻히고 돌아갔네.
흰머리는 지는 꽃을 슬퍼하고
푸른 구름은 나는 새를 흠모하네.
성군의 조정에 그릇된 일 없으니
간언하는 상소문 드문 것을 절로 알겠네.

寄左省杜拾遺[1]

聯步趨丹陛,[2] 分曹限紫薇.[3]
曉隨天仗入,[4] 暮惹御香歸.[5]
白髮悲花落, 青雲羨鳥飛.
聖朝無闕事,[6] 自覺諫書稀.[7]

[주석]

1) 左省(좌성): 당대(唐代) 중앙 행정기구 가운데 하나인 문하성(門下省). 선정전(宣政殿) 왼쪽에 있어서 이와 같이 불렀으며 '좌액(左掖)'이라고도 했다. 이에 비해 오른쪽에 있는 중서성(中書省)은 '우성(右省)'이라 불렀다.

杜拾遺(두습유): 두보(杜甫)를 가리킨다. 당시 두보는 문하성 소속인 좌습유(左拾遺)였고, 잠삼(岑參)은 중서성 소속인 우보궐(右補闕)이었다. 좌습유와 우보궐은 모두 간관(諫官)이었다.

2) 丹陛(단폐): 궁전에 있는 붉은색 계단. 천자가 정사를 논의하고 신하를 접견하던 곳이다.

聯步(연보): 발걸음을 나란히 하여 앞으로 나아가다.

3) 分曹(분조): 부서가 나뉘다. 두보는 문하성에 속하고 잠삼은 중서성에 속한 것을 말한다.

紫薇(자미): 저본에는 '紫微(자미)'로 되어 있다. 부처꽃과의 낙엽 활엽 교목으로 늦여름에 자주색 꽃이 핀다. 개화 기간이 길기 때문에 백일홍(百日紅)이라고도 하는데, 백일초(百日草)라고도 하는 초본의 백일홍과 구별하기 위하여 배롱나무라고도 한다. 당(唐)의 중서성에는 배롱나무가 많이 심어져 있었기 때문에 개원(開元) 2년(714)에 중서성을 자미성(紫薇省)으로 개칭했다.

4) 天仗(천장): 천자가 조회할 때 사용하던 의장(儀仗).

5) 惹(야): 빠지다, 물들다.

御香(어향): 어전(御殿)에서 피우는 향.

6) 闕事(궐사): 그릇된 일. 과오나 과실을 가리킨다.

7) 諫書(간서): 간언하는 상소문.

[해설]

이 시는 숙종(肅宗) 건원(乾元) 원년(758)에 잠삼(岑參)이 우보궐(右補闕)로 있으며 두보(杜甫)에게 써준 것으로, 두보와의 관직 생활에 대한 회상과 감회가 나타나 있다. 잠삼의 이 시를 받고 두보 또한 「보궐 잠삼에게 받은 것에 답하여(奉答岑參補闕見贈)」로 화답했다.

제1~2구에서는 두보와 비록 부서는 달랐지만 간관(諫官)이라는 같은 임무로써 관직 생활을 함께했음을 말하고, 제3~4구에서는 아침에 출근하여 황제의 소회에 참여하고 저녁에는 어전의 향이 밴 채 퇴근했던 모습을 묘사하며 그와 두보가 매일같이 조정을 위해 헌신적으로 일해왔음을 말하고 있다. 그러나 다음 제5~6구에서는 '백발(白髮)'과 '청운(青雲)'의 비유를 통해 자신의 상황과 처지가 두보와는 다름을 이야기하고 있다. 진완준(陳婉俊)은 『당시삼백수보주(唐詩三百首補注)』에서 "제5구는 자신이 떨어지는 꽃처럼 늦봄의 위치에 있음을 슬퍼하는 것이고, 제6구는 높은 관직에 있는 두보를 부러워하는 것이다"라 했는데, 잠삼은 두보보다 세 살이 어렸으며 당시의 지위 또한 같은 간관으로서 크게 다르지 않았던 까닭에 이는 기증시에서 자신을 낮추고 상대를 높이는 상투적인 표현으로 보는 것이 옳을 듯하다. 마지막 제7~8구에서는 조정에 과실이 없어 자신과 같은 간관이 간언할 일이 없다는 말로써 황제의 성정(聖政)을 찬미하고 있는데, 이는 반어적인 표현으로서 과실이 많으나 언로가 막혀 이를 간언할 수 없는 현실을 풍자하며 조정에 대한 불만과 회의를 나타낸 것이다.

196. 총지각에 올라

잠삼(岑參)

높은 누각은 모든 하늘 가까이에 있고
올라와보니 해 가까이에 있네.
날은 맑아 만 개 우물가의 나무들은 펼쳐져 있건만
시름으로 오릉의 연기를 바라보네.
난간 밖으로 진령은 낮고
창 가운데로 위수는 작아 보이네.
청정의 이치를 일찍이 알았더라면
항상 부처를 받들 것을 원했을 터인데.

登總持閣[1]

高閣逼諸天,[2] 登臨近日邊.
晴開萬井樹,[3] 愁看五陵烟.[4]
檻外低秦嶺,[5] 窗中小渭川.[6]
早知淸淨理,[7] 常願奉金仙.[8]

[주석]

1) 總持閣(총지각): 총지사(總持寺)의 누각. 총지사는 수대(隋代)에 건립된 사찰로 장안에 있다.

2) 逼(핍): 가까이 다가가다.

諸天(제천): 모든 하늘. 불가에서 말하는 욕계(欲界) 6천(天), 색계(色界) 18천(天), 무색계(無色界) 4천(天)의 28천(天)을 가리킨다.

3) 萬井樹(만정수): 만 개 우물가의 나무. 누각에서 내려다보이는 마을들을 가리킨다.

4) 五陵(오릉): 한나라 황제 다섯 명의 무덤. 앞의 123.「가을의 흥취(秋興)(3)」 주 8) 참조. 여기서는 장안을 가리킨다.

5) 檻(함): 난간.

秦嶺(진령): 종남산(終南山).

6) 渭川(위천): 위수(渭水).

7) 淸淨理(청정리): 청정의 이치. 불가의 이치를 의미한다.

8) 金仙(금선): 부처.

[해설]

이 시는 장안 총지사의 누각에 올라 주위의 경관을 감상하며 쓴 것으로, 세상의 시름과 번다함에서 벗어나 불가의 청정무욕의 경지를 흠모하고 있다.

제1~2구에서는 총지사의 누각이 하늘에 닿을 듯 해를 가까이하며 높이 솟아 있는 모습을 말하고 있다. 제3~4구에서는 누각에 올라 내려다본 장안 주변의 경관을 묘사하고 있는데, 맑은 하늘 아래 드넓게 펼쳐진 아름다운 경관을 시름겨워 바라보고 있는 시인의 모습에서 세상사의 번민과 고단함을 느낄 수 있다. 제5~6구에서는 이곳에서 바라보이는 진령과 위수가 오히려 낮고 작게만 느껴짐을 말하며 인간 세상의 소소함과 부질없음을 말하고, 제7~8구에서는 불가의 청정한 이치를 깨닫지 못했음을 아쉬워하며 불가에 귀의하고 싶은 바람을 나타내고 있다.

197. 연주성 누대에 올라

두보(杜甫)

동군 마당을 종종걸음으로 지나던 날
남쪽 누대에서 처음으로 마음껏 내다보니,
뜬구름은 동해와 태산에 이어져 있고
평야는 청주와 서주로 들어가네.
외로이 솟은 봉우리에 진시황의 비석이 남아 있고
황량한 성에 노 공왕의 전각이 남아 있네.
지금껏 옛날에 대한 생각이 많았는데
임하여 바라보니 홀로 망설이며 머뭇거리네.

登兗州城樓[1]

東郡趨庭日,[2] 南樓縱目初.[3]
浮雲連海岱,[4] 平野入青徐.[5]
孤嶂秦碑在,[6] 荒城魯殿餘.[7]
從來多古意,[8] 臨眺獨躊躇.[9]

[주석]

1) 兗州(연주): 당대(唐代) 주(州) 이름. 지금의 산동성(山東省) 자양현(滋陽縣)이다.

2) 東郡(동군): 연주(兗州)의 옛 이름. 한대(漢代)에 동군으로 불렀으며 수대(隋代)에 노군(魯郡)으로 바뀌었다가 당대(唐代)에 다시 연주로 바뀌었다.

趨庭(추정): 마당을 종종걸음으로 지나가다. 『논어(論語) · 계씨(季氏)』에 공자가 마당에 서 있을 때 아들 공리(孔鯉)가 예의를 갖추며 종종걸음으로 그 앞을 지나갔다는 말에서 유래한 것으로, 여기서는 아버지가 계신 곳을 찾아갔음을 말한다.

3) 南樓(남루): 연주성 남쪽 성문에 있는 누대.

縱目(종목): 마음껏 내다보다.

4) 海岱(해대): 동해와 태산(泰山). 연주는 동해와 가까이 있으며 경내에 태산이 있다.

5) 青徐(청서): 청주(青州)와 서주(徐州). 연주와 이웃해 있으며 당대에 모두 하남도(河南道)에 속했다.

6) 秦碑(진비): 진시황(秦始皇)의 비석. 진시황이 동군 지역을 순시하며 역산(嶧山) 위에 자신의 송덕비를 세우게 했다.

7) 魯殿(노전): 한(漢) 경제(京帝)의 아들인 노(魯) 공왕(恭王)이 세운 전각. 영광전(靈光殿)을 가리킨다.

8) 古意(고의): 옛날에 대한 생각.

9) 躊躇(주저): 주저하다, 머뭇거리다.

[해설]

이 시는 당(唐) 현종(玄宗) 개원(開元) 24년(736) 두보가 당시 연주사마(兗州司馬)로 있던 부친 두한(杜閑)을 방문하러 연주에 들렀을 때 쓴 것으로, 현전하는 두보 시 중 가장 최초의 오언율시이다. 시에서는 연주성 누대에 올라 바라본 주변의 경관을 묘사하며 자연과 역사에 대한 감회를 나타내고 있다.

제1~2구에서는 부친을 방문하러 연주에 오게 되었음을 말하고 처음으로 남쪽 누대에 올라 주위의 경관을 둘러보게 되었음을 말하고 있다. 제3~4구에서는 멀리 상하좌우로 시선을 달리하여 하늘과 땅, 바다와 산을 함께 아우르며 연주 주변의 자연경관을 묘사하고, 제5~6구에서는 시선을 가까이하여 높은 산에 솟아 있는 진시황의 비석과 황폐한 성터에 남아 있는 노 공왕의 전각을 아우르며 연주 주변의 인문 경관을 묘사하며 대비시키고 있다. 제7~8구에서는 유구한 자연과 대비되는 유한한 인간사를 떠올리며 삶의 의미와 가치에 대해 고민하고 있는 시인의 모습이 나타나 있다.

198. 촉주로 부임해 가는 두 소부를 전송하며　왕발(王勃)

삼진에 에워싸인 장안성에서
바람과 안개 속에 오진을 바라보네.
그대와 이별하는 마음이여
똑같이 벼슬 따라 떠도는 신세라네.
세상에 자신을 알아주는 이 있으면
하늘 끝이라도 이웃과 같으리니,
갈림길에 서서
아녀자처럼 손수건 적시지는 마시게.

送杜少府之任蜀州[1]

城闕輔三秦,[2] 風烟望五津.[3]
與君離別意,[4] 同是宦遊人.[5]
海內存知己, 天涯若比鄰.[6]
無爲在岐路,[7] 兒女共霑巾.[8]

[주석]

1) 저본에는 제목에 '送(송)'이 빠져 있다.
少府(소부): 현위(縣尉)의 다른 이름. 두(杜) 소부(少府)가 누구인지는 알 수 없다.

之任(지임): 부임해 가다.

2) 城闕(성궐): 성과 궁궐. 도성인 장안(長安)을 가리킨다.

三秦(삼진): 장안 주위의 관중(關中) 지역을 가리킨다. 일찍이 항우(項羽)가 진(秦)을 멸망시킨 뒤 그 땅을 옹(雍), 적(翟), 새(塞)의 셋으로 나누어 투항한 진의 장수 장감(章邯), 동예(董翳), 사마흔(司馬欣)을 왕으로 봉했는데 이를 삼진이라 불렀다.

輔(보): 지키다, 에워싸다.

3) 五津(오진): 촉 지역의 민강(岷江)에 있는 다섯 나루. 백화진(白華津), 만리진(萬里津), 강수진(江首津), 섭두진(涉頭津), 강남진(江南津)을 가리킨다. 여기서는 두 소부가 부임해 가는 촉주(蜀州)를 의미한다.

4) 意(의): 감정, 정서.

5) 宦遊人(환유인): 벼슬을 따라서 사방으로 떠돌아다니는 사람.

6) 比鄰(비린): 가까운 이웃. 고대에 다섯 집을 하나의 '인(隣)'으로 삼고 다섯 '인(隣)'을 하나의 '이(里)'로 삼았다. '비(比)'는 가깝다, 친하다는 뜻.

7) 無(무): ~하지 말라. '毋(무)'와 같다.

8) 霑巾(점건): 수건을 적시다. 저본에는 '沾(첨)'으로 되어 있다.

[해설]

이 시는 촉 지방으로 부임해 가는 두 소부를 전송하며 쓴 것으로, 동병상련의 심경으로 이별의 아쉬움을 나타내며 변함없는 깊은 우정으로 떠나는 친구를 위안하고 있다.

제1~2구에서는 삼진에 둘러싸인 장안성, 바람과 안개 너머 아득한 촉 땅을 묘사하며 이별의 장소와 두 소부가 부임해 가는 곳을 말하고, 제3~4구에서는 이별의 아쉬움을 말하며 그와 자신 모두가 타향을 떠돌 수밖에 없는 처지임을 안타까워하고 있다. 제5~6구에서는 조식(曹植)이 「백마왕 조표에게 드리다(贈白馬王彪)」라는 시에서 “장부가 사해에 뜻을 두면 만 리도 이웃과 같으며, 사랑하는 마음 변치 않으면 멀리 있어도 정분은 날로 친해진다네(丈夫志四海, 萬里猶比隣, 恩愛苟不虧, 在遠分日親)”라 한 뜻을 차용하여 친구에 대한 깊은 우정을 말하며 타향에서 홀로 지낼 친구를 위로하고 있다. 따라서 마지막 제7~8구에서는 이별을 앞두고 아녀자처럼 눈물을 흘리지 말라 권하며 이별의 슬픔과 외로움을 꿋꿋이 이겨내기를 당부하고 있다.

199. 최융을 보내며

두심언(杜審言)

군왕이 나아가 군대를 출정하니
서기가 멀리 정벌을 따라가네.
전별의 휘장은 황하와 궁궐에 이어져 있고
대장군의 깃발은 낙양성을 요동치네.
아침에는 깃발에 차가운 기운 서리고
밤이면 호가에서 변방의 소리 울리겠지.
그대는 앉아서 전쟁의 먼지 쓸어버릴 줄을 알 터,
가을바람이 옛 북평에 불어오리.

送崔融[1]

君王行出將,[2] 書記遠從征.[3]
祖帳連河闕,[4] 軍麾動洛城.[5]
旌旗朝朔氣,[6] 笳吹夜邊聲.[7]
坐覺烟塵掃,[8] 秋風古北平.[9]

[주석]

1) 崔融(최융): 자가 안성(安成)이다. 만세통천(萬歲通天) 원년(696)에 저작좌랑(著作佐郎)이 되었으며 양왕(梁王) 무삼사(武三思)를 따라 장서기(掌書記)가 되어 거란 도벌에 참여했다. 신룡(神龍) 연간(705~706)에 장역지(張易之) 형제에

게 아첨한 일로 연좌되어 원주자사(袁州刺史)로 폄적되다가 후에 소환되어 국자사업(國子司業)을 지냈다.

2) 君王(군왕): 양왕(梁王) 무삼사(武三思)를 가리킨다. 당시 황제였던 무측천(武則天)의 조카로 천수(天授) 원년(690)에 양왕에 봉해졌으며, 권세를 누리다가 경룡(景龍) 원년(707)에 주살됐다.

3) 書記(서기): 군영에서 문서 업무를 관장하는 관원으로, 정식 명칭은 장서기(掌書記)이다. 여기서는 최융을 가리킨다.

從征(종정): 정벌을 따라가다. 거란(契丹)을 토벌하러 간 것을 가리킨다. 『신당서(新唐書)·무후기(武后紀)』에 따르면, 만세통천 원년 5월에 거란 수령인 이진충(李盡忠)과 귀성주자사(歸誠州刺史) 손만영(孫萬榮)이 영주(營州)를 함락하고 도독(都督) 조문홰(趙文翽)를 죽이자 조정에서 조인사(曹仁師)와 장현우(張玄遇) 등의 장군을 파견하여 공격했고, 이어 무삼사를 유관도안무대사(楡關道安撫大使)로 삼아 거란을 토벌했다.

4) 祖帳(조장): 전별하기 위해 길가에 설치한 휘장.

河闕(하궐): 황하와 궁궐. 낙양성에서 황하까지 이어진 길을 가리킨다.

5) 軍麾(군휘): 군대를 지휘하는 대장군의 깃발.

洛城(낙성): 낙양(洛陽). 고종(高宗)이 낙양으로 어거한 후 '동도(東都)'라 칭했고 당시 임시 도성이었다.

6) 旌旗(정기): 각종 군대의 깃발.

朔氣(삭기): 변방의 차가운 기운.

7) 笳(가): 피리. 북방 이민족의 악기인 호가(胡笳)를 가리키며 한대(漢代) 중국으로 들어와 위진(魏晉) 이후 '적(笛)'과 함께 군대의 악기로 사용됐다.

8) 坐覺(좌각): 앉아서 깨닫다. 최융이 서기로서 군막에 있으며 적을 소탕할 효과적인 계책을 건의하는 것을 말한다.

호가(胡笳)

烟塵(연진): 연기와 먼지. 전쟁을 가리킨다.

掃(소): 쓸다, 제거하다.

9) 秋風(추풍): 가을바람. 적을 소탕하여 평정하는 것을 비유한다.

北平(북평): 군(郡) 이름. 지금의 하북성 노룡현(盧龍縣) 지역으로, 최융이 나가 있을 변방을 가리킨다.

[해설]

이 시는 거란을 토벌하러 출정하는 양왕(梁王) 무삼사(武三思)를 따라 서기(書記)가 되어 종군하는 최융을 송별하며 쓴 것이다. 시에서는 실경과 허경을 결합시켜 출정하는 군대의 위용과 변방에서의 주둔 상황들을 묘사하고, 전장에서 큰 능력을 발휘할 최융을 격려하며 승전에 대한 확신을 나타내고 있다.

제1~2구에서는 양왕이 직접 군대를 인솔하여 거란 토벌에 나서고 최융이 서기가 되어 종군하게 된 상황을 말하고 있다. 제3~4구에서는 전별연을 위해 설치한 휘장이 궁궐에서 황하까지 이어져 있는 모습을 통해 많은 사람들이 이들을 성대하게 전별했음을 말하고, 낙양성을 뒤흔드는 깃발로써 군대의 드높은 사기와 위용을 드러내고 있다. 제5~6구에서는 주둔지에서의 모습을 상상하고 있는데, 깃발에 서리는 변방의 차가운 기운과 밤에 들려오는 구슬픈 호가 소리로 병사들이 겪을 고생과 향수를 나타내고 있다. 제7~8구에서는 최융이 군중의 막사에 앉아 전세를 헤아리고 적을 토벌할 뛰어난 계책을 낼 것이라 말하고, 가을바람이 불어 북평을 깨끗이 쓸어버리는 모습을 상상하며 북방의 평정을 확신하고 있다.

200. 등봉현으로 황제의 행차를 따라가는 도중에 쓰다

송지문(宋之問)

휘장 궁전이 빽빽이 하늘로 솟아 있으니
신선의 행차 참으로 장대하도다.
아침 구름은 막사에 이어져 감기고
밤 등불은 별과 섞여 휘도네.
골짜기 어두워지니 천 개의 깃발이 나와서이고
산이 소리 내니 만 승의 수레가 행차해서라네.
황제 따르는 행차가 참으로 시로 써낼 만하건만
끝내 하늘에 빛날 재주가 부족하네.

扈從登封途中作[1]

帳殿鬱崔嵬,[2] 仙遊實壯哉.[3]
曉雲連幕捲,[4] 夜火雜星回.[5]
谷暗千旗出,[6] 山鳴萬乘來.[7]
扈遊良可賦,[8] 終乏掞天才.[9]

[주석]

1) 扈從(호종): 황제의 행차를 모시며 뒤따르다. 당시 황제는 무측천(武則天)이었다.

登封(등봉): 지명. 지금의 하남성 등봉현(登封縣)으로 숭산(崇山) 남쪽에 있다. 고대 황제들이 이곳에 제단을 쌓고 하늘에 제사 지내는 봉선(封禪)을 행했다.

2) 帳殿(장전): 휘장으로 만든 궁전. 황제의 임시 거처를 가리킨다.

崔嵬(최외): 높게 솟은 모양.

3) 仙遊(선유): 신선의 행차. 여기서는 황제 행차를 비유한다.

4) 曉雲(효운): 아침의 채색 구름.

捲(권): 감아 말다.

5) 夜火(야화): 밤의 등불.

6) 谷暗(곡암): 골짜기가 어두워지다. 많은 깃발에 가려 골짜기가 어두워지는 것을 말한다.

7) 山鳴(산명): 산이 소리를 내다. 황제의 행차에 산이 감응하는 것을 말한다. 『한서(漢書) · 무제기(武帝紀)』에 한(漢) 무제(武帝)가 숭산(崇山)에 올라 제를 지낼 때 산에서 만세를 외치는 듯한 소리가 세 번 나며 이에 호응했다고 한다.

8) 良(양): 진실로, 참으로.

9) 乏(핍): 부족하다, 결핍되다.

掞天才(염천재): 하늘에 빛나는 재주. 뛰어난 재능을 의미한다. '염(掞)'은 '빛나다'라는 뜻으로, 의미상 '펼치다'라는 뜻으로 볼 수도 있으며 이 경우 독음은 '섬'이다.

[해설]

이 시는 숭산(崇山)에 봉선하러 가는 황제를 호종하던 도중 쓴 것으로, 황제 행차의 성대하고 장엄한 위용을 묘사하고 있다.

제1~2구에서는 휘장으로 만든 임시 궁전이 땅 가득 하늘 높이 솟아 있는 모습을 묘사하며 천자의 권위와 위엄을 나타내고 이를 신선의 행차에 비유하고 있다. 제3~4구에서는 행차의 이동을 시간에 따라 묘사하고 있는데 막사에 감도는 아침 구름, 별과 섞여 휘도는 밤 등불을 통해 황제의 행차가 하늘 높은 곳을 지나고 있음을 나타내고 있다. 제5~6구에서는 천 개의 깃발과 만 승의 수레가 산과 골짜기를 지나오는 모습을 묘사하며 그 성대함을 드러내고, 한(漢) 무제(武帝)의 봉선에 감응했던 산의 소리를 인용하며 황제로서의 무측천(武則天)의 봉선에 정당성을 부여하고 있다. 마지막 제7~8구에서는 황제가 행차하는 장관을 시로 나타내고 싶지만, 자신의 재주가 부족하여 이를 온전히 담아낼 수 없음을 아쉬워하며 겸손함을 드러내고 있다.

201. 의공의 선방에 쓰다

맹호연(孟浩然)

의공께서 좌선정적을 익히시느라
빈 숲에 기대어 집을 지으셨네.
문밖에는 높이 솟은 봉우리 하나
섬돌 앞에는 깊은 골짜기 여럿이네.
석양에 연이어 내리는 비는 풍족하고
푸른 산 그림자는 뜰에 드리워 어둑하네.
연꽃의 깨끗함을 보고서
비로소 마음 더럽혀지지 않음을 알게 되었네.

題義公禪房[1]

義公習禪寂,[2] 結宇依空林.
戶外一峰秀,[3] 堦前衆壑深.
夕陽連雨足,[4] 空翠落庭陰.[5]
看取蓮花淨, 方知不染心.[6]

[주석]

1) 제목이 「대우사 의공의 선방에 쓰다(題大禹寺義公禪房)」로 되어 있는 판본도 있으며, 대우사(大禹寺)는 지금의 절강성(浙江省) 소흥시(紹興市) 회계산(會稽山)에 있다.

義公(의공): 당대 고승(高僧). 구체적인 사적은 알려져 있지 않다.

禪房(선방): 스님이 좌선하며 수행하는 방.

2) 禪寂(선적): 불교 용어로 좌선을 통해 해탈과 열반의 적정(寂靜)의 경지에 이르는 것을 말한다.

3) 秀(수): 빼어나다. 홀로 높이 솟아 있는 것을 말한다.

4) 連雨(연우): 연이어 내리는 비.

5) 空翠(공취): 빈 산의 푸름. 인적 없는 산의 푸른빛을 가리킨다.

6) 染心(염심): 마음이 더럽혀지다.

[해설]

이 시는 의공 스님의 청정한 선방의 정경을 묘사한 것이다.

제1~2구에서는 선방이 깊은 숲속에 자리하고 있음을 말하고, 제3~4구에서는 주위에 높이 솟은 봉우리와 깊은 골짜기를 묘사하며 속세와의 단절감을 나타내고 있다. 제5~6구에서는 석양에 내리는 비와 마당에 드리운 산 그림자를 통해 선방의 청정한 경지를 드러내고, 제7~8구에서는 먼지에 더럽혀지지 않은 연꽃으로써 세속에 물들지 않은 스님의 고아한 정신을 비유하고 있다.

202. 취한 후 장욱에게 드리다

고적(高適)

세상 사람들은 서로 아는 이가 널려 있다지만
이 늙은이만큼은 전혀 그렇지가 않다네.
흥이 일면 글씨는 절로 성인이 되며
술에 취하면 말은 미친 사람과 같네.
백발로 늙어 한가롭기만 하더니
청운이 그대 눈앞에 있구려.
침상 머리에 술 한 병 두고서
이제 다시 몇 번이나 취하여 잠들 수 있으리.

醉後贈張九旭[1]

世上謾相識,[2] 此翁殊不然.[3]
興來書自聖, 醉後語尤顚.[4]
白髮老閑事, 靑雲在目前.[5]
牀頭一壺酒,[6] 能更幾回眠.

[주석]

1) 張九旭(장구욱): 당대의 서예가 장욱(張旭)을 가리킨다. '구(九)'는 장욱의 항렬이다. 장욱은 소주(蘇州) 오군〔吳郡, 지금의 강소성(江蘇省) 오현(吳縣)〕 사람으로, 자는 백고(伯高)이다. 당시 서예가로서 명성이 높았으며 특히 초서에 뛰

어나 '초서의 성인(草聖)'이라 불렸다. 또한 술을 마시면 소리를 지르고 내달리거나 머리에 먹물을 묻혀 초서를 쓰는 등의 기이한 행적으로 인해 '장씨 미치광이(張顚)'라 불리기도 했다. 두보(杜甫)는 「음중팔선가(飮中八仙歌)」에서 "장욱은 석 잔 술에 초서의 성인이라 전해지니, 왕공 앞에서 모자 벗고 정수리 드러내고, 붓 휘둘러 종이에 떨구니 운무가 피어나는 듯했네(張旭三杯草聖傳, 脫帽露頂王公前, 揮毫落紙如雲煙)"라 했다.

2) 謾(만): 많다, 널려 있다. '漫(만)'으로 되어 있는 판본도 있다.

3) 此翁(차옹): 이 노인. 장욱을 가리킨다.

4) 顚(전): 미치다. '癲(전)'과 같다.

5) 靑雲(청운): 푸른 구름. 높은 관직을 의미한다. 당 현종이 장욱을 서학박사(書學博士)로 임명하여 부른 것을 가리킨다.

6) 牀頭(상두): 침상 머리.

[해설]

이 시는 고적이 장안에 머무르고 있을 때 만년에 서학박사(書學博士)가 되어 관직에 나아가게 된 장욱(張旭)에게 기증한 것으로, 장욱의 품성과 재능을 칭송하며 그와의 친분을 드러내고 홀로 남게 될 자신의 외로움을 말하고 있다.

제1~2구에서는 세상 사람들이 서로 교유하며 아는 이가 많은 것을 자랑하지만 정작 깊이 있는 교유는 없음을 비판하며, 장욱은 이들과 다름을 말하고 있다. 이어 제3~4구에서는 성인의 경지에 들어선 장욱의 글씨와 술에 취했을 때의 기이한 언행에 대해 언급하며, 그가 세칭 '초서의 성인(草聖)'이자 '장씨 미치광이(張顚)'로 불리는 까닭을 말하고 있다. 제5~6구에서는 그가 이와 같이 자유롭고 여유로운 만년의 생활을 지내다 황제의 부름을 받아 관직에 나아가게 되었음을 말하며, '청운(青雲)'의 표현을 통해 그의 출사(出仕)에 대해 축하의 뜻을 드러내고 있다. 그러나 마지막 제7~8구에서는 그가 이후로는 이와 같이 자유로운 생활을 즐길 수 없을 것이라는 말로 술친구를 잃어버리게 된 아쉬움을 나타내고 있다.

203. 옥대관

두보(杜甫)

높고 커다란 계단은 등왕이 만든 것이요
평대에서 옛사람 노닐었던 것을 찾아보네.
채색 구름은 소사가 머물렀던 곳이며
문자에는 노 공왕의 자취 남아 있네.
궁궐은 여러 상제와 통하고
천지는 십주에 이어져 있네.
사람들 전하기를 생황 불고 학 타는 이 있어
때때로 북산 꼭대기를 지난다 하네.

玉臺觀[1]

浩劫因王造,[2] 平臺訪古遊.[3]
綵雲蕭史駐,[4] 文字魯恭留.[5]
宮闕通群帝,[6] 乾坤到十洲.[7]
人傳有笙鶴,[8] 時過北山頭.[9]

[주석]

1) 저본에는 작자가 고적(高適)으로 되어 있다. 총 2수 중 제2수이다.

玉臺觀(옥대관): 당(唐) 고조의 아들인 등왕(滕王) 이원영(李元嬰)이 낭주자사(閬州刺史)로 있을 때 세운 도관(道觀). 낭주성 북쪽의 옥대산 위에 있으며, 지금의 강서성 남창시(南昌市)에 있다.

2) 浩劫(호겁): 높고 커다란 계단. '겁(劫)'은 도가(道家)에서 궁궐 계단을 가리킨다. 저본에는 '刹(찰)'로 되어 있다.

王(왕): 등왕 이원영을 가리킨다.

3) 平臺(평대): 한대(漢代) 양(梁) 효왕(孝王)이 만든 누대. 여기서는 옥대관을 비유한다.

4) 綵雲(채운): 채색 구름. '彩雲(채운)'으로 되어 있는 판본도 있다.

簫史(소사): 춘추시대(春秋時代) 사람으로 피리를 잘 불어 진(秦) 목공(穆公)이 딸 농옥(弄玉)을 시집보내어 피리를 익히게 했으며, 후에 둘 다 신선이 됐다고 한다.

5) 魯恭(노공): 한(漢) 경제(景帝)의 아들로 노왕(魯王)에 봉해진 유여(劉餘). '공(恭)'은 시호(諡號)이다. 공자의 옛집을 허물고 거처를 넓히려 하다가, 종경과 금슬 소리를 듣고서는 집 벽에서 고문으로 된 『상서(尙書)』와 『논어(論語)』를 얻었다고 한다.

6) 群帝(군제): 도가의 여러 상제(上帝).

7) 十洲(십주): 전설상 신선이 산다는 열 개의 섬. 『십주기(十洲記)』에 "사방 큰 바다 한가운데에 조주, 영주, 고주, 염주, 장주, 연주, 봉린주, 취굴주, 유주, 생주가 있다(四方巨海之中, 有祖洲瀛洲古洲炎洲長洲兗洲鳳麟洲聚窟洲流洲生洲)"라고 했다.

8) 笙鶴(생학): 생황과 학. 여기서는 생황을 불고 학을 탔던 왕자교(王子喬)를 가리킨다. 『신선전(神仙傳)』에 "왕자교는 주나라 영왕의 태자인 희진(姬晉)이다. 생황을 불어 봉황 울음소리 내는 것을 좋아했는데, 이수와 낙수 일대에서 노닐 때 도사 부구공이 그를 데리고 숭산에 올라갔다. 30여 년이 지난 뒤에 흰 학을 타고 구씨산 정상에 머물다가 손을 들어 당시 사람들에게 인사하고 떠

나갔다(王子喬, 周靈王太子晉也. 好吹笙作鳳鳴, 遊伊洛間, 道士浮丘公接上嵩山, 三十餘年後 乘白鶴, 駐緱氏山頂, 擧手謝時人而去)"라 했다.

9) 北山頭(북산두): 북산 꼭대기.

[해설]

이 시는 옥대관(玉臺關)에 올라 주변 경관을 바라본 감회를 쓴 것으로, 도관의 경관에 고대의 신화와 전설을 결합시켜 탈속적이고 신비로운 분위기를 나타내고 있다.

제1~2구에서는 옥대관의 장대한 규모와 내력을 서술하고 양(梁) 효왕(孝王)이 만든 평대(平臺)에 비유하며 곳곳에 옛사람들의 자취가 남겨져 있음을 말하고 있다. 제3~4구에서는 옥대관에서 보이는 채색 구름과 곳곳에 남아 있는 무자의 흔적을 소사(蕭史)와 노공(魯恭)의 비유를 들어 말함으로써 신비로움을 더하고 있으며, 제5~6구에서는 옥대관의 모습이 하늘의 여러 상제와 통할 정도로 장대하고 신령스러우며 그곳에서 바라본 주위의 경관 또한 마치 신선이 사는 십주(十洲)를 굽어보는 듯함을 말하고 있다. 제7~8구에서는 생황을 불고 학을 탔던 왕자교(王子喬)의 고사를 들어 이곳이 지상의 선경(仙境)임을 다시금 부각시키고 있다.

204. 이고가 청하여 아우 사마가 그린 산수도를 보고

두보(杜甫)

방장산은 온통 물에 이어져 있고
천태산은 모두 구름에 비쳐 있네.
인간 세상에서 늘 그림만 보았으니
늙어감에 그저 보기만 했던 것이 한스럽네.
범려의 배는 유독 작고
왕자교의 학은 무리 짓지 않는구나.
이 생 만물을 따라서 가니
어디에서 세속의 먼지 벗어날 수 있을까?

觀李固請司馬弟山水圖[1]

方丈渾連水,[2] 天台總映雲.[3]
人間長見畫, 老去恨空聞.[4]
范蠡舟偏小,[5] 王喬鶴不群.[6]
此生隨萬物,[7] 何處出塵氛.[8]

[주석]

1) 李固(이고): 두보의 친구로 촉(蜀) 땅 사람이다. 저본에는 제목이 「이고가 말한 것을 보고(觀李固言)」로 되어 있다.

2) 方丈(방장): 방장산. 전설상 신선이 거주하는 곳으로 봉래(蓬萊), 영주(瀛洲)와 더불어 바다 가운데 있다고 하는 삼신산(三神山) 중의 하나이다.

渾(혼): 온통, 모두.

3) 天台(천태): 천태산. 지금의 절강성 천태현(天台縣) 북쪽에 있으며 도교와 불교의 성지로 꼽힌다.

4) 空聞(공문): 헛되이 듣다. 보고 듣기만 할 뿐 실행에 옮기지 못했음을 말한다.

5) 范蠡(범려): 춘추시대 월왕(越王) 구천(勾踐)을 도와 오(吳)나라를 멸망시키는 데에 큰 공을 세웠으며, 공업을 이룬 후 일엽편주(一葉片舟)를 타고 강호로 들어가 살았다.

6) 王喬(왕교): 왕자교(王子喬). 앞의 203.「옥대관(玉臺觀)」 주 8) 참조.

7) 隨萬物(수만물): 만물의 변화를 따르다. 만물과 함께 생장 소멸하는 것을 말한다.

8) 塵氛(진분): 세속의 티끌.

[해설]

이고는 촉인(蜀人)으로, 그 동생이 일찍이 사마(司馬)의 벼슬을 했는데 산수화에 능했다. 두보가 그의 집에 방문했을 때 벽에 동생의 그림이 걸려 있었고, 이고는 두보에게 그림에다 글을 써줄 것을 청했다. 이 시는 이때 쓴 것으로 총 3수 중 제2수이다. 시에서는 그림 속 아름다운 산수와 사물들을 하나하나 세밀하게 선경(仙境)으로 묘사하며 세상사에 대한 자신의 감회를 담아내고 있다.

제1~2구에서는 물과 구름이 가득한 그림 속 화면을 신선의 거주지인 방장산과 천태산에 비유하며 신선의 세계로 묘사하고, 제3~4구에서는 이와 같은 신선의 세계를 지금껏 그저 그림에서만 감상하고 즐겼을 뿐 실제로 그곳으로 들어가 살려 하지 못했음을 한스러워하고 있다. 제5~6구에서는 그림 속의 조각배와 학을 범려(范蠡)와 왕자교(王子喬)가 타고 다녔던 것에 비유하여, 배가 작아 함께 탈 수 없고 학은 홀로 있어 자신이 탈 수 있는 것이 없음을 말하며 그들과 함께 신선의 세계로 떠날 수 없음을 안타까워하고 있다. 제7~8구에서는 만물과 함께 생장 소멸해가는 자신의 존재를 말하며 세속의 혼란과 번민에서 벗어날 수 있는 길을 갈구하고 있다.

205. 나그넷길의 밤에 감회를 쓰다

두보(杜甫)

가느다란 풀에 산들바람 부는 언덕
돛대 우뚝 세우고 홀로 밤을 새우는 배.
별빛 이어진 평평한 들은 드넓고
달빛 솟구치는 큰 강은 흘러가네.
명성이 어찌 문장으로 드러나리?
관직은 늙고 병들어 그만두었다네.
이리저리 떠도는 신세 무엇과 같은가?
천지간의 한 마리 모래톱 갈매기이리.

旅夜書懷

細草微風岸, 危檣獨夜舟.[1]
星隨平野闊,[2] 月湧大江流.[3]
名豈文章著,[4] 官因老病休.[5]
飄飄何所似,[6] 天地一沙鷗.[7]

[주석]

1) 危檣(위장): 높게 세운 돛대. '위(危)'는 '높다'는 뜻이다.

2) 隨(수): 따르다, 길게 이어지다. '드리우다'라는 의미의 '垂(수)'로 되어 있는 판본도 있다.

3) 湧(용): 솟다.

大江(대강): 큰 강. 여기서는 장강(長江)을 가리킨다.

4) 著(저): 드러나다.

5) 官(관): 관직(官職).

因(인): ~로 인해. '應(응)'으로 되어 있는 판본도 있다.

6) 飄飄(표표): 정처 없이 떠도는 모습.

何所(하소): 무엇.

7) 沙鷗(사구): 모래톱의 갈매기.

[해설]

두보는 만년에 성도(成都)의 완화초당(浣花草堂)에서 비교적 안정된 생활을 했으나, 영태(永泰) 원년(765) 그의 후원자였던 엄무(嚴武)가 죽자 다시 가족을 데리고 장강을 따라 남하하며 유랑 생활을 하게 된다. 이 시는 이때의 감회를 노래한 것으로, 광활한 대자연의 풍광과 정처 없이 떠도는 시인의 왜소한 모습이 극명하게 대비되고 있다.

제1~2구에서는 뱃길로 유랑하다 밤이 되어 강가 언덕에 정박한 상황이 나타나 있는데, 언덕 위의 가느다란 풀과 물가의 외로운 돛배가 시인의 초라하고 쓸쓸한 처지를 상징적으로 드러내고 있다. 제3~4구에서는 수많은 별이 드넓은 들판으로 쏟아지고 환한 달빛이 장강과 함께 도도히 흘러가는 광활한 대자연의 풍경을 묘사하며 왜소한 자신의 현실과 대비시키고 있다. 제5~6구에서는 시 짓는 일이 명성을 높이는 것과는 아무런 상관이 없고 관직 또한 늙고 병들어 그만둘 수밖에 없었음을 말하면서 지난날 자신의 삶에 대해 회의를 나타내고 있다. 마지막 제7~8구에서는 모래톱의 한 마리 외로운 갈매기에 자신의 신세를 비유하며 헤어날 수 없는 절망과 실의에 빠져들고 있다.

206. 악양루에 올라

두보(杜甫)

옛날에 동정호에 대해 듣고서
오늘에야 악양루에 오르니,
오나라와 초나라는 동과 남으로 갈라져 있고
하늘과 땅이 밤낮으로 호수 위에 떠 있네.
친척과 친구들에게선 소식 하나 없고
늙고 병든 몸엔 배 한 척만 있을 뿐이네.
전마는 아직 관산 북쪽에 있어
난간에 기대서니 눈물 콧물 흐르네.

登岳陽樓[1]

昔聞洞庭水,[2] 今上岳陽樓.
吳楚東南坼,[3] 乾坤日夜浮.[4]
親朋無一字,[5] 老病有孤舟.
戎馬關山北,[6] 憑軒涕泗流.[7]

[주석]

1) 岳陽樓(악양루): 악양성(岳陽城) 서문의 문루(門樓). 개원(開元) 연간에 장열(張說)이 악주자사(岳州刺史)로 있을 때 지은 것으로 동정호에 임해 있어 전망이 빼어나다.

2) 洞庭水(동정수): 동정호(洞庭湖). 호남성 동북부에 있는 호수.

3) 吳楚(오초): 오나라와 초나라. 춘추시대의 나라들로 각각 동정호의 동쪽과 남쪽에 있었다.

악양루(岳陽樓)

坼(탁): 갈라지다. 동정호가 두 나라의 경계가 되어 이를 갈라놓고 있음을 말한다.

4) 乾坤(건곤): 하늘과 땅.

浮(부): 뜨다. 동정호에 하늘과 땅이 비치고 있는 것을 말한다.

5) 親朋(친붕): 친척과 친구.

無一字(무일자): 한 글자 소식도 없다.

6) 戎馬(융마): 전마(戰馬). 전쟁을 비유한다. 당(唐) 대종(代宗) 대력(大曆) 3년(768) 8월에 토번(吐藩)이 영무(靈武)와 빈주(邠州) 등지를 침략하자 조정에서 곽자의(郭子儀)로 하여금 봉천(奉天)에 주둔하여 이를 방어하게 한 일을 가리킨다.

關山北(관산북): 관문이 있는 산의 북쪽. 토번과의 접경 지역을 가리킨다.

7) 憑(빙): 기대다.

軒(헌): 난간.

涕泗(체사): 눈물과 콧물.

[해설]

성도(成都)를 나와 장강을 따라 남으로 유랑 생활을 하던 두보는 호북

(湖北)의 강릉(江陵)과 공안(公安)을 거쳐 호남(湖南)의 악양(岳陽)으로 갔는데, 이 시는 그 시기인 대력(大歷) 3년(768)에 악양루에 올라가 지은 것이다. 시에서는 악양루에서 바라본 동정호의 경관을 묘사하고 자신의 신세와 나라의 운명에 대한 비애와 염려를 나타내고 있는데, 개인의 운명과 나라의 우환을 연계시키고 외롭고 초라한 자신의 신세를 광활한 자연경관과 대조시킴으로써 웅장한 의경과 비장한 정조를 동시에 담아내고 있다.

제1~2구에서는 악양루에 대해 오래전에 들었다는 말로써 악양루에 오르는 것이 자신의 오랜 바람이었음을 말하고, 오늘에서야 오르게 되었다는 말로써 그동안의 자신의 삶이 순탄치 않았음을 암시하고 있다. 제3~4구에서는 동정호가 오(吳)와 초(楚) 두 나라의 경계가 되고 하늘과 땅이 밤낮으로 물에 비치고 있음을 말함으로써 그 광대하고 호탕한 기세를 나타내고 있다. 제5~6구에서는 친척과 벗의 소식도 끊긴 채 늙고 병들어 홀로 떠돌고 있는 자신의 신세를 탄식하고, 제7~8구에서는 전란이 끊이지 않는 나라의 운명을 걱정하며 주체할 수 없는 슬픔을 나타내고 있다.

207. 강남 나그넷길의 감회

조영(祖詠)

초 땅의 산은 끝까지 볼 수 없고
돌아가는 길은 다만 처량하기만 하네.
바다색 맑으니 비 올 조짐이 보이고
강물 소리 밤이 되니 바닷물 차오르는 소리 들려오네.
검 머무르니 남두성은 가까운데
서신 부치려 해도 북풍이 아득하기만 하네.
공담의 귤을 전해주고자 하나
낙수 다리로 부쳐줄 사람이 없구나.

江南旅情[1]

楚山不可極,[2] 歸路但蕭條.[3]
海色晴看雨,[4] 江聲夜聽潮.[5]
劍留南斗近,[6] 書寄北風遙.[7]
爲報空潭橘,[8] 無媒寄洛橋.[9]

[주석]

1) 江南(강남): 장강(長江) 이남 지역.

2) 楚山(초산): 초(楚) 땅의 산.

不可極(불가극): 다할 수 없다. 끝까지 바라볼 수 없다는 뜻으로, 초 땅의 산이 끝없이 이어져 있는 것을 말한다.

3) 歸路(귀로): 돌아가는 길. 여기서는 고향으로 향하는 길을 가리킨다.

蕭條(소조): 쓸쓸하고 처량하다.

4) 海色(해색): 바다색. 동해(東海)를 가리킨다.

5) 潮(조): 조수(潮水). 강에 바닷물이 차오르는 것을 말한다.

6) 劍留(검류): 검이 머물다. 여기서는 오(吳) 땅에 이른 자신을 가리킨다. 옛사람들은 유랑할 때 책과 검을 지니고 다녔는데, 문무(文武)를 익혀 인정받아 크게 쓰이기를 바라는 뜻이 담겨 있다.

南斗(남두): 별자리 이름. 두수(斗宿)를 가리킨다. 6개의 별로 이루어져 있으며 하늘의 별자리에 대응하여 땅을 구분한 분야(分野)에서 오(吳) 지역을 가리킨다.

7) 北風遙(북풍요): 북풍이 아득하다. 멀리서 북풍이 불어와 소식을 전할 기러기가 북상하지 못하는 것을 가리킨다.

8) 空潭(공담): 지명. 소담(昭潭)을 가리키며 귤의 산지로 유명하다. 지금의 호남성 장사현(長沙縣) 남쪽 소산(昭山) 아래에 있으며 상수(湘水)에서 가장 깊은 곳이다.

9) 媒(매): 중간에서 매개하는 사람. 귤을 고향으로 가져다줄 사람을 가리킨다.

洛橋(낙교): 낙수(洛水)의 다리. 시인의 고향인 낙양(洛陽)을 가리킨다.

[해설]

이 시는 고향을 떠나 강남땅을 유랑하는 나그네의 향수를 노래한 것으로, 강남의 독특하고 아름다운 자연 풍광과 고향에 대한 그리움을 절묘하게 결합시켜 나타내고 있다.

제1~2구에서는 끝없이 이어진 초 땅의 산세를 묘사하며 지나온 자신의 험난한 여정을 나타내고, 고향으로 이어진 길의 처량한 경관을 통해 아직은 고향으로 돌아갈 수 없는 자신의 외롭고 처연한 심정을 기탁하고 있다. 제3~4구에서는 강과 바다가 접해 있는 강남 오(吳) 지역의 독특한 풍광을 낮과 밤으로 구분하여 묘사하고 있다. 강남의 풍광은 고향의 풍광과는 달리, 해가 떠서 바다가 환하게 개면 으레 비가 오고 밤이 되면 강에 바닷물이 거슬러 차오르는 소리가 들려와 시인의 향수를 더욱 깊게 만든다. 내리는 비와 차오르는 강물은 고향을 향한 시인의 슬픔과 그리움을 상징적으로 나타내고 있다. 제5~6구에서는 자신이 초 땅을 지나 오 땅으로 들어왔음을 말하고, 고향에 서신이라도 보내고 싶지만 이미 북풍이 불어와 북으로 서신 전해줄 기러기도 없음을 탄식하고 있다. 마지막 제7~8구에서는 오 땅의 맛있는 귤을 고향 낙양으로 전하고 싶지만 이를 전해줄 사람이 없음을 안타까워하며 더욱 깊은 향수에 빠져들고 있다.

208. 용흥사에서 유숙하며

기무잠(綦毋潛)

향기로운 사찰에서 돌아갈 것을 잊었으니
오래된 사찰의 문에 소나무는 맑네.
등불 밝힌 주지승의 방,
염주 달린 승려의 옷.
흰 해는 청정한 마음을 전해주고
푸른 연은 은미한 불법을 깨우쳐주네.
천계의 꽃이 끊임없이 떨어져
곳곳에서 새가 물고 날아가네.

宿龍興寺[1)]

香刹夜忘歸,[2)] 松淸古殿扉.[3)]
燈明方丈室,[4)] 珠繫比丘衣.[5)]
白日傳心淨,[6)] 靑蓮喩法微.[7)]
天花落不盡,[8)] 處處鳥銜飛.

[주석]

1) 龍興寺(용흥사): 절 이름. 지금의 호남성 영주시(永州市) 영릉구(零陵區)에 있다.

2) 香刹(향찰): 향기로운 사찰. 용흥사를 가리킨다.

3) 古殿(고전): 오래된 절.

扉(비): 대문.

4) 方丈(방장): 절의 장로(長老)나 주지(住持)가 거처하는 방으로, 후에 주지를 가리키는 말로 사용됐다.

5) 比丘(비구): 승려. 비구니(比丘尼), 식차마나(式叉摩那), 사미(沙彌), 사미니(沙彌尼)와 더불어 출가한 다섯 부류 중의 하나로, 구족계(具足戒)를 받은 남자 승려를 가리킨다.

6) 心淨(심정): 마음의 청정(淸淨). 번민이나 잡념이 사라진 상태를 가리킨다.

7) 法微(법미): 불법의 은미함. 불법의 심오한 이치를 가리킨다.

8) 天花(천화): 천상의 꽃. 산화천녀(散花天女)가 뿌리는 꽃을 가리킨다. 『유마경(維摩經)·관중생품(觀衆生品)』에 따르면, 유마힐(維摩詰)의 집에 천녀(天女)가 있었는데 여러 보살과 제자들이 설법을 듣고 있는 것을 보고 그 몸을 현신하여 나타났다. 그리고 꽃을 뿌려 이들의 도행을 시험해보았는데, 꽃이 보살들의 몸에서는 떨어지고 제자들의 몸에는 달라붙어 떨어지지 않았다.

[해설]

이 시는 용흥사에서 유숙하며 느낀 감회를 노래한 것으로, 용흥사의 고요하고 청아한 경관을 묘사하며 불법에 대한 깨달음을 말하고 있다.

제1~2구에서는 사찰에서 유숙하며 돌아갈 생각도 잊었음을 말하며 사찰 문 앞의 맑은 소나무로써 청정한 사찰의 정경을 나타내고 있다. 제3~4구에서는 등불을 밝힌 주지의 방과 염주가 걸린 승려의 옷을 묘사하며 불공에 정진하는 승려들의 모습을 나타내고 있다. 제5~6구에서는 이곳에서 청정한 마음을 얻고 불법의 심오한 이치를 깨달아가는 자신을 말하고, 마지막 제7~8구에서는 산화천녀가 뿌리는 꽃이 곳곳에 날리고 새가 꽃잎을 물고 날아가는 황홀한 광경을 통해 불법의 깨달음이 사방으로 전파되는 모습을 상상하고 있다.

209. 파산사 뒤쪽의 선원에서

상건(常建)

이른 새벽에 오래된 산사로 들어가니
막 떠오른 해가 높은 숲을 비추네.
굽이진 오솔길은 그윽한 곳으로 이어지고
선방에는 꽃과 나무가 우거졌네.
산빛은 새의 마음을 기쁘게 하고
연못의 그림자는 사람의 마음을 비우는데,
세상의 온갖 소리 이곳에선 다 적막하고
종소리와 경쇠 소리만 들리는구나.

破山寺後禪院[1)]

淸晨入古寺,[2)] 初日照高林.
曲徑通幽處,[3)] 禪房花木深.[4)]
山光悅鳥性, 潭影空人心.[5)]
萬籟此俱寂,[6)] 惟聞鐘磬音.[7)]

[주석]

1) 제목이 「파산사 뒤쪽의 선원에 쓰다(題破山寺後禪院)」로 되어 있는 판본도 있다.

破山寺(파산사): 절 이름. 지금의 강소성(江蘇省) 상숙시(常熟市) 우산(虞山)의 흥복사(興福寺)이다.

禪院(선원): 선사(禪寺).

2) 古寺(고사): 오래된 절. 파산사를 가리킨다.

3) 曲徑(곡경): 굽이진 오솔길. '竹徑(죽경)'으로 되어 있는 판본도 있다.

4) 禪房(선방): 선실(禪室). 승려들이 참선하는 방이다.

5) 潭影(담영): 연못에 비친 그림자.

6) 萬籟(만뢰): 온갖 물건에서 나는 여러 가지 소리. 세속의 번뇌와 번민을 가리킨다.

7) 惟聞(유문): 다만 ~만 들리다. '惟餘(유여)'로 되어 있는 판본도 있다.

磬(경): 경쇠. 옥돌이나 금속으로 된 타악기로, 절에서 승려들을 모으거나 독경할 때 사용한다.

[해설]

이 시는 파산사(破山寺) 뒤편에 있는 선원(禪院)을 찾아가 쓴 것으로, 선원의 고요하고 적막한 경관을 묘사하며 시각과 청각의 대비를 통해 불가의 청정한 이치에 대한 깨달음을 나타내고 있다.

제1~2구에서는 이른 새벽에 파산사를 찾아가 숲에 떠오른 아침 해를 바라보는 상황을 말하고, 제3~4구에서는 깊은 숲속 꽃과 나무가 우거진 곳에 선원이 자리하고 있음을 말하고 있다. '떠오른 아침 해〔初日〕'와 '우거진 나무〔花木深〕'가 찬란하고 심오한 불법의 이치를 상징적으로 나타내고 있다. 제5~6구에서는 아름다운 빛이 산에 빛나고 맑은 그림자가 연못에 비치는 주변의 경관을 묘사하며, 이곳이 새와 같은 미물도 기뻐할 뿐 아니라 사람의 마음 또한 청정하게 함을 말하고 있다. 마지막 제7~8구에서는 세상의 소리가 모두 사라지고 오직 종과 경쇠 소리만 들려오는 선원의 정경을 묘사하며, 세속의 온갖 번민과 번뇌에서 벗어나 무욕과 청정의 경지를 깨닫게 된 감회를 나타내고 있다.

210. 송정역에 쓰다

장호(張祜)

산빛은 멀리 하늘을 머금고 있고
푸른 물 아득히 펼쳐진 택국의 동쪽.
바다 밝아오며 해가 먼저 보이고
강에 흰 물결 일며 바람 소리 아득히 들려오네.
새들의 하늘길은 높은 언덕을 지나고
인가의 연기는 작은 길로 통해 있네.
어찌 알았으리? 옛 은자가
오호에 있지 않은 것을.

題松汀驛[1)]

山色遠含空, 蒼茫澤國東.[2)]
海明先見日, 江白逈聞風.[3)]
鳥道高原去,[4)] 人烟小徑通.[5)]
那知舊遺逸,[6)] 不在五湖中.[7)]

[주석]

1) 松汀驛(송정역): 역참(驛站) 이름. 지금의 강소성(江蘇省) 태호(太湖) 부근에 있다.

2) 蒼茫(창망): 물이 푸르고 아득한 모양.

澤國(택국): 경내에 습지와 호수가 많은 나라. 강남의 동남쪽인 오(吳) 지역은 예로부터 지세가 낮고 습지가 많아 이와 같이 불렀다.

3) 江白(강백): 강에 흰 물결이 일어나다.

迥(형): 멀다, 아득하다.

4) 鳥道(조도): 새가 날아가는 하늘길.

5) 人烟(인연): 인가(人家)에 피어오르는 연기. 사람들이 사는 마을을 가리킨다.

小徑(소경): 수풀 사이로 난 작은 길.

6) 那知(나지): 어찌 알았으리?

舊遺逸(구유일): 옛날의 은자. 여기서는 은거하는 친구를 가리킨다.

7) 五湖(오호): 오(吳)와 월(越) 지역의 호수를 두루 가리키며 여기서는 태호(太湖)를 의미한다. 태호는 지금의 강소성(江蘇省)과 절강성(浙江省)에 걸쳐 있다.

[해설]

이 시는 태호(太湖)로 은거하는 친구를 찾아갔다가 만나지 못하고 돌아오며 역참의 벽에 쓴 것으로, 태호 주변의 경관과 오 땅의 지리적 특징을 묘사하며 친구를 만나지 못한 아쉬움을 나타내고 있다.

제1~2구에서는 푸른 산빛이 멀리 하늘에 닿아 있고 아래로는 푸른 물이 아득히 펼쳐져 있는 태호의 경관을 묘사하고 있다. 제3~4구에서는 시각과 청각을 대비시켜 바다가 가까워 해가 가장 먼저 보이고 장강 위로 흰 물결을 일으키는 바람 소리가 들려오는 상황으로 오 땅의 지리적 특징을 말하고 있다. 제5~6구에서는 다시 시선을 물에서 하늘과 땅으로 돌려 높은 언덕 위를 날아가는 새와 깊은 수풀 사이에 자리 잡은 인가의 모습을 묘사하고 있다. 제7~8구에서는 은거하는 친구가 이곳에 머물고 있지 않음을 알지 못했음을 아쉬워하며 만나지 못한 친구를 그리워하고 있다.

211. 성과사

석(釋) 처묵(處默)

길은 봉우리 중턱부터 올라가고
돌고 돌아 벽라 덩굴 속을 나오니,
강에 이르러 오의 땅은 끝나고
강 언덕 너머 월 땅의 산은 많구나.
오래된 나무에 푸른 기운 모여 있고
먼 하늘에 흰 파도가 스며드는데,
아래로 성곽은 가까이 있어
종과 경쇠 소리가 피리와 노래 소리에 섞이네.

聖果寺[1]

路自中峰上,[2] 盤回出薜蘿.[3]
到江吳地盡,[4] 隔岸越山多.[5]
古木叢青靄,[6] 遙天浸白波.[7]
下方城郭近,[8] 鐘磬雜笙歌.[9]

[주석]

1) 聖果寺(성과사): 절 이름. 지금의 절강성 항주시(杭州市) 남쪽 봉황산(鳳凰山) 위에 있다.

2) 中峰(중봉): 봉우리의 중턱. 여기서는 봉황산의 중턱을 가리킨다.

3) 盤回(반회): 빙 둘러 돌다.

薜蘿(벽라): 벽려(薜荔)와 여라(女蘿). 둘 다 야생의 풀이며 나무나 벽 등에 의지하여 덩굴져 자란다.

4) 到江(도강): 강에 다다르다. 여기서는 봉황산 아래에 있는 전당강(錢唐江)을 가리킨다.

5) 隔岸(격안): 맞은편 강 언덕.

越山(월산): 월(越) 땅의 산. 전당강 건너편은 회계(會稽)로, 월 땅에 속한다.

6) 青靄(청애): 산에 감도는 푸르스름한 기운. 저본에는 '藹(애)'로 되어 있다.

7) 浸(침): 적시다, 스미다.

8) 下方(하방): 아래쪽.

城郭(성곽): 내성(內城)과 외성(外城). 저본에는 '城郢(성영)'으로 되어 있다.

9) 鐘磬(종경): 종과 경쇠. 경쇠는 절에서 승려들을 모으거나 독경할 때 사용하는 타악기이다.

[해설]

이 시는 항주의 성과사에 올라 주위의 경관을 바라보며 쓴 것으로, 성과사 주변의 풍경과 지형적 특징이 다양한 시선의 변화를 통해 사실적으로 묘사되고 있다.

제1~2구에서는 성과사를 찾아 봉황산을 오르는 과정이 나타나 있는데, 봉우리 중턱부터 시작되는 오르막길과 굽이진 산길, 무성한 덩굴풀을 통해 산의 높고 깊은 곳에 절이 자리하고 있음을 알 수 있다. 다음 여섯 구에서는 성과사에 이르러 바라본 경관을 묘사하고 있는데 물과 숲, 마을로 시선을 변화시키며 정동(靜動)과 색채의 대비를 통해 나타내고 있다. 제3~4구에서는 아래로 전당강의 모습을 묘사하며 성과사가 오와 월의 경계에 있음을 말하고, 제5~6구에서는 고목을 감싼 푸른 산 기운과 하늘로 솟구치는 전당강의 물결을 묘사하며 그윽한 정취와 광활한 기상을 함께 담아내고 있다. 제7~8구에서는 아래쪽 가까이에 사람들이 사는 성곽이 있어 사람들의 피리 소리와 노래 소리가 절의 종경 소리와 어우러지고 있음을 말하고 있다.

212. 들에서 바라보며

왕적(王績)

동고에서 저물녘에 바라보며
이리저리 배회하니 어디에 의지할까?
나무마다 모두 가을빛이요
산마다 오로지 석양빛인데,
소 치는 이는 송아지 몰고 돌아오고
사냥 나간 말은 새를 차고 돌아오네.
낯선 이들을 돌아보며
길게 노래하며 고사리 캘 것을 생각하네.

野望

東皐薄暮望,[1] 徙倚欲何依.[2]
樹樹皆秋色, 山山惟落暉.[3]
牧人驅犢返,[4] 獵馬帶禽歸.[5]
相顧無相識,[6] 長歌懷采薇.[7]

[주석]

1) 東皐(동고): 지명. 왕적(王績)이 은거하고 있던 곳으로, 지금의 안휘성(安徽省) 숙주시(宿州市) 오류풍경구(五柳風景區)이다.

2) 徙倚(사의): 이리저리 다니며 배회하다.

3) 落暉(낙휘): 지는 해의 빛.

4) 犢(독): 송아지.

5) 禽(금): 날짐승. 사냥하여 잡은 새들을 가리킨다.

6) 無相識(무상식): 알지 못하는 사람. 소 치고 사냥하는 사람들을 가리킨다.

7) 采薇(채미): 고사리를 캐다. 주(周) 무왕(武王)이 은(殷)을 정벌하자 수양산에 들어가 주(周)의 곡식 먹는 것을 거부하며 고사리를 캐 먹다 죽은 백이(伯夷)와 숙제(叔齊)의 일을 가리킨 것으로, 여기서는 은거 생활을 의미한다.

[해설]

이 시는 동고(東皐)에서 은거하며 바라본 가을 경관을 노래한 것으로, 쇠락하고 쓸쓸한 가을 풍경에 의지할 것 없는 자신의 외로운 심정을 기탁하고 있다.

제1~2구에서는 저물녘에 동고에서 의지할 곳 없이 사방을 배회하고 있는 자신을 말하고, 제3~4구에서는 산과 나무에 가득한 가을빛과 석양빛으로 쓸쓸한 자신의 심정을 비유하고 있다. 제5~6구에서는 소 치는 사람과 사냥하는 사람들이 돌아오는 농촌의 전형적인 가을 저녁 풍경을 묘사하고 있다. 그러나 이러한 한가롭고 여유로운 모습들이 시인에게는 그저 낯설게만 느껴지고 오히려 고독감만 심화시킬 뿐이니, 제7~8구에서 시인은 서로 알지 못하는 이들을 바라보며 세상에서 벗어나 은거하고 싶은 바람을 나타내고 있다.

213. 동으로 출정하는 최 저작랑을 송별하며

진자앙(陳子昂)

가을이 바야흐로 초목을 엄혹하게 죽이는데
백로 절기에 황명을 받든 정벌을 시작하네.
천자의 군대는 전쟁을 즐기지 않으니
그대들은 훌륭한 무기를 신중히 쓰시게나.
바다 기운이 남쪽을 침범하여
변방 바람으로 북평을 소탕하려는 것이니,
노룡의 요새를 팔아
돌아와 기린각의 명예를 구하지는 마시게

送別崔著作東征[1]

金天方肅殺,[2] 白露始專征.[3]
王師非樂戰, 之子愼佳兵.[4]
海氣侵南部,[5] 邊風掃北平.[6]
莫賣盧龍塞,[7] 歸邀麟閣名.[8]

[주석]

1) 제목이 「양왕을 따라 동으로 출정하는 저작좌랑 최융 등을 전송하며(送著作佐郎崔融等從梁王東征)」로 되어 있는 판본도 있으며, 원시에는 서문이 달려 있다.

양왕(梁王)은 무측천(武則天)의 조카 무삼사(武三思)로, 천수(天授) 원년(690)에 양왕에 봉해졌으며 권세를 누리다가 경룡(景龍) 원년(707)에 주살됐다.

崔著作(최저작): 저작좌랑(著作佐郎) 최융(崔融). 저작좌랑은 비서성(祕書省) 저작국(著作局)에 속한 관직으로 종6품상에 해당하며 비지(碑誌)나 축문(祝文), 제문(祭文) 등의 작성을 관장했다. 최융은 만세통천(萬歲通天) 원년(696) 양왕 무삼사의 장서기(掌書記)로 거란 토벌에 참여했다. 앞의 199.「최융을 보내며(送崔融)」 주 1) 참조.

東征(동정): 동으로 출정하다. 거란(契丹)을 토벌하러 간 것을 가리킨다. 앞의 199.「최융을 보내며(送崔融)」 주 3) 참조.

2) 金天(금천): 가을. 오행에서 '금(金)'은 가을에 해당한다.

肅殺(숙살): 엄혹하고 소슬한 기운이 초목을 죽이다.

3) 白露(백로): 24절기 중의 하나.

專征(전정): 정벌을 전담하다. 황제의 전권을 받아 정벌에 나서는 것을 말한다.

4) 之子(지자): 그대. 최융 등을 가리킨다.

愼(신): 신중히 하다. 저본에는 '送(송)'으로 되어 있다.

佳兵(가병): 훌륭한 무기. 『노자(老子)』에 "무릇 훌륭한 무기는 불길한 기물이라 사람들이 그것을 싫어하므로 도가 있는 자는 사용하지 않는다(夫佳兵者, 不祥之器, 物或惡之, 故有道者不處)"라 했다.

5) 海氣(해기): 바다 기운. 발해(渤海) 지역 거란의 기운을 비유한다.

6) 北平(북평): 군(郡) 이름. 지금의 하북성 노룡현(盧龍縣) 지역이다.

7) 盧龍塞(노룡새): 노룡의 요새. 지금의 하북성 희봉구(喜峰口) 부근으로 고대에 하북 평원에서 동북으로 가는 교통의 요로였다. 『위지(魏志) · 전주전(田疇傳)』에 따르면, 조조(曹操)가 북으로 오환(烏桓)을 정벌할 때 전주(田疇)의 계책

에 따라 노룡새를 통해 나가 오환을 대패시켰다. 후에 그 공을 인정하여 전주를 정후(亭侯)에 봉하려고 하니, 전주는 "어찌 노룡의 요새를 팔아서 상록과 바꾸겠는가?(豈可賣盧龍之塞, 以易賞祿哉)"라 하며 사양했다. 이 구절은 전주를 본받아 상록을 탐하지 말 것을 권고한 것이다.

8) 邀(요): 맞이하다.

麟閣(인각): 기린각(麒麟閣). 한대(漢代) 미앙궁(未央宮)에 있던 전각으로, 서한(西漢) 선제(宣帝) 때 흉노 정벌에 공이 있는 곽광(霍光) 등 11명 공신들의 초상화를 그려두고 그들의 공적을 기렸다.

[해설]

이 시는 양왕 무삼사(無三思)를 따라 거란을 정벌하러 가는 최융 등을 전송하며 쓴 것으로, 정벌전쟁의 불가피성을 말하며 공업 수립의 욕망에 대한 경계와 권고를 나타내고 있다.

제1~2구에서는 가을이 초목을 엄혹하게 시들어 죽게 하는 모습으로 당의 군대가 거란을 정벌하는 것을 비유하고, 양왕이 황제에게서 전권을 받아 백로의 절기에 정벌이 시작됐음을 말하고 있다. 제3~4구에서는 천자의 군대는 본디 전쟁을 좋아하지 않음을 말하며 지나친 공업 수립의 욕망으로 함부로 무기를 사용하지 말 것을 경계하고 있다. 제5~6구에서는 이번 정벌이 거란의 남침으로 인해 일어난 부득이한 전쟁임을 말하며, 제7~8구에서는 전공의 상록을 탐하지 않았던 전주(田疇)의 고사를 인용하여 정벌에서 돌아와 전공에 의지하여 공명과 영예를 추구하지 말 것을 권고하고 있다.

214. 기녀를 대동하고 더위를 식히다 저물녘 비를 만나 (1)

두보(杜甫)

지는 해에 배 띄우기 좋고
가벼운 바람에 피어나는 물결은 더디네.
대나무 깊어 손님 머물게 하는 곳이요
연꽃 깨끗하니 더위 식히는 때라네.
공자는 얼음물을 만들고
아름다운 여인은 연뿌리 실을 씻네.
조각구름이 머리 위에서 검어지니
응당 비가 시 쓰기를 재촉하는 것이리.

攜妓納涼晚際遇雨[1] (其一)

落日放船好,[2] 輕風生浪遲.[3]
竹深留客處, 荷淨納涼時.
公子調冰水,[4] 佳人雪藕絲.[5]
片雲頭上黑, 應是雨催詩.[6]

[주석]

1) 제목이 「여러 귀공자를 모시고 장팔구에서 기녀를 대동하고 더위를 식히다 저물녘 비를 만나(陪諸貴公子丈八溝攜妓納涼晚際遇雨)」로 되어 있는 판본도 있으

며, 총 2수 중 제1수이다. '장팔구(丈八溝)'는 장안(長安) 서남쪽에 있는 도랑으로, 천보(天寶) 원년(742) 위견(韋堅)이 개통시켰으며 깊이가 한 장(丈)이고 넓이가 여덟 자인 것에서 이름이 유래했다.

納涼(납량): 서늘한 기운을 맞아들이다. 더위를 식히는 것을 의미한다.

2) 落日(낙일): 지는 해. 석양(夕陽) 무렵을 가리킨다.

3) 生浪遲(생랑지): 피어나는 물결이 더디다. 바람이 잔잔하여 물결이 천천히 이는 것을 말한다.

4) 調(조): 제조하다, 만들다.

5) 雪(설): 씻다. 여기서는 연뿌리에 달린 실을 제거하는 것을 말한다.

藕絲(우사): 연뿌리에 달린 실.

6) 應是(응시): 응당 ~이다.

雨催詩(우최시): 비가 시를 재촉하다. 비가 오기 전에 빨리 시를 써야 함을 말한다.

[해설]

이 시는 여름날 기녀를 대동하고 여러 귀공자와 함께 장팔구(丈八溝)에서 더위를 식히며 노니는 감회를 읊은 것으로, 정확한 창작 시기는 알 수 없으나 대략 천보(天寶) 연간 두보가 장안(長安)에 있을 때 쓴 것으로 여겨진다.

제1~2구에서는 바람 잔잔한 여름날 저녁에 배를 띄우고 도랑으로 들어가는 상황을 말하고, 제3~4구에서는 대숲 깊은 곳에 모여 깨끗한 연꽃을 즐기며 더위를 식히고 있음을 말하고 있다. 제5~6구에서는 얼음물을 만드는 공자와 연뿌리를 씻는 기녀들의 모습을 묘사하며 연회의 자리가 격조 있고 풍성함을 나타내고, 제7~8구에서는 머리 위로 몰려오는 검은 비구름을 빨리 시를 쓰라고 재촉하는 신호라 말하며 귀공자들에게 연회만 즐기지 말고 시도 쓸 것을 재촉하고 있다.

215. 기녀를 대동하고 더위를 식히다 저물녘 비를 만나 (2)

두보(杜甫)

비가 내려 자리 위를 적시고
바람 급해져 뱃머리를 때리니,
월 여인의 붉은 치마는 비에 젖고
연 여인의 푸른 눈썹먹엔 시름이 어리네.
닻줄을 둑 버드나무에 가까이 대어 묶고
장막 말아 올리니 물보라가 피어오르네.
돌아가는 길에 외려 쓸쓸한 바람 부니
제방은 오월의 가을이라네.

攜妓納涼晚際遇雨[1] (其二)

雨來霑席上,[2] 風急打船頭.
越女紅裙濕,[3] 燕姬翠黛愁.[4]
纜侵堤柳繫,[5] 幔卷浪花浮.[6]
歸路翻蕭颯,[7] 陂塘五月秋.[8]

[주석]

1) 앞 시에 이어 총 2수 중 제2수이다.

2) 霑(점): 적시다. 저본에는 '沾(첨)'으로 되어 있다.

3) 越女(월녀): 월(越) 출신 여인. 기녀를 가리킨다.

4) 燕姬(연희): 연(燕) 출신 여인. 기녀를 가리킨다.

翠黛(취대): 푸른 눈썹먹.

愁(수): 시름겨워하다. 연(燕) 출신의 기녀가 물에 익숙지 않아 바람에 행여 배가 뒤집힐까 두려워하는 것을 말한다.

5) 纜(람): 닻줄.

侵(침): 가까이하다.

6) 幔(만): 장막, 햇빛 가리개.

浪花(낭화): 물보라.

7) 翻(번): 도리어.

蕭颯(소삽): 바람이 쓸쓸히 부는 모양.

8) 陂塘(피당): 못의 둑. 장팔구(丈八溝)를 따라 나 있는 둑을 가리킨다.

五月秋(오월추): 5월의 가을. 서늘한 바람이 불어 계절이 한여름 5월임에도 마치 가을처럼 느껴짐을 말한다.

[해설]

이 시에서는 앞 시에 이어 비가 내리는 상황과 경관을 묘사하며 연회를 마치고 돌아오는 때의 감회를 나타내고 있다.

제1~2구에서는 내리는 비에 자리가 젖고 급히 부는 바람에 날려 빗물이 뱃머리를 두드리고 있는 상황을 말하고, 제3~4구에서는 배 위에서 비에 치마가 젖고 바람에 배가 뒤집힐까 두려워하고 있는 기녀들의 모습을 묘사하고 있다. 제5~6구에서는 비바람으로 인해 배를 둑 가로 옮겨 닻줄을 버드나무에 묶고선 배의 차양을 걷어 올리고 도랑에 물보라가 피어오르는 경관을 감상하고 있으며, 제7~8구에서는 돌아오는 길에 서늘한 바람 소리를 들으며 한여름임에도 마치 가을이 된 듯한 느낌을 말하고 있다.

216. 운문사 누각에 유숙하며

손적(孫逖)

향기로운 누각은 동산 아래에 있고
안개 속 꽃은 세속 바깥에서 그윽한데,
등불 거니 천 봉우리는 저녁이요
휘장 걷으니 오호는 가을빛이네.
그림 벽에는 기러기가 남아 있고
비단 창에는 두우성이 머무는데,
더욱이 하늘길이 가까이 있는 듯하니
꿈에서 흰 구름과 노닌다네.

宿雲門寺閣[1)]

香閣東山下,[2)] 烟花象外幽.[3)]
懸燈千嶂夕,[4)] 卷幔五湖秋.[5)]
畫壁餘鴻雁,[6)] 紗窗宿斗牛.[7)]
更疑天路近,[8)] 夢與白雲遊.

[주석]

1) 雲門寺(운문사): 절 이름. 지금의 절강성(浙江省) 소흥시(紹興市) 운문산(雲門山)에 있다.

2) 香閣(향각): 향기로운 누각. 운문사의 누각을 가리킨다.

3) 象外(상외): 물상(物象)의 바깥. 세속에서 벗어난 곳을 가리킨다.

4) 懸燈(현등): 등불을 걸다.

千嶂(천장): 천 개의 봉우리. 운문산을 가리킨다.

5) 卷幔(권만): 휘장을 말아 올리다.

6) 鴻雁(홍안): 기러기.

7) 斗牛(두우): 28수(宿) 중 두수(斗宿)와 우수(牛宿). 하늘의 별자리에 대응하여 땅을 구분한 분야(分野)에서 오(吳)와 월(越) 지역을 가리킨다.

8) 更(갱): 한층 더 나아가, 더욱이.

疑(의): ~인 듯하다.

天路(천로): 하늘로 이어진 길.

[해설]

이 시는 운문사 누각에서 유숙하며 쓴 것으로, 누각 주변의 가을 풍경을 묘사하며 나그네의 감회를 기탁하고 있다.

제1~2구에서는 동산 아래에 자리 잡은 운문사 누각 주위로 안개에 싸인 꽃이 펼쳐져 있는 모습을 묘사하며 운문사의 그윽하고 탈속적인 정취를 나타내고 있다. 다음 네 구에서는 낮과 밤을 교차하여 대비하며 누각과 주변의 경관을 묘사하고 있다. 제3~4구에서는 밤에 등불을 걸면 주위의 천 봉우리가 어둠 속에 잠겨 있고 낮에 휘장을 걷으면 가을빛에 물든 오호의 풍경이 바라다보임을 말하며, 누각이 험준한 산속 높은 곳에 자리하고 있음을 나타내고 있다. 제5~6구에서는 낮에는 퇴색한 벽화에 기러기 그림만 남아 있고 밤에는 비단 창에 두우성이 비치고 있음을 말하고 있는데, 기러기와 두우성이 비유하는 '서신'과 '오월 지역'의 의미를 통해 고향을 떠나 강남을 유랑하는 자신의 처지를 나타내고 있다. 제7~8구에서는 이곳에서는 하늘로 이어진 길이 가까운 것처럼 느껴짐을 말하며 꿈속에서 하늘로 올라가 흰 구름과 노니는 모습을 상상하고 있다.

217. 가을날 선성의 사조 북루에 올라

이백(李白)

강가의 성은 그림 속에 있는 듯
새벽 산에는 맑은 하늘 바라다보이네.
두 물줄기는 밝은 거울을 끼고
두 다리가 채색 무지개처럼 내려와 있네.
인가의 연기 속에 귤과 유자는 차갑고
가을빛 속에 오동나무는 늙어가네.
누가 생각하리? 북루에 올라
바람 맞으며 사조를 그리워하고 있음을.

秋登宣城謝朓北樓[1)]

江城如畫裏,[2)] 山曉望晴空.[3)]
兩水夾明鏡,[4)] 雙橋落彩虹.[5)]
人烟寒橘柚,[6)] 秋色老梧桐.
誰念北樓上, 臨風懷謝公.

[주석]

1) 宣城(선성): 지금의 안휘성 선성현(宣城縣).
謝朓(사조): 육조(六朝) 제(齊)나라의 시인으로 자가 현휘(玄暉)이다. 선성태수(宣城太守)를 지내어 사(謝) 선성(宣城)이라고도 불린다.

北樓(북루): 사조가 세운 선성 북쪽의 누각으로, 이름은 고재(高齋)이다.

2) 江城(강성): 강가의 성. 선성(宣城)을 가리킨다. 청양강(淸陽江) 옆에 있어 이와 같이 불렀다. 저본에는 '江樓(강루)'로 되어 있다.

3) 晴空(청공): 구름 한 점 없이 맑은 하늘.

4) 兩水(양수): 선성을 에워싸고 흐르는 두 강. 완계(宛溪)와 구계(句溪)를 가리킨다.

明鏡(명경): 밝은 거울. 선성이 비치고 있는 두 강을 비유한다.

5) 雙橋(쌍교): 완계와 구계에 있는 두 다리. 봉황교(鳳凰橋)와 제천교(濟川橋)를 가리킨다.

彩虹(채홍): 채색 무지개. 무지개 모양의 두 다리를 비유한다.

6) 人烟(인연): 인가의 연기.

[해설]

이 시는 천보(天寶) 13년 가을, 선성(宣城)에서 사조가 세운 북루 고재(高齋)에 올라 쓴 것으로, 주변 경관을 감상하며 사조를 그리워하는 마음을 나타내고 있다.

제1~2구에서는 북루에서 바라본 선성의 풍경이 그림과 같이 아름다움을 말하며 맑은 하늘이 올려다보이는 새벽 산의 산경(山景)을 묘사하고 있다. 이어 제3~4구에서는 밝은 거울 같은 두 강이 선성을 끼고 흐르며 각각의 강 위로 무지개 같은 두 다리가 걸려 있는 수경(水景)을 묘사하고, 제5~6구에서는 인가의 연기가 피어오르고 귤과 유자, 오동나무가 심어져 있는 인경(人景)을 대비시켜 묘사하고 있다. 제7~8구에서는 북루에 올라 사조를 그리워하고 있는 자신을 말하며 현실 세상에 자신을 알아주는 이 없는 외로운 심정을 토로하고 있다.

218. 동정호를 바라보며

맹호연(孟浩然)

팔월의 호수는 드넓고
허공을 머금어 하늘과 뒤섞여 있네.
대기는 운몽택을 쪄내고
파도는 악양성을 흔드네.
건너려 해도 배와 노가 없고
한가로이 지내자니 임금님께 부끄러워,
앉아 낚시꾼 바라보며
다만 잡힌 물고기 부러워하는 마음일 뿐이랍니다.

臨洞庭[1)]

八月湖水平, 涵虛混太淸.[2)]
氣蒸雲夢澤,[3)] 波撼岳陽城.[4)]
欲濟無舟楫,[5)] 端居恥聖明.[6)]
坐觀垂釣者,[7)] 徒有羨魚情.[8)]

[주석]

1) 제목이 「동정호를 바라보며 장 승상께 드리다(臨洞庭湖贈張丞相)」로 되어 있는 판본도 있다. 장 승상은 장구령(張九齡)을 가리킨다. 자가 자수(子壽)이며 교서랑(校書郎), 중서시랑(中書侍郎) 등을 지냈다. 현종(玄宗) 때 중서령(中書令)이

되어 '개원성세(開元盛世)'의 치적을 이루는 데 커다란 공헌을 했으나, 이후 이임보(李林甫)의 배척을 받아 형주자사(荊州刺史)로 폄적됐다.

臨(임): 임하다. 물가에서 바라본다는 뜻이다.

洞庭(동정): 동정호(洞庭湖). 호남성 동북부에 있는 호수.

2) 涵虛(함허): 허공을 머금다.

混(혼): 뒤섞이다. 하늘과 호수가 혼연일체(渾然一體)가 된 상태를 말한다.

太淸(태청): 하늘.

3) 蒸(증): 쪄내다. 뜨거운 대기로 인하여 호수에 수증기가 피어오르는 것을 말한다.

雲夢澤(운몽택): 옛날 초(楚)나라의 늪으로 지금의 동정호 및 그 북쪽의 호남성 북부와 호북성 일대에 걸쳐 있었다. 본래 장강 북쪽에 있는 운택(雲澤)과 장강 남쪽에 있는 몽택(夢澤)으로 나누어져 있었는데 후에 동정호로 합쳐졌다. 여기서는 동정호를 가리킨다.

4) 撼(감): 흔들다. 물결에 비친 악양성의 그림자가 흔들리는 것을 말한다.

岳陽(악양): 지명. 지금의 호남성 악양시(岳陽市). 동정호 동북쪽에 있다.

5) 舟楫(주즙): 배와 노. 긴 노를 '도(棹)'라 하고 짧은 노를 '즙(楫)'이라 한다. 여기서는 자신을 벼슬길에 추천해줄 사람을 비유한다.

6) 端居(단거): 한가로이 지내다.

聖明(성명): 성스럽고 명철함. 임금을 비유한다.

7) 垂釣(수조): 낚싯대를 드리우다.

8) 徒(도): 다만, 헛되이. '空(공)'으로 되어 있는 판본도 있다.

羨魚(선어): 물고기를 부러워하다. 낚시꾼에게 잡힌 물고기가 부럽다는 뜻으로, 장승상이 자신을 끌어주기를 바라는 것이다.

[해설]

이 시는 동정호를 바라보며 승상 장구령에게 보낸 것으로, 자신의 재능과 포부를 동정호에 비유하며 자신을 이끌어주기를 청하고 있다.

제1~2구에서는 하늘을 담아 드넓게 펼쳐져 있는 동정호를 통해 세상 경영의 포부와 책략으로 가득한 자신의 능력을 비유하고, 제3~4구에서는 수증기가 피어오르고 파도가 일렁이는 동정호의 모습으로 자신의 열정적이고 격동적인 의지와 지향을 나타내고 있다. 그러나 제5~6구에서는 자신을 이끌어줄 이를 만나지 못한 현실을 안타까워하며 관직에 나아가지 못하고 있는 자신을 부끄러워하고 있다. 제7~8구에서는 낚시꾼에게 잡힌 물고기를 부러워하고 있는 자신을 말하며 장구령이 자신을 이끌어주기를 간곡히 청하고 있다.

219. 향적사에 들러

왕유(王維)

향적사가 어디에 있는지도 모르고
구름 낀 봉우리로 몇 리를 들어가니,
오래된 나무에 사람 다닐 길도 없는데
깊은 산 어느 곳에서 들려오는 종소리인가?
샘물 소리는 솟아난 바위에서 흐느끼고
햇빛은 푸른 소나무에 차갑구나.
해 질 녘 텅 빈 못 굽이에서
편안하게 좌선하며 독룡을 제압하네.

過香積寺[1]

不知香積寺, 數里入雲峰.[2]
古木無人徑,[3] 深山何處鐘.
泉聲咽危石,[4] 日色冷青松.
薄暮空潭曲,[5] 安禪制毒龍.[6]

[주석]

1) 過(과): 지나다, 들르다.

香積寺(향적사): 지금의 섬서성(陝西省) 서안시(西安市) 남쪽 자우곡(子午谷)의 북쪽에 옛터가 있다.

2) 雲峯(운봉): 구름 덮인 산봉우리.

3) 人徑(인경): 사람들이 다닐 만한 좁은 길.

4) 咽(열): 목메어 울다. 샘물이 높이 솟은 돌에 부딪혀 소리를 내며 흐르는 것을 가리킨다.

5) 薄暮(박모): 해 질 무렵.

潭曲(담곡): 못의 굽이진 곳.

6) 安禪(안선): 편안히 앉아 참선하다.

制(제): 제압하다, 억누르다.

毒龍(독룡): 사악한 용. 불교에서 인간의 사악한 생각과 욕망을 비유한다. 『법원주림(法苑珠林)』에 "서쪽 산중에 연못이 있어 독룡이 살았다. 옛날 5백 명의 상인들이 연못가에서 유숙하자 독룡이 화를 내며 상인들을 모두 죽여버렸다. 반타왕이 바라문의 주문을 배워 연못으로 가 용에게 주문을 외우니, 용이 잘못을 뉘우치고 반타왕에게 갔고 반타왕은 그를 놓아주었다(西方山中有池, 毒龍居之. 昔五百商人止宿池側, 龍怒汎殺商人. 槃陀王學婆門呪, 就池呪龍, 龍悔過向王, 王乃舍之)"라 했다.

[해설]

이 시는 향적사를 찾아가 좌선하며 청정무욕의 경지를 추구하는 것을 말한 것으로, 향적사로 가는 길의 아름다운 자연경관과 시인의 독실한 불심(佛心)이 잘 나타나 있다.

시의 앞 여섯 구에서는 산속 깊은 곳에 자리한 향적사를 찾아가는 과정이 시각과 청각의 대비를 통해 섬세하고 세밀하게 묘사되고 있다. 제1~2구에서는 향적사가 어디에 있는지 알지 못한 채 무작정 찾아 나선 상황을 말하고 있는데, 구름 덮인 봉우리 속으로 찾아 들어가는 모습에서 세속과 단절된 향적사의 초연한 분위기를 짐작할 수 있다. 제3~4구에서는 길도 없는 무성한 고목 사이를 헤매다 종소리를 듣고 향적사가 있는 곳을 알게 되었음을 말하고, 제5~6구에서는 바위틈에 부딪히는 물소리와 소나무에 비치는 차가운 햇빛을 묘사하며 그 고요하고 청정함을 드러내고 있다. 마지막 제7~8구에서는 향적사에 도착하여 좌선하고 있는 상황을 말하고 있는데, 텅 빈 못 굽이가 이미 세속의 욕망과 번뇌에서 벗어나 청정무욕의 경지에 이른 시인의 상태를 말해주고 있다.

220. 민중으로 폄적되어 가는 정 시어를 전송하며

고적(高適)

폄적되어 가는 그대여, 한스러워 마시게나.
민중은 나도 옛날에 갔던 곳이라네.
대체로 가을 기러기는 드물며
다만 밤 원숭이의 울음소리만 많다네.
동으로 가는 길에 구름과 산은 합쳐져 험하겠지만
그나마 남쪽 하늘에 풍토병은 온화하다네.
응당 황제의 은총을 입게 될 터이니
가시는 길, 바람과 물결이 유순하기를.

送鄭侍御謫閩中[1)]

謫去君無恨,[2)] 閩中我舊過.[3)]
大都秋雁少,[4)] 只是夜猿多.
東路雲山合,[5)] 南天瘴癘和.[6)]
自當逢雨露,[7)] 行矣順風波.[8)]

[주석]

1) 鄭侍御(정시어): 시어사(侍御事) 정씨(鄭氏). 누구인지 알 수 없다. 시어사는 감찰기구인 어사대(御史臺)의 관원으로, 품계는 종6품 하(下)에 해당한다.

閩中(민중): 지명. 옛날에 민족(閩族)이 살았던 지역으로, 지금의 절강성(浙江省) 남부와 복건성(福建省) 지역이다.

2) 謫去(적거): 좌천되어 귀양 가다.

3) 舊過(구과): 옛날에 지난 적이 있다. 고적은 유년 시절부터 부친의 관직을 따라 유랑 생활을 했는데, 부친 고종문(高從文)이 일찍이 소주[韶州, 지금의 광동성(廣東省) 곡강현(曲江縣)]의 장사(長史)를 지낸 적이 있었으니 아마도 이때의 경험을 말한 듯하다.

4) 大都(대도): 대체로. '大抵(대저)'와 같다.

5) 東路(동로): 동으로 떠나는 길. 여기에서는 민중(閩中)으로 가는 길을 의미한다.

6) 南天(남천): 남쪽 하늘. 민중을 가리킨다.

瘴癘(장려): 풍토병.

和(화): 온화하다. 민중은 서쪽에 비해 풍토병이 심하지 않음을 말한 것이다.

7) 雨露(우로): 비와 이슬. 천하를 적시는 황제의 은택을 비유한다.

8) 順風波(순풍파): 유순한 바람과 물결. 떠나는 길이 편안하고 무탈함을 의미한다.

[해설]

이 시는 민중(閩中)으로 귀양 가는 시어사(侍御使) 정씨를 전송하며 쓴 것으로, 먼 길 떠나는 친구에 대한 따뜻한 위안과 격려가 담겨 있다. 정확한 작시 시기는 알 수 없으나 천보(天寶) 11년(752) 이후 고적이 장안에 머무를 때 쓴 것으로 여겨진다.

제1~2구에서는 멀고 낯선 땅으로 귀양 가는 정씨에게 자신 또한 그곳에서 지낸 적이 있음을 말하며 위안하고, 이어 제3~4구에서는 가을 기러기조차 다다르지 못하는 먼 거리에 밤마다 원숭이 울음소리만 들리는 낯선 풍광을 미리 이야기해줌으로써 그곳에서 친구가 겪게 될 낯섦과 불안감을 완화하고 있다. 제5~6구에서는 구름에 덮인 산들이 끝없이 이어지는 민중으로의 험난한 여정을 말하고, 그나마 그곳에는 풍토병이 심하지 않다는 말로 위안하고 있다. 마지막 제7~8구에서는 그가 분명 황제의 은택을 입어 다시 돌아오게 될 것이라 격려하며 멀고 험한 길 무사히 다녀오기를 기원하고 있다.

221. 진주에서 읊다 두보(杜甫)

봉림에 전쟁은 그치지 않고
어해로의 길은 항상 어렵기만 하구나.
봉화는 구름 덮인 봉우리처럼 높은데
고립된 군대의 막사 우물은 말라버렸네.
바람은 서쪽 끝까지 이어지며 요동치는데
달은 북정을 지나며 차갑기만 하네.
늙은이는 비장군을 그리워하니
어느 때에나 단 쌓는 일을 논의하리?

秦州雜詩[1]

鳳林戈未息,[2] 魚海路常難.[3]
候火雲峰峻,[4] 懸軍幕井乾.[5]
風連西極動,[6] 月過北庭寒.[7]
故老思飛將,[8] 何時議築壇.[9]

[주석]

1) 秦州(진주): 지명. 지금의 감숙성(甘肅省) 천수시(天水市)로 당대에 농우도(隴右道)에 속했다.

2) 鳳林(봉림): 지명. 지금의 감숙성 임하현(臨夏縣) 동북쪽으로 당시 토번(吐蕃)

의 침략을 받고 있었다. 저본에는 '風林(풍림)'으로 되어 있다.

3) 魚海(어해): 지명. 지금의 감숙성 서부 지역으로 당시 토번의 경내였다.

4) 候火(후화): 봉화.

雲峰(운봉): 구름 덮인 봉우리. 저본에는 '雲風(운풍)'으로 되어 있다.

5) 懸軍(현군): 적진 깊이 들어가 고립된 군사.

幕井(막정): 군막의 우물. 군사들의 식수를 가리킨다.

6) 西極(서극): 서쪽 끝. 토번이 있는 지역을 가리킨다.

7) 北庭(북정): 북정도호부(北庭都護府). 당대에 농우도에 설치했다.

8) 飛將(비장): 한대(漢代)의 명장 이광(李廣). 이광은 우북평태수(右北平太守)로 있으며 흉노(匈奴)의 침략을 막았는데, 당시 흉노가 그를 비장군(飛將軍)이라 불렀다.

9) 築壇(축단): 단을 쌓다. 장군을 임명하는 것을 의미한다. 한(漢) 고조(高祖) 유방(劉邦)이 한신(韓信)을 대장군으로 임명할 때 단을 쌓고 예를 갖추었던 것에서 유래한 말이다.

[해설]

두보는 당(唐) 숙종(肅宗) 건원(乾元) 2년(759) 화주(華州) 사공참군(司空參軍)을 그만두고 진주(秦州)로 가서 머물렀는데 이 시는 그때 쓴 연작시로 총 20수 중 제19수이다. 시에서는 토번(吐藩)과의 전투가 끊임없이 이어지는 서북 변방의 긴박한 상황을 말하며 국가에 대한 염려와 조정의 안일한 대응에 대한 비판을 나타내고 있다.

제1~2구에서는 토번과의 접경 지역에서 전투가 끊임없이 이어지고 있으며 그들과의 전쟁이 결코 쉽지 않은 과정임을 말하고 있다. 제3~4구에서는 구름 덮인 산봉우리처럼 높이 타오르는 봉화로 급박한 전투의 상황을 나타내고, 아군이 전진 깊숙이 들어가 포위되어 생사의 기로에 놓여 있음을 말하고 있다. 제5~6구에서는 서쪽 토번 지역까지 부는 바람으로 전쟁이 지속되고 있음을 나타내고, 북정도호부를 지나는 차가운 달빛을 통해 변방을 지킬 뛰어난 장수가 없는 현실을 비유하고 있다. 제7~8구에서는 한대(漢代) 흉노를 토벌했던 명장 이광(李廣)을 떠올리며 조정에서 하루빨리 그와 같은 장수를 임명하여 변방을 안정시킬 것을 고대하고 있다.

222. 우임금의 사당

두보(杜甫)

텅 빈 산속 우임금의 사당에
가을바람 속 석양은 비끼어 있네.
황량한 뜰에는 귤과 유자가 드리워져 있고
오래된 건물에는 용과 뱀이 그려져 있네.
구름 기운은 빈 벽에서 생겨나고
강물 소리는 흰 모래 위를 달리네.
일찍이 알았나니, 네 가지 도구를 타고
물길 트고 뚫어 삼파 땅을 제어하셨음을.

禹廟

禹廟空山裏,[1] 秋風落日斜.
荒庭垂橘柚,[2] 古屋畫龍蛇.[3]
雲氣生虛壁, 江聲走白沙.
早知乘四載,[4] 疏鑿控三巴.[5]

[주석]

1) 禹廟(우묘): 하(夏)나라 우임금의 사당. 지금의 사천성(四川省) 충현(忠縣)에 있다.

2) 橘柚(귤유): 귤과 유자. 우임금이 치수를 통해 구주(九州)를 안정시키자 멀리

동남쪽에 사는 도이(島夷)의 백성들이 귤과 유자를 가져와 공물로 바쳤다.

3) 龍蛇(용사): 용과 뱀. 우임금이 치수를 통해 몰아냈던 동물들이다.

4) 四載(사재): 우임금이 치수할 때 타고 다녔다는 네 가지 도구. 『사기(史記)·하본기(夏本紀)』에 따르면 우임금은 육지에서는 수레〔乘〕를, 물에서는 배〔舟〕를, 늪지에서는 썰매〔輴〕를, 산에서는 나막신〔樏〕을 신었다고 한다.

5) 疏鑿(소착): 막힌 곳을 트고 뚫다.

控(공): 제어하다, 다스리다.

三巴(삼파): 파군(巴郡), 파서군(巴西郡), 파동군(巴東郡). 지금의 사천성 가릉강(嘉陵江) 유역으로 협곡이 많은 지역이다.

[해설]

이 시는 당(唐) 대종(代宗) 영태(永泰) 원년(765) 두보가 촉(蜀) 땅을 나와 동으로 내려갈 때 충주(忠州)를 지나며 우(禹)임금의 사당을 방문하고 쓴 것으로, 우임금 사당의 처량하고 쓸쓸한 가을풍경을 묘사하며 치수를 통해 천하를 안정시킨 그의 공적을 칭송하고 있다.

제1~2구에서는 텅 빈 산속에 자리하고 있는 우임금의 사당과 스산한 가을바람 속에 저물어가는 석양을 묘사하며 우임금의 공적이 사람들에게 잊혀가고 있는 현실에 안타까움을 나타내고 있다. 제3~4구 뜰에 심어진 귤과 유자와 건물에 그려진 용과 뱀을 묘사하며 치수를 완성한 그의 공적을 말하고 있는데, 황량한 뜰과 오래된 건물이 이와 극명한 대조를 이루고 있다. 제5~6구에서는 변함없이 피어나고 흐르는 구름과 강물을 통해 그의 공적이 영원토록 사라지지 않을 것임을 비유하고, 제7~8구에서는 땅과 물, 늪지와 산을 가리지 않고 다니며 험준한 삼파(三巴) 지역을 다스린 그의 노고와 공적을 다시금 칭송하고 있다.

223. 진천을 바라보며

이기(李頎)

진천을 아침에 바라보니 아득하기만 한데
해는 정동 봉우리에서 떠오르네.
멀고 가까이 산과 강은 깨끗하고
구불구불 성궐은 겹겹이네.
만 호 집의 대나무에 가을 소리 들리고
오릉의 소나무에 차가운 빛 어렸네.
나그네 있어 돌아가리라 탄식하니
처량하게 서리 이슬 짙기만 하네.

望秦川[1]

秦川朝望迥,[2] 日出正東峰.
遠近山河淨, 逶迤城闕重.[3]
秋聲萬戶竹, 寒色五陵松.[4]
有客歸歟嘆,[5] 淒其霜露濃.[6]

[주석]

1) 秦川(진천): 지명. 섬서성(陝西省) 서안시(西安市) 남쪽에 있는 진령(秦嶺) 이북의 평원 지역을 가리킨다.

2) 迥(형): 멀다, 아득하다.

3) 逶迤(위이): 구불구불 길게 이어진 모양.

4) 五陵(오릉): 한나라 황제 다섯 명의 무덤. 앞의 123. 「가을의 흥취(秋興)(3)」 주 8) 참조. 여기서는 장안을 가리킨다.

5) 歸歟(귀여): 돌아가리라! '여(歟)'는 감탄을 나타내는 어조사.

6) 淒其(처기): 처량하다. '기(其)'는 어조사로, 형용사 뒤에 사용되어 '연(然)'의 뜻을 나타낸다.

[해설]

이 시는 시인이 파직되어 장안을 떠나며 장안이 있는 진천 일대를 바라보며 쓴 것으로, 처량한 가을의 경관에 자신의 울적하고 쓸쓸한 감회를 기탁하고 있다.

제1~2구에서는 아득히 펼쳐져 아침 해가 정동에서 떠오르고 있는 진천의 경관을 묘사하고, 제3~4구에서는 맑고 깨끗한 산하와 구불구불 이어진 장안의 성궐을 묘사하고 있다. 드넓은 평원에 떠오르는 아침 해와 그저 깨끗하고 평온하기만 한 산수와 도성의 경관들이 파직되어 장안을 떠나는 시인의 심정과 극명한 대비를 이루고 있다. 제5~6구에서는 가을 소리 들려오는 모든 집의 대나무와 차가운 빛이 어린 오릉의 소나무를 묘사하며, 굳은 절개와 지조를 지키고 있지만 고난과 시련을 겪고 있는 자신의 현실을 비유하고 있다. 제7~8구에서는 다시금 장안으로 돌아갈 수 있기를 갈구하며, 짙게 드리운 서리와 이슬에 자신의 쓸쓸한 심정을 기탁하고 있다.

224. 왕 징군에 화답하여

장위(張謂)

팔월의 동정호는 가을이요
소수와 상수는 북으로 흘러가네.
집으로 돌아가는 만 리 꿈속,
나그네 신세 오경에 시름겹네.
책을 펼쳐봐도 소용없으니
다만 술집 누각에 오르는 것이 마땅하네.
친구들 장안과 낙양에 가득한데
어느 때에나 다시 함께 노닐 수 있으리?

同王徵君[1]

八月洞庭秋,[2] 瀟湘水北流.[3]
還家萬里夢,[4] 爲客五更愁.[5]
不用開書帙,[6] 偏宜上酒樓.[7]
故人京洛滿,[8] 何日復同遊.

[주석]

1) 저본에는 작자가 장위(張渭)로 되어 있다. 제목이 「왕 징군의 '동정호에서 느낀 바 있어'에 화답하여(同王徵君洞庭有懷)」 또는 「왕 징군의 '상수에서 느낀 바 있어'에 화답하여(同王徵君湘中有懷)」로 되어 있는 판본도 있다.

同(동): 화답하다. 다른 사람 시의 제재나 체제, 또는 운자 등을 따라 쓰는 것을 말한다.

王徵君(왕징군): 장위의 친구로 누구인지 알 수 없다. '징군(徵君)'은 '징사(徵士)'의 존칭이며 조정의 부름을 받지 않은 은자를 가리킨다.

2) 洞庭(동정): 동정호(洞庭湖). 호남성 동북부에 있는 호수.

3) 瀟湘(소상): 소수(瀟水)와 상수(湘水). 지금의 호남성에 있으며 북쪽으로 흘러 소수가 상수로 합류한 뒤 동정호로 흘러 들어간다.

4) 萬里夢(만리몽): 만 리 밖 고향을 찾아가는 꿈.

5) 五更愁(오경수): 오경의 시름. 여기서는 밤이 새도록 고향 생각에 시름겨워하는 것을 말한다.

6) 書帙(서질): 서책과 권질. 책을 가리킨다.

7) 偏宜(편의): 오로지 적합하다.

酒樓(주루): 누각이 있는 술집.

8) 京洛(경락): 도성인 장안(長安)과 낙양(洛陽).

[해설]

이 시는 장위(張謂)가 상서랑(尙書郎)으로 하구〔夏口, 지금의 호북성 무한시(武漢市)〕에 나가 있을 때 친구 왕 징군과 함께 동정호를 유람하며 그의 시 「동정호에서 느낀 바 있어(洞庭有懷)」에 화답하여 쓴 것으로, 왕 징군의 시는 지금 남아 있지 않아 그 내용을 알 수 없다. 시에서는 동정호의 가을 풍경을 노래하며 타향을 떠도는 나그네의 향수와 친구들에 대한 그리움을 나타내고 있다.

제1~2구에서는 동정호에 가을이 왔음을 말하고 북으로 흐르는 소수와 상수를 통해 북쪽 고향으로 향하는 자신의 마음을 비유하고 있다.

제3~4구에서는 꿈속에서 고향을 찾아가고 밤이 새도록 시름에 잠 못 이루는 나그네 신세를 탄식하고 있다. 제5~6구에서는 시름에서 벗어나려 책을 읽어보지만 아무 소용이 없고 오로지 술로써 시름을 잊는 것이 가장 좋은 방법임을 말하고 있다. 제7~8구에서는 장안과 낙양에서 함께 노닐던 많은 친구들을 떠올리며 이들과의 재회를 고대하고 있다.

225. 양자강을 건너며

정선지(丁仙芝)

계수나무 노 저어 강 중간에서 바라보니
드넓은 수면에 양 언덕이 빛나네.
숲이 열리니 양자역이요
산을 나오니 윤주성이로다.
바다 다한 곳 해변은 고요하고
차가운 강물 위로 북풍이 불어오네.
다시 단풍잎 지는 소리 들으며
사그락사그락 가을 소리를 건너가네.

渡揚子江[1]

桂楫中流望,[2] 空波兩岸明.[3]
林開揚子驛,[4] 山出潤州城.[5]
海盡邊陰靜,[6] 江寒朔吹生.[7]
更聞楓葉下, 淅瀝度秋聲.[8]

[주석]

1) 揚子江(양자강): 장강(長江) 하류의 이름. 강소성(江蘇省) 의정현(儀征縣), 진강(鎭江), 양주(揚州) 지역을 지나는 장강을 가리킨다.

2) 桂楫(계즙): 계수나무 노. 배를 가리킨다.

3) 空波(공파): 드넓게 펼쳐진 수면.

4) 揚子驛(양자역): 역참 이름. 지금의 강소성 양주시(揚州市) 남쪽 양자진(揚子津)에 있다.

5) 潤州(윤주): 지명. 지금의 강소성 진강시(鎭江市)이다.

6) 海盡(해진): 바다가 다한 곳. 장강과 바다가 만나는 곳을 가리킨다.

邊陰(변음): 변두리 지역. 해변을 가리킨다.

7) 朔吹(삭취): 북풍.

8) 淅瀝(석력): 눈비나 낙엽 등이 사그락사그락 내리는 소리.

度(도): 건너다. 저본에는 '渡(도)'로 되어 있다.

[해설]

이 시는 정선지가 여항〔餘杭, 지금의 절강성(浙江省) 항주시(杭州市)〕 현위(縣尉)가 되어 양자강을 지나면서 쓴 것으로, 물길의 여정을 따라 강 주변의 가을 경관을 세밀하고 섬세하게 묘사하고 있다.

제1~2구에서는 강 가운데에서 바라본 양 언덕이 잔잔한 물결에 밝게 빛나고 있음을 말하고, 제3~4구에서는 숲과 산을 지나가며 차례로 양자역과 윤주성이 드러나는 모습을 '열린다〔開〕' '나온다〔出〕'는 표현을 통해 생동감 있게 나타내고 있다. 제5~6구에서는 바닷가에 이르러 해변의 고요한 정경을 묘사하며 차가운 강에 불어오는 북풍으로 시간의 흐름과 계절의 변화를 나타내고 있다. 제7~8구에서는 단풍잎 지는 소리를 들으며 깊은 가을 속을 건너가고 있는 모습이 나타나 있다.

226. 유주에서 밤에 술 마시며

장열(張說)

서늘한 바람이 밤비 불어오니
소슬한 기운이 차가운 숲에 요동치네.
때마침 고당에서 연회가 있어
노년의 마음 잊을 수 있다네.
군중에선 검무가 마땅하니
변방에 피리 소리 겹겹이네.
변성의 장수가 되어보지 않는다면
누가 황제의 대우 깊음을 알 수 있으리?

幽州夜飮[1]

涼風吹夜雨, 蕭瑟動寒林.[2]
正有高堂宴,[3] 能忘遲暮心.[4]
軍中宜劍舞, 塞上重笳音.[5]
不作邊城將, 誰知恩遇深.[6]

[주석]

1) 幽州(유주): 지명. 고대 구주(九州)의 하나로, 지금의 하북성(河北省) 북부와 요녕성(遼寧省) 일대를 가리킨다.

2) 蕭瑟(소슬): 바람이 쓸쓸하고 스산하게 부는 모양.

3) 高堂(고당): 높고 커다란 집.

4) 遲暮(지모): 시간이 늦고 날이 저물다. 노년(老年)을 비유한다.

5) 笳音(가음): 피리 소리. '가(笳)'는 본래 북방 이민족의 악기로, 한대(漢代) 중국으로 들어와 위진(魏晉) 이후 '적(笛)'과 함께 군대의 악기로 사용됐다.

6) 恩遇(은우): 은혜로운 대우. 황제의 후대를 가리킨다.

[해설]

이 시는 장열(張說)이 유주도독(幽州都督)으로 있을 때 군영에서 병사들과 밤에 연회하며 쓴 것으로, 스산한 변방의 가을 풍경과 연회의 모습을 묘사하며 황제의 은혜에 감사하고 있다.

제1~2구에서는 서늘한 바람 속에 밤비까지 내려 차가운 숲에 스산함이 가득한 변방의 풍경을 묘사하고, 제3~4구에서는 그나마 군중에서 연회가 있어 노년에 이른 자신의 쓸쓸한 마음을 달랠 수 있음을 위안하고 있다. 제5~6구에서는 연회에서 검무를 추고 피리 소리가 곳곳에서 들려오는 상황을 통해 변방 군사들의 용맹함과 그들의 향수를 함께 나타내고, 제7~8구에서는 자신이 변방에 왔기 때문에 이러한 연회를 즐길 수 있음을 말하며 황제의 배려와 후대에 감사하고 있다.

초학자를 위한 당송시(唐宋詩) 입문서

『천가시(千家詩)』는 송대(宋代) 사방득(謝枋得)이 편찬한 『증보중정천가시주해(增補重訂千家詩註解)』와 명대(明代) 왕상(王相)이 편찬한 『신전오언천가시전주(新鐫五言千家詩箋註)』를 합간한 것으로, 당송대의 명시(名詩)들을 선록한 것이다.

사방득(1226~1289)은 남송 신주(神州) 익양〔弋揚, 지금의 강서성(江西省) 익양현(弋揚縣)〕 사람으로 자가 군직(君直)이고 호는 첩산(疊山)이다. 이종(理宗) 보우(寶祐) 4년(1256)에 문천상(文天祥)과 함께 진사가 되었으며 충의심이 강하여 직접 군대를 이끌고 원(元)에 대항하기도 했다. 송의 패망 후에는 관직에 나아가지 않고 건양(建陽) 일대를 떠돌면서 글을 가르치며 살았다. 원 조정에서 관직을 주며 초빙했으나 거부하여 대도(大都)로 압송됐으며 끝내 관직을 거부하며 단식으로 저항하다가 생을 마쳤다. 저서로 『첩산집(疊山集)』『문장궤범(文章軌範)』 등이 있다.

왕상(?~?)은 명말 청초 낭야〔瑯琊, 지금의 산동성(山東省) 임기현(臨沂縣)〕 사람으로 자가 진승(晉升)이다. 생졸년과 사적은 알려져 있지 않으며 『증보중정천가시(增補重訂千家詩)』를 비롯하여 『삼자경(三字經)』 『백가성(百家姓)』 등 많은 일반 독본에 주해를 달았다.

사방득 이전에 '천가시'라는 서명은 송대 유극장(劉克莊)이 편찬한 것으로 알려진 『분문찬류당송시현천가시선(分門纂類唐宋時賢千家詩選)』에서 보이는데, 이 책은 시의 분류가 번다하고 권질이 많았다. 따라서 사방득은 이 중 칠언절구(七言絶句)와 칠언율시(七言律詩)만을 정선하여 『증보중정천가시(增補重訂千家詩)』 2권을 따로 편찬했다. 그러나 사방득의 편찬본에는 원문만 있고 주석이 없었으며, 수록된 작품 또한 주로 송대에 치중되어 있었다. 이에 명말에 들어와 왕상이 여기에 주해를 가하여 『증보중정천가시주해』를 편찬하고, 사방득의 편찬 체제에 따라 자신이 따로 오언절구(五言絶句)와 오언율시(五言律詩)를 정선하여 『신전오언천가시전주』 2권을 편찬했다. 이처럼 본래는 두 개의 별본이었던 것이 청대로 들어와 그 체제상의 유사성과 서적상들의 필요에 의해 하나로 합간되어 『천가시주석(千家詩註釋)』 『천가시선주(千家詩選注)』 등의 이름으로 간행되어 오늘날까지 전해오고 있다.

『천가시』에 수록된 시인들은 두보(杜甫), 이백(李白), 왕유(王維), 맹호연(孟浩然), 위응물(韋應物), 유우석(劉禹錫)을 비롯하여 소식(蘇軾), 황정견(黃庭堅), 왕안석(王安石), 육유(陸游) 등 당송대의 대표적인 시인들뿐 아니라 제왕장상(帝王將相), 사인학사(舍人學士), 승속남녀(僧俗男女), 무명씨(無名氏), 목동(牧童) 등 사회 각 계층을 포괄하고 있다. 수록된 작품 또한 당송시(唐宋詩) 중 예술성이 빼어나고 널리 알려져 있는 작품들을 위주로 하고 있어 중국 시문학의 대표성과 예술성을 두루 겸비하고 있는 대표적인 시선집이라 할 수 있다.

특히 이 책은 초학자나 어린아이를 주된 대상으로 삼았던 까닭에 수록된 시들은 대체로 평이한 내용을 바탕으로 언어의 계발과 성정의 도야, 지적 소양의 함양에 실질적인 도움이 되는 시들로 이루어져 있다. 아울러 수록 작품을 절구와 율시로만 한정하여 장편의 고체시나 배율 등에 대한 부담을 없앴으며, 내용을 계절순으로 배열함으로써 작품에 대한 이해도를 높이고 암송과 낭송에 적합한 작품들을 중점적으로 선별함으로써 학습의 재미뿐 아니라 일상생활에서의 효용성까지 함께 고려하고 있다.

이러한 장점들로 인해 이 책은 간행된 이후 청대 전 시기에 걸쳐 아동들의 시학 입문 교재로 널리 유행했고, 『삼자경(三字經)』『백가성(百家姓)』『천자문(千字文)』과 함께 아동들의 필수 학습서로서 이른바 '삼백천천(三百千千)'이라 불리기도 했다. 이러한 상황은 우리에게 예외가 아니어서 우리나라에서도 일찍부터 동몽학습용 필수 독본으로 받아들여지며 한시의 이해와 창작의 토대로서 오랜 기간 많은 영향을 끼쳐왔다. 청대 형당퇴사(衡塘退士)에 의해 간행되어 현재까지 당시선집으로 가장 널리 알려져 있는 『당시삼백수(唐詩三百首)』가 『천가시』의 평이함과 시체의 소략함에 불만을 품고 그 유행에 반발하여 편찬된 것이었음을 생각하면, 당시 시중에서의 『천가시』의 성행과 영향력이 어떠했는지를 미루어 짐작할 수 있다.

현전 통합본 『천가시』의 구성과 내용에 대해 좀더 자세히 살펴보면, 먼저 수록되어 있는 작자 수는 당인 68인, 송인 56인, 명인 2인, 무명씨 2인 등 총 128인이다. 이 중 송인 1인은 이름이 알려져 있지 않은 목동(牧童)으로 「종약옹에 답하다(答鍾弱翁)」 1수가 수록되어 있으며, 명인 2인은 명(明) 세종(世宗) 주후총(朱厚熜)과 영헌왕(寧獻王) 주권(朱權)으로 각각 「모백온을 보내며(送毛伯溫)」 「천사를 보내며(送天師)」 1수씩이 수록되어 있다. 명인의 시는 칠언시가 수록된 『증보중정천가시주해』에 실려 있는데 모두가 황가(皇家)의 시로서 2수 모두 칠언율시이며, 사방득의 칠언절구 「경전암의 복숭아꽃(慶全庵桃花)」과 「누에 치는 아낙네의 노래(蠶婦吟)」도 포함되어 있다. 이에 비추어보면 『천가시』로 합간된 『증보중정천가시주해』는 사방득이 편찬한 본래의 모습이 아니며, 『천가시』의 권위를 높이기 위해 혹은 이를 통해 판매 수익을 높이기 위한 목적에서 후인들에 의해 추가된 것임을 알 수 있다. 왕상(王相)이 편찬한 『신전오언천가시전주』는 모두 당인의 시로만 이루어져 있는데, 사방득이 편찬한 칠언시 부분이 송인에 치중되어 있는 것을 바로잡기 위한 의도적인 편찬으로 여겨진다.

『천가시』에 수록된 작품 수는 오언절구 39수, 오언율시 45수, 칠언절구 94수, 칠언율시 48수 등 총 226수이다. 작품의 배열 순서는 각각의 시 형식 내에서 내용상 봄부터 겨울까지 사계절의 시기에 따라 배열했으며, 조수초목(鳥獸草木)이 소재로 활용된 시들을 중점적으로 선별하여 계절적 특성이 잘 드러나게 하고 있다. 또한 대장(對仗)과 대비(對比)가 선명하게 나타나고 있는 시들을 주로 선록하여 한시의 형식미와 예술미, 운율미를 느낄 수 있도록 하고 있다. 아울러 초학자나 어린아이를 주된 대상으로 삼았던 까닭에 매 쪽 상단에 작품과 관련된 삽화를 넣어 시에 대한 이해를 돕고 있는 점이 특징적이다.

동몽학습용 당송시 선집으로서 『천가시』는 비록 이상과 같은 많은 장점들을 지니고 있으나 그 한계 또한 지적하지 않을 수 없다.

첫째, 시체별 조대(朝代)의 편중성이다. 『천가시』에 수록된 총 128인의 시인 중 당송 시인이 거의 절반씩을 차지하여 외견상으로는 적절하게 편재되어 있는 듯하지만, 실제로는 시체별로 극단적인 편중성을 나타내고 있다. 앞서 언급했듯이 『천가시』는 같은 시기에 편찬된 것이 아니라 칠언 부분과 오언 부분이 각기 따로 편찬되어 합간된 것으로, 특히 오언 부분은 송대에 치중된 칠언 부분의 편중을 바로잡고자 당대에 치중하는 바람에 결과적으로 송대 시인은 전혀 수록하지 않고 있다. 결국 이 책에서는 송인의 오언시를 전혀 감상할 수 없으며 당인의 칠언시 또한 그 일부만을 소략하게 접할 수 있을 뿐이다.

둘째, 수록 시인의 편중성이다. 『천가시』에 수록된 작품 분포를 보면 많은 부분 특정 유명 시인에 편중되어 있다. 총 226수의 시 중 두보(杜甫)가 25수로 가장 많으며 이백(李白) 9수, 소식(蘇軾) 7수, 왕유(王維)와 정호(程顥) 각 6수, 맹호연(孟浩然) 5수, 위응물(韋應物), 유우석(劉禹錫), 잠삼(岑參), 한유(韓愈), 두목(杜牧), 왕안석(王安石) 각 4수로 이들 12인의 시가 총 82수로서 전체의 3분의 1을 훨씬 웃돌고 있다. 더구나 이들 작품 또한 오칠언 절구와 율시에만 한정된 까닭에 다른 시 형식에서의 해당 시인의 대표적인 작품은 누락될 수밖에 없는 근본적인 한계가 있다. 따라서 이를 통해 당송시의 특징을 전체적으로 조망하고 파악하기에는 아무래도 한계가 있을 수밖에 없다.

셋째, 시인 선정의 자의성이다. 수록된 시인들은 널리 알려져 있는 시인들도 있지만 상대적으로 이름이 알려져 있지 않거나 그 시적 성취에 대한 평가가 그다지 높지 않은 시인들이 많다. 이는 칠언시가 수록된 『증보중정천가시주해』에서 보다 두드러지게 나타나는데, 송대 시인으로 수록된 노매파(盧梅坡), 왕기(王淇), 왕중(王中), 임승(林升), 임진(林稹), 섭소옹(葉紹翁), 승(僧) 지남(志南), 뇌진(雷震), 고저(高翥) 등 많은 시인들은 생졸년뿐 아니라 알려진 사적 또한 거의 없는 무명 시인에 가까운 사람들이다. 특히 노매파와 왕기는 단 2수, 두상(杜常)은 단 1수만 남기고 있는 시인이며 이마저도 왕기와 두상의 시는 사방득이 편찬한 『증보중정 천가시주해』에만 전하고 있다. 따라서 시인 선정의 기준이 지나치게 자의적이며, 이들을 당송시를 대표하는 시인으로 꼽기에는 아무래도 무게감이 떨어진다고 할 수 있다.

넷째, 선집 목적에 어울리지 않는 시들이 적지 않다. 『천가시』 편찬의 목적이 초학자나 어린아이를 위한 동몽학습용 교재임에도 불구하고 수록된 시들을 보면 이학자(理學者)들의 설리시(說理詩)나 황제에게 올린 응제시(應制詩)가 다소 많은 분량을 차지하고 있다. 이러한 시들은 초학자가 이해하기 어려울 뿐 아니라 의례적인 표현과 상투적인 내용으로 인해 시적 감흥을 느끼기에도 적합하지 않다.

다섯째, 판본상의 오류가 적지 않다. 『천가시』는 판본에 따라 오언시가 앞에 오거나 칠언시가 앞에 오는 등의 사소한 차이가 있기도 하지만, 무엇보다도 주석과 간행 과정에서의 착오로 작자 이름이나 시 제목 및 시 원문상의 오류들이 많이 나타나고 있다. 이는 『천가시』에 대한 인기와 수요에 편승하여 서적 판매상들이 짧은 시간에 이윤을 극대화하기 위해 판각 과정에서의 교정과 교열을 소홀히 한 탓으로 여겨지니, 현전 판본마다 오류 부분이 각기 다른 것 또한 이를 단적으로 보여주는 것이라 할 수 있다.

그러나 이와 같은 한계에도 불구하고 『천가시』는 초학자를 대상으로 한 대표적인 당송시 선집으로서 오랜 기간 많은 사람에게 애송되면서 전통 시기 사람들의 일상의 삶과 언어생활에 커다란 영향을 끼쳐왔으며, 예술미와 운율미를 중심으로 중국 고전시의 미학을 집중적으로 체현하고 있는 까닭에 그 의미와 가치가 결코 작다고 할 수 없다.

가도(賈島, 779~843)

당(唐) 범양〔范陽, 지금의 하북성(河北省) 탁현(涿縣)〕 사람으로 자가 낭선(閬仙)이다. 과거에 여러 차례 응시했으나 실패하여 마침내 출가(出家)했으며 법호는 무본(無本)이다. 후에 한유(韓愈)의 권유로 환속(還俗)하여 그에게 시문을 배웠으며 이후로도 진사(進士) 시험에 응시했으나 급제하지 못했다. 문종(文宗) 때 장강주부(長江主簿)로 폄적되어 세칭 가장강(賈長江)으로 불리며 무종(武宗) 때 보주사창참군(普州司倉參軍)으로 있다가 병사했다. 혼란했던 중만당(中晩唐) 시기에 활동했지만 그의 시는 현실을 반영하기보다는 경치를 묘사하거나 자신의 감회를 노래한 작품들이 대부분이다. 특히 시가의 창작 과정 중 조탁(雕琢)이나 자구(字句)의 단련 등을 중시하여 '퇴고(推敲)'에 관한 일화로 널리 알려져 있다. 한유(韓愈), 맹교(孟郊) 등과 더불어 고음시인(苦吟詩人)이라 불린다. 저서로 『장강집(長江集)』 10권이 있다.

가지(賈至, 718~722)

당(唐) 낙양〔洛陽, 지금의 하남성(河南省) 낙양시(洛陽市)〕 사람으로 자가 유린(幼隣) 또는 유기(幼幾)이다. 현종(玄宗) 천보(天寶) 원년(742)에 명경과(明經科)에 급제했으며 안사(安史)의 난 때 촉(蜀)으로 현종을 수행하여 기거사인(起居舍人), 지제고(知制誥)를 지냈다. 숙종(肅宗) 지덕(至德) 연간(756~758)에 중서사인(中書舍人)을 지내다 악주사마(岳州司馬)로 좌천됐으며 대종(代

宗) 보응(寶應) 초에 우산기상시(右散騎常侍)가 되었다. 창화시(唱和詩)와 응제시(應制詩)가 많으며 풍격이 전아(典雅)하다. 『전당시(全唐詩)』에 시 1권이 전한다.

개가운(蓋嘉運, ?~?)

당(唐) 시인으로 출신과 자는 알려져 있지 않다. 현종(玄宗) 개원(開元) 연간에 북정도호부(北庭都護府)를 지냈다. 현종 선천(先天) 원년(712)에 북정이서절도사(北庭伊西節度使)를 설치하여 북정도호로 하여금 이를 겸하고 한해(瀚海), 천산(天山), 이오(伊吾)의 삼군(三軍)을 통솔하게 했는데, 이를 맡아 돌기시(突騎施), 처목곤(處木昆) 등 변방 이민족을 방어했다.

경위(耿湋, ?~?)

당(唐) 하동[河東, 지금의 산서성(山西省) 영제현(永濟縣)] 사람으로 자가 홍원(洪源)이다. 숙종(肅宗) 보응(寶應) 2년(732)에 진사에 급제하여 대리사법(大理司法)을 지냈으며 우습유(右拾遺)를 역임했다. 시에 뛰어나 전기(錢起), 노륜(盧綸), 사공서(司空曙) 등과 이름을 나란히 했으며 대력십재자(大曆十才子) 중의 하나이다. 『전당시(全唐詩)』에 시 2권이 있다.

고병(高駢, 821~887)

당(唐) 유주[幽州, 지금의 북경시(北京市) 서남쪽] 사람으로 자가 천리(千里)이며, 남평군왕(南平郡王) 고숭문(高崇文)의 손자이다. 금군(禁軍) 가문 출신으로 우신책군도우후(右神策軍都虞候), 진주자사(秦州刺史), 안남도호(安南都護) 등을 역임했다. 의종(懿宗) 함통(咸通) 연간(860~873)에 천평(天平), 서천(西川), 형남(荊南), 진해(鎭海), 회남(淮南) 등 오진(五鎭)의 절도사를 지내며 황소(黃巢)의 반군을 진압했고 희종(僖宗) 때 발해군왕(渤海郡王)에 봉해졌다. 만년에 미신과 귀신에 빠져 술사(術士) 여용지(呂用之), 장수(張守) 등을 중용하여 상하의 신임을 잃었으며 부장(部將) 필사탁(畢師鐸)에 의해 살해됐다. 무관임에도 문학을 좋아하고 시에 능하여 '낙조시어(落雕侍御)'라 칭해졌다.

고섬(高蟾, ?~?)

당(唐) 발해〔渤海, 지금의 하북성(河北省) 창주시(滄州市)〕 사람으로 희종(僖宗) 건부(乾符) 3년(876)에 진사에 급제했으며, 소종(昭宗) 건녕(乾寧) 연간에 어사중승(御史中丞)을 역임했다.

고저(高翥, 1170~1241)

남송(南宋) 여요〔餘姚, 지금의 절강성(浙江省) 여요현(餘姚縣)〕 사람으로 처음 이름은 공필(公弼)이었다가 저(翥)로 바꾸었다. 자가 구만(九萬)이고 호는 국간(菊磵)이다. 남송 강호시파(江湖詩派)의 대표적인 인물로, 평생을 관직에 나아가지 않고 강호를 떠돌아 '강호유사(江湖遊士)'라는 별칭이 있으며 항주(杭州)의 서호(西湖)에서 세상을 떠났다.

고적(高適, 702?~765)

당(唐) 창주(滄州) 수〔蓚, 지금의 하북성(河北省) 경현(景縣)〕 사람으로 자가 달부(達夫)이다. 오랜 기간 양(梁), 송(宋), 연(燕), 조(趙) 일대를 유람하며 지냈고 현종(玄宗) 개원(開元) 23년(735)에 송주자사(宋州刺史) 장구고(張九皐)의 추천으로 유도과(有道科)에 합격하여 봉구위(封丘尉)에 제수됐으나 얼마 되지 않아 그만두었다. 가서한(哥舒翰)이 농우절도사(隴右節度使)가 되자 그의 막부(幕府)에 들어가 장서기(掌書記)가 되었다. 안사(安史)의 난이 일어나자 가서한을 도와 동관(潼關)을 지켰는데, 동관이 함락되자 현종(玄宗)에게 패배의 원인을 아뢰어 간의대부(諫議大夫)로 발탁됐다. 숙종(肅宗)이 즉위하자 어사대부(御史大夫)가 되었으며 양주대도독부장사(揚州大都督府長史), 회남절도사(淮南節度使)가 되어 위척(韋陟), 내진(來瑱)과 함께 영왕(永王) 이린(李璘)을 토벌했다. 그러나 환관(宦官) 이보국(李輔國)의 참언(讒言)으로 태자소첨사(太子少詹事)로 폄적됐으며 오래지 않아 팽주자사(彭州刺史), 촉주자사(蜀州刺史)로 전출됐다가 다시 성도윤(成都尹), 검남서천절도사(劍南西川節度使) 등에 임명됐다. 대종(代宗) 때에는 형부시랑(刑部侍郎)에서 산기상시(散騎常侍)로 옮겼으며 발해현후(渤海縣侯)에 봉해졌다. 변새(邊塞)에서의 실제 경험을 토대로 하여 변새시(邊塞詩)를 많이 창작했는데 장수들의 투지와 용맹성을 찬양하거나 병사들의 고통을 읊는 등, 잠삼(岑參)과 더불어 성당(盛唐) 변새시를 대표한다. 저서로 『고상시집(高常詩集)』 20권이 있다.

구양수(歐陽修, 1007~1072)

북송(北宋) 길주(吉州) 여릉〔廬陵, 지금의 강서성(江西省) 길안시(吉安市)〕 사람으로 자가 영숙(永叔)이고 호는 취옹(醉翁)이며 만년에는 스스로를 육일거사(六一居士)라 불렀다. 시호는 문충(文忠)이며, 구양관(歐陽觀)의 아들이다. 인종(仁宗) 천성(天聖) 8년(1030)에 진사에 급제하여 서경추관(西京推官)에 임명됐으며 매요신(梅堯臣), 윤수(尹洙) 등과 교유했다. 북송(北宋) 인종(仁宗) 경우(景祐) 연간(1034~1037)에 관각교감(館閣校勘)으로 있을 때 글을 써 범중엄(范仲淹)을 변호하다 이릉령(夷陵令)으로 폄적됐으며, 인종 경력(慶曆) 연간(1041~1048)에 지간원(知諫院)으로 부름 받아 우정언(右正言), 지제고(知制誥) 등을 지내며 범중엄 등이 주도한 신정(新政)을 도왔다. 신정이 실패한 후, 상소를 올려 범중엄의 파면을 반대하다가 저주(滁州), 양주(揚州), 영주(潁州) 등지로 폄적됐다. 이후 다시 한림학사(翰林學士)로 임명됐으며 인종 가우(嘉祐) 2년(1057)에 지공헌(知貢獻)이 되어 고문을 제창하고 태학체(太學體)를 배척하여 당시의 문풍을 일변시켰다. 신종이 즉위한 후에는 왕안석의 신법에 반대하며 벼슬을 그만두었다. 시와 사, 문의 각 분야에 능했으며, 당시 고문운동(古文運動)의 영수로서 후인들에 의해 당송팔대가(唐宋八大家)의 한 사람으로 꼽히기도 했다. 사학(史學)에도 능하여 송기(宋祁) 등과 더불어 『신당서(新唐書)』를 편찬했고, 홀로 『신오대사(新五代史)』를 편찬했다. 저서로 『육일거사집(六一居士集)』 50권, 『표주서계사륙집(表奏書啓四六集)』 7권, 『주의집(奏議集)』 18권, 『집고록발미(集古錄跋尾)』 10권, 『구양문충공전집(歐陽文忠公全集)』 153권 등이 있다.

구위(丘爲, ?~?)

당(唐) 소주(蘇州) 가흥[嘉興, 지금의 절강성(浙江省) 가흥시(嘉興市)] 사람으로 자와 호는 알려져 있지 않다. 처음에 여러 번 과거에서 낙방하고 수년 동안 산에 들어가 독서하다 현종(玄宗) 천보(天寶) 2년(743)에 진사에 급제했으며 관직이 태자우서자(太子右庶子)에 이르렀다. 유장경(劉長卿), 왕유(王維) 등과 교유했으며 효성이 지극하여 80여 세까지 계모를 극진하게 봉양했다. 향년 96세로 장수했다. 『전당시(全唐詩)』에 시 13수가 전한다.

기무잠(綦毋潛, 692~749?)

당(唐) 건주[虔州, 지금의 강서성(江西省) 공주(贛州)] 사람으로 자가 효통(孝通)이다. 현종(玄宗) 개원(開元) 14년(726)에 진사에 급제하여 의수위(宜壽尉)

에 제수됐다. 이어 좌습유(左拾遺)로 자리를 옮겼다가 집현원대제(集賢院待制), 저작랑(著作郎) 등을 역임했다. 나중에 병란(兵亂)이 일어나 관계(官界)가 날로 어지러워지자 관직을 그만두고 강동별업(江東別業)에 은거했다. 이기(李頎), 왕유(王維), 장구령(張九齡), 저광희(儲光羲), 맹호연(孟浩然) 등과 교유했으며 시풍이 청려(淸麗)하고 전아(典雅)하여 왕유의 시풍과 유사했다. 『전당시(全唐詩)』에 시 1권이 있으며 총 26수이다.

낙빈왕(駱賓王, 640?~684?)

당(唐) 무주(婺州) 의오〔義烏, 지금의 절강성(浙江省) 의오현(義烏縣)〕 사람이다. 무공주부(武功主簿)와 장안주부(長安主簿)를 거쳐 시어사(侍御史)가 되었다. 시정(時政)에 대해 간언하다 투옥됐고 다시 임해현승(臨海縣丞)으로 좌천됐으며 결국 뜻을 펴지 못한 채 관직에서 물러났다. 서경업(徐敬業)이 양주(揚州)에서 무측천(武則天)에 반대하며 반란을 일으키자 이에 가담하여 「토무조격(討武曌檄)」을 지어 무측천을 성토했으며 반란이 실패하자 자취를 감추었다. 전하기에 피살됐다고도 하며 출가하여 승려가 됐다고도 한다. 장편가행체(長篇歌行體)와 오언율시에 뛰어났으며 왕발(王勃), 양형(楊炯), 노조린(盧照鄰) 등과 함께 '초당사걸(初唐四傑)'이라 칭해진다. 저서로 『낙임해집(駱臨海集)』 4권이 있다.

노매파(盧梅坡, ?~?)

남송(南宋) 시인으로 생졸년과 자세한 사적은 알려져 있지 않다. 다만 남송 시인 유과(劉過)의 사(詞)에 「유초청(柳梢靑) · 노매파를 보내며(送盧梅坡)」가 있는 것으로 보아 그와 비슷한 시기에 활동했던 것으로 여겨진다. 『송시기사(宋詩紀事)』에 노매파의 시로 「봄날(春日)」과 「비를 근심하며

(閔雨)」 2수가 실려 있다.

뇌진(雷震, ?~?)

송대(宋代) 시인으로 생졸년과 자세한 사적은 알려져 있지 않다.

대복고(戴復古, 1167~?)

남송(南宋) 천태(天台) 황암〔黃岩, 지금의 절강성(浙江省) 태주시(台州市)〕 사람으로 자가 식지(式之)이고 자호는 석병(石屛)이다. 저명한 강호파(江湖派) 시인으로 일생 동안 벼슬하지 않고 강호를 떠돌다가 고향으로 돌아와 은거했다. 육유(陸游)에게 시를 배웠고 만당시풍(晩唐詩風)의 영향을 받았으며 강서시파(江西詩派)의 풍격도 갖추고 있다. 저서로 『석병시집(石屛詩集)』 『석병사(石屛詞)』가 있다.

대숙륜(戴叔倫, 732~789)

당(唐) 윤주(潤州) 금단〔金壇, 지금의 강소성(江蘇省) 금단현(金壇縣)〕 사람으로 자가 유공(幼公)이다. 일찍이 무주자사(撫州刺史)를 거쳐 용관경략사(容管經略使)를 역임했으며, 만년에 출가하여 도사(道士)가 되었다. 그의 시는 사대부의 사상과 감정을 노래하는 것이 대부분이지만, 간혹 안사(安史)의 난 이후 혼란한 생활상과 백성들의 고충을 노래하기도 했으며 「새상곡(塞上曲)」처럼 기상이 웅건한 작품을 쓰기도 했다. 사회 현실을 반영하는 시들은 두보(杜甫)의 현실주의 작품과 일맥상통한다. 『전당시(全唐詩)』에 시 2권이 있다.

두뢰(杜耒, ?~1225)

남송(南宋) 남성〔南城, 지금의 강서성(江西省) 남성현(南城縣)〕 사람으로 자가 자야(子野)이고 호는 소산(小山)이다. 일찍이 주부(主簿)를 지냈으며 영종(寧宗) 때 태부경(太府卿) 허국(許國)의 막료로 있다가 허국을 따라 회남(淮南)으로 갔다. 이종(理宗) 보경(寶慶) 원년(1225) 허국이 난을 일으켜 산동의군(山東義軍)의 수령 이전(李全)에게 주살됐을 때 함께 죽었다.

두목(杜牧, 803~852)

당(唐) 경조(京兆) 만년〔萬年, 지금의 섬서성(陝西省) 서안시(西安市)〕 사람으로 자가 목지(牧之)이고 호는 번천(樊川)이며, 재상(宰相) 두우(杜佑)의 손자이다. 문종(文宗) 대화(大和) 2년(828)에 진사에 급제하여 황주(黃州), 지주(池州), 목주(睦州), 호주(湖州) 등의 자사(刺史)를 역임했으며 관직이 중서사인(中書舍人)에 이르렀다. 번진을 평정하고 토번(吐蕃)과 회흘(回紇)을 쳐서 통합시킬 것과 불교를 금하고 사원(寺院)의 토지를 회수할 것을 주장했다. 그의 시는 오랜 기간의 지방관 생활을 바탕으로 한 화려하고 감각적인 도시 생활의 묘사나 기녀와 보살, 고관의 애첩 등을 대상으로 한 염정적인 시가 두드러진다. 아울러 국운에 대한 근심과 현실에 대한 좌절감을 역사적 사실에서 소재를 취하여 표현함으로써 두보의 만년 작품과 풍격이 비슷하여 '소두(小杜)'라 불렸다. 저서로 『번천시집(樊川詩集)』 4권이 있다.

두보(杜甫, 712~770)

당(唐) 양양〔襄陽, 지금의 호북성(湖北省) 양양현(襄陽縣)〕 사람으로 증조부 때 공현〔鞏縣, 지금의 하남성(河南省) 공의현(鞏義縣)〕으로 옮겼다. 자가 자미(子美)이며, 문장사우(文章四友)의 한 사람인 두심언(杜審言)의 손자이다. 젊은 시절 오(吳), 월(越), 제(齊), 조(趙) 등지를 떠돌다가 천보(天寶) 5년(746)에 장안(長安)으로 돌아와 관직을 구했으나 뜻대로 되지 않자 10여 년을 한가로이 지냈다. 안사(安史)의 난이 일어나자 가족들을 부주(鄜州) 강촌(羌村)으로 피난시키고 자신은 숙종(肅宗)이 있는 영무(靈武)로 가다가 반군에게 붙잡혔으며, 반군에게서 탈출하여 봉상(鳳翔)의 행재소로 가 숙종(肅宗)을 알현하고 좌습유(左拾遺)에 임명됐다. 그러나 재상 방관(房琯)의 파직이 부당함을 상소하다 숙종의 노여움을 사 화주사공참군(華州司空參軍)으로 좌천됐으며, 숙종 건원(乾元) 2년(759) 관직을 그만두고 진주(秦州)를 거쳐 촉(蜀) 지방으로 들어가 성도(成都)에 초당(草堂)을 짓고 은거했다. 이때 사천절도사(四川節度使) 엄무(嚴武)의 추천을 받아 처음으로 고위직이라고 할 수 있는 절도참모(節度參謀), 검교공부원외랑(檢校工部員外郞) 등을 지냈으며 이로 인해 그를 '두공부(杜工部)'라고 칭한다. 엄무가 죽은 뒤 촉 지방에 난이 일어나 사천(四川), 호북(湖北), 호남(湖南) 지역을 유랑하다 대종(代宗) 대력(大曆) 5년(770) 상강(湘江) 가에서 병사했다. 그의 시는 당(唐)이 성세(盛世)로부터 쇠망해가는 과정을 그대로 반영하고 있어 세칭 '시사(詩史)'라고 불리며, 엄격한 격률과 치밀하고 정련된 형식미로 인해 당대 율시의 완성자로 꼽힌다. 시의 풍격(風格) 또한 다양했는데 '침울비장(沈鬱悲壯)'이 가장 대표적이다. 저서로 『두공부집(杜工部集)』이 있으며 1,400여 수의 시가 전해지고 있다.

두상(杜常, ?~?)

북송(北宋) 위주〔衛州, 지금의 하남성(河南省) 급현(汲縣)〕 사람으로 자가 정보(正甫)이다. 영종(英宗) 치평(治平) 2년(1065)에 진사가 되었고 신종(神宗) 희녕(熙寧) 말에 유주단련추관(濰州團練推官), 하동전운판관(河東轉運判官) 등을 거쳐 원풍(元豐) 연간에 개봉부판관(開封府判官), 철종(哲宗) 원우(元佑) 연간에 하북로전운사(河北路轉運使), 지재주(知梓州)를 지내고, 휘종(徽宗) 숭녕(崇寧) 연간에 공부상서(工部尙書)와 용도각학사지하양군(龍圖閣學士知河陽軍)을 역임했다. 79세에 세상을 떠났으며 생전에 시로 명성이 높았다.

두숙향(竇叔向, ?~?)

당(唐) 경조(京兆) 부풍〔扶風, 지금의 섬서성(陝西省) 서안시(西安市)〕 사람으로 자가 유직(遺直)이다. 대종(代宗) 대력(大曆) 연간(762~779) 초에 진사에 급제했으며 재상 상곤(常袞)에 의해 발탁되어 좌습유(左拾遺), 내공봉(內供奉)을 지냈으나 상곤이 폄적되면서 함께 표수령(漂水令)으로 좌천됐다. 사후에 공부상서(工部尙書)에 추증됐다. 다섯 아들 두상(竇常), 두모(竇牟), 두군(竇群), 두상(竇庠), 두공(竇鞏)이 모두 시에 뛰어나 명성이 있었다. 『전당시(全唐詩)』에 시 9권이 있다.

두순학(杜荀鶴, 846~907)

당(唐) 지주(池州) 석태〔石埭, 지금의 안휘성(安徽省) 석태현(石埭縣)〕 사람으로 자가 언지(彦之)이고 호는 구화산인(九華山人)이다. 가난한 집안 출신으로 여러 차례 과거에 응시했다가 떨어지자 산속에 은거했다. 소종(昭宗) 대순(大順) 2년(891)에 진사에 급제하여 주객원외랑(主客員外郎), 지제고(知制誥), 한림학사(翰林學士) 등을 역임했다. 오랜 기간 농촌에서 생활한 경험을 바탕으로 농민들의 고통을 노래한 시가 적지 않으며 이로 인해 만당(晩唐)의 현실주의 시인으로 꼽힌다. 저서로 『당풍집(唐風集)』 3권이 있다.

두심언(杜審言, 645?~708?)

당(唐) 양주(襄州) 양양[襄陽, 지금의 호북성(湖北省) 양양시(襄陽市)] 사람으로 후에 공현[鞏縣, 지금의 하남성(河南省) 공의현(鞏義縣)]으로 이주했다. 자가 필간(必簡)이며, 두보(杜甫)의 조부이다. 고종(高宗) 함형(咸亨) 원년(670)에 진사에 급제하여 습성위(隰城尉), 낙양승(洛陽丞)을 지냈다. 무측천(武則天) 성력(聖曆) 원년(698)에 일에 연루되어 길주사호참군(吉州司戶參軍)으로 좌천됐다가 돌아와 저작좌랑(著作佐郞), 선부원외랑(膳部員外郞) 등을 지냈다. 중종(中宗) 신룡(神龍) 원년(705)에 장역지(張易之) 형제와 교유한 죄로 봉주(峰州)로 귀양을 갔으며, 다시 부름을 받고 돌아와 국자감주부(國子監主簿), 수문관직학사(修文館直學士) 등을 역임했다. 오언율시에 뛰어났으며 이교(李嶠), 최융(崔融), 소미도(蘇味道)와 함께 '문장사우(文章四友)'로 불렸다. 저서로 『두심언집(杜審言集)』 10권이 있으며 『전당시(全唐詩)』에 시 1권이 있다.

맹호연(孟浩然, 689~740)

당(唐) 양주(襄州) 양양[襄陽, 지금의 호북성(湖北省) 양양시(襄陽市)] 사람으로 본명은 호(浩)이고 자가 호연(浩然)이며 호는 맹산인(孟山人)이다. 일찍이 녹문산(鹿門山)에 은거하다가 나중에 오월(吳越) 지방을 유람했다. 40세에 장안(長安)으로 가서 진사(進士) 시험에 응시했으나 낙방하자 고향으로 돌아가 은거했으며, 장구령(張九齡)이 형주(荊州)를 다스릴 때 부름을 받아 잠시 종사(從事)를 지냈다. 도연명(陶淵明)을 존경하여 전원생활을 즐기면서 자연의 한적한 정취를 노래한 작품들이 많은데, 그중에서도 「봄날 아침(春曉)」이 가장 유명하다. 일찍이 왕유(王維)의 천거로 현종(玄宗)을 배알(拜謁)했을 때 자신이 지은 시를 올렸다가 "재능이 없어 현명하신 임금님께서 버리셨다(不才明主棄)"라는 구절이 현종의 노여움을 사서 벼슬

길에 나아갈 기회를 놓치고 말았다는 일화가 있다. 왕유와 함께 '왕맹(王孟)'으로 병칭되며 성당(盛唐) 산수전원시파(山水田園詩派)를 대표한다. 저서로 『맹호연집(孟浩然集)』 4권이 있다.

명 세종(明 世宗, 1507~1566)

명(明) 가정제(嘉靖帝) 주후총(朱厚熜)으로, 헌종(憲宗)의 손자이자 효종(孝宗)의 조카이다. 무종(武宗)이 후사가 없이 붕어하자 가정(嘉靖) 원년(1522) 15세의 나이로 즉위하여 45년을 재위했다. 성격이 온화하면서도 뜻이 강직하여 명대 황제 중 가장 독특한 황제로 꼽히며 서법(書法)과 문사(文辭), 수양(修養)에 모두 높은 성취가 있었다. 가정(嘉靖) 18년(1539)에 모백온(毛伯溫)을 병부상서겸우도어사(兵部尙書兼右道御史)로 삼아 안남(安南)의 반란을 평정했으며, 서원(西苑)에서 20년을 칩거하며 도학(道學)을 연마했다고 한다.

문종황제(文宗皇帝, 809~840)

당(唐) 문종(文宗) 이앙(李昂)으로, 목종(穆宗) 이항(李恒)의 차자(次子)이다. 경종(敬宗) 이담(李湛)이 환관들에 의해 살해된 후 환관들에 의해 황제로 옹립됐으며, 대화(大和) 원년(827)부터 개성(開成) 5년(840)까지 14년을 재위했다. 즉위 후 조정의 폐단과 환관들의 전횡을 막고자 여러 개혁정책을 실시하고 감로지변(甘露之變)을 일으켰으나 환관들에 의해 좌절되고 말았으며 결국 환관 구사량(仇士良) 등에 의해 연금당한 채 붕어했다.

백거이(白居易, 772~846)

당(唐) 하규〔下邽, 지금의 섬서성(陝西省) 위남현(渭南縣)〕 사람으로 자가 낙천

(樂天)이고 호가 취음선생(醉吟先生) 또는 향산거사(香山居士)이다. 덕종(德宗) 정원(貞元) 16년(800)에 진사에 급제했으며, 처음에는 원진(元稹)과 함께 비서성교서랑(祕書省校書郎)이었다가 얼마 후 주질〔盩厔, 지금의 섬서성(陝西省) 주지현(周至縣)〕 현위(縣尉)로 나갔으며 한림학사(翰林學士), 우습유(右拾遺)를 역임했다. 헌종(憲宗) 원화(元和) 5년(810)에 원진(元稹)을 구하려 상소를 올렸다가 경조부조참군(京兆府曹參軍)으로 좌천됐으며, 원화(元和) 10년(815)에 재상 무원형(武元衡)을 살해한 범인을 잡으라는 상소를 올렸다가 도리어 강주〔江州, 지금의 강서성(江西省) 구강시(九江市)〕사마(司馬)로 폄적됐다. 후에 자사(刺史), 주객낭중(主客郎中), 지제고(知制誥), 중서사인(中書舍人), 형부시랑(刑部侍郎) 등을 역임했다. 진자앙(陳子昂), 이백(李白), 두보(杜甫)의 뒤를 이어 원진과 함께 신악부운동(新樂府運動)을 제창하여 「신악부(新樂府)」 50수, 「진중음(秦中吟)」 10수 등과 같은 현실주의적 작품을 썼으며, 「장한가(長恨歌)」와 「비파행(琵琶行)」 같은 낭만적인 작품들도 유명하다. 원진과는 교분이 깊을 뿐만 아니라 작시 경향도 비슷하여 세칭 '원백(元白)'이라 불렸으며, 그들의 시체를 '원백체(元白體)'라고 했다. 저서로 『백씨장경집(白氏長慶集)』 75권이 있다.

백옥섬(白玉蟾, 1194~?)

남송(南宋) 민청〔閩清, 지금의 복건성(福建省) 민청현(閩清縣)〕 사람으로 원명은 갈장경(葛長庚)이고 자가 여회(如晦)이며 호는 경관(瓊琯)이다. 자칭 신소산사(神霄散史), 해남도인(海南道人), 경산노인(瓊山老人), 무이산인(武夷散人)이라 했다. 어려서부터 총명하여 『구경(九經)』을 암송했으며 시부(詩賦)에 능하고 서화(書畫)에 뛰어나 12세에 동자과(童子科)에 급제했다. 일찍이 나부산(羅浮山), 무이산(武夷山), 천태산(天台山), 여산(廬山) 등지를 유람하며 단학을 연마했고, 금단파남종(金丹派南宗)을 창시하여 금단파남오조(金丹派南五祖) 중의 하나로 추앙받았다. 영종(寧宗) 가정(嘉定) 연간(1208~1224)에 조칙을 받아 들어가 태을궁(太乙宮)을 건립했으며 자청명도진인(紫淸明道眞人)으로 봉해졌다. 저서로 『해경집(海瓊集)』『도덕보장(道德寶章)』『나부산지(羅浮山志)』 등이 있다.

범성대(范成大, 1162~1193)

남송(南宋) 오현〔吳縣, 지금의 강소성(江蘇省) 소주시(蘇州市)〕 사람으로 자가 치능(致能)이고 호는 석호거사(石湖居士)이다. 고종(高宗) 소흥(紹興) 24년(1154)에 진사에 급제하여 예부원외랑(禮部員外郞) 등을 지냈으며 효종(孝宗) 건도(乾道) 6년(1170) 금(金)에 사신으로 나가 생명의 위협에도 굴하지 않았다. 순희(淳熙) 2년(1175)에 부문각대제(敷文閣待制), 사천제치사(四川制置使)를 지내고 순희 5년(1178)에 참지정사(參知政事)에 임명됐으나 2개월 만에 파직됐다. 만년에 석호(石湖)로 물러나 한거했으며 사후에 숭국공(崇國公)에 추증됐다. 시호는 문목(文穆)이다. 우국애민의식을 바탕으로 많은 우국시와 사회시를 썼으며 특히 전원생활을 소재로 한 전원시에 높은 성취를 이루어 육유(陸游), 양만리(楊萬裏), 우무(尤袤)와 함께 '남송사대가(南宋四大家)'라 불린다. 저서로 『석호집(石湖集)』이 있다.

사공서(司空曙, 720?~790?)

당(唐) 광평〔廣平, 지금의 하북성(河北省) 영년현(永年縣)〕 사람으로 자가 문명(文明)이다. 일찍이 진사에 급제하여 덕종(德宗) 정원(貞元) 연간에 수부낭중(水部郞中)이 되었으며 주부(主簿), 좌습유(左拾遺)를 거쳐 우부낭중(虞部郞中)에 이르렀다. 노륜(盧綸), 전기(錢起), 한굉(韓翃) 등과 더불어 '대력십재자

(大曆十才子)' 중 한 사람에 속하며 특히 오언율시(五言律詩)에 뛰어났다. 저서로 『사공문명시집(司空文明詩集)』 3권이 있다.

사마광(司馬光, 1019~1086)

북송(北宋) 속수향〔涑水鄕, 지금의 산서성(山西省) 운성시(運城市) 지역〕 사람으로 자가 군실(君實)이고 호는 우부(迂夫) 혹은 우수(迂叟)이며 시호는 문정(文正)이다. 속수선생(涑水先生)이라고도 하며 사후에 온국공(溫國公)에 봉해져 사마온공(司馬溫公)이라고 불린다. 인종(仁宗) 보원(寶元) 원년(1038)에 진사가 되었고 신종(神宗) 즉위 후 한림학사(翰林學士), 어사중승(御史中丞)을 역임했다. 신종 때 왕안석의 신법당(新法黨)과 대립하다 관직에서 물러났으며, 철종(哲宗)이 즉위하자 다시 조정으로 가서 '원우(元祐)의 재상(宰相)'이 되어 신법을 폐지하고 다시 구법으로 대체하며 구법당(舊法黨)의 수령 역할을 했다. 사후에 철종의 친정이 시작되어 신법당이 세력을 얻자 '원우당적(元祐黨籍)'에 올라 냉대를 받았다. 저서로 『자치통감(資治通鑑)』 『속수기문(涑水紀聞)』 『사마문정공집(司馬文正公集)』 등이 있다.

사방득(謝枋得, 1226~1289)

남송(南宋) 신주(信州) 익양〔弋陽, 지금의 강서성(江西省) 익양현(弋陽縣)〕 사람으로 자가 군직(君直)이고 호는 첩산(疊山)이다. 이종(理宗) 보우(寶祐) 4년(1256)에 문천상(文天祥)과 함께 진사에 급제했으며 지신주(知信州)를 역임했다. 원(元)나라가 강도(江都)를 침입하자 강서초유사(江西招諭使)가 되어 의병을 일으켜 싸웠으며 송나라가 멸망하자 건양(建陽) 일대를 떠돌면서 글을 가르치며 살았다. 원나라의 초빙에 응하지 않아 대도(大都)로 송치됐으나 끝내 거부하고 응하지 않다 스스로 식음을 끊고 자결했다. 저서로 『첩산집(疊山集)』『문장궤범(文章軌範)』 등이 있다.

상건(常建, ?~?)

당(唐) 장안〔長安, 지금의 섬서성(陝西省) 서안시(西安市)〕 사람으로 자나 호는 알려져 있지 않다. 현종(玄宗) 개원(開元) 15년(727) 왕창령(王昌齡)과 함께 과거에 급제했으며 대종(代宗) 대력(大曆) 연간(766~779)에 우이현위(盱眙縣尉)에 제수됐다. 벼슬길이 뜻한 바대로 되지 않자 방랑하다가 악저(鄂渚)에서 은거했다. 오언시가 많으며 왕유(王維), 맹호연(孟浩然), 저광희(儲光羲) 등과 시풍이 비슷하여 산수전원시파(山水田園詩派)의 한 사람으로 손꼽힌다. 저서로 『상건시집(常建詩集)』 3권이 있으며 『전당시(全唐詩)』에 시 1권이 있다.

서원걸(徐元傑, 1196~1246)

남송(南宋) 신주(信州) 상요〔上饒, 지금의 강서성(江西省) 상요현(上饒縣)〕 사람으로 자가 인백(仁伯)이고 호는 매야(梅野)이다. 일찍이 주희의 문인 진문위(陳文蔚)에게서 수학했으며 후에 진덕수(眞德秀)를 사사했다. 이종(理宗) 소정(紹定) 5년(1222)에 진사에 급제하여 공부시랑(工部侍郎)을 역임했다. 저서로 『매야집(梅野集)』 12권이 있다.

설영(薛瑩, ?~?)

당(唐) 시인으로 문종(文宗) 때(827~840) 생존했다. 생졸년과 자세한 사적은 알려져 있지 않다. 저서로 『동정시집(洞庭詩集)』 1권이 있으며 『전당시(全唐詩)』에 시 11수가 있다.

섭소옹(葉紹翁, ?~?)

남송(南宋) 용천〔龍泉, 지금의 절강성(浙江省) 용천시(龍泉市)〕 사람으로 자가 사종(嗣宗)이고 호는 정일(靖逸)이다. 생졸년과 자세한 사적은 알려져 있지 않으며 광종(光宗)에서 영종(寧宗) 대에 조정에서 낮은 벼슬을 지냈다. 진덕수(眞德秀)와 친밀했으며 오랫동안 전당강 서호(西湖) 가에서 은거하며 갈천민(葛天民) 등과 시로 수창했다. 시어가 청신(淸新)하고 의경이 고원(高遠)하여 남송 강호시파(江湖詩派)에 속한다. 저서로 『사조문견록(四朝聞見錄)』 『정일소고(靖逸小稿)』 『정일소고보유(靖逸小稿補遺)』 등이 있다.

섭채(葉采, ?~?)

남송(南宋) 건양〔建陽, 지금의 복건성(福建省) 남평시(南平市)〕 사람으로 자가 중규(仲圭)이고 호는 평암(平巖)이며, 섭미도(葉味道)의 아들이다. 이종(理宗) 순우(淳祐) 원년(元年)(1241)에 진사에 급제하여 소무위(邵武尉), 경헌부교수(景獻府敎授), 비서감(祕書監), 추밀원검토(樞密院檢討) 등을 역임했다. 처음에 채연(蔡淵)에게서 『주역(周易)』을 배웠으며 시문에서 기초를 닦기보다는 고상하고 빼어남만을 추구하다 진순(陳淳)의 질책을 받고 반성하여 점차 깊은 성취를 이루었다.

소식(蘇軾, 1037~1101)

북송(北宋) 미주(眉州) 미산〔眉山, 지금의 사천성(四川省) 미산시(眉山市)〕 사람으로 자가 자첨(子瞻) 혹은 화중(和仲)이고 호는 동파거사(東坡居士)이며 시호(諡號)는 문충(文忠)이다. 북송의 저명한 문학가이자 서화가, 산문가, 시인이다. 정치적으로 사마광(司馬光)과 더불어 구법당의 중심인물이며, 산문에서는 아버지 소순(蘇洵), 동생 소철(蘇轍) 등과 더불어 당송팔대가(唐

宋八大家)의 하나로서 구양수(歐陽脩)와 더불어 '구소(歐蘇)'라 불렸다. 시에서는 황정견(黃庭堅)과 더불어 '소황(蘇黃)'이라 병칭되며 정(情), 경(景), 리(理)가 융합된 송시의 특징을 개척했고, 사에서는 신기질(辛棄疾)과 더불어 '소신(蘇辛)'이라 병칭되며 호방사파(豪放詞派)의 창시자이기도 하다. 중서사인(中書舍人), 한림학사지제고(翰林學士知制誥), 병부상서(兵部尙書), 예부상서(禮部尙書) 등의 중앙관직을 지내기도 했지만 대부분을 지방관으로 전전했으며 황주(黃州), 혜주(惠州), 담주(儋州), 해남도(海南島) 등지에서 10여 년의 유배생활을 했다. 그의 시는 진실한 감정을 자연스럽게 드러냈으며 인생과 사회에 대한 문제의식을 철학적으로 승화시켜 표현했다. 저서로 『소동파전집(蘇東坡全集)』『소식시집(蘇軾詩集)』『동파악부(東坡樂府)』 등이 있다.

소옹(邵雍, 1011~1077)

북송(北宋) 범양[范陽, 지금의 하북성(河北省) 탁현(涿縣)] 사람으로 자가 요부(堯夫)이며 시호는 강절(康節)이다. 북송의 저명한 이학가(理學家)로 주돈이(周敦頤), 장재(張載), 정호(程顥), 정이(程頤)와 더불어 '북송오자(北宋五子)'로 불린다. 평생 벼슬을 하지 않고 진종(眞宗), 인종(仁宗), 영종(英宗), 신종(神宗) 4대에 걸쳐 생존했으며 구법당의 수장인 사마광(司馬光)을 비롯하여 정호, 정이 등과도 많은 교유를 했다. 8괘와 64괘에 대해 설명한 『황극경세서(皇極經世書)』에서 『주역(周易)』을 바탕으로 우주의 생성원리를 설명했으며, 유학자이면서도 도가적 경향이 농후했다. 저서로 『관물내외편(觀物內外篇)』『어초문대(漁樵問對)』『선천도(先天圖)』 등이 있다.

소정(蘇頲, 670~727)

당(唐) 경조(京兆) 무공〔武功, 지금의 섬서성(陝西省) 무공현(武功縣)〕 사람으로 자가 정석(廷碩)이며, 상서우복야(尙書右僕射)를 지낸 소괴(蘇瓌)의 아들이다. 무측천(武則天) 때 진사에 급제하여 오정위(烏程尉), 좌사어솔부주조참군(左司禦率府胄曹參軍), 감찰어사(監察禦史), 급사중(給事中), 중서사인(中書舍人), 예부상서(禮部尙書) 등을 역임했으며 허국공(許國公)에 봉해졌다. 후에 송경(宋璟)과 함께 재상이 되어 자미시랑(紫微侍郎), 동평장사(同平章事)를 역임했다. 사후에 상서우승상(尙書右丞相)에 추증됐으며 시호는 문헌(文憲)이다. 문장에 뛰어나 연국공(燕國公) 장열(張說)과 함께 당시 조정의 문서를 관장하여 '연허대수필(燕許大手筆)'이라 불렸다. 저서로 『소정석집(蘇廷碩集)』 20권이 있다.

손적(孫逖, 696~761)

당(唐) 박주(博州) 무수〔武水, 지금의 산동성(山東省) 요성시(聊城市)〕 사람으로 자나 호는 알려져 있지 않다. 어려서 문장이 뛰어나고 재주와 생각이 민첩했으며 현종(玄宗) 개원(開元) 연간에 현량방정과(賢良方正科)에 급제하여 형부시랑(刑部侍郎), 태자좌서자(太子左庶子), 태자소첨사(太子少詹事) 등을 역임했다. 『전당시(全唐詩)』에 시 1권이 있다.

송지문(宋之問, 656?~712)

당(唐) 분주〔汾州, 지금의 산서성(山西省) 분양현(汾陽縣)〕 사람으로 자가 연청(延淸)이다. 고종(高宗) 상원(上元) 2년(675)에 진사에 급제했다. 측천무후(則天武后)의 총신 장역지(張易之)의 눈에 들어 궁정의 시신(侍臣)이 되었는데 장역지가 피살되자 그 또한 농주참군(瀧州參軍)으로 좌천됐다. 얼마 후 낙양(洛陽)으로 돌아와 무삼사(武三思)에게 의지하여 수문관학사(修文館學士)가 되었으나 수뢰죄로 다시 월주장사(越州長史)로 폄적됐다. 예종(睿宗) 즉위 후에 흠주(欽州)로 유배됐으며 현종(玄宗) 때에 사사(賜死)됐다. 그의 시는 응제시(應制詩)가 많아서 내용 면에서는 취할 것이 많지 않으나, 성률(聲律)을 강구하고 대장(對仗)이 엄정하며 언어가 화려하여 형식 면에서 근체시(近體詩)의 발전에 기여했다. 심전기(沈佺期)와 이름을 나란히 하여 '심송(沈宋)'이라고 불렸다. 저서로 『송지문집(宋之問集)』 10권이 있으며 『전당시(全唐詩)』에 시 3권이 있다.

심전기(沈佺期, 656~714)

당(唐) 상주(相州) 내황〔內黃, 지금의 하남성(河南省) 내황현(內黃縣)〕 사람으로 자가 운경(雲卿)이다. 고종(高宗) 상원(上元) 2년(675)에 진사에 급제하여 급사중(給事中), 고공낭중(考功郎中) 등을 지냈다. 측천무후(則天武后) 때 장역지(張易之)에게 아첨했다가 장역지가 피살되자 환주(驩州, 지금의 베트남 북부)로 유배됐다. 중종(中宗) 신룡(神龍) 연간에 부름을 받아 수문관직학사(修文館直學士), 중서사인(中書舍人), 태자첨사(太子詹事)를 역임했다. 그의 시는 응제시(應制詩)가 대부분이나 시가의 형식에서 대장(對仗)을 추구하고 성률(聲律)을 강구하여 당대(唐代) 근체시(近體詩)의 형성에 기여했으며 송지문(宋之問)과 함께 '심송(沈宋)'이라 병칭된다. 『전당시(全唐詩)』에 시 3권이 있다.

안수(晏殊, 991~1055)

북송(北宋) 무주(撫州) 임천〔臨川, 지금의 산동성(山東省) 임천현(臨川縣)〕 사람으로 자가 동숙(同叔)이다. 진종(眞宗) 경덕(景德) 2년(1005)에 신동시(神童試)에 응시하여 동진사(同進士)를 하사받아 비서성정자(祕書省正字)가 되었으며 우간의대부(右諫議大夫), 집현전학사(集賢殿學士), 동평장사겸추밀사(同平章事兼樞密使), 예부형부병부상서(禮部刑部兵部尙書), 관문전대학사(觀文殿大學士) 등을 역임했다. 사후에 임치공(臨淄公)에 봉해졌으며 시호는 원헌(元獻)으로 세칭 안원헌(晏元獻)이라 한다. 사(詞)로 명성이 있었으며 풍격이 함축완려(含蓄婉麗)하여 아들 안기도(晏幾道)와 더불어 '대소안(大小晏)'으로 칭해지고 구양수(歐陽修)와 더불어 '안구(晏歐)'라 병칭된다. 저서로 『임천집(臨川集)』 등이 있었으나 전하지 않고, 『주옥사(珠玉詞)』 『안원헌유문(晏元獻遺文)』 『유요(類要)』 잔본이 전한다.

양거원(楊巨源, 755~?)

당(唐) 하중〔河中, 지금의 산서성(山西省) 영제현(永濟縣)〕 사람으로 자가 경산(景山)이다. 덕종(德宗) 정원(貞元) 5년(789)에 진사가 되어 감찰어사(監察御使), 태상박사(太常博士), 봉상소윤(鳳翔少尹) 등을 역임했으며 나이 70세에 은퇴하여 고향으로 돌아갔다. 백거이(白居易), 원진(元稹), 장적(張籍) 등과 교유했으며, 그의 시는 음률(音律)이 뛰어나고 풍격이 순박하며 자연스러웠다.

양만리(楊萬里, 1127~1206)

남송(南宋) 길주(吉州) 길수〔吉水, 지금의 강서성(江西省) 길수현(吉水縣)〕 사람으로 자가 정수(廷秀)이고 호는 성재(誠齋)이다. 고종(高宗) 소흥(紹興) 24년(1154)에 진사가 되어 효종(孝宗) 초기에 지봉신현(知奉新縣)을 지냈으며 추천으로 국자감박사(國子監博士)가 된 후 태상박사(太常博士), 태자시독(太子侍讀) 등을 역임했다. 광종(光宗) 때 비서감(祕書監)을 지내며 금(金)에 대한 항전을 주장했고 성격이 강직하여 권신 한탁주(韓侂冑)에게 아부하지 않았으며 많은 시문을 통해 당시 시정(時政)의 폐해를 비판했다. 시에 능하여 세칭 성재체(誠齋體)를 완성했으며 육유(陸游), 범성대(范成大), 우무(尤袤)와 함께 '남송사대가(南宋四大家)'라 불린다. 저서로 『성재집(誠齋集)』『성재역전(誠齋易傳)』『용언(庸言)』 등이 있다.

양박(楊朴, 921~1003)

북송(北宋) 신정〔新鄭, 지금의 하남성(河南省) 신정현(新鄭縣)〕 사람으로 자가 계원(契元)이며 자호는 동리야민(東里野民)이다. 어릴 때 필사안(畢士安)과 함께 수학했으며 필사안이 추천하여 태종(太宗)이 불러 관직을 제수하려 했지만 「귀전부(歸田賦)」를 써 자신의 뜻을 밝히고 고사했다. 평생 벼슬을 하지 않고 숭산(崇山)에 은거하며 자연 경물과 은거 생활의 한가로운 정취를 시로 표현했다. 저서로 『동리집(東里集)』 1권이 있었으나 전하지 않고 『전당시(全唐詩)』에 시 6수가 전한다.

양형(楊炯, 650?~693?)

당(唐) 화주(華州) 화음〔華陰, 지금의 섬서성(陝西省) 화음현(華陰縣)〕 사람으로 자가 영명(令明)이다. 어려서부터 총명하고 박식했으며 고종(高宗) 현경(顯慶) 4년(659)에 동자과(童子科)에 급제하여 이듬해 홍문관대제(弘文館待制)가 되었으며 고종 상원(上元) 3년(676)에 제과(制科)에 응시하여 비서성교서랑(祕書省校書郎)이 되었다. 고종 영순(永淳) 원년(682)에 태자첨사사직(太子詹事司直)으로 발탁됐다가 예종(睿宗) 수공(垂拱) 2년(686)에 재주사법참군(梓州司法參軍)으로 폄적됐다. 예종 여의(如意) 원년(692)에 영천령(盈川令)으로 있다가 세상을 떠났다. 산문과 시에 모두 능했고 특히 오언시에 뛰어났다. 초당에 성행했던 제량(齊梁) 궁체시(宮體詩)의 유풍에서 벗어나

다량의 변새시(邊塞詩)를 통해 강건하고 호방한 풍격을 드러냈으며, 대장(對仗)과 운율(韻律) 방면에도 공력을 기울여 근체시의 형성에도 기여했다. 왕발(王勃), 낙빈왕(駱賓王), 노조린(盧照鄰) 등과 함께 '초당사걸(初唐四傑)'이라 칭해진다.

영헌왕(寧獻王, 1378~1448)

명(明) 태조(太祖) 주원장(朱元璋)의 17번째 아들인 주권(朱權)으로, 호가 구선(臞仙) 또는 함허자(涵虛子), 단구선생(丹丘先生)이다. 처음에 대녕〔大寧, 지금의 하북성(河北省) 평천현(平泉縣) 일대〕을 봉지로 받아 영왕(寧王)에 책봉됐으며, 성조(成祖) 즉위 후 핍박을 받아 영락(永樂) 원년(1403)에 남창(南昌)으로 봉지를 옮겼다. 남창에 있으면서 장천사(張天師) 등 도사(道士), 문인(文人)들과 교유하며 불우한 생을 살았다. 음률과 희곡에 정통하여 고대 악곡을 연구한 『태화정음보(太和正音譜)』를 저술했으며 잡극(雜劇) 12종을 창작했다. 그 외 저서로 『가훈(家訓)』『영국의범(寧國儀範)』『문보(文譜)』 등이 있다.

영호초(令狐楚, 766?~837)

당(唐) 의주(宜州) 화원〔華原, 지금의 섬서성(陝西省) 동천시(銅川市)〕 사람으로 자가 각사(殼士)이고 자호는 백운유자(白雲孺子)이다. 덕종(德宗) 정원(貞元) 7년(791)에 진사에 급제하여 헌종(憲宗) 때 직방원외랑(職方員外郎)에 발탁됐다. 후에 황보박(皇甫鎛)의 추천으로 한림학사(翰林學士)가 되었으며 화주자사(華州刺史), 화양절도사(河陽節度使)로 나갔다가 들어와 중서시랑(中書侍郎), 동평장사(同平章事)를 지냈다. 경종(敬宗) 즉위 후 호부상서(戶部尙書)로 발탁됐으며 동도유수(東都留守), 천평군절도사(天平軍節度使) 등을 거쳐 검교

상서우복야(檢校尙書右僕射)를 역임했으며 팽양군공(彭陽郡公)에 봉해졌다. 사후에 사공(司空)에 추증됐으며 시호는 문(文)이다. 변문(駢文)에 능했고 유우석(劉禹錫), 백거이(白居易) 등과 시로 창화했으며 특히 절구에 뛰어났다. 저서로 『칠렴집(漆奩集)』 130권, 『양원문류(梁苑文類)』 3권 등이 있다.

옹권(翁卷, ?~?)

남송(南宋) 낙청〔樂清, 지금의 절강성(浙江省) 낙청시(樂清市)〕 사람으로 자가 속고(續古) 혹은 영서(靈舒)이다. 서조(徐照), 서기(徐璣), 조사수(趙師秀) 등과 더불어 '영가사령(永嘉四靈)'이라 불리며, 평생 벼슬을 하지 않고 사대부들과 시로써 교유했다.

왕가(王駕, 851~?)

당(唐) 하중〔河中, 지금의 산서성(山西省) 영제현(永濟縣)〕 사람으로 자가 대용(大用)이고 자호는 수소선생(守素先生)이다. 소종(昭宗) 대순(大順) 원년(890)에 진사에 급제했으며 관직은 예부원외랑(禮部員外郎)에 이르렀다. 정곡(鄭穀), 사공도(司空圖)와 친하여 시풍 또한 서로 비슷했으며, 시상이 교묘하고 표현이 자연스러워 특히 절구에 뛰어났다. 저서로 『왕가시집(王駕詩集)』 6권이 있었으나 지금은 전하지 않고 『전당시(全唐詩)』에 시 6수가 전한다.

왕건(王建, 766?~830?)

당(唐) 영천〔穎川, 지금의 하남성(河南省) 허창시(許昌市)〕 사람으로 자가 중초(仲初)이다. 대종(代宗) 대력(大曆) 10년(775)에 진사(進士)에 급제하여 정원(貞元) 연간에 유연(幽燕) 일대에서 10여 년간 군막(軍幕) 생활을 했으며 소응현승(昭應縣丞), 태부시승(太府寺丞), 비서승(祕書丞) 등을 역임했다. 대화(大

和) 연간에 섬서사마(陝西司馬)를 지내고 만년에는 함양(咸陽)에 거주했다. 그의 시는 장적(張籍)처럼 악부시(樂府詩)를 이용하여 당시의 사회 현실을 반영하고 있는데, 장적과 함께 신악부운동(新樂府運動)을 적극 주도한 것으로 유명하다. 저서로 『왕사마집(王司馬集)』 8권이 있다.

왕규(王珪, 1019~1085)

북송(北宋) 화양〔華陽, 지금의 사천성(四川省) 성도시(成都市)〕 사람으로 자가 우옥(禹玉)이다. 인종(仁宗) 경력(慶曆) 2년(1042)에 갑과(甲科) 2등으로 진사에 급제하여 처음에 양주통판(揚州通判)으로 나갔다가, 조정으로 돌아와 집현전직반(集賢殿直班)이 되었다. 이후 지제고(知制誥), 한림학사(翰林學士) 등을 지냈으며, 신종(神宗) 때 동중서문하평장사(同中書門下平章事), 집현전대학사(集賢殿大學士)를 지냈다. 신종이 병이 들자 황태후에게 주청하여 연안군왕〔延安郡王, 훗날의 철종(哲宗)〕을 태자로 삼았다. 사후 기국공(岐國公)에 봉해졌으며 시호는 문공(文恭)이다.

왕기(王淇, ?~?)

남송(南宋) 사람으로 자가 녹의(菉猗)이다. 생졸년과 자세한 사적은 알려져 있지 않으며 사방득(謝枋得)과 교유하면서 사방득이 그의 딸을 대신해 「천부청사(薦父靑詞)」를 쓰기도 했다. 사방득이 편찬한 『천가시(千家詩)』에 시 2수만 전하고 있다.

왕령(王令, 1032~1059)

북송(北宋) 원성〔元城, 지금의 하북성(河北省) 대명현(大名縣)〕 사람으로 5세 때 부모를 잃고 광릉〔廣陵, 지금의 강소성(江蘇省) 양주시(揚州市)〕으로 옮겨 와 살았다. 처음에 자가 종미(鍾美)였다가 후에 봉원(逢原)으로 바꾸었다. 장성한 후 천장(天長), 고우(高郵) 등지에서 학문을 가르치며 생활했으며 치국안민(治國安民)에 뜻을 두었다. 왕안석(王安石)과 동서(同壻) 간으로 왕안석이 그의 문장과 사람됨을 높이 추숭했다. 저서로 『광릉선생문장(廣陵先生文章)』『십칠사몽구(十七史蒙求)』가 있다.

왕만(王灣, 693~751)

당(唐) 낙양〔洛陽, 지금의 하남성(河南省) 낙양시(洛陽市)〕 사람으로 자나 호는 알려져 있지 않다. 예종(睿宗) 선천(先天) 연간(712~713)에 진사에 급제하여 형양현주부(滎陽縣主簿)에 임명됐다. 현종(玄宗) 개원(開元) 5년(717)에 관부(官府) 소장도서를 편찬할 때 집부(集部)의 편찬에 참여했으며 그 공을 인정받아 낙양위(洛陽尉)에 임명됐다. 개원(開元) 17년(729) 이후의 생애는 자세하지 않다. 『전당시(全唐詩)』에 시 10수가 있다.

왕발(王勃, 650?~676?)

당(唐) 강주(絳州) 용문〔龍門, 지금의 산서성(山西省) 하진현(河津縣)〕 사람으로 자가 자안(子安)이며, 수(隋)나라 말의 유학자 왕통(王通)의 손자이다. 14세 때 유소과(幽素科)에 급제하여 조산랑(朝散郞)에 임명됐다. 패왕(沛王) 이현(李賢)의 부름을 받고 수찬(修撰)으로서 그를 섬겼으나, 당시 유행하던 투계(鬪鷄)에 대하여 장난삼아 쓴 글이 고종(高宗)의 노여움을 사서 중앙관직에서 쫓겨났다. 나중에 죄를 짓고 관직에서 물러났다. 교지령(交趾令)으로 좌천된 아버지 왕복치(王福畤)를 만나러 갔다가 돌아오는 도중에 배에서 떨어져 익사했다. 상관의(上官儀)를 대표로 하는 부염(浮艶)한 시풍에 반대하여 제량(齊梁)의 염정시(艶情詩)를 타파하고 성당시(盛唐詩)의 선구자가 되었으며, 특히 오언율시(五言律詩)의 성취가 뛰어나 당대(唐代) 오언율시의 발전에 기여했다. 양형(楊炯), 노조린(盧照隣), 낙빈왕(駱賓王)과 함께 '초당사걸(初唐四傑)'이라 불린다. 저서로 『왕자안집(王子安集)』 16권이 있으며 『전당시(全唐詩)』에 시 2권이 있다.

왕안석(王安石, 1021~1086)

북송(北宋) 임천[臨川, 지금의 강서성(江西省) 임천현(臨川縣)] 사람으로 자가 개보(介甫)이고 호는 반산(半山)이며 형국공(荊國公)에 봉해졌다. 인종(仁宗) 경력(慶曆) 2년(1042)에 진사가 되어 양주(揚州), 서주(舒州) 등지에서 지방관을 지냈으며, 신종(神宗) 즉위 이듬해인 희녕(熙寧) 2년(1069)에 재상인 참지정사(參知政事)로 발탁되어 신법(新法)을 주도했다. 희녕 9년(1076)에 정계를 은퇴하여 강녕[江寧, 지금의 강소성(江蘇省) 남경시(南京市)]의 종산(鐘山)에서 은거했다. 송초에 성행했던 백체(白體), 만당체(晩唐體), 서곤체(西崑體)에 반대하며 두보 시의 뛰어난 형식 기교와 우국의식을 추숭하여 강서시파(江西詩派)의 형성에 영향을 주었다. 저서로 『임천집(臨川集)』 100권, 『주관신의(周官新義)』 등이 있다.

왕우칭(王禹偁, 954~1001)

북송(北宋) 거야[鉅野, 지금의 산동성(山東省) 거야현(鉅野縣)] 사람으로 자가 원지(元之)이다. 태종(太宗) 태평흥국(太平興國) 8년(983)에 진사가 되어 우습유(右拾遺), 좌사간(左司諫), 지제고(知制誥), 한림학사(翰林學士) 등을 역임했으며 직언으로 인해 여러 번 폄적됐다. 북송 시문혁신운동의 선구로서 문장은 한유(韓愈)와 유종원(柳宗元)을 높이고 시는 두보(杜甫)와 백거이(白居易)를 추앙하여 사회 현실을 많이 반영했다. 저서로 『소축집(小畜集)』

『오대사궐문(五代史闕文)』 등이 있다.

왕유(王維, 701~761)

당(唐) 기〔祁, 지금의 산서성(山西省) 기현(祁縣)〕 사람으로 자가 마힐(摩詰)이다. 21세 때 진사에 급제하여 태악승(太樂丞)에 임명됐으나 황제 앞에서만 출 수 있는 황사자무(黃獅子舞)를 사석(私席)에서 추게 한 일로 제주〔濟州, 지금의 산동성(山東省) 임평현(茌平縣)〕의 사창참군(司倉參軍)으로 좌천됐다. 현종(玄宗) 개원(開元) 22년(734) 장구령(張九齡)이 집권하자 우습유(右拾遺)에 임명됐지만, 나중에 장구령이 이임보(李林甫)의 참소로 좌천되자 그도 감찰어사(監察御使)로서 변경 지방에 나가 있었다. 천보(天寶) 원년(742) 다시 부름을 받았지만 이임보가 정권을 장악한 데 불만을 품고 소극적으로 관직에 임했다. 안사(安史)의 난 때 반란군의 강요에 의해 급사중(給事中)이라는 관직을 맡은 것이 원인이 되어 나중에 벼슬이 강등되기도 했다. 숙종(肅宗) 건원(乾元) 2년(759)에 관직이 상서우승(尙書右丞)에 이르렀다. 그의 시는 불교의 영향을 많이 받아 '시불(詩佛)'이라 칭하기도 한다. 그림에도 뛰어나 남종문인화(南宗文人畫)의 개조(開祖)로 인식되는데, 송(宋) 소식(蘇軾)이 그의 시와 그림을 평하여 "시 속에 그림이 있고, 그림 속에 시가 있다(詩中有畫, 畫中有詩)"라고 말한 바 있다. 그의 전기 시는 도시 생활을 노래한 것이 많고 후기 시는 전원생활과 자연의 정취를 노래한 것이 많은데, 자연의 청아(淸雅)한 정취를 노래한 후기 작품들이 높은 평가를 받고 있다. 맹호연(孟浩然)과 함께 성당(盛唐)의 산수전원시파(山水田園詩派)를 대표한다. 저서로 『왕우승집(王右丞集)』 10권이 있다.

왕적(王績, 589~644)

당(唐) 강주(絳州) 용문〔龍門, 지금의 산서성(山西省) 하진현(河津縣)〕 사람으로 자가 무공(無功)이고 호는 동고자(東皐子)이며, 문중자(文中子) 왕통(王通)의 동생이다. 수(隋) 말에 효렴과(孝廉科)에 급제하여 비서정자(祕書正字), 양주육합승(揚州六合丞)을 지냈으나 천하가 어지러워져 관직을 버리고 귀향했다. 당(唐) 고조(高祖) 무덕(武德) 초에 대조문하성(待詔門下省)으로 부름을 받았으며, 태종(太宗) 정관(貞觀) 초에 병을 칭하고 하저(河渚)로 돌아가 동고〔東皐, 지금의 안휘성(安徽省) 숙주시(宿州市) 오류풍경구(五柳風景區)〕에서 농사지으며 스스로를 동고자라 칭했다. 그의 시는 친근하나 가볍지 않고 질박하나 속되지 않았으며 진솔하고 소탕하여 위진(魏晉)의 풍격을 지녔다. 『전당시(全唐詩)』에 시 1권이 있다.

왕중(王中, ?~?)

남송(南宋) 시인으로 자가 적옹(積翁)이다. 생졸년과 자세한 사적은 알려져 있지 않다.

왕지환(王之渙, 688~742)

당(唐) 진양〔晉陽, 지금의 산서성(山西省) 태원시(太原市)〕 사람으로 자가 계릉(季陵)이며 후에 강군〔絳郡, 지금의 산서성(山西省) 신강현(新絳縣)〕으로 이주했다. 젊은 시절에 형수현주부(衡水縣主簿)를 지냈으나 무고를 받아 관직에서 물러났다. 이후 10여 년 동안 방랑 생활을 하다가 만년(晩年)에 문안현위(文安縣尉)에 임명됐으나 얼마 되지 않아 죽었다. 왕창령(王昌齡), 고적(高適), 잠삼(岑參) 등과 교유했으며 성당(盛唐) 변새시파(邊塞詩派)를 대표한다. 『전당시(全唐詩)』에 시 6수가 있다.

왕창령(王昌齡, 698?~757?)

당(唐) 경조(京兆) 장안〔長安, 지금의 섬서성(陝西省) 서안시(西安市)〕 사람으로 자가 소백(少伯)이다. 현종(玄宗) 개원(開元) 15년(727)에 진사에 급제하여 사수위(汜水尉)에 제수됐다가 교서랑(校書郎)으로 자리를 옮겼다. 나중에 강녕승(江寧丞)으로 폄적됐고 만년(晩年)에 다시 용표위(龍標尉)로 좌천됐다. 안사(安史)의 난이 일어나자 고향으로 돌아갔으나 자사(刺史) 여구효(閭丘曉)에게 죽임을 당했다. 왕지환(王之渙), 고적(高適), 잠삼(岑參), 왕유(王維), 이백(李白) 등과 교유했으며 개원(開元), 천보(天寶) 연간에 시로 명성이 높았다. 변새(邊塞), 궁원(宮怨), 규원(閨怨), 송별(送別)을 노래한 작품들의 성취가 매우 높으며, 특히 칠언절구(七言絶句)에 뛰어나 후인들에게 '칠절성수(七絶聖手)'로 불린다. 저서로 『왕창령집(王昌齡集)』 4권이 있다.

위응물(韋應物, 737~792)

당(唐) 경조(京兆) 장안〔長安, 지금의 섬서성(陝西省) 서안시(西安市)〕 사람으로 자가 의박(義博)이다. 일찍이 삼위랑(三衛郎)이 되어 현종(玄宗)을 섬겼으며 나중에 과거에 응시하여 진사가 되었다. 비부원외랑(比部員外郎)으로 있다가 저주(滁州), 강주(江州)의 자사(刺史)가 되어 지방으로 나갔고, 소주자사(蘇州刺史)로 관직을 마쳐 세칭 위소주(韋蘇州)라 한다. 그의 시는 대부분 산수전원(山水田園)의 아름다움을 노래하거나 은일(隱逸) 사상을 노래한 것으로 왕유(王維), 맹호연(孟浩然), 유종원(柳宗元) 등과 함께 '왕맹위류(王孟韋柳)'로 병칭되며 당대 산수전원시파(山水田園詩派)를 대표한다. 저서로 『위소주집(韋蘇州集)』 10권이 있다.

유계손(劉季孫, 1033~1092)

북송(北宋) 상부〔祥符, 지금의 하남성(河南省) 개봉시(開封市)〕 사람으로 자가 경문(景文)이며, 대장군 유평(劉平)의 아들이다. 인종(仁宗) 가우(嘉祐) 연간에 좌반전직(左班殿直)으로 요주주무청(饒州酒務廳)을 감독했고, 철종(哲宗) 원우(元祐) 연간에 좌장고부사(左藏庫副使)로 양절병마도감(兩浙兵馬都監)을 역임했다. 소식(蘇軾)의 천거로 지습주(知隰州)가 되었으며 관직은 문사부사(文思副使)에 이르렀다. 역사에 박식했으며 기이한 책과 고문의 석각(石刻)을 좋아하여 녹봉의 대부분을 장서 구입에 사용했다 하며, 왕안석(王安石), 소식(蘇軾), 미불(米芾), 장뢰(張耒) 등 당시의 문인들과 널리 교유했다.

유극장(劉克莊, 1187~1269)

남송(南宋) 보전〔莆田, 지금의 복건성(福建省) 보전시(莆田市)〕 사람으로 자가 잠부(潛夫)이고 호는 후촌거사(後村居士)이며 시호는 문정(文定)이다. 영종(寧宗) 가정(嘉定) 2년(1209)에 음사로 관직에 들어섰으며, 도종(度宗) 함순(咸淳) 4년(1268)에 용도각직학사(龍圖閣直學士)에 올랐다. 진덕수(眞德秀)에게서 수학하고 평생 많은 작품을 남겼다. 남송 강호파(江湖派)의 종주로 꼽히며 그의 시는 시사를 풍자한 내용이 많고 민생의 고초를 반영하고 있다. 또한 사(詞)는 애국적인 강개(慷慨)와 비통을 노래하는 작품이 많다. 저서로 『후촌선생대전집(後村先生大全集)』 196권이 있다.

유우석(劉禹錫, 772~842)

당(唐) 낙양〔洛陽, 지금의 하남성(河南省) 낙양시(洛陽市)〕 사람으로 자가 몽득(夢得)이며 시호(詩豪) 또는 유빈객(劉賓客)이라고 불렀다. 덕종(德宗) 정원(貞元) 9년(793)에 유종원(柳宗元)과 함께 진사에 급제하여 회남절도사(淮南節度

使) 두우(杜佑)의 막료를 거쳐 감찰어사(監察御使)가 되었다. 이후 유종원과 함께 왕숙문(王叔文)의 정치개혁에 동참했다가 순종(順宗) 영정(永貞) 원년(805)에 왕숙문이 실각하자 낭주〔朗州, 지금의 호남성(湖南省) 상덕시(常德市)〕사마(司馬)로 좌천됐다. 10년 후 다시 중앙으로 소환됐으나 그때 지은 시로 비판을 받아 다시 연주〔連州, 지금의 광동성(廣東省) 연현(連縣)〕자사(刺史)로 전직되고 이후 기주(夔州), 화주(和州), 소주(蘇州) 등지의 자사를 역임했다. 만년에는 검교예부상서(檢校禮部尙書) 겸 태자빈객(太子賓客)을 지냈고 사후에 호부상서(戶部尙書)에 추증됐다. 청년 시절에는 유종원과 절친하게 지냈으며, 낙양(洛陽)에서 보낸 노년 시절에는 백거이(白居易)와 교유하며 「억강남(憶江南)」 사패를 만들기도 했다. 특히 백거이는 그의 풍모를 흠모하여 '시호(詩豪)'라고 칭송했으며 그의 시에는 중당의 사회 현실이 반영되어 환관의 횡포와 번진 세력의 할거, 부패한 정치권력에 대한 풍자와 비판이 나타나 있다. 저서로 『유몽득문집(劉夢得文集)』 30권과 『외집(外集)』 10권이 있다.

유한(劉翰, ?~?)

송(宋) 장사〔長沙, 지금의 호남성(湖南省) 장사시(長沙市)〕 사람으로 자가 무자(武子)이다. 자세한 사적은 알려져 있지 않으며 저서로 『소산집(小山集)』이 있다.

육유(陸游, 1125~1210)

남송(南宋) 월주(越州) 산음〔山陰, 지금의 절강성(浙江省) 소흥시(紹興市)〕 사람으로 자가 무관(務觀)이고 호는 방옹(放翁)이다. 고종(高宗) 소흥(紹興) 23년(1153)에 과거에 응시했으나 주화파(主和派) 진회(秦檜)의 농간으로 낙방

했다. 효종(孝宗) 즉위 후 진사를 하사받고 복주영덕현주부(福州寧德縣主簿), 칙령소산정관(勅令所删定官), 추밀원편수관(樞密院編修官) 등을 지냈으나 금(金)과의 항전을 주장하다 주화파들의 배척을 받아 면직됐다. 효종(孝宗) 건도(乾道) 7년(1171)에 사천선무사(四川宣撫使) 왕염(王炎)의 막료가 되어 남정〔南鄭, 지금의 섬서성(陝西省) 한중시(漢中市)〕에서 종군 생활을 했으나, 주화파들에 의해 왕염의 막부가 해산된 후 촉(蜀) 지역에서 머무르며 성도(成都), 가주(嘉州), 영주(榮州) 등지에서 지방관 생활을 했다. 순희(淳熙) 5년(1178) 임안(臨安)으로 돌아와 제거복건상평다염공사(提擧福建常平茶鹽公事) 제거강남서로상평다염공사(提擧江南西路常平茶鹽公事)를 지냈으며, 광종(光宗) 즉위 후 예부낭중겸실록원검토관(禮部郎中兼實錄院檢討官)을 맡았으나 '조롱하며 풍월(風月)을 노래한다'는 죄명으로 파직됐다. 영종(寧宗) 가태(嘉泰) 2년(1202) 수사관(修史官)으로 효종(孝宗)과 광종(光宗)의 『양조실록(兩朝實錄)』을 편찬한 후 산음(山陰)으로 들어가 평생 한거했다. 그의 시는 초기에는 강서시파(江西詩派)의 영향을 받아 형식수사 방면의 단련에 치우쳤지만 종군 생활 이후 호방하고 격정적인 필치로 중원의 회복과 오랑캐 섬멸을 주장하는 많은 우국시를 써 중국 최고의 애국 시인으로 평가된다. 저서로 『검남시고(劍南詩稿)』 『위남문집(渭南文集)』 『노학암필기(老學庵筆記)』 『남당서(南唐書)』 등이 있다.

이가우(李嘉祐, ?~?)

당(唐) 조주〔趙州, 지금의 하북성(河北省) 조현(趙縣)〕 사람으로 자가 종일(從一)이다. 현종(玄宗) 천보(天寶) 7년(748)에 진사에 급제하여 비서정자(祕書正字)를 지냈으며 파양(鄱陽)으로 폄적됐다가 강음령(江陰令)으로 옮겼다. 숙종(肅宗) 상원(上元) 연간에 대주자사(臺州刺史)를 지냈다가 다시 대종(代宗)

대력(大曆) 연간에 원주자사(袁州刺史)를 지냈다. 그의 시풍은 기려(綺麗)하고 화미(華靡)하여 남조(南朝) 제량(齊梁)의 풍격과 유사했으며 이백(李白), 유장경(劉長卿), 전기(錢起), 황보증(皇甫曾), 교연(皎然) 등과 교유했다. 저서로 『이가우집(李嘉祐集)』이 있다.

이교(李嶠, 645~714)

당(唐) 조주(趙州) 찬황〔贊皇, 지금의 하북성(河北省) 찬황현(贊皇縣)〕 사람으로 자가 거산(巨山)이다. 고종(高宗) 인덕(麟德) 원년(664)에 진사에 급제하여 안정위(安定尉), 장안위(長安尉), 감찰어사(監察禦史), 급사중(給事中), 윤주사마(潤州司馬), 봉각사인(鳳閣舍人), 인대소감(麟臺少監) 등을 지냈으며, 무측천(武則天)과 중종(中宗) 때 세 차례나 재상을 역임하고 조국공(趙國公)에 봉해졌다. 고종(高宗), 중종(中宗), 무후(武后), 예종(睿宗), 현종(玄宗) 등 5조를 섬기면서 처음에는 장역지(張易之) 형제와 무삼사(武三思)에 붙었다가 후에는 위후(韋后) 일당을 추종하여 후대의 평가는 좋지 않다. 시문에 뛰어나 소미도(蘇味道)와 더불어 '소이(蘇李)'로 병칭됐으며 두심언(杜審言), 최융(崔融), 소미도와 함께 '문장사우(文章四友)'로 불렸다.

이기(李頎, 690?~751?)

당(唐) 영양〔潁陽, 지금의 하남성(河南省) 등봉현(登封縣) 서쪽〕 사람으로 자나 호는 알려져 있지 않다. 현종(玄宗) 개원(開元) 23년(735)에 진사에 급제하여 신향현위(新鄕縣尉)를 지냈으나 오랫동안 지위가 올라가지 않자 바로 관직에서 물러나 영양의 동천(東川)에 은거했다. 왕유(王維), 기무잠(綦毋潛), 고적(高適), 왕창령(王昌齡) 등과 교유하며 시명(詩名)을 떨쳤으며, 칠언가행체(七言歌行體)와 칠언율시(七言律詩)에 뛰어났다. 변새시(邊塞詩)를 주로 썼으며 풍격이 호방(豪放)하고 강개(慷慨)했다. 『전당시(全唐詩)』에 시 3권이 있다.

이박(李朴, 1063~1127)

북송(北宋) 건주(虔州) 흥국〔興國, 지금의 강서성(江西省) 흥국현(興國縣)〕 사람으로 자가 선지(先之)이다. 철종(哲宗) 소성(紹聖) 원년(1094)에 진사에 급제하여 서경국자감교수(西京國子監敎授)를 지내며 정이(程頤)의 인정을 받았다. 성격이 강직하고 직언을 잘하여 건주교수(虔州敎授)로 있으면서 죽음을 두려워하지 않고 융우태후(隆佑太后) 폐위의 부당함을 간언했으며, 채경(蔡京)의 미움을 받아 사회령(四會令)으로 좌천됐다. 흠종(欽宗) 때 저작랑(著作郞)에 제수됐으며 고종(高宗) 초에 비서감(祕書監)에 제수됐으나 나아가지 못하고 죽었다. 사후 보문각대제(寶文閣待制)에 추증됐다. 저서로 『장공집(章貢集)』 20권이 있다.

이백(李白, 701~762)

당(唐) 농서(隴西) 성기〔成紀, 지금의 감숙성(甘肅省) 천수현(天水縣)〕 사람으로 자가 태백(太白)이고 호는 청련거사(青蓮居士)이다. 어려서 부친을 따라 면주(綿州) 창륭〔昌隆, 지금의 사천성(四川省) 강유시(江由市)〕으로 이주하여 소년 시절부터 유랑 생활을 즐겼으며 검술과 도교에 심취하기도 했다. 42세 때인 현종(玄宗) 천보(天寶) 원년(742)에 현종의 부름을 받아 한림학사(翰林學士)가 되었으나 고역사(高力士)와 양귀비(楊貴妃)의 음모로 2년 만에 물러나 유랑 생활을 했다. 이때 낙양(洛陽)에서 11살 아래의 두보와 만나 친교를 맺기도 했으며 천보(天寶) 14년(755) 안사(安史)의 난 때 현종(玄宗)이 사천(四川)으로 도망가고 숙종(肅宗)이 즉위하자 숙종의 동생 영왕(永王)

이린(李璘)의 부름을 받아 그의 반란에 가담했다가 실패하여 야랑〔夜郎, 지금의 귀주성(貴州省) 정안현(正安縣) 서북쪽〕으로 유배됐다. 후에 사면되어 금릉〔金陵, 지금의 강소성(江蘇省) 남경시(南京市)〕 등지를 떠돌다 당도〔當塗, 지금의 안휘성(安徽省) 당도현(當塗縣)〕로 가서 친족이었던 현령 이양빙(李陽氷)에게 의지하다 62세로 병사했다. 당대 낭만주의 시인의 대표로서 뛰어난 상상력과 호방한 감정을 바탕으로 자유분방하고 웅혼한 기세를 드러냈으며 고시(古詩), 악부시(樂府詩), 칠언절구(七言絶句)에 탁월한 재주를 보였다. 저서로 『이태백전집(李太白全集)』 36권이 있다.

이상은(李商隱, 813~858)

당(唐) 회주(懷州) 하내〔河內, 지금의 하남성(河南省) 심양현(沁陽縣)〕 사람으로 자가 의산(義山)이며 자칭 옥계자(玉溪子)라고 했다. 문종(文宗) 태화(太和) 3년(829)에 천평군절도사(天平軍節度使) 영호초(令狐楚)에게 문재(文才)를 인정받아 그의 막료가 되었다. 당시 조정은 우승유(牛僧孺)와 이덕유(李德裕) 사이의 당쟁이 심각했는데 영호초는 우파(牛派)에 속했다. 문종 개성(開成) 2년(837) 영호초의 아들 영호도(令狐綯)의 도움으로 진사에 급제했으나 영호초가 죽은 후 이파(李派)인 경원절도사(涇原節度使) 왕무원(王茂元)의 수하로 들어갔다. 이어 왕무원의 사위가 되고 그의 추천으로 비서성교서랑(祕書省校書郎)과 홍농위(弘農尉)에 올라 절조를 버렸다는 비난을 받았다. 무종(武宗) 회창(會昌) 3년(843)에 왕무원마저 세상을 뜨게 되자 더욱 곤궁해져 끝내 막료 신세를 면치 못했다. 변려문(駢儷文)의 대가이자 만당(晩唐) 유미주의의 대표 시인으로 두목(杜牧)과 함께 '이두(李杜)'로 병칭됐으며 온정균과 더불어 '온리(溫李)'로 병칭되기도 했다. 시에서 전고(典故)와 수식이 번다하여 시의(詩意)가 모호하다는 평을 받기는 하지만 애정시(愛情詩)와 영사시(詠史詩)에 높은 성취를 이루었으며, 북송(北宋) 때 양억(楊億)을 중심으로 한 서곤파(西崑派)의 시풍에 영향을 주었다. 저서로 『번남문집(樊南文集)』 8권과 『옥계생시(玉谿生詩)』 3권이 있다.

이섭(李涉 ?~?)

당(唐) 낙양〔洛陽, 지금의 하남성(河南省) 낙양시(洛陽市)〕 사람으로 자호가 청계자(淸溪子)이다. 일찍이 양원(梁園)에서 객지 생활을 했으며 병란을 만나 남방으로 피신하여 제자 이발(李渤)과 함께 여산(廬山) 향로봉(香爐峰) 아래에 은거했다. 헌종(憲宗) 때 태자통사사인(太子通事舍人)을 지냈으나 얼마 되지 않아 협주사창참군(峽州司倉參軍)으로 폄적됐다. 문종(文宗) 대화(大和) 연간(827~835)에 국자박사(國子博士)를 지내어 세칭 이박사(李博士)라 불렸다. 저서로 『이섭시(李涉詩)』 1권이 있으며 사(詞) 6수가 전한다.

이적지(李適之, 694~747)

당(唐) 농서(隴西) 성기〔成紀, 지금의 감숙성(甘肅省) 진안현(秦安縣)〕 사람으로 원명은 창(昌)이며, 태종(太宗) 이세민(李世民)의 증손이자 항산왕(恒山王) 이승건(李承乾)의 손자이다. 예종(睿宗) 신룡(神龍) 연간에 출사하여 좌위랑장(左衛郎將)이 되었으며 현종(玄宗) 개원(開元) 연간에 진주도독(秦州都督), 섬주자사(陝州刺史), 하남윤(河南尹) 등을 지냈다. 현종 천보(天寶) 원년(742) 좌승상(左丞相)이 되어 청화현공(淸和縣公)에 봉해졌으나 이임보(李林甫)와의 권력투쟁에서 패하여 태자소보(太子少保)로 쫓겨났다. 후에 의춘태수(宜春太守)로 폄적됐다가 그와 뜻을 함께했던 위견(韋堅)의 피살 소식을 듣고 두려움에 스스로 자결했다. 성격이 소탈하고 자유분방하여 이백과 더불어 음주팔선(飮酒八仙) 중의 하나로 꼽힌다.

임승(林升, ?~?)

남송(南宋) 시인으로 생졸년과 자세한 사적은 알려져 있지 않다.

임진(林稹, ?~?)

남송(南宋) 장주〔長洲, 지금의 강소성(江蘇省) 소주시(蘇州市)〕 사람으로 호가 단산(丹山)이다. 신종(神宗) 희녕(熙寧) 9년(1076)에 진사에 급제했으며 자세한 사적은 알려져 있지 않다. 「궁사(宮詞)」 100수가 전하고 있다.

임포(林逋, 967~1028)

북송(北宋) 전당〔錢唐, 지금의 절강성(浙江省) 항주시(杭州市)〕 사람으로 자가 군복(君復)이며 시호는 화정선생(和靖先生)이다. 평생 부귀를 추구하지 않고 서호(西湖)의 고산(孤山)에 은거하며 매화와 학 등 자연과 더불어 살다 독신으로 생을 마쳐 '매처학자(梅妻鶴子)'라 불린다. 저서로 『임화정집(林和靖集)』 4권이 있다.

잠삼(岑參, 715~770)

당(唐) 형주(荊州) 강릉〔江陵, 지금의 호북성(湖北省) 강릉현(江陵縣)〕 사람으로 잠가주(岑嘉州)라고도 불린다. 현종(玄宗) 천보(天寶) 3년(744)에 진사에 급제하여 우솔부병조참군(右率府兵曹參軍)을 지냈고, 천보 8년(749)에 안서절도사(安西節度使) 고선지(高仙芝) 막부의 장서기(掌書記)가 되어 이후 7년 동안 변방에 있다가 숙종(肅宗) 지덕(至德) 2년(757)에 장안(長安)으로 돌아갔다. 이후 우보궐(右補闕), 괵주장사(虢州長史), 관서절도판관(關西節度判官), 가주자사(嘉州刺史) 등을 역임했다. 변방의 황량한 풍경과 혹독한 기후환경, 전쟁의 참혹한 모습과 병사들의 고통, 소수민족들의 풍습과 문물 등을 시로 남겨 중국문학사상 '변새시(邊塞詩)'라는 시의 영역을 확립했으며, 고적(高適)과 더불어 당대(唐代) 변새시파(邊塞詩派)의 대표적인 시인으로 꼽힌다. 장편 가행체(歌行體)와 칠언절구에 특히 뛰어났다. 저서로 『잠가주집(岑嘉州集)』 10권이 있으며, 현재 400여 수의 작품이 전하고 있다.

장계(張繼, ?~?)

당(唐) 양주〔襄州, 지금의 호북성(湖北省) 양번시(襄樊市)〕 사람으로 자가 의손(懿孫)이다. 현종(玄宗) 천보(天寶) 12년(753)에 진사에 급제하여 검교사부원외랑(檢校祠部員外郞)과 홍주염철판관(洪州鹽鐵判官) 등을 지냈다. 유장경(劉長卿), 고황(顧況) 등과 교유하며 일찍부터 시명(詩名)을 떨쳤다. 전해지는 작품 수는 그리 많지 않으나 「풍교에서 밤에 정박하며(楓橋夜泊)」라는 절창은 지금껏 인구에 회자되고 있다. 『전당시(全唐詩)』에 시 1권이 있다.

장뢰(張耒, 1054~1114)

북송(北宋) 초주(楚州) 회음〔淮陰, 지금의 강소성(江蘇省) 회안시(淮安市)〕 사람으로 자가 문잠(文潛)이고 호는 가산(柯山)이다. 신종(神宗) 희녕(熙寧) 6년(1073)에 진사에 급제하여 철종(哲宗) 때에 기거사인(起居舍人), 지윤주(知潤州) 등을 지냈으며 원우당적(元祐黨籍)에 연루되어 선주(宣州)로 유배됐다. 휘종(徽宗) 때에 태상소경(太常少卿)으로 복귀했다가 다시 지영주(知潁州) 등의 외직으로 쫓겨났고 숭녕(崇寧) 연간(1102~1106) 초에 또다시 당적(黨籍)에 연루되어 관직에서 물러났다. 만년에는 진주(陳州)에 거했다. 황정견(黃庭堅), 조보지(晁補之), 진관(秦觀)과 함께 '소문사학사(蘇門四學士)' 가운데 한 사람이다. 그의 시는 평담(平淡)을 추구하여 백거이(白居易)를 본받았고, 악부(樂府)는 장적(張籍)에게서 배웠다. 저서로 『완구집(宛丘集)』 『가

산집(柯山集)』『명도잡지(明道雜志)』『시설(詩說)』 등이 있다.

장식(張栻, 1133~1180)

남송(南宋) 광한〔廣漢, 지금의 사천성(四川省) 광한시(廣漢市)〕 사람으로 자가 경부(敬夫) 또는 낙재(樂齋)이다. 장준(張浚)의 아들로 이부시랑(吏部侍郞) 등을 역임했다. 호오봉(胡五峯)의 학문을 이어받아 성리학에 관한 지식이 깊었고 '경(敬)' 문제에 관해 주자와 자주 논쟁을 벌여 그의 학문에 많은 영향을 주었다. 저서로 『남헌역설(南軒易說)』『수사언인(洙泗言仁)』『논어설(論語說)』『맹자설(孟子說)』 등이 있다.

장연(張演, ?~?)

당(唐) 의종(懿宗) 때 사람으로 생졸년과 출신이 알려져 있지 않다. 의종(懿宗) 함통(咸通) 13년(873)에 진사에 급제했으며 『전당시(全唐詩)』에 「사일에 마을에서 머물며(社日村居)」 시 1수만 전한다.

장열(張說, 667~730)

당(唐) 낙양〔洛陽, 지금의 하남성(河南省) 낙양시(洛陽市)〕 사람으로 자가 도제(道濟) 또는 열지(說之)이다. 무측천(武則天) 수공(垂拱) 4년(688)에 학종고금과(學綜古今科)에 급제하여 태자교서(太子校書)에 제수됐고 좌보궐(左補闕), 우사(右史), 내공봉(內供奉), 봉각사인(鳳閣舍人) 등을 역임했다. 예종(睿宗) 때 병부시랑(兵部侍郞), 동평장사(同平章事)를 지내고 연국공(燕國公)에 봉해졌으나, 요숭(姚崇)이 재상이 된 후 상주자사(相州刺史), 악주자사(岳州刺史)로 폄적됐다가 소정(蘇頲)의 진언에 의해 형주장사(荊州長史)로 옮겼다. 현종(玄宗) 즉위 후 우승상(右丞相), 좌승상(左丞相)을 지내다 개원(開元) 18년(730)

에 병사했다. 문장에 뛰어나 조정의 문서가 대부분 그의 손에서 나왔으며 허국공(許國公) 소정(蘇頲)과 함께 '연허대수필(燕許大手筆)'이라 불렸다. 저서로 『장연공집(張燕公集)』 25권이 있다.

장위(張謂, ?~?)

당(唐) 하내[河內, 지금의 하남성(河南省) 심양시(沁陽市)] 사람으로 자가 정언(正言)이다. 현종(玄宗) 천보(天寶) 2년(743)에 진사에 급제했으며 안서절도부대사(安西節度副大使) 봉상청(封常淸)의 막부에 들어가 참모로서 많은 공을 세웠다. 숙종(肅宗) 건원(乾元) 원년(758)에 상서랑(尙書郞)이 되어 하구(夏口)로 출사(出使)했다가 옛 친구 이백(李白)과 만나기도 했으며, 대종(代宗) 영태(永泰) 초에 회남(淮南) 전신공(田神功)의 막부에서 군직을 맡았다. 대종(代宗) 대력(大曆) 연간에 담주자사(潭州刺史)가 되어 원결(元結)과 교유했으며 조정으로 돌아와 태자좌서자(太子左庶子), 예부시랑(禮部侍郞) 등을 역임했다. 『전당시(全唐詩)』에 시 1권이 있다.

장호(張祜, 785?~849?)

당(唐) 동무[東武, 지금의 산동성(山東省) 무성현(武城縣)] 사람으로 자가 승길(承吉)이다. 일설에는 남양[南陽, 지금의 하남성(河南省) 남양현(南陽縣)]이라고 한다. 처음에는 소주(蘇州)에 살며 처사(處士)로 불리다가 이후 장안(長安)으로 옮겼다. 영호초(令狐楚)가 그를 아껴 적극적으로 추천했으나 원진(元稹)의 반대로 벼슬길이 막히게 되었다. 만년에는 단양[丹陽, 지금의 강소성(江蘇省) 단양시(丹陽市)]에 은거하며 산수를 유람했다. 백거이(白居易), 두목(杜牧) 등과 교유하며 시명(詩名)을 떨쳤다. 저서로 『장호시집(張祜詩集)』 10권이 있으며 『전당시(全唐詩)』에 시 2권이 있다.

저광희(儲光羲, 706?~763)

당(唐) 윤주(潤州) 연릉〔延陵, 지금의 강소성(江蘇省) 상주시(常州市)〕 사람으로 조적(祖籍)은 연주〔兗州, 지금의 산동성(山東省) 연주구(兗州區)〕이다. 현종(玄宗) 개원(開元) 14년(726)에 진사에 급제하여 풍익현위(馮翊縣尉)에 제수됐으며 사수(汜水), 안선(安宣), 하규(下邽) 등지의 현위(縣尉)를 지내다 낮은 관직에 회의를 품고 종남산(終南山)에 은거했다. 안사(安史)의 난으로 장안(長安)이 함락됐을 때 반군의 포로가 되어 억지로 관직을 맡았으나 난이 평정된 후 조정에 스스로 잘못을 아뢰고 투옥됐으며, 후에 영남(嶺南)으로 폄적되어 그곳에서 죽었다. 전원의 한적한 생활을 시로 노래하여 왕유(王維), 맹호연(孟浩然)과 더불어 당대 산수전원시파(山水田園詩派)의 대표적인 인물로 꼽힌다. 저서로 『정론(政論)』 15권, 『구경분의소(九經分義疏)』 20권 등이 있으며, 『전당시(全唐詩)』에 시 4권이 있다.

전기(錢起, 722~780)

당(唐) 오흥〔吳興, 지금의 절강성(浙江省) 호주시(湖州市)〕 사람으로 자가 중문(仲文)이다. 현종(玄宗) 천보(天寶) 10년(751)에 진사에 급제하여 교서랑(校書郞), 남전현위(藍田縣尉), 고공낭중(考功郎中)을 지내어 세칭 전고공(錢考功)이라 불린다. 후에 태청궁사(太淸宮使), 한림학사(翰林學士)를 역임했다. 대력십재자(大曆十才子)의 대표적인 인물로 오언율시(五言律詩)에 뛰어났으며 대체로 경물(景物)과 응수(應酬)를 많이 썼다. 시어가 청려(淸麗)하고 음률이 조화를 이루어 당시 가구(佳句)로 많은 주목을 받았다. 저서로 『전고공집(錢考功集)』 10권이 있으며 부(賦) 13편이 전한다.

정선지(丁仙芝, ?~?)

당(唐) 곡아〔曲阿, 지금의 강소성(江蘇省) 단양시(丹陽市)〕 사람으로 자가 원정(元禎)이다. 현종(玄宗) 개원(開元) 13년(725)에 진사에 급제했으나 곡절이 있어 개원 18년(730)까지 관직을 받지 못했다. 후에도 주부(主簿), 여항현위(餘杭縣尉) 등 낮은 직책을 지냈다. 『전당시(全唐詩)』에 시 14수가 있다.

정이(程頤, 1033~1107)

북송(北宋) 낙양〔洛陽, 지금의 하남성(河南省) 낙양시(洛陽市)〕 사람으로 자가 정숙(正叔)이고 호는 이천(伊川)이며 정숙선생(正叔先生)이라 불렸다. 24세에 태학(太學)에 나갔으며 형 정호(程顥)와 더불어 이정(二程)으로 불렸다. 정치적으로 왕안석(王安石)의 신법에 반대했고, 학문적으로는 우주본체를 리(理)로 보아 궁리(窮理)를 주장하여 후에 남송의 주희(朱熹)에 의해 계승되어 정주학(程朱學)으로 불렸다. 저서로 『역전(易傳)』 『춘추전(春秋傳)』이 있으며 후대 사람들이 정호의 저술과 합하여 간행한 『이정전서(二程全書)』가 있다.

정호(程顥, 1032~1085)

북송(北宋) 낙양〔洛陽, 지금의 하남성(河南省) 낙양시(洛陽市)〕 사람으로 자가 백순(白淳)이며 명도선생(明道先生)이라 불렸다. 태자중윤(太子中允), 감찰어사(監察御使), 호현주부(鄠縣主簿) 등을 역임했으며, 동생 정이(程頤)와 더불어 주돈이(周敦頤)에게 도학(道學)을 배워 이정(二程)으로 불렸다. 저서로 『명도집(明道集)』이 있으며 후대 사람들이 정이의 저술과 합하여 간행한 『이정전서(二程全書)』가 있다.

정회(鄭會, ?~?)

남송 귀계〔貴溪, 지금의 강서성(江西省) 귀계현(貴溪縣)〕 사람으로 자가 문겸(文謙) 또는 유극(有極)이고 호가 역산(亦山)이다. 어려서 주희(朱熹), 육구연(陸九淵)의 문하에서 수학했으며, 영종(寧宗) 가정(嘉定) 4년(1212) 진사에 급제하여 예부시랑(禮部侍郞)에 발탁됐다. 이종(理宗) 보경(寶慶) 원년(1225)에 사미원(史彌遠)이 정권을 잡자 병을 핑계로 고향으로 돌아와 82세로 세상을 떠났다. 시호는 문장(文莊)이며 저서로 『역산집(亦山集)』이 있었으나 지금은 전하지 않는다.

조빈(曹豳, 1170~1249)

남송(南宋) 온주(溫州) 서안〔瑞安, 지금의 절강성(浙江省) 서안현(瑞安縣)〕 사람으로 자가 서사(西士)이고 호는 동무(東畝) 또는 동유(東猷)이며 시호는 문공(文恭)이다. 영종(寧宗) 가태(嘉泰) 2년(1202) 진사에 급제하여 안길주교수(安吉州敎授)가 되었으며 중경부사법참군(重慶府司法參軍), 비서승(祕書丞), 절서제거상평(浙西提擧常平) 등을 역임했다. 이종(理宗) 가희(嘉熙) 초에 좌사간(左司諫)이 되어 왕만(王萬), 곽뢰경(郭磊卿), 서청수(徐淸叟)와 더불어 직언으로 명성이 높아 당시 '가희사간(嘉熙四諫)'이라 불렸다. 수보장각대제(守寶章閣待制)로 관직을 마쳤으며 『전송사(全宋詞)』에 사(詞) 2수가 있다.

조사수(趙師秀, 1170~1219)

남송(南宋) 영가〔永嘉, 지금의 절강성(浙江省) 온주시(溫州市)〕 사람으로 자가 자지(紫芝)이고 호는 영수(靈秀) 혹은 영지(靈芝)이며 천락(天樂)이라고도 부른다. 광종(光宗) 소희(紹熙) 원년(1190)에 진사에 급제하여 고안추관(高安推官) 등을 역임했다. 서조(徐照), 서기(徐璣), 옹권(翁卷) 등과 더불어 '영가사령(永嘉四靈)'이라 불리며, 만당(晩唐)의 가도(賈島)와 요합(姚合)을 법도로 삼아 자구의 단련과 기험한 표현을 추구했다.

조열지(晁說之, 1059~1129)

북송(北宋) 거야[鉅野, 지금의 산동성(山東省) 거야현(鉅野縣)] 사람으로 자가 이도(以道) 혹은 백이(伯以)이고 자호는 경우생(景迂生) 혹은 경우(景迂)이다. 시와 산수화에 능했으며 육경에 능통했고 특히 역학에 정통했다. 신종(神宗) 원풍(元豐) 5년(1082)에 진사에 급제하여 저작랑(著作郎), 비서감(祕書監), 중서사인(中書舍人) 등을 역임했다. 저서로 『유언(儒言)』『경우생집(景迂生集)』 등이 있다.

조영(祖詠, 699?~746?)

당(唐) 낙양[洛陽, 지금의 하남성(河南省) 낙양시(洛陽市)] 사람으로 자가 화생(和生)이다. 현종(玄宗) 개원(開元) 12년(724)에 진사에 급제하고 장열(張說)의 추천으로 가부원외랑(駕部員外郎)에 올랐다. 어려서부터 문명(文名)이 있었고 특히 시가 창작에 뛰어났다. 왕유(王維)와 절친하게 지내며 시로 창화(唱和)했으며 만년에 하남(河南) 여수(汝水) 일대에서 은거하며 살았다. 그의 시는 산수(山水)와 증우(贈友)의 내용이 주를 이루는데 언사(言辭)가 청신(清新)하고 세련됐다는 평가를 받는다. 「계문을 바라보며(望薊門)」 한 수를 제외하면 모두 오언시이다. 『전당시(全唐詩)』에 시 1권이 있으며 총 36수이다.

조정(趙鼎, 1085~1147)

남송(南宋) 해주(解州) 문희[聞喜, 지금의 산서성(山西省) 문희현(聞喜縣)] 사람으로 자가 원진(元鎭)이고 호는 득전거사(得全居士)이며 시호는 충간(忠簡)이다. 휘종(徽宗) 숭녕(崇寧) 5년(1106)에 진사에 급제하여 하남령(河南令), 낙양령(洛陽令)을 지냈으며, 고종(高宗) 건염(建炎) 초에 호부원외랑(戶部員外郎), 어사중승(禦史中丞), 첨서추밀원사(簽書樞密院事)를 역임했다. 고종 소흥(紹興) 연간에 몇 차례 재상을 지내며 낙학(洛學)을 추숭하여 '소원우(小元祐)'라 불렸으며, 금(金)과의 화친에 반대하다 진회(秦檜)의 모함을 받아 재상에서 파직되고 지천주(知泉州)로 좌천됐다. 후에 흥화군(興化軍), 길양군(吉陽軍) 등지로 폄적됐으며 식음을 끊고 자결했다. 사후에 풍국공(豐國公)에 추증됐으며 남송 중흥의 대표적인 재상으로서 조훈각(昭勳閣)의 24공신(功臣) 중의 하나로 배향됐다. 시, 문, 사(詞)에 모두 뛰어났으며 저서로 『충정덕문집(忠正德文集)』『득전거사사(得全居士詞)』 등이 있다.

조하(趙嘏, 806?~852?)

당(唐) 초주(楚州) 산양[山陽, 지금의 강소성(江蘇省) 회안시(淮安市)] 사람으로 자가 승우(承佑)이다. 생졸년은 분명하지 않으나 대략 헌종(憲宗) 원화(元和) 원년(806)에 태어난 것으로 여겨진다. 젊어서는 사방을 유람하고 다니다 문종(文宗) 대화(大和) 7년(833)에 예성시진사과(預省試進士科)에 급제했으며, 이후 오랫동안 장안에 머물며 권세가들에게 간알했다. 아울러 이 기간 중 멀리 영표(嶺表, 지금의 광동성과 광서성 일대) 지역으로 가 막부 생활을 하기도 했다. 무종(武宗) 회창(會昌) 2년(842)에 진사에 급제했고 회창 말 또는 대중 초에 위남위(渭南尉)로 임명됐으며, 선종(宣宗) 대중(大中) 6년(852)경에 위남위로 있으며 병사했다. 생전에 두목(杜牧)과 절친했으며, 그 외 원진(元稹), 심순(沈詢), 영호도(令狐綯), 배연한(裴延翰), 우승유(牛僧儒), 노간구(盧簡求) 등과도 많은 교유를 했다. 그의 시는 섬세하고 아름다운 표현으로 명성이 높았으며, 특히 칠언절구와 칠언율시에서 뛰어난 성취를 이룬 것으로 평가된다. 저서로 『위남집(渭南集)』 3권이 있다.

주방(朱放, ?~?)

당(唐) 양주(襄州) 양양〔襄陽, 지금의 호북성(湖北省) 양양시(襄陽市)〕 사람으로 자가 장통(長通)이다. 생졸년은 알 수 없으며 대략 대종(代宗) 대력(大曆) 연간(766~779)에 생존했다. 처음에 한수(漢水) 가에서 살다가 기근을 피해 섬계(剡溪)와 경호(鏡湖)가로 옮겨 가 은거했으며 여성 시인 이야(李冶), 승려 교연(皎然)과 친분이 있었다. 대력 연간에 강서절도참모(江西節度參謀)로 초빙되어 나갔다가 돌아왔으며, 덕종(德宗) 정원(貞元) 2년(786)에 좌습유(左拾遺)로 초빙됐으나 나아가지 않았다. 『전당시(全唐詩)』에 시 1권이 있다.

주숙정(朱淑貞, 1135?~1180?)

남송(南宋) 전당〔錢塘, 지금의 절강성(浙江省) 항주시(杭州市)〕 사람으로 호가 유서거사(幽棲居士)이다. 주숙진(朱淑眞) 또는 주숙진(朱淑珍)이라고도 하며 송대 저명한 여성 시인 중 하나이다. 본디 문인 관료 집안 출신으로 어려서부터 총명하고 독서를 좋아했으나 자신과 취향이 다른 하급 관원과 결혼하여 불우한 결혼 생활을 했다. 따라서 그녀의 작품 속에는 비애와 울분이 가득하며, 그녀의 사후 부모가 생전의 그녀의 글을 모아 불태워버렸다고 한다. 그 일부가 현재 『단장시집(斷腸詩集)』 2권, 『단장사(斷腸詞)』 1권으로 남아 있다.

주필대(周必大, 1126~1204)

남송(南宋) 길주(吉州) 여릉〔廬陵, 지금의 강서성(江西省) 길안시(吉安市)〕 사람으로 자가 자충(子充) 또는 홍도(洪道)이고 호는 성재거사(省齋居士)이며 만년에는 평원노수(平園老叟)라 했다. 시호는 문충(文忠)이다. 고종(高宗) 소흥(紹興) 21년(1151)에 진사에 급제했으며 소흥 27년(1156)에 박학굉사과(博學宏詞科)에 합격했다. 관직은 좌승상(左丞相)에 이르렀으며 영종(寧宗) 초(1195~1224)에 소부(少傅)를 끝으로 관직에서 물러났다. 위국안민(衛國安民)의 충정과 강직한 성품으로 성실히 재상의 임무를 수행하여 칭송을 받았으며 시문 또한 뛰어났다. 관직에서 물러난 후 한탁주(韓侂胄)의 탄핵을 받기도 했다. 저서로 『옥당류고(玉堂類稿)』 『옥당잡기(玉堂雜記)』 등 81종이 있으며, 후대 사람들이 『익국주문충공전집(益國周文忠公全集)』을 편찬했다.

주희(朱熹, 1130~1200)

남송(南宋) 무원〔婺源, 지금의 강서성(江西省) 무원현(婺源縣)〕 사람으로 자가 원회(元晦) 또는 중회(仲晦)이고 호는 회암(晦庵), 회옹(晦翁), 운곡노인(雲谷老人), 둔옹(遯翁)이다. 유학자로 경학에 정통하여 도학(道學)과 이학(理學)을 합친 이른바 송학(宋學)을 집대성했다. 후대에 그를 주자(朱子)라 높이고 그의 학문을 주자학(朱子學)이라 칭했다. 저서로 『시전(詩傳)』 『사서집주(四書集註)』 『근사록(近思錄)』 『자치통감강목(資治通鑑綱目)』 등이 있다.

증기(曾幾, 1085~1166)

북송(北宋) 공주〔贛州, 지금의 강서성(江西省) 공주시(贛州市)〕 사람으로 자가 길보(吉甫)이고 자호는 다산거사(茶山居士)이다. 강서제형(江西提刑), 절서제형(浙西提刑), 비서소감(祕書少監), 예부시랑(禮部侍郎) 등을 역임했다. 학식이 깊고 고체시와 근체시에 뛰어났으며 후대 사람들이 강서시파(江西詩派)의 일원으로 포함했다. 저서로 『역석상(易釋象)』 『다산집(茶山集)』 등이 있다.

지남(志南, ?~?)

남송(南宋)의 승려로 알려진 사적이 없다. 그의 시에 대해 주희(朱熹)의 발문에서는 시가 청려(淸麗)하고 격조가 한가로우며 맛이 시거나 단 기운이 없다고 평했다.

진단(陳摶, 871~989)

북송(北宋) 박주(亳州) 진원〔眞源, 지금의 하남성(河南省) 박주시(亳州市)〕 사람으로 자가 도남(圖南)이고 호가 부요자(扶搖子)이며 백운선생(白雲先生)과 희이선생(希夷先生)의 칭호를 하사받았다. 북송의 저명한 도가학자(道家學者)로 후당(後唐) 명종(明宗) 장흥(長興) 3년(932)에 진사과에 응시했으나 낙방하고 청태(淸泰) 2년(935) 무당산(武當山) 구석암(九石巖)에 은거했다. 후진(後晉) 고조(高祖) 천복(天福) 4년(939)에 아미산(峨眉山)에서 강학하여 '아미진인(峨眉眞人)'이라 불렸으며, 천복 12년(947)에 화산(華山) 운대관(雲臺觀)으로 들어가 은거했다. 후주(後周) 세종(世宗) 현덕(顯德) 3년(956)에 세종의 부름을 받아 간의대부(諫議大夫)에 임명됐으나 나아가지 않고 백운선생의 칭호를 받았으며, 송(宋) 태종(太宗)을 친견하고 희이선생을 하사받았다. 태종(太宗) 단공(端拱) 원년(988)에 화산 장초곡(張超谷)에서 향년 118세로 세상을 떠났다. 저서로 『태식결(胎息訣)』 『역룡도서(易龍圖序)』 『태극음양설(太極陰陽說)』 등이 있다.

진자앙(陳子昂, 661~702)

당(唐) 사홍〔射洪, 지금의 사천성(四川省) 사홍현(射洪縣)〕 사람으로 자가 백옥(伯

玉)이고 진습유(陳拾遺)라고도 불렸다. 어려서는 부유한 가정환경 덕에 돈을 가벼이 쓰며 사냥과 유희에 빠졌다가 우연히 공부에 몰두한 젊은이들의 모습을 본 뒤로 깨달은 바가 있어 학업에 전념했다. 예종(睿宗) 문명(文明) 원년(684)에 진사에 급제했으며 이후 측천무후(則天武后)의 눈에 들어 우습유(右拾遺)에까지 올랐다. 초당(初唐) 시기에 유행했던 궁체시(宮體詩)와 변려문(騈儷文)의 폐단을 바로잡고자 했으며, '한위풍골(漢魏風骨)'의 계승을 주장하며 강건하고 중후한 시를 써서 성당시(盛唐詩) 발전의 토대를 만들었다. 대표작으로 「감우시(感遇詩)」 38수가 있으며 저서로 『진자앙집(陳子昂集)』 10권이 있다.

채양(蔡襄, 1012~1067)

북송(北宋) 선유〔仙遊, 지금의 복건성(福建省) 선유현(仙遊縣)〕 사람으로 자가 군모(君謨)이다. 인종(仁宗) 천성(天聖) 8년(1030)에 진사에 급제하여 관각교감(館閣校勘), 지간원(知諫院), 지제고(知制誥), 용도각직학사(龍圖閣直學士), 한림학사(翰林學士) 등을 지냈으며 복건로전운사(福建路轉運使)로 나가 천주(泉州), 복주(福州), 개봉(開封), 항주(杭州)의 지사(知事)를 역임했다. 시호는 충혜(忠惠)이다. 성품이 바르고 곧아 관직에 있으면서 많은 공적을 남겼다. 천주(泉州)에 있을 때 만안교(萬安橋)를 세웠으며 건주(建州)에서는 역로(驛路) 700리에 소나무를 심고 무이차(武夷茶)의 소룡단(小龍團)을 제작하기도 했다. 『다록(茶錄)』을 저술하여 고대 차의 제조와 품평을 종합했으며, 세계 최고의 과수분류학 저서로 인정받는 『여지보(荔枝譜)』를 저술했다. 시문뿐 아니라 서법에도 뛰어나 소식(蘇軾), 황정견(黃庭堅), 미불(米芾)과 함께 북송의 사대서법가(四大書法家)로 꼽힌다. 저서로 『채충혜공전집(蔡忠惠公全集)』이 있다.

채확(蔡確, 1037~1093)

북송(北宋) 천주〔泉州, 지금의 복건성(福建省) 천주시(泉州市)〕 사람으로 자가 지정(持正)이다. 인종(仁宗) 가우(嘉祐) 4년(1059)에 진사에 급제하여 빈주사리참군(邠州司理參軍), 지제고(知制誥), 지간원(知諫院), 어사중승(御史中丞), 참지정사(參知政事) 등을 지냈으며, 철종(哲宗) 원우(元祐) 원년(1086)에 파직되어 관문전학사(觀文殿學士), 지진주(知陳州) 등을 지냈다. 누차 폄적되어 영주별가(英州別駕)가 되었고 신주(新州)에 안치됐다가 그곳에서 죽었다. 시호는 충회(忠懷)이다. 왕안석 신법당의 중견 인물로 권모술수에 뛰어나 『송사(宋史)·간신(奸臣)』에 전(傳)이 있다.

처묵(處默, ?~?)

당대(唐代) 말엽의 시승(詩僧)으로 소종(昭宗) 광화(光化) 연간(898~901)에 여산(廬山)에 거주했으며 관휴(貫休), 나은(羅隱) 등과 교유했다. 『전당시(全唐詩)』에 시 8수가 있다.

최도(崔塗, 854~?)

당(唐) 절강성(浙江省) 부춘강(富春江) 일대의 강남 사람으로 자가 예산(禮山)이다. 희종(僖宗) 광계(光啓) 4년(888)에 진사에 급제했다. 오래도록 사천(四川)과 섬서(陝西) 일대를 떠돌아다니며 승려, 은자, 도사들과 교유했다. 『전당시(全唐詩)』에 시 1권이 있다.

최호(崔顥, 704~754)

당(唐) 변주〔汴州, 지금의 하남성(河南省) 개봉시(開封市)〕 사람이다. 현종(玄宗) 개원(開元) 11년(723)에 진사에 급제하여 태복시승(太僕寺丞), 사훈원외랑

(司勳員外郞) 등을 역임했다. 젊은 시절에는 술과 도박에 빠져 시의(詩意)가 부염(浮艶)하고 경박했으나 후에 변방 생활을 겪은 뒤로는 시체가 급변하여 풍격이 웅장하고 자연스러워졌다. 대표작 「황학루(黃鶴樓)」는 당대(唐代)의 칠언율시(七言律詩) 가운데 최고로 평가된다. 『전당시(全唐詩)』에 시 1권이 있다.

태상은자(太上隱者, ?~?)

당대(唐代) 사람으로 누구인지 알 수 없다. 『전당시(全唐詩)』에 「답인(答人)」 시 1수만 있다.

하송(夏竦, 985~1051)

북송(北宋) 덕안〔德安, 지금의 강서성(江西省) 덕안현(德安縣)〕 사람으로 자가 자교(子喬)이다. 인종(仁宗) 천성(天聖) 연간에 추밀부사(樞密副使)를 지내고 무녕군절도사(武寧郡節度使), 참지정사(參知政事) 등을 역임했으며 정국공(鄭國公)에 봉해졌고 시호는 문장(文莊)이다. 문무(文武)에 뛰어나고 정사와 문학에도 많은 성취가 있었으나 권술(權術)을 숭상하고 탐욕스러웠으며 구양수(歐陽修), 석개(石介) 등과 같은 개혁파들을 탄압했다.

하지장(賀知章, 659~744)

당(唐) 월주(越州) 영흥〔永興, 지금의 절강성(浙江省) 소산시(蕭山市)〕 사람으로 자가 계진(季眞) 또는 유마(維摩)이고 호는 사명광객(四明狂客)이다. 측천무후(則天武后) 증성(證聖) 원년(695)에 진사에 급제하여 태상박사(太常博士), 예부시랑(禮部侍郞), 태자빈객(太子賓客), 비서감(秘書監) 등을 역임했으며, 현종(玄宗) 천보(天寶) 3년(744)에 고향으로 돌아가 도사(道士)가 되었다. 장욱(張旭), 이백(李白) 등과 어울리며 풍류와 술을 즐겨 '취중팔선(醉中八仙)'이라 불렸고, 포융(包融), 장욱(張旭), 장약허(張若虛)와 함께 '오중사사(吳中四士)'로 불렸다. 절구(絶句)에 능했으며 서예가로도 유명하다. 『전당시(全唐詩)』에 시 19수가 있다.

한굉(韓翃, ?~?)

당(唐) 남양[南陽, 지금의 하남성(河南省) 남양시(南陽市)] 사람으로 자가 군평(君平)이다. 현종(玄宗) 천보(天寶) 13년(754)에 진사에 급제했으며, 숙종(肅宗) 보응(寶應) 연간(762~763)에 치청절도사(淄靑節度使) 후희일(侯希逸)의 막부에서 종사하다 후희일과 함께 조정으로 돌아와 장안에서 10여 년을 한거했다. 덕종(德宗) 건중(建中) 연간(780~783)에 「한식(寒食)」 시로 덕종의 인정을 받아 승진을 거듭하여 관직이 중서사인(中書舍人)에 이르렀다. 필법이 가볍고 정교했으며 경치 묘사에 특히 뛰어났다. 노륜(盧綸), 전기(錢起) 등과 더불어 '대력십재자(大曆十才子)' 중 한 사람에 속한다. 저서로 『한군평시집(韓君平詩集)』이 있다.

한유(韓愈, 768~824)

당(唐) 하양[河陽, 지금의 하남성(河南省) 맹현(孟縣)] 사람으로 자가 퇴지(退之)이고 시호가 문공(文公)이다. 조적(祖籍)이 하남(河南) 창려현(昌黎縣)이라 세칭 한창려(韓昌黎)라 불렸다. 덕종(德宗) 정원(貞元) 8년(792)에 진사에 급제하여 감찰어사(監察御使)가 되었으나 간언하다 양산령(陽山令)으로 폄적됐으며, 헌종(憲宗) 원화(元和) 12년(817) 재상 배도(裵度)를 따라 회서(淮西) 지방의 반란을 평정한 후 형부시랑(刑部侍郎)에 올랐다. 원화 14년(819)에 헌종이 궁에 부처의 사리(舍利)를 모시는 것을 반대하다 조주자사(潮州

刺史)로 폄적됐으며, 헌종 사후 소환되어 국자좨주(國子祭酒), 병부시랑(兵部侍郎), 이부시랑(吏部侍郎)에 올랐다. 육경(六經)과 제자(諸子) 등에 통달하고 유가 학통을 계승하여 성인의 도(道)를 밝히는 데 큰 뜻을 두었으며, 유가사상을 숭배하고 도교와 불교를 배격하여 송대(宋代) 이후 성리학의 선구자가 되었다. 당송팔대가(唐宋八大家)의 한 사람으로 유종원(柳宗元) 등과 함께 변문(騈文)을 반대하고 고문운동(古文運動)을 창도하여 송대 문단에 많은 영향을 미쳤다. 저서로 『한창려집(韓昌黎集)』 40권, 『외집(外集)』 10권, 『유문(遺文)』 1권 등이 있다.

현종황제(玄宗皇帝, 685~762)

당(唐) 현종(玄宗) 이융기(李隆基)로, 고종(高宗) 이치(李治)의 손자이자 예종(睿宗) 이단(李旦)의 삼자(三子)이다. 예종(睿宗) 원년(710)에 태평공주(太平公主)와 연합하여 당시 섭정하던 위후(韋后)를 죽이고 아버지 이단을 예종으로 세웠으며, 선천(先天) 원년(712)에 즉위하여 천보(天寶) 15년(756)까지 45년을 재위했다. 요숭(姚崇), 송경(宋璟) 등을 재상으로 임명하여 태종(太宗) 이세민(李世民)이 이룩한 태평성세에 버금가는 치세를 이룩하여 '개원지치(開元之治)'라 칭송되었다. 만년에는 충언하는 대신들을 내치고 아첨하는 신하들을 중용하여 장구령(張九齡)을 해임하고 간신 이임보(李林甫)를 승상으로 삼았으며, 귀비(貴妃) 양옥환(楊玉環), 절도사 안녹산(安祿山), 양국충(楊國忠) 등을 신임하면서 국정이 쇠락했다. 천보(天寶) 14년(755)에 안녹산이 부하 사사명(史思明)과 함께 양국충 타도를 명분으로 안사(安史)의 난을 일으키자 성도(成都)로 피신했으며, 아들 숙종(肅宗) 이형(李亨)에게 제위를 계승하고 태상황(太上皇)이 되었다. 장안이 수복된 후 천보 16년(757) 12월에 장안으로 돌아가 감로전(甘露殿)에 거처하며 쓸쓸히 지내다 5년 후인 숙종(肅宗) 보응(寶應) 원년(762) 5월에 붕어했다. 서예와 음악에 뛰어났으며 시에서도 웅건한 필력을 드러냈다. 『전당시(全唐詩)』에 시 1권이 있다.

혜홍(惠洪, 1070~1128)

북송(北宋) 균주〔筠州, 지금의 강서성(江西省) 고안현(高安縣)〕 사람으로 속성(俗姓)은 팽(彭)이며 자가 각범(覺範)이다. 북송의 저명한 시승(詩僧)으로 14세 때 양친이 죽고 절에 들어가 사미(沙彌)가 되었으며 19세 때 도성으로 들어와 천왕사(天王寺)에서 승려가 되었다. 후에 여산(廬山)에 들어가 진정선사(眞靜禪師)에게 의탁했으며 그를 따라 정안(靖安) 보봉사(寶峰寺)로 옮겨 가 살았다. 붕당의 옥사에 연루되어 두 차례 투옥됐으며, 해남도(海南島)로 유배됐다가 휘종(徽宗) 정화(政和) 3년(1113)에 방면되어 승적을 회복했다. 그의 시풍은 굳세면서도 시원했고 기세도 빼어났다. 그가 저술한 『냉재야화(冷齋夜話)』 10권은 당시 문단의 상황, 작가의 에피소드, 시문 평론을 기술하고 있는데 소식과 황정견의 관점을 많이 인용했으며, 『천주금련(天廚禁臠)』 3권은 당송 시인의 시를 법식으로 삼아 시격을 논했다. 저서로 『석문문자선(石門文字禪)』 『임간집(林間集)』 등이 있다.

홍자기(洪咨夔, 1176~1235)

남송(南宋) 어잠〔於潛, 지금의 절강성(浙江省) 항주시(杭州市)〕 사람으로 자가 순유(舜俞)이고 호는 평재(平齋)이다. 영종(寧宗) 가태(嘉泰) 2년(1202) 진사에 급제하여 여고주부(如皐主簿), 요주교수(饒州教授)를 지냈으며 이종(理宗) 때 형부상서(刑部尚書), 한림학사(翰林學士) 등을 역임했다. 진덕수(眞德秀) 등과 교유했으며 시풍은 강서시파(江西詩派)와 유사했다. 저서로 『춘추설(春秋

說)』 3권, 『서한조령람초(西漢詔令攬鈔)』 『평재집(平齋集)』 등이 있다.

황보염(皇甫冉, 718?~771?)

당(唐) 단양〔丹陽, 지금의 강소성(江蘇省) 단양현(丹陽縣)〕 사람으로 자가 무정(茂政)이다. 현종(玄宗) 천보(天寶) 15년(756)에 진사에 급제하여 무석위(無錫尉)를 지냈다. 대종(代宗) 대력(大曆) 초에 하남절도사(河南節度使) 왕진(王縉)의 막료로 들어가 장서기(掌書記)를 맡았으며 이후 좌습유(左拾遺), 우보궐(右補闕) 등을 역임했다. 10세부터 시문에 재주를 보여 장구령(張九齡)이 소우(小友)라 불렀다. 시풍은 청신(淸新)하고 표일(飄逸)했으며 대체로 방랑 생활의 감회와 안사(安史)의 난의 상황을 주로 다루었다. 저서로 『황보염집(皇甫冉集)』 3권이 있으며 『전당시(全唐詩)』에 시 2권이 있다.

황정견(黃庭堅, 1045~1115)

북송(北宋) 홍주(洪州) 분녕〔分寧, 지금의 강서성(江西省) 수수현(修水縣)〕 사람으로 자가 노직(魯直)이고 호는 부옹(涪翁) 또는 산곡도인(山谷道人)이다. 소식(蘇軾)의 시우(詩友)이자 장뢰(張耒), 진관(秦觀), 조보지(晁補之) 등과 함께 '소문사학사(蘇門四學士)'라 불리며 시에 있어 독자적인 경지를 개척하여 소식과 더불어 '소황(蘇黃)'이라 불린다. 두보(杜甫)의 시를 추숭하여 진사도(陳師道), 진여의(陳與義)와 더불어 '일조삼종(一祖三宗)'이라 불리며, 두보의 엄정한 시격과 시율을 추구하여 점철성금(點鐵成金)과 환골탈태(換骨奪胎)를 시법으로 하는 강서시파(江西詩派)를 창시했다. 저서로 『예장황선생문집(豫章黃先生文集)』 등이 있다.

기획의 말

세계문학과 한국문학 간에 혈맥이 뚫려, 세계-한국문학의 공진화가 개시되기를

21세기 한국에서 '세계문학'을 읽는다는 것은 무엇을 뜻하는가? 자국문학 따로 있고 그 울타리 바깥에 세계문학이 따로 있다는 말인가? 이제 한국문학은 주변문학이 아니며 개별문학만도 아니다. 김윤식·김현의 『한국문학사』(1973)가 두 개의 서문을 통해서 "한국문학은 주변문학을 벗어나야 한다"와 "한국문학은 개별문학이다"라는 두 개의 명제를 내세웠을 때, 한국문학은 아직 주변문학이었다. 한데 그 이후에도 여전히 한국문학은 주변문학이었다. 왜냐하면 "한국문학은 이식문학이다"라는 옛 평론가의 망령이 여전히 우리의 의식을 장악하고 있었기 때문이다. 그렇게 생각하고 그렇게 읽고, 써온 것이었다. 그리고 얼마간 그런 생각에 진실이 포함되어 있는 것도 사실이었다. 그러나 천천히, 그것도 아주 천천히, 경제성장이나 한류보다는 훨씬 느리게, 한국문학은 자신의 '자주성'을 세계에 알리며 그 존재를 세계지도의 표면 위에 부조시키고 있었다. 그런 와중에 반대 방향에서 전혀 다른 기운이 일어나 막 세계의 대양에 돛을 띄운 한국문학에 위협적인 격랑을 밀어붙이고 있었다. 20세기 말부터 본격화된 '세계화'의 바람은 이제 경제적 재화뿐만이 아니라 어떤 나라의 문화물도 국가 단위로만 존재할 수 없게 하였던 것이니, 한국문학 역시 세계문학의 한 단위라는 위상을 요구받게 되었던 것이다.

그러니 21세기 한국에서 세계문학을 읽는다는 것은 진정 무엇을 뜻하는가? 무엇보다도 세계문학이라는 개념을 돌이켜 볼 때가 되었다. 그동안 세계문학은 '보편문학'의 지위를 누려왔다. 즉 세계문학은 따라야 할 모범이고 존중해야 할 권위이며 자국문학이 복종해야 할 상급 문학이었다. 그리고 보편문학으로서의 세계문학의 반열에 올라간 작품들은 18세기 이래 강대국의 지위를 누려온 국가의 범위 안에서 설정되기가 일쑤였다. 이렇게 해서 세계 각국의 저마다의 문학은 몇몇 소수의 힘 있는 문학들의 영향 속에서 후자들을 추종하는 자세로 모가지를 드리워왔던 것이다. 이제 세계문학에게 본래의 이름을 돌려줄 때가 되었다. 즉 세계문학은 보편문학이 아니라 세계인 모두가 향유할 수 있도록 전 세계 방방곡곡에서 씌어져서 지구적 규모의 연락망을 통해 배달되는 지구상의 모든 문학이라고 재정의할 때가 되었다. 이러한 재정의에는 오로지 질적 의미의 삭제와 수량적 중성화만 있는 게 아니다. 모든 현상학적 환원에는 그 안에 진정한 가치를 향해 나아가고자 하는 지향성이 움직이고 있다. 20세기 막바지에 불어닥친 세계화 토네이도가 애초에는 신자유주의적 탐욕 속에서 소수의 대국 기업에 의해 주도되었으나 격심한 우여곡절을 겪으며 국가 간 위계질서를 무너뜨리는 평등한 교류로서의 대안-세계화의 청사진을 세계인의 마음속에 심게 하였듯이, 오늘날 모든 자국문학이 세계문학의 단위로 재편되는 추세가 보편문학의 성채도 덩달아 허물게 되어, 지구상의 모든 문학들이 공평의

체 위에서 토닥거리는 게 마땅하다는 인식이 일상화까지는 아니더라도 최소한 정당화되고 잠재적으로 전망되는 여건을 만들어내게 되었던 것이다.

또한 종래 세계문학의 보편문학적 지위는 공간적 한계만을 야기했던 게 아니다. 그 보편문학이 말 그대로 보편성을 확보했다기보다는 실상 협소한 문학적 기준에 근거한 한정된 작품 집합에 머무르기 일쑤였다. 게다가, 문학의 진정한 교류가 마음의 감동에서 움트는 것일진대, 언어의 상이성은 그런 꿈을 자주 흐려왔으니, 조급한 마음은 그런 어둠 사이에 상업성과 말초적 자극성이라는 아편을 주입하여 교류를 인공적으로 촉진시키곤 하였다. 이제 우리는 그런 편법과 왜곡을 막기 위해서, 활짝 개방된 문학적 관점을 도입하여, 지금까지 외면당하거나 이런저런 이유로 파묻혀 있던 숨은 걸작들을 발굴하여 널리 알리고 저마다의 문학을 저마다의 방식으로 감상할 수 있는 음미의 물관을 제공해야 할 것이다. 실로 그런 취지에서 보자면 우리는 한국에 미만한 수많은 세계문학전집 시리즈들이 과거의 세계문학장을 너무나 큰 어둠으로 가려오고 있었다는 것을 절감한다.

이와 같은 인식하에 '대산세계문학총서'의 방향은 다음으로 모인다. 첫째, '대산세계문학총서'의 기준은 작품의 고전적 가치이다. 그러나 설명이 필요하다. 이 고전은 지금까지 고전으로 인정된 것들에 갇히지 않는다. 우리가 생각하는 고전성은 추상적으로는 '높은 문학성'을 가리킬 터이지만, 이 문학성이란 이미 확정된 규칙들에 근거한 문학성(그런 문학성은 실상 존재하지 않거니와)이 아니라, 오로지 저만의 고유한 구조를 통해 조직되는데 희한하게도 독자들의 저마다의 수용 기관과 연결되는 소통로의 접속 단자가 풍요롭고, 그 전류가 진해서, 세계의 가장 많은 인구의 감성을 열고 지성을 드높일 잠재적 역능이 알차게 채워진 작품의 성질을 가리킨다. 이러한 기준은 결국 작품의 문학성이 작품이나 작가에 의해 혹은 독자에 의해 일방적으로 결정되는 것이 아니라, 세 주체의 협력에 의해 형성되며 동시에 그 형성을 통해서 작품을 개방하고 작가의 다음 운동을 북돋거나 작가를 재인식시키며, 독자의 감수성을 일깨워 그의 내부에 읽기로부터 쓰기로의 순환이 유장하도록 자극하는 운동을 낳는다는 점을 환기시키고 또한 그런 작품에 대한 분별을 요구한다.

이 첫번째 기준으로부터 두 가지 기준이 덧붙여 결정된다.

둘째, '대산세계문학총서'는 발굴하고 발견한다. 모르거나 잊힌 것을 발굴하여 문학의 두께를 두텁게 하고, 당대의 유행을 따라가기보다는 또한 단순히 미래를 예측하기보다는 차라리 인류의 미래를 공진화적으로 개방할 수 있는 작품을 발견하여 문학의 영역을 확장할 것을 목표로 한다. 이는 또한 공동선의 실현과 심미안의 집단적 수준의 진화에 맞추어 작품을 선별한다는 것을 뜻한다.

셋째, '대산세계문학총서'가 지구상의 그리고 고금의 모든 문학작품들에게 열려 있다면, 그리고 이 열림이 지금까지의 기술 그대로 그 고유성을 제대로 활성화시키는 방식으로 진행되는 것이라면, 이는 궁극적으로 '가장 지역적인 문학이 가장 세계적인 문학'이라는 이상적 호환성을 추구한다는 것을 가리킨다. 이는 또한 '대산세계문학총서'의 피드백에도 그대로 적용될 것이다. 즉 '대산세계문학총서'의 개개 작품들은 한국의 독자들에게 가장 고유한 방식으로 향유될 터이고, 그럴 때에 그 작품의 세계성이 가장 활발하게 현상되고 작용할 것이다.

이러한 기준들을 열린 자세와 꼼꼼한 태도로 섬세히 원용함으로써 우리는 '대산세계문학총서'가 그 발굴과 발견을 통해 세계문학의 영역을 두텁고 넓게 하는 과정 그 자체로서 한국 독자들의 문학적 안목과 감수성을 신장시키는 데 기여할 것을 기대하며, 재차 그러한 과정이 한국문학의 체내에 수혈되어 한국문학의 도약이 곧바로 세계문학의 진화로 이어지게끔 하기를 희망한다. 이는 우리가 '대산세계문학총서'를 21세기의 한국사회에서 수행하는 근본적인 소이이다. 독자들의 뜨거운 호응을 바라마지않는다.

'대산세계문학총서' 기획위원회

대산세계문학총서

001-002 소설 **트리스트럼 섄디**(전 2권) 로렌스 스턴 지음 | 홍경숙 옮김

003 시 **노래의 책** 하인리히 하이네 지음 | 김재혁 옮김

004-005 소설 **페리키요 사르니엔토**(전 2권)
호세 호아킨 페르난데스 데 리사르디 지음 | 김현철 옮김

006 시 **알코올** 기욤 아폴리네르 지음 | 이규현 옮김

007 소설 **그들의 눈은 신을 보고 있었다** 조라 닐 허스턴 지음 | 이시영 옮김

008 소설 **행인** 나쓰메 소세키 지음 | 유숙자 옮김

009 희곡 **타오르는 어둠 속에서/어느 계단의 이야기**
안토니오 부에로 바예호 지음 | 김보영 옮김

010-011 소설 **오블로모프**(전 2권) I. A. 곤차로프 지음 | 최윤락 옮김

012-013 소설 **코린나: 이탈리아 이야기**(전 2권) 마담 드 스탈 지음 | 권유현 옮김

014 희곡 **탬벌레인 대왕/몰타의 유대인/파우스투스 박사**
크리스토퍼 말로 지음 | 강석주 옮김

015 소설 **러시아 인형** 아돌포 비오이 까사레스 지음 | 안영옥 옮김

016 소설 **문장** 요코미쓰 리이치 지음 | 이양 옮김

017 소설 **안톤 라이저** 칼 필립 모리츠 지음 | 장희권 옮김

018 시 **악의 꽃** 샤를 보들레르 지음 | 윤영애 옮김

019 시 **로만체로** 하인리히 하이네 지음 | 김재혁 옮김

020 소설 **사랑과 교육** 미겔 데 우나무노 지음 | 남진희 옮김

021-030 소설 **서유기**(전 10권) 오승은 지음 | 임홍빈 옮김

031 소설 **변경** 미셸 뷔토르 지음 | 권은미 옮김

032–033 소설 **약혼자들**(전 2권) 알레산드로 만초니 지음 | 김효정 옮김

034 소설 **보헤미아의 숲/숲 속의 오솔길** 아달베르트 슈티프터 지음 | 권영경 옮김

035 소설 **가르강튀아/팡타그뤼엘** 프랑수아 라블레 지음 | 유석호 옮김

036 소설 **사탄의 태양 아래** 조르주 베르나노스 지음 | 윤진 옮김

037 시 **시집** 스테판 말라르메 지음 | 황현산 옮김

038 시 **도연명 전집** 도연명 지음 | 이치수 역주

039 소설 **드리나 강의 다리** 이보 안드리치 지음 | 김지향 옮김

040 시 **한밤의 가수** 베이다오 지음 | 배도임 옮김

041 소설 **독사를 죽였어야 했는데** 야샤르 케말 지음 | 오은경 옮김

042 희곡 **볼포네, 또는 여우** 벤 존슨 지음 | 임이연 옮김

043 소설 **백마의 기사** 테오도어 슈토름 지음 | 박경희 옮김

044 소설 **경성지련** 장아이링 지음 | 김순진 옮김

045 소설 **첫번째 향로** 장아이링 지음 | 김순진 옮김

046 소설 **끄르일로프 우화집** 이반 끄르일로프 지음 | 정막래 옮김

047 시 **이백 오칠언절구** 이백 지음 | 황선재 역주

048 소설 **페테르부르크** 안드레이 벨르이 지음 | 이현숙 옮김

049 소설 **발칸의 전설** 요르단 욥코프 지음 | 신윤곤 옮김

050 소설 **블라이드데일 로맨스** 나사니엘 호손 지음 | 김지원 · 한혜경 옮김

051 희곡 **보헤미아의 빛** 라몬 델 바예–인클란 지음 | 김선욱 옮김

052 시 **서동 시집** 요한 볼프강 폰 괴테 지음 | 안문영 외 옮김

053 소설 **비밀요원** 조지프 콘래드 지음 | 왕은철 옮김

054–055 소설 **헤이케 이야기**(전 2권) 지은이 미상 | 오찬욱 옮김

056 소설 **몽골의 설화** 데. 체렌소드놈 편저 | 이안나 옮김

057 소설 **암초** 이디스 워튼 지음 | 손영미 옮김

058 소설 **수전노** 알 자히드 지음 | 김정아 옮김

059 소설 **거꾸로** 조리스–카를 위스망스 지음 | 유진현 옮김

060 소설 **페피타 히메네스** 후안 발레라 지음 | 박종욱 옮김

061 시 **납** 제오르제 바코비아 지음 | 김정환 옮김

062 시 **끝과 시작** 비스와바 쉼보르스카 지음 | 최성은 옮김

063 소설 **과학의 나무** 피오 바로하 지음 | 조구호 옮김

064 소설 **밀회의 집** 알랭 로브–그리예 지음 | 임혜숙 옮김

065 소설 **붉은 수수밭** 모옌 지음 | 심혜영 옮김

102 시 **송사삼백수** 주조모 엮음 | 이동향 역주

103 시 **문턱 너머 저편** 에이드리언 리치 지음 | 한지희 옮김

104 소설 **충효공원** 천잉전 지음 | 주재희 옮김

105 희곡 **유디트/헤롯과 마리암네** 프리드리히 헤벨 지음 | 김영목 옮김

106 시 **이스탄불을 듣는다**
오르한 웰리 카늑 지음 | 술탄 훼라 아크프나르 여 · 이현석 옮김

107 소설 **화산 아래서** 맬컴 라우리 지음 | 권수미 옮김

108–109 소설 **경화연(전 2권)** 이여진 지음 | 문현선 옮김

110 소설 **예피판의 갑문** 안드레이 플라토노프 지음 | 김철균 옮김

111 희곡 **가장 중요한 것** 니콜라이 예브레이노프 지음 | 안지영 옮김

112 소설 **파울리나 1880** 피에르 장 주브 지음 | 윤 진 옮김

113 소설 **위폐범들** 앙드레 지드 지음 | 권은미 옮김

114–115 소설 **업둥이 톰 존스 이야기(전 2권)** 헨리 필딩 지음 | 김일영 옮김

116 소설 **초조한 마음** 슈테판 츠바이크 지음 | 이유정 옮김

117 소설 **악마 같은 여인들** 쥘 바르베 도르비이 지음 | 고봉만 옮김

118 소설 **경본통속소설** 지은이 미상 | 문성재 옮김

119 소설 **번역사** 레일라 아부렐라 지음 | 이윤재 옮김

120 소설 **남과 북** 엘리자베스 개스켈 지음 | 이미경 옮김

121 소설 **대리석 절벽 위에서** 에른스트 윙거 지음 | 노선정 옮김

122 소설 **죽은 자들의 백과전서** 다닐로 키슈 지음 | 조준래 옮김

123 시 **나의 방랑—랭보 시집** 아르튀르 랭보 지음 | 한대균 옮김

124 소설 **슈톨츠** 파울 니종 지음 | 황승환 옮김

125 소설 **휴식의 정원** 바진 지음 | 차현경 옮김

126 소설 **굶주린 길** 벤 오크리 지음 | 장재영 옮김

127–128 소설 **비스와스 씨를 위한 집(전 2권)** V. S. 나이폴 지음 | 손나경 옮김

129 소설 **새하얀 마음** 하비에르 마리아스 지음 | 김상유 옮김

130 산문 **루테치아** 하인리히 하이네 지음 | 김수용 옮김

131 소설 **열병** 르 클레지오 지음 | 임미경 옮김

132 소설 **조선소** 후안 카를로스 오네티 지음 | 조구호 옮김

133–135 소설 **저항의 미학(전 3권)** 페터 바이스 지음 | 탁선미 · 남덕현 · 홍승용 옮김

136 소설 **신생** 시마자키 도손 지음 | 송태욱 옮김

137 소설 **캐스터브리지의 시장** 토머스 하디 지음 | 이윤재 옮김

138 소설 **죄수 마차를 탄 기사** 크레티앵 드 트루아 지음 | 유희수 옮김

139 자서전 **2번가에서** 에스키아 음파렐레 지음 | 배미영 옮김

140 소설 **묵동기담/스미다 강** 나가이 가후 지음 | 강윤화 옮김

141 소설 **개척자들** 제임스 페니모어 쿠퍼 지음 | 장은명 옮김

142 소설 **반짝이끼** 다케다 다이준 지음 | 박은정 옮김

143 소설 **제노의 의식** 이탈로 스베보 지음 | 한리나 옮김

144 소설 **흥분이란 무엇인가** 장웨이 지음 | 임명신 옮김

145 소설 **그랜드 호텔** 비키 바움 지음 | 박광자 옮김

146 소설 **무고한 존재** 가브리엘레 단눈치오 지음 | 윤병언 옮김

147 소설 **고야, 혹은 인식의 혹독한 길** 리온 포이히트방거 지음 | 문광훈 옮김

148 시 **두보 오칠언절구** 두보 지음 | 강민호 옮김

149 소설 **병사 이반 촌킨의 삶과 이상한 모험**
블라디미르 보이노비치 지음 | 양장선 옮김

150 시 **내가 얼마나 많은 영혼을 가졌는지** 페르난두 페소아 지음 | 김한민 옮김

151 소설 **파노라마섬 기담/인간 의자** 에도가와 란포 지음 | 김단비 옮김

152-153 소설 **파우스트 박사**(전 2권) 토마스 만 지음 | 김륜옥 옮김

154 시, 희곡 **사중주 네 편—T. S. 엘리엇의 장시와 한 편의 희곡**
T. S. 엘리엇 지음 | 윤혜준 옮김

155 시 **컬뤼스탄의 시** 배흐티야르 와합자대 지음 | 오은경 옮김

156 소설 **찬란한 길** 마거릿 드래블 지음 | 가주연 옮김

157 전집 **사랑스러운 푸른 잿빛 밤** 볼프강 보르헤르트 지음 | 박규호 옮김

158 소설 **포옹가족** 고지마 노부오 지음 | 김상은 옮김

159 소설 **바보** 엔도 슈사쿠 지음 | 김승철 옮김

160 소설 **아산** 블라디미르 마카닌 지음 | 안지영 옮김

161 소설 **신사 배리 린든의 회고록** 윌리엄 메이크피스 새커리 지음 | 신윤진 옮김

162 시 **천가시** 사방득, 왕상 엮음 | 주기평 역해